suhrkamp taschenbuch 368

D0626610

Hermann Hesse, am 2. 7. 1877 in Calw/Württemberg als Sohn eines baltendeutschen Missionars und einer württembergischen Missionarstochter geboren, 1946 ausgezeichnet mit dem Nobelpreis für Literatur, starb am 9. 8. 1962 in Montagnola bei Lugano.

Seine Bücher, Romane, Erzählungen, Betrachtungen, Gedichte, politischen und kulturkritischen Schriften sind mittlerweile in mehr als 50 Millionen Exemplaren in aller Welt verbreitet und haben ihn zum meistgelesenen europäischen Autor des 20. Jahrhunderts in den USA und in Japan gemacht.

Die seit Jahren wieder in den Mittelpunkt der Diskussion gerückten Romane Hermann Hesses haben ganz zu Unrecht die nicht weniger reichhaltigen und eigenständigen Erzählungen des Dichters etwas in den Hintergrund gedrängt. In verschiedenen Sammelbänden sowie in Zeitungen und Zeitschriften verstreut, waren sie schwerer zugänglich und konnten erst 1973 erstmals in einer großen Sonderausgabe zusammengefaßt werden. Der zweite unserer auf vier Bände angelegten Taschenbuchausgabe enthält Erzählungen aus Hesses Gaienhofener Jahren. Die meisten Geschichten dieses Bandes schildern Begebenheiten aus der Kindheit und Pubertät, dem Stadium der empfindlichsten Erlebnisfähigkeit, das inzwischen zu einem Zentralthema der modernen Psychologie geworden ist. Es sind vor allem die Erlebnisse aus Hesses Calwer Jahren, seiner imaginären »Kleinen Welt« von »Gerbersau«, die hier zu Wort kommen.

»Unter der dünnen Decke des ästhetischen Ebenmaßes seiner Erzählungen lauert der Wahnsinn der Welt. Alle seine Helden sind Bedrohte, Flüchtende, Wandernde, Selbstmörder und Heimatlose. Hesse weiß viel über die Zeit der Kindheit, der Jugend, der Pubertät. Das ist mir bei einem Autor dieser Qualität noch nicht begegnet. Er ist ja kein Jugendbuchautor. Er hat eine Einsicht in die Vorgänge der Kindheit, die ungewöhnlich ist. Hesse beschreibt die Zeit der Jugend, der Pubertät, in der die Weichen gestellt werden, entweder zu einem Leben der Anpassung, der Duckmäuserei, der Fremdbestimmung durch andere – oder zu einem eigenen Leben. Hesse hat Beziehungen zur Psychoanalyse gehabt, aber er schafft nicht Therapien und auch nicht einfach Kindheitserinnerungen. Er schafft Schönheit und Sprache, die einzige Möglichkeit, wirklich in die Kindheit, in die frühesten Schichten zurückzugehen. Die Lektüre seiner Werke ist eine Übung und Schulung sich zu verändern, tödlich gewordene Verhältnisse zu verlassen.«   *Karin Struck*

Hermann Hesse
Die Verlobung

Gesammelte Erzählungen

Band 2
1906 – 1908

Suhrkamp

Zusammengestellt von Volker Michels

suhrkamp taschenbuch 368
Erste Auflage 1977
© dieser Zusammenstellung
Suhrkamp Verlag Frankfurt a. Main 1977
© der hier erstmals publizierten Texte
Suhrkamp Verlag Frankfurt a. Main 1977
Quellennachweise am Ende des Bandes
Druck: Ebner Ulm · Printed in Germany
Umschlag nach Entwürfen von
Willy Fleckhaus und Rolf Staudt

5 6 7 8 9 10 – 87 86 85 84 83 82

Inhalt

Das erste Abenteuer

Sonderbar, wie Erlebtes einem fremd werden und entgleiten kann! Ganze Jahre, mit tausend Erlebnissen, können einem verloren gehen. Ich sehe oft Kinder in die Schule laufen und denke nicht an die eigene Schulzeit, ich sehe Gymnasiasten und weiß kaum mehr, daß ich auch einmal einer war. Ich sehe Maschinenbauer in ihre Werkstätten und windige Kommis in ihre Bureaus gehen und habe vollkommen vergessen, daß ich einst die gleichen Gänge tat, die blaue Bluse und den Schreibersrock mit glänzigen Ellenbogen trug. Ich betrachte in der Buchhandlung merkwürdige Versbüchlein von Achtzehnjährigen, im Verlag Pierson in Dresden erschienen, und ich denke nicht mehr daran, daß ich auch einmal derartige Verse gemacht habe und sogar demselben Autorenfänger auf den Leim gegangen bin.

Bis irgend einmal auf einem Spaziergang oder auf einer Eisenbahnfahrt oder in einer schlaflosen Nachtstunde ein ganzes vergessenes Stück Leben wieder da ist und grell beleuchtet wie ein Bühnenbild vor mir steht, mit allen Kleinigkeiten, mit allen Namen und Orten, Geräuschen und Gerüchen. So ging es mir vorige Nacht. Ein Erlebnis trat wieder vor mich hin, von dem ich seinerzeit ganz sicher wußte, daß ich es nie vergessen würde, und das ich doch jahrelang spurlos vergessen hatte. Ganz so wie man ein Buch oder ein Taschenmesser verliert, vermißt und dann vergißt, und eines Tages liegt es in einer Schublade zwischen altem Kram und ist wieder da und gehört einem wieder.

Ich war achtzehnjährig und am Ende meiner Lehrzeit in der Maschinenschlosserei. Seit kurzem hatte ich eingesehen, daß ich es in dem Fache doch nicht weit bringen würde, und war entschlossen, wieder einmal umzusatteln. Bis sich eine Gelegenheit böte, dies meinem Vater zu eröffnen, blieb ich noch im Betrieb und tat die Arbeit halb verdrossen, halb fröhlich wie einer, der schon gekündigt hat und alle Landstraßen auf sich warten weiß.

Wir hatten damals einen Volontär in der Werkstatt, dessen hervorragendste Eigenschaft darin bestand, daß er mit einer

7

reichen Dame im Nachbarstädtchen verwandt war. Diese Dame, eine junge Fabrikantenwitwe, wohnte in einer kleinen Villa, hatte einen eleganten Wagen und ein Reitpferd und galt für hochmütig und exzentrisch, weil sie nicht an den Kaffeekränzchen teilnahm und statt dessen ritt, angelte, Tulpen züchtete und Bernhardiner hielt. Man sprach von ihr mit Neid und Erbitterung, namentlich seit man wußte, daß sie in Stuttgart und München, wohin sie häufig reiste, sehr gesellig sein konnte.

Dieses Wunder war, seit ihr Neffe oder Vetter bei uns volontierte, schon dreimal in der Werkstatt gewesen, hatte ihren Verwandten begrüßt und sich unsere Maschinen zeigen lassen. Es hatte jedesmal prächtig ausgesehen und großen Eindruck auf mich gemacht, wenn sie in feiner Toilette mit neugierigen Augen und drolligen Fragen durch den rußigen Raum gegangen war, eine große hellblonde Frau mit einem Gesicht so frisch und naiv wie ein kleines Mädchen. Wir standen in unseren öligen Schlosserblusen und mit unseren schwarzen Händen und Gesichtern da und hatten das Gefühl, eine Prinzessin habe uns besucht. Zu unseren sozialdemokratischen Ansichten paßte das nicht, was wir nachher jedesmal einsahen.

Da kommt eines Tags der Volontär in der Vesperpause auf mich zu und sagt: »Willst du am Sonntag mit zu meiner Tante kommen? Sie hat dich eingeladen.«

»Eingeladen? Du, mach keine dummen Witze mit mir, sonst steck' ich dir die Nase in den Löschtrog.« Aber es war Ernst. Sie hatte mich eingeladen auf Sonntagabend. Mit dem Zehnuhrzug konnten wir heimkehren, und wenn wir länger bleiben wollten, würde sie uns vielleicht den Wagen mitgeben.

Mit der Besitzerin eines Luxuswagens, der Herrin eines Dieners, zweier Mägde, eines Kutschers und eines Gärtners Verkehr zu haben, war nach meiner damaligen Weltanschauung einfach ruchlos. Aber das fiel mir erst ein, als ich schon längst mit Eifer zugesagt und gefragt hatte, ob mein gelber Sonntagsanzug gut genug sei.

Bis zum Samstag lief ich in einer heillosen Aufregung und Freude herum. Dann kam die Angst über mich. Was sollte ich dort sagen, wie mich benehmen, wie mit ihr reden? Mein

Anzug, auf den ich immer stolz gewesen war, hatte auf einmal so viele Falten und Flecken, und meine Krägen hatten alle Fransen am Rand. Außerdem war mein Hut alt und schäbig, und alles das konnte durch meine drei Glanz-stücke – ein Paar nadelspitze Halbschuhe, eine leuchtend rote, halbseidene Krawatte und einen Zwicker mit Nickel-rändern – nicht aufgewogen werden.

Am Sonntagabend ging ich mit dem Volontär zu Fuß nach Settlingen, krank vor Aufregung und Verlegenheit. Die Villa ward sichtbar, wir standen an einem Gitter vor ausländischen Kiefern und Zypressen, Hundegebell vermischte sich mit dem Ton der Torglocke. Ein Diener ließ uns ein, sprach kein Wort und behandelte uns geringschätzig, kaum daß er geruh-te, mich vor den großen Bernhardinern zu schützen, die mir an die Hose wollten. Ängstlich sah ich meine Hände an, die seit Monaten nicht so peinlich sauber gewesen waren. Ich hatte sie am Abend vorher eine halbe Stunde lang mit Petroleum und Schmierseife gewaschen.

In einem einfachen, hellblauen Sommerkleid empfing uns die Dame im Salon. Sie gab uns beiden die Hand und hieß uns Platz nehmen, das Abendessen sei gleich bereit.

»Sind Sie kurzsichtig?« fragte sie mich.

»Ein klein wenig.«

»Der Zwicker steht Ihnen gar nicht, wissen Sie.« Ich nahm ihn ab, steckte ihn ein und machte ein trotziges Gesicht.

»Und Sozi sind Sie auch?« fragte sie weiter.

»Sie meinen Sozialdemokrat? Ja, gewiß.«

»Warum eigentlich?«

»Aus Überzeugung.«

»Ach so. Aber die Krawatte ist wirklich nett. Na, wir wollten essen. Ihr habt doch Hunger mitgebracht?«

Im Nebenzimmer waren drei Couverts aufgelegt. Mit Aus-nahme der dreierlei Gläser gab es wider mein Erwarten nichts, was mich in Verlegenheit brachte. Eine Hirnsuppe, ein Lendenbraten, Gemüse, Salat und Kuchen, das waren lauter Dinge, die ich zu essen verstand, ohne mich zu blamie-ren. Und die Weine schenkte die Hausfrau selber ein. Wäh-rend der Mahlzeit sprach sie fast nur mit dem Volontär, und da die guten Speisen samt dem Wein mir angenehm zu tun gaben, wurde mir bald wohl und leidlich sicher zumute.

Nach der Mahlzeit wurden uns die Weingläser in den Salon gebracht, und als mir eine feine Zigarre geboten und zu meinem Erstaunen an einer rot und goldenen Kerze angezündet war, stieg mein Wohlsein bis zur Behaglichkeit. Nun wagte ich auch die Dame anzusehen, und sie war so fein und schön, daß ich mich mit Stolz in die seligen Gefilde der noblen Welt versetzt fühlte, von der ich aus einigen Romanen und Feuilletons eine sehnsüchtig vage Vorstellung gewonnen hatte.

Wir kamen in ein ganz lebhaftes Gespräch, und ich wurde so kühn, daß ich über Madames vorige Bemerkungen, die Sozialdemokratie und die rote Krawatte betreffend, zu scherzen wagte.

»Sie haben ganz recht«, sagte sie lächelnd. »Bleiben Sie nur bei Ihrer Überzeugung. Aber Ihre Krawatte sollten sie weniger schief binden. Sehen Sie, so —«

Sie stand vor mir und bückte sich über mich, faßte meine Krawatte mit beiden Händen und rückte an ihr herum. Dabei fühlte ich plötzlich mit heftigem Erschrecken, wie sie zwei Finger durch meine Hemdspalte schob und mir leise die Brust betastete. Und als ich entsetzt aufblickte, drückte sie nochmals mit den beiden Fingern und sah mir dabei starr in die Augen.

O Donnerwetter, dachte ich, und bekam Herzklopfen, während sie zurücktrat und so tat, als betrachte sie die Krawatte. Statt dessen aber sah sie mich wieder an, ernst und voll, und nickte langsam ein paarmal mit dem Kopf.

»Du könntest droben im Eckzimmer den Spielkasten holen«, sagte sie zu ihrem Neffen, der in einer Zeitschrift blätterte. »Ja, sei so gut.«

Er ging und sie kam auf mich zu, langsam, mit großen Augen.

»Ach du!« sagte sie leise und weich. »Du bist lieb.«

Dabei näherte sie mir ihr Gesicht, und unsre Lippen kamen zusammen, lautlos und brennend, und wieder, und noch einmal. Ich umschlang sie und drückte sie an mich, die große schöne Dame, so stark, daß es ihr weh tun mußte. Aber sie suchte nur nochmals meinen Mund, und während sie küßte, wurden ihre Augen feucht und mädchenhaft schimmernd.

Der Volontär kam mit den Spielen zurück, wir setzten uns

und würfelten alle drei um Pralinés. Sie sprach wieder lebhaft und scherzte bei jedem Wurf, aber ich brachte kein Wort heraus und hatte Mühe mit dem Atmen. Manchmal kam unter dem Tisch ihre Hand und spielte mit meiner oder lag auf meinem Knie.

Gegen zehn Uhr erklärte der Volontär, es sei Zeit für uns zu gehen.

»Wollen Sie auch schon fort?« fragte sie mich und sah mich an.

Ich hatte keine Erfahrung in Liebessachen und stotterte, ja es sei wohl Zeit, und stand auf.

»Na, denn«, rief sie, und der Volontär brach auf. Ich folgte ihm zur Tür, aber eben als er über die Schwelle war, riß sie mich am Arm zurück und zog mich noch einmal an sich. Und im Hinausgehen flüsterte sie mir zu: »Sei gescheit, du, sei gescheit!« Auch das verstand ich nicht.

Wir nahmen Abschied und rannten auf die Station. Wir nahmen Billette, und der Volontär stieg ein. Aber ich konnte jetzt keine Gesellschaft brauchen. Ich stieg nur auf die erste Stufe, und als der Zugführer pfiff, sprang ich wieder ab und blieb zurück. Es war schon finstere Nacht.

Betäubt und traurig lief ich die lange Landstraße heim, an ihrem Garten und an dem Gitter vorbei wie ein Dieb. Eine vornehme Dame hatte mich lieb! Zauberländer taten sich vor mir auf, und als ich zufällig in meiner Tasche den Nickelzwicker fand, warf ich ihn in den Straßengraben.

Am nächsten Sonntag war der Volontär wieder eingeladen zum Mittagessen, aber ich nicht. Und sie kam auch nicht mehr in die Werkstatt.

Ein Vierteljahr lang ging ich noch oft nach Settlingen hinüber, sonntags oder spät abends, und horchte am Gitter und ging um den Garten herum, hörte die Bernhardiner bellen und den Wind durch die ausländischen Bäume gehen, sah Licht in den Zimmern und dachte: Vielleicht sieht sie mich einmal; sie hat mich ja lieb. Einmal hörte ich im Haus Klaviermusik, weich und wiegend, und lag an der Mauer und weinte.

Aber nie mehr hat der Diener mich hinaufgeführt und vor den Hunden beschützt, und nie mehr hat ihre Hand die meine und ihr Mund den meinen berührt. Nur im Traum

geschah mir das noch einigemal, im Traum. Und im Spät-
herbst gab ich die Schlosserei auf und legte die blaue Bluse
für immer ab und fuhr weit fort in eine andere Stadt.

(1906)

Liebesopfer

Drei Jahre arbeitete ich als Gehilfe in einer Buchhandlung. Anfangs bekam ich achtzig Mark im Monat, dann neunzig, dann fünfundneunzig, und ich war froh und stolz, daß ich mein Brot verdiente und von niemand einen Pfennig anzunehmen brauchte. Mein Ehrgeiz war, im Antiquariat vorwärtszukommen. Da konnte man wie ein Bibliothekar in alten Büchern leben, Wiegendrucke und Holzschnitte datieren, und es gab in guten Antiquariaten Stellen, die mit zweihundertfünfzig Mark und mehr bezahlt wurden. Allerdings, bis dahin war der Weg noch weit, und es galt zu arbeiten, zu arbeiten − −

Sonderbare Käuze gab es unter meinen Kollegen. Oft kam es mir vor, als sei der Buchhandel ein Asyl für Entgleiste jeder Art. Ungläubig gewordene Pfarrer, verkommene ewige Studenten, stellenlose Doktoren der Philosophie, unbrauchbar gewordene Redakteure und Offiziere mit schlichtem Abschied standen neben mir am Kontorpult. Manche hatten Weib und Kinder und liefen in trostlos abgetragenen Kleidern herum, andere lebten fast behaglich, die meisten aber haben es im ersten Drittel des Monats geschwollen, um die übrige Zeit sich mit Bier und Käse und prahlerischen Reden zu begnügen. Alle aber hatten aus glänzenderen Zeiten her Reste von feinen Manieren und gebildeter Redeweise bewahrt und waren überzeugt, sie seien nur durch unerhörtes Pech auf ihre bescheidenen Plätze heruntergekommen.

Sonderbare Leute, wie gesagt. Aber einen Mann wie den Columban Huß hatte ich doch noch nie gesehen. Er kam eines Tages bettelnd ins Kontor und fand zufällig eine geringe Schreiberstelle offen, die er dankbar annahm und über ein Jahr lang behielt. Eigentlich tat und sagte er nie etwas Auffallendes und lebte äußerlich nicht anders als andere arme Bureauangestellte. Aber man sah ihm an, daß er nicht immer so gelebt hatte. Er konnte wenig über fünfzig sein und war schön gewachsen wie ein Soldat. Seine Bewegungen waren nobel und großzügig, und sein Blick war so, wie ich damals glaubte, daß Dichter ihn haben müssen.

Es kam vor, daß Huß mit mir ins Wirtshaus ging, weil er

witterte, daß ich ihn heimlich bewunderte und liebte. Dann tat er überlegene Reden über das Leben und erlaubte mir, seine Zeche zu zahlen. Und folgendes sagte er mir eines Abends im Juli. Da ich Geburtstag hatte, war er mit mir zu einem kleinen Abendessen gegangen, wir hatten Wein getrunken und waren dann durch die warme Nacht flußaufwärts durch die Allee spaziert. Da stand unter der letzten Linde eine steinerne Bank, auf der streckte er sich aus, während ich im Grase lag. Und da erzählte er.

»Sie sind ein junger Dachs, Sie, und wissen noch nichts vom Leben in der Welt. Und ich bin ein altes Rindvieh, sonst würde ich Ihnen das nicht erzählen, was ich jetzt sage. Wenn Sie ein anständiger Kerl sind, behalten Sie es für sich und machen keinen Klatsch daraus. Aber wie Sie wollen.

Wenn Sie mich anschauen, sehen Sie einen kleinen Schreiber mit krummen Fingern und geflickten Hosen. Und wenn Sie mich totschlagen wollten, hätte ich nichts dagegen. An mir ist wenig mehr totzuschlagen. Und wenn ich Ihnen sage, daß mein Leben ein Sturmwind und eine Flamme gewesen ist, so lachen Sie nur, bitte! Aber Sie werden vielleicht auch nicht lachen, Sie junger Dachs, wenn Ihnen ein alter Mann in der Sommernacht ein Märchen erzählt.

Sie sind schon verliebt gewesen, nicht wahr? Einigemal, nicht wahr? Ja, ja. Aber Sie wissen noch nicht, was Lieben ist. Sie wissen es nicht, sage ich. Vielleicht haben Sie einmal eine ganze Nacht geweint? Und einen ganzen Monat schlecht geschlafen? Vielleicht haben Sie auch Gedichte gemacht und auch einmal ein bißchen mit Selbstmordgedanken gespielt? Ja, ich kenne das schon. Aber das ist nicht Liebe, Sie. Liebe ist anders.

Noch vor zehn Jahren war ich ein respektabler Mann und gehörte zur besten Gesellschaft. Ich war Verwaltungsbeamter und Reserveoffizier, war wohlhabend und unabhängig, ich hielt ein Reitpferd und einen Diener, wohnte bequem und lebte gut. Logensitze im Theater, Sommerreisen, eine kleine Kunstsammlung, Reitsport und Segelsport, Junggesellenabende mit weißem und rotem Bordeaux und Frühstücke mit Sekt und Sherry.

All das Zeug war ich jahrelang gewohnt, und doch entbehre ich es ziemlich leicht. Was liegt schließlich am Essen und

Trinken, Reiten und Fahren, nicht wahr? Ein bißchen Philosophie, und alles wird entbehrlich und lächerlich. Auch die Gesellschaft und der gute Ruf und daß die Leute den Hut vor einem ziehen, ist schließlich unwesentlich, wenn auch entschieden angenehm.

Wir wollten ja von der Liebe sprechen, he? Also was ist Liebe? Für eine geliebte Frau zu sterben, dazu kommt man ja heutzutage selten. Das wäre freilich das Schönste. – Unterbrechen Sie mich nicht, Sie! Ich rede nicht von der Liebe zu zweien, vom Küssen und Beisammenschlafen und Heiraten. Ich rede von der Liebe, die zum einzigen Gefühl eines Lebens geworden ist. Die bleibt einsam, auch wenn sie, wie man sagt, ›erwidert‹ wird. Sie besteht darin, daß alles Wollen und Vermögen eines Menschen mit Leidenschaft einem einzigen Ziel entgegenstrebt und daß jedes Opfer zur Wollust wird. Diese Art Liebe will nicht glücklich sein, sie will brennen und leiden und zerstören, sie ist Flamme und kann nicht sterben, ehe sie das letzte irgend Erreichbare verzehrt hat.

Über die Frau, die ich liebte, brauchen Sie nichts zu wissen. Vielleicht war sie wunderbar schön, vielleicht nur hübsch. Vielleicht ein Genie, vielleicht keines. Was liegt daran, lieber Gott! Sie war der Abgrund, in dem ich untergehen sollte, sie war die Hand Gottes, die eines Tages in mein unbedeutendes Leben griff. Und von da an war dies unbedeutende Leben groß und fürstlich, begreifen Sie, es war auf einmal nicht mehr das Leben eines Mannes von Stande, sondern eines Gottes und eines Kindes, rasend und unbesonnen, es brannte und loderte.

Von da an wurde alles lumpig und langweilig, was mir vorher wichtig gewesen war. Ich versäumte Dinge, die ich nie versäumt hatte, ich erfand Listen und unternahm Reisen, nur um jene Frau einen Augenblick lächeln zu sehen. Für sie war ich alles, was sie gerade erfreuen konnte, für sie war ich froh und ernst, gesprächig und still, korrekt und verrückt, reich und arm. Als sie bemerkte, wie es mit mir stand, hat sie mich auf unzählige Proben gestellt. Mir war es eine Lust, ihr zu dienen, sie konnte unmöglich etwas erfinden, einen Wunsch ausdenken, den ich nicht wie eine Kleinigkeit erfüllte.

Dann sah sie ein, daß ich sie mehr liebte als irgendein

anderer Mann, und es kamen stille Zeiten, in denen sie mich verstand und meine Liebe annahm. Wir sahen uns tausendmal, wir reisten zusammen, wir taten Unmögliches, um beisammen zu sein und die Welt zu täuschen.

Jetzt wäre ich glücklich gewesen. Sie hatte ich lieb. Und eine Zeitlang war ich auch glücklich, vielleicht.

Aber meine Bestimmung war nicht, diese Frau zu erobern. Als ich eine Weile jenes Glück genoß und keine Opfer mehr zu bringen brauchte, als ich ohne Mühe ein Lächeln und einen Kuß und eine Liebesnacht von ihr bekam, begann ich unruhig zu werden. Ich wußte nicht, was mir fehlte, ich hatte mehr erreicht, als meine kühnsten Wünsche jemals begehrt hatten. Aber ich war unruhig. Wie gesagt, meine Bestimmung war nicht, diese Frau zu erobern. Daß mir das geschah, war ein Zufall. Meine Bestimmung war, an meiner Liebe zu leiden, und als der Besitz der Geliebten anfing, dies Leiden zu heilen und zu kühlen, kam die Unruhe über mich. Eine gewisse Zeit hielt ich es aus, dann trieb es mich plötzlich weiter. Ich verließ die Frau. Ich nahm Urlaub und machte eine große Reise. Mein Vermögen war damals schon stark angegriffen, aber was lag daran? Ich reiste und kam nach einem Jahr zurück. Eine sonderbare Reise! Kaum war ich fort, so fing das frühere Feuer wieder an zu brennen. Je weiter ich fuhr und je länger ich fort war, desto peinigender kehrte meine Leidenschaft zurück, und ich sah zu und freute mich und reiste weiter, ein Jahr lang immerzu, bis die Flamme unerträglich geworden war und mich wieder in die Nähe meiner Geliebten nötigte.

Da stand ich dann, war wieder daheim und fand sie zornig und bitter gekränkt. Nicht wahr, sie hatte sich mir hingegeben und mich beglückt, und ich hatte sie verlassen! Sie hatte wieder einen Liebhaber, aber ich sah, daß sie ihn nicht liebte. Sie hatte ihn angenommen, um sich an mir zu rächen.

Ich konnte ihr nicht sagen oder schreiben, was es war, das mich von ihr weg und nun wieder zu ihr zurückgetrieben hatte. Wußte ich es selber? Also fing ich wieder an, um sie zu werben und zu kämpfen. Ich tat wieder weite Wege, versäumte Wichtiges und gab große Summen, um ein Wort von ihr zu hören oder um sie lächeln zu sehen. Sie entließ den Liebhaber, nahm aber bald einen andern, da sie mir nicht mehr traute. Dennoch sah sie mich zuzeiten gern. Manchmal in einer Tischgesellschaft oder im Theater sah sie über ihre Umgebung weg plötzlich zu mir herüber, sonderbar mild und fragend.

Sie hatte mich immer für sehr, sehr reich gehalten. Ich hatte diesen Glauben in ihr geweckt und hielt ihn am Leben, nur um immer wieder etwas für sie tun zu dürfen, was sie einem Armen nicht erlaubt hätte. Früher hatte ich ihr Geschenke gemacht, das war nun vorüber, und ich mußte neue Wege finden, ihr Freude machen und Opfer bringen zu können. Ich veranstaltete Konzerte, in denen von Musikern, die sie schätzte, ihre Lieblingsstücke gespielt und gesungen wurden. Ich kaufte Logen auf, um ihr ein Premierenbillett anbieten zu können. Sie gewöhnte sich wieder daran, mich für tausend Dinge sorgen zu lassen.

Ich war in einem unaufhörlichen Wirbel von Geschäften, für sie. Mein Vermögen war erschöpft, nun fingen die Schulden und Finanzkünste an. Ich verkaufte meine Gemälde, mein altes Porzellan, mein Reitpferd, und kaufte dafür ein Automobil, das zu ihrer Verfügung stehen sollte.

Dann war es so weit, daß ich das Ende vor mir sah. Während ich Hoffnung hatte, sie wiederzugewinnen, sah ich meine letzten Quellen erschöpft. Aber ich wollte nicht aufhören. Ich hatte noch mein Amt, meinen Einfluß, meine angesehene Stellung. Wozu, wenn es ihr nicht diente? So kam es, daß ich log und unterschlug, daß ich aufhörte, den Gerichtsvollzieher zu fürchten, weil ich Schlimmeres fürchten mußte. Aber es war nicht umsonst. Sie hatte auch den zweiten Liebhaber weggeschickt, und ich wußte, daß sie jetzt keinen mehr oder mich nehmen würde.

Sie nahm mich auch, ja. Das heißt, sie ging in die Schweiz und erlaubte mir, ihr zu folgen. Am folgenden Morgen reichte ich ein Gesuch um Urlaub ein. Statt der Antwort erfolgte meine Verhaftung. Urkundenfälschung, Unterschlagung öffentlicher Gelder. Sagen Sie nichts, es ist nicht nötig. Ich weiß schon. Aber wissen Sie, daß auch das noch Flamme und Leidenschaft und Liebeslohn war, geschändet und gestraft zu werden und den letzten Rock vom Leibe zu verlieren? Verstehen Sie das, Sie junger Verliebter?

Ich habe Ihnen ein Märchen erzählt, junger Mann. Der

Mensch, der es erlebt hat, bin nicht ich. Ich bin ein armer Buchhalter, der sich von Ihnen zu einer Flasche Wein einladen läßt. Aber jetzt will ich heimgehen. Nein, bleiben Sie noch, ich gehe allein. Bleiben Sie!«

(1906)

Casanovas Bekehrung

I

In Stuttgart, wohin der Weltruf des luxuriösen Hofhaltes Karl Eugens ihn gezogen hatte, war es dem Glücksritter Jakob Casanova nicht gut ergangen. Zwar hatte er, wie in jeder Stadt der Welt, sogleich eine ganze Reihe von alten Bekannten wieder getroffen, darunter die Venetianerin Gardella, die damalige Favoritin des Herzogs, und ein paar Tage waren ihm in der Gesellschaft befreundeter Tänzer, Tänzerinnen, Musiker und Theaterdamen heiter und leicht vergangen. Beim österreichischen Gesandten, bei Hofe, sogar beim Herzog selber schien ihm gute Aufnahme gesichert. Aber kaum warm geworden, ging der Leichtfuß eines Abends mit einigen Offizieren zu Weibern, es wurde gespielt und Ungarwein getrunken, und das Ende des Vergnügens war, daß Casanova viertausend Louisdor in Marken verspielt hatte, seine kostbaren Uhren und Ringe vermißte und in jämmerlicher Verfassung sich zu Wagen nach Hause bringen lassen mußte. Daran hatte sich ein unglücklicher Prozeß geknüpft, es war so weit gekommen, daß der Wagehals sich in Gefahr sah, unter Verlust seiner gesamten Habe als Zwangssoldat in des Herzogs Regimenter gesteckt zu werden. Da hatte er es an der Zeit gefunden, sich dünn zu machen. Er, den seine Flucht aus den venetianischen Bleikammern zu einer Berühmtheit gemacht hatte, war auch seiner Stuttgarter Haft schlau entronnen, hatte sogar seine Koffer gerettet und sich über Tübingen nach Fürstenberg in Sicherheit gebracht.

Dort rastete er nun im Gasthause. Seine Gemütsruhe hatte er schon unterwegs wieder gefunden, immerhin hatte ihn aber dies Mißgeschick stark ernüchtert. Er sah sich an Geld und Reputation geschädigt, in seinem blinden Vertrauen zur Glücksgöttin enttäuscht und ohne Reiseplan und Vorbereitungen über Nacht auf die Straße gesetzt.

Dennoch machte der bewegliche Mann durchaus nicht den Eindruck eines vom Schicksal Geschlagenen. Im Gasthof ward er seinem Anzug und Auftreten entsprechend als ein Reisender erster Klasse bewirtet. Er trug eine mit Steinen

19

geschmückte goldene Uhr, schnupfte bald aus einer goldenen Dose, bald aus einer silbernen, stak in überaus feiner Wäsche, zartseidenen Strümpfen, holländischen Spitzen, und der Wert seiner Kleider, Steine, Spitzen und Schmucksachen war erst kürzlich von einem Sachverständigen in Stuttgart auf hunderttausend Franken geschätzt worden. Deutsch sprach er nicht, dafür ein tadelfreies Pariser Französisch, und sein Benehmen war das eines reichen, verwöhnten, doch wohlwollenden Vergnügungsreisenden. Er machte Ansprüche, sparte aber auch weder an der Zeche noch an Trinkgeldern.

Nach seiner überhetzten Reise war er abends angekommen. Während er sich wusch und puderte, wurde ihm auf seine Bestellung ein vorzügliches Abendessen bereitet, das ihm nebst einer Flasche Rheinwein den Rest des Tages angenehm und rasch verbringen half. Darauf ging er zeitig zur Ruhe und schlief ausgezeichnet bis zum Morgen. Erst jetzt ging er daran, Ordnung in seine Angelegenheiten zu bringen.

Nach dem Frühstück, das er während des Ankleidens zu sich nahm, klingelte er, um Tinte, Schreibzeug und Papier zu bestellen. In Bälde erschien ein hübsches Mädchen mit guten Manieren und stellte die verlangten Sachen auf den Tisch. Casanova bedankte sich artig, zuerst in italienischer Sprache, dann auf französisch, und es zeigte sich, daß die hübsche Blonde diese zweite Sprache verstand.

»Sie können kein Zimmermädchen sein«, sagte er ernst, doch freundlich. »Gewiß sind Sie die Tochter des Hoteliers.«

»Sie haben es erraten, mein Herr.«

»Nicht wahr? Ich beneide Ihren Vater, schönes Fräulein. Er ist ein glücklicher Mann.«

»Warum denn, meinen Sie?«

»Ohne Zweifel. Er kann jeden Morgen und Abend der schönsten, liebenswürdigsten Tochter einen Kuß geben.«

»Ach, geehrter Herr! Das tut er ja gar nicht.«

»Dann tut er Unrecht und ist zu bedauern. Ich an seiner Stelle wüßte ein solches Glück zu schätzen.«

»Sie wollen mich in Verlegenheit bringen.«

»Aber Kind! Seh' ich aus wie ein Don Juan? Ich könnte Ihr Vater sein, den Jahren nach.«

Dabei ergriff er ihre Hand und fuhr fort: »Auf eine solche

Stirne den Kuß eines Vaters zu drücken, muß ein Glück voll Rührung sein.«

Er küßte sie sanft auf die Stirn.

»Gestatten Sie das einem Manne, der selbst Vater ist. Übrigens muß ich Ihre Hand bewundern.«

»Meine Hand?«

»Ich habe Hände von Prinzessinnen geküßt, die sich neben den Ihren nicht sehen lassen dürften. Bei meiner Ehre!«

Damit küßte er ihre Rechte. Er küßte sie zuerst leise und achtungsvoll auf den Handrücken, dann drehte er sie um und küßte die Stelle des Pulses, darauf küßte er jeden Finger einzeln.

Das rot gewordene Mädchen lachte auf, zog sich mit einem halb spöttischen Knicks zurück und verließ das Zimmer.

Casanova lächelte und setzte sich an den Tisch. Er nahm einen Briefbogen und setzte mit leichter, eleganter Hand das Datum darauf: »Fürstenberg, 6. April 1760.« Dann begann er nachzudenken. Er schob das Blatt beiseite, zog ein kleines silbernes Toilettenmesserchen aus der Tasche des samtnen Gilets und feilte eine Weile an seinen Fingernägeln.

Alsdann schrieb er rasch und mit wenigen Pausen einen seiner flotten Briefe. Er galt jenen Stuttgarter Offizieren, die ihn so schwer in Not gebracht hatten. Darin beschuldigte er sie, sie hätten ihm im Tokayer einen betäubenden Trank beigebracht, um ihn dann im Spiel zu betrügen und von den Dirnen seiner Wertsachen berauben zu lassen. Und er schloß mit einer schneidigen Herausforderung. Sie möchten sich binnen drei Tagen in Fürstenberg einfinden, er erwarte sie in der angenehmen Hoffnung, sie alle drei im Duell zu erschießen und dadurch seinen Ruhm in Europa zu verdoppeln.

Diesen Brief kopierte er in drei Exemplaren und adressierte sie einzeln nach Stuttgart. Während er dabei war, klopfte es an der Tür. Es war wieder die hübsche Wirtstochter. Sie bat sehr um Entschuldigung, wenn sie störe, aber sie habe vorher das Sandfaß mitzubringen vergessen. Ja, und da sei es nun, und er möge entschuldigen.

»Wie gut sich das trifft!« rief der Kavalier, der sich vom Sessel erhoben hatte. »Auch ich habe vorher etwas vergessen, was ich nun gutmachen möchte.«

»Wirklich? Und das wäre?«

»Es war eine Beleidigung Ihrer Schönheit, daß ich es unterließ, Sie auch noch auf den Mund zu küssen. Ich bin glücklich, es nun nachholen zu können.«

Ehe sie zurückweichen konnte, hatte er sie um das Mieder gefaßt und zog sie an sich. Sie kreischte und leistete Widerstand, aber sie tat es mit so wenig Geräusch, daß der erfahrene Liebhaber seinen Sieg sicher sah. Mit einem feinen Lächeln küßte er ihren Mund, und sie küßte ihn wieder. Er setzte sich in den Sessel zurück, nahm sie auf den Schoß und sagte ihr die tausend zärtlich neckischen Worte, die er in drei Sprachen jederzeit zur Verfügung hatte. Noch ein paar Küsse, ein Liebesscherz und ein leises Gelächter, dann fand die Blonde es an der Zeit, sich zurückzuziehen.

»Verraten Sie mich nicht, Lieber. Auf Wiedersehn!«

Sie ging hinaus. Casanova pfiff eine venetianische Melodie vor sich hin, rückte den Tisch zurecht und arbeitete weiter. Er versiegelte die drei Briefe und brachte sie dem Wirt, daß sie per Eilpost wegkämen. Zugleich tat er einen Blick in die Küche, wo zahlreiche Töpfe überm Feuer hingen. Der Gastwirt begleitete ihn.

»Was gibt's heute Gutes?«

»Junge Forellen, gnädiger Herr.«

»Gebacken?«

»Gewiß, gebacken.«

»Was für Öl nehmen Sie dazu?«

»Kein Öl, Herr Baron. Wir backen mit Butter.«

»Ei so. Wo ist denn die Butter?«

Sie wurde ihm gezeigt, er roch daran und billigte sie.

»Sorgen Sie täglich für ganz frische Butter, so lange ich da bin. Auf meine Rechnung natürlich.«

»Verlassen Sie sich darauf.«

»Sie haben eine Perle von Tochter, Herr Wirt. Gesund, hübsch und sittsam. Ich bin selbst Vater, das schärft den Blick.«

»Es sind zwei, Herr Baron.«

»Wie, zwei Töchter? Und beide erwachsen?«

»Gewiß. Die Sie bedient hat war die ältere. Sie werden die andere bei Tisch sehen.«

»Ich zweifle nicht, daß sie Ihrer Erziehung nicht weniger

Ehre machen wird als die Ältere. Ich schätze an jungen Mädchen nichts höher als Bescheidenheit und Unschuld. Nur wer selbst Familie hat, kann wissen, wie viel das sagen will und wie sorgsam die Jugend behütet werden muß.«

Die Zeit vor der Mittagstafel widmete der Reisende seiner Toilette. Er rasierte sich selbst, da sein Diener ihn auf der Flucht aus Stuttgart nicht hatte begleiten können. Er legte Puder auf, wechselte den Rock und vertauschte die Pantoffeln mit leichten, feinen Schuhen, deren goldene Schnallen die Form einer Lilie hatten und aus Paris stammten. Da es noch nicht ganz Essenszeit war, holte er aus einer Mappe ein Heft beschriebenes Papier, an dem er mit dem Bleistift in der Hand sogleich zu studieren begann.

Es waren Zahlentabellen und Wahrscheinlichkeitsrechnungen. Casanova hatte in Paris den arg zerrütteten Finanzen des Königs durch Inszenierung von Lottobüros aufgeholfen und dabei ein Vermögen verdient. Sein System zu vervollkommnen und in geldbedürftigen Residenzen, etwa in Berlin oder Petersburg einzuführen, war eine von seinen hundert Zukunftsplänen. Rasch und sicher überflog sein Blick die Zahlenreihen, vom deutenden Finger unterstützt, und vor seinem inneren Auge balancierten Summen von Millionen und Millionen.

Bei Tische leiteten die beiden Töchter die Bedienung. Man aß vorzüglich, auch der Wein war gut, und unter den Mitgästen fand Casanova wenigstens einen, mit dem ein Gespräch sich lohnte. Es war ein mäßig gekleideter, noch junger Schöngeist und Halbgelehrter, der ziemlich gut italienisch sprach. Er behauptete, auf einer Studienreise durch Europa begriffen zu sein und zur Zeit an einer Widerlegung des letzten Buches von Voltaire zu arbeiten.

»Sie werden mir Ihre Schrift senden, wenn sie gedruckt ist, nicht wahr? Ich werde die Ehre haben, mich mit einem Werk meiner Mußestunden zu revanchieren.«

»Es ist mir eine Ehre. Darf ich den Titel erfahren?«

»Bitte. Es handelt sich um eine italienische Übersetzung der Odyssee, an der ich schon längere Zeit arbeite.«

Und er plauderte fließend und leichthin viel Geistreiches über Eigentümlichkeit, Metrik und Poetik seiner Muttersprache, über Reim und Rhythmus, über Homer und Ario-

23

sto, den göttlichen Ariosto, von dem er etwa zehn Verse deklamierte.

Doch fand er daneben auch noch Gelegenheit, den beiden hübschen Schwestern etwas Freundliches zu sagen. Und als man sich vom Tisch erhob, näherte er sich der Jüngeren, sagte ein paar respektvolle Artigkeiten und fragte sie, ob sie wohl die Kunst des Frisierens verstehe. Als sie bejahte, bat er sie, ihm künftig morgens diesen Dienst zu erweisen.

»Oh, ich kann es ebensogut«, rief die Ältere.

»Wirklich. Dann wechseln wir ab.« Und zur Jüngeren: »Also morgen nach dem Frühstück, nicht wahr?«

Nachmittags schrieb er noch mehrere Briefe, namentlich an die Tänzerin Binetti in Stuttgart, die seiner Flucht assistiert hatte und die er nun bat, sich um seinen zurückgebliebenen Diener zu bekümmern. Dieser Diener hieß Leduc, galt für einen Spanier und war ein Taugenichts, aber von großer Treue, und Casanova hing mehr an ihm, als man bei seiner Leichtfertigkeit für möglich gehalten hätte.

Einen weiteren Brief schrieb er an seinen holländischen Bankier und einen an eine ehemalige Geliebte in London. Dann fing er an zu überlegen, was weiter zu unternehmen sei. Zunächst mußte er die drei Offiziere erwarten, sowie Nachrichten von seinem Diener. Beim Gedanken an die bevorstehenden Pistolenduelle wurde er ernst und beschloß, morgen sein Testament nochmals zu revidieren. Wenn alles gut abliefe, gedachte er auf Umwegen nach Wien zu gehen, wohin er manche Empfehlungen hatte.

Nach einem Spaziergang nahm er seine Abendmahlzeit ein, dann blieb er lesend in seinem Zimmer wach, da er um elf Uhr den Besuch der älteren Wirtstochter erwartete.

Ein warmer Föhn blies um das Haus und führte kurze Regenschauer mit. Casanova brachte die beiden folgenden Tage ähnlich zu wie den vergangenen, nur daß jetzt auch das zweite Mädchen ihm öfters Gesellschaft leistete. So hatte er neben Lektüre und Korrespondenz genug damit zu tun, der Liebe froh zu werden und beständig drohende Überraschungs- und Eifersuchtsszenen zwischen den beiden Blonden umsichtig zu verhüten. Er verfügte weise abwägend über die Stunden des Tages und der Nacht, vergaß auch sein

Testament nicht und hielt seine schönen Pistolen mit allem Zubehör bereit.

Allein die drei geforderten Offiziere kamen nicht. Sie kamen nicht und schrieben nicht, am dritten Wartetag so wenig wie am zweiten. Der Abenteurer, bei dem der erste Zorn längst verkühlt war, hatte im Grunde nicht viel dagegen. Weniger ruhig war er über das Ausbleiben Leducs, seines Dieners. Er beschloß noch einen Tag zu warten. Mittlerweile entschädigten ihn die verliebten Mädchen für seinen Unterricht in der ars amandi dadurch, daß sie ihm, dem endlos Gelehrigen, ein wenig Deutsch beibrachten.

Am vierten Tage drohte Casanovas Geduld ein Ende zu nehmen. Da kam, noch ziemlich früh am Vormittag, Leduc auf keuchendem Pferde daher gesprengt, von den kotigen Vorfrühlingswegen über und über bespritzt. Froh und gerührt hieß ihn sein Herr willkommen und Leduc begann, noch ehe er über Brot, Schinken und Wein herfiel, eilig zu berichten.

»Vor allem, Herr Ritter«, begann er, »bestellen Sie Pferde und lassen Sie uns noch heute die Schweizer Grenze erreichen. Zwar werden keine Offiziere kommen, um sich mit Ihnen zu schlagen, aber ich weiß für sicher, daß Sie hier in Bälde von Spionen, Häschern und bezahlten Mördern würden belästigt werden, wenn Sie dableiben. Der Herzog selber soll empört über Sie sein und Ihnen seinen Schutz versagen. Also eilen Sie!«

Casanova überlegte nicht lange. In Aufregung geriet er nicht, das Unheil war ihm zu anderen Zeiten schon weit näher auf den Fersen gewesen. Doch gab er seinem Spanier recht und bestellte Pferde für Schaffhausen.

Zum Abschiednehmen blieb ihm wenig Zeit. Er bezahlte seine Zeche, gab der älteren Schwester einen Schildpattkamm zum Andenken und der jüngeren das heilige Versprechen, in möglichster Bälde wiederzukommen, packte seine Reisekoffer und saß, kaum drei Stunden nach dem Eintritt seines Leduc, schon mit diesem im Postwagen. Tücher wurden geschwenkt und Abschiedsworte gerufen, dann schwenkte der wohlbespannte Eilwagen aus dem Hof auf die Straße und rollte schnell auf der nassen Landstraße davon.

Angenehm war es nicht, so Hals über Kopf ohne Vorbereitungen in ein wildfremdes Land entfliehen zu müssen. Auch mußte Leduc dem Betrübten mitteilen, daß sein schöner, vor wenigen Monaten gekaufter Reisewagen in den Händen der Stuttgarter geblieben sei. Dennoch kam er gegen Schaffhausen hin wieder in gute Laune, und da die Landesgrenze überschritten und der Rhein erreicht war, nahm er ohne Ungeduld die Nachricht entgegen, daß zur Zeit in der Schweiz die Einrichtung der Extraposten noch nicht bestehe.

Es wurden also Mietpferde zur Weiterreise nach Zürich bestellt, und bis diese bereit waren, konnte man in aller Ruhe eine gute Mahlzeit einnehmen.

Dabei versäumte der weltgewandte Reisende nicht, sich in aller Eile einigermaßen über Lebensart und Verhältnisse des fremden Landes zu unterrichten. Es gefiel ihm wohl, daß der Gastwirt hausväterlich an der Wirtstafel präsidierte und daß dessen Sohn, obwohl er den Rang eines Hauptmanns bei den Reichstruppen besaß, sich nicht schämte, aufwartend hinter seinem Stuhl zu stehen und ihm die Teller zu wechseln. Dem raschlebenden Weltbummler, der viel auf erste Eindrücke gab, wollte es scheinen, er sei in ein gutes Land gekommen, wo unverdorbene Menschen sich eines schlichten, doch behaglichen Lebens erfreuten. Auch fühlte er sich hier vor dem Zorn des Stuttgarter Tyrannen geborgen und witterte, nachdem er lange Zeit an Höfen verkehrt und in Fürstendiensten gestanden hatte, lüstern die Luft der Freiheit.

Rechtzeitig fuhr der bestellte Wagen vor, die beiden stiegen ein und weiter ging es, einem leuchtend gelben Abendglanz entgegen, nach Zürich.

Leduc sah seinen Herrn in der nachdenksamen Stimmung der Verdauungsstunde im Polster lehnen, wartete längere Zeit, ob er etwa ein Gespräch beliebe, und schlief dann ein. Casanova achtete nicht auf ihn.

Er war, teils durch den Abschied von den Fürstenbergerinnen, teils durch das gute Essen und die neuen Eindrücke in Schaffhausen, wohlig gerührt und im Ausruhen von den vielen Erregungen dieser letzten Wochen fühlte er mit leiser Ermattung, daß er doch nicht mehr jung sei. Zwar hatte er noch nicht das Gefühl, daß der Stern seines glänzenden Zigeunerlebens sich zu neigen beginne. Doch gab er sich Betrachtungen hin, die den Heimatlosen stets früher befallen als andere Menschen, Betrachtungen über das unaufhaltsame Näherrücken des Alters und des Todes. Er hatte sein Leben ohne Vorbehalt der unbeständigen Glücksgöttin anvertraut, und sie hatte ihn bevorzugt und verwöhnt, sie hatte ihm mehr gegönnt als tausend Nebenbuhlern. Aber er wußte genau, daß Fortuna nur die Jugend liebt, und die Jugend war flüchtig und unwiederbringlich, er fühlte sich ihrer nicht mehr sicher und wußte nicht, ob sie ihn nicht vielleicht schon verlassen habe.

Freilich, er war nicht mehr als fünfunddreißig Jahre alt. Aber er hatte vierfältig und zehnfältig gelebt. Er hatte nicht nur hundert Frauen geliebt, er war auch in Kerkern gelegen, hatte qualvolle Nächte durchwacht, Tage und Wochen im Reisewagen verlebt, die Angst des Gefährdeten und Verfolgten gekostet, dann wieder aufregende Geschäfte betrieben, erschöpfende Nächte mit heißen Augen an den Spieltischen aller Städte verbracht, Vermögen gewonnen und verloren und zurückgewonnen. Er hatte Freunde und Feinde, die gleich ihm als kühne Heimatlose und Glücksjäger über die Erde irrten, in Not und Krankheit, Kerker und Schande geraten sehen. Wohl hatte er in fünfzig Städten dreier Länder Freunde und Frauen, die an ihm hingen, aber würden sie sich seiner erinnern wollen, wenn er je einmal krank, alt und bettelnd zu ihnen käme?

»Schläfst du, Leduc?«

Der Diener fuhr auf.

»Was beliebt?«

»In einer Stunde sind wir in Zürich.«

»Kann schon sein.«

»Kennst du Zürich?«

»Nicht besser als meinen Vater, und den hab' ich nie gesehen. Es wird eine Stadt sein wie andere, jedoch vorwiegend blond, wie ich sagen hörte.«

»Ich habe genug von den Blonden.«

»Ei so. Seit Fürstenberg wohl? Die zwei haben Ihnen doch nicht weh getan?«

»Sie haben mich frisiert, Leduc.«

»Frisiert?«

»Frisiert. Und mir Deutsch beigebracht, sonst nichts.«

»War das zu wenig?«

»Keine Witze jetzt! – Ich werde alt, du.«

»Heute noch?«

»Sei vernünftig. Es wäre auch für dich allmählich Zeit, nicht?«

»Zum Altwerden, nein. Zum Vernünftigwerden, ja, wenn es mit Ehren sein kann.«

»Du bist ein Schwein, Leduc.«

»Mit Verlaub, das stimmt nicht. Verwandte fressen einander nicht auf, und mir geht nichts über frischen Schinken. Der in Fürstenberg war übrigens zu stark gesalzen.«

Diese Art von Unterhaltung war nicht, was der Herr gewollt hatte. Doch schalt er nicht, dazu war er zu müde und in zu milder Stimmung. Er schwieg nur und winkte lächelnd ab. Er fühlte sich schläfrig und konnte seine Gedanken nimmer beisammen halten. Und während er in einen ganz leichten, halben Schlummer sank, glitt seine Erinnerung in die Zeiten der ersten Jugend zurück. Er träumte in lichten, verklärten Farben und Gefühlen von einer Griechin, die er einst als blutjunger Fant im Schiffe vor Ancona getroffen hatte und von seinen ersten, phantastischen Erlebnissen in Konstantinopel und auf Korfu.

Darüber eilte der Wagen weiter und rollte, als der Schläfer emporfuhr, über Steinpflaster und gleich darauf über eine Brücke, unter welcher ein schwarzer Strom rauschte und rötliche Lichter spiegelte. Man war in Zürich vor dem Gasthause zum Schwert angekommen.

Casanova war im Augenblicke munter. Er reckte sich und stieg aus, von einem höflichen Wirt empfangen.

»Also Zürich«, sagte er vor sich hin. Und obwohl er gestern noch die Absicht gehabt hatte, nach Wien zu reisen und nicht im mindesten wußte, was er ungefähr in Zürich treiben solle, blickte er fröhlich um sich, folgte dem Gastwirt ins Haus und suchte sich ein bequemes Zimmer mit Vorraum im ersten Stockwerk aus.

Nach dem Abendessen kehrte er bald zu seinen früheren Betrachtungen zurück. Je geborgener und wohler er sich fühlte, desto bedenklicher kamen ihm nachträglich die Bedrängnisse vor, denen er soeben entronnen war. Sollte er sich freiwillig wieder in solche Gefahren begeben? Sollte er, nachdem das stürmische Meer ihn ohne sein Verdienst an einen friedlichen Strand geworfen hatte, sich ohne Not noch einmal den Wellen überlassen?

Wenn er genau nachrechnete, betrug der Wert seines Besitzes an Geld, Kreditbriefen und fahrender Habe ungefähr hunderttausend Taler. Das genügte für einen Mann ohne Familie, sich für immer ein stilles und bequemes Leben zu sichern.

Mit diesen Gedanken legte er sich zu Bett und erlebte in einem langen ungestörten Schlafe eine Reihe friedvoll glücklicher Träume. Er sah sich als Besitzer eines schönen Landsitzes, frei und heiter lebend, fern von Höfen, Gesellschaft und Intrigen, in immer neuen Bildern voll ländlicher Anmut und Frische.

Diese Träume waren so schön und so gesättigt von reinem Glücksgefühl, daß Casanova das Erwachen am Morgen fast schmerzlich ernüchternd empfand. Doch beschloß er sofort, diesem letzten Wink seiner guten Glücksgöttin zu folgen und seine Träume wahr zu machen. Sei es nun, daß er sich in der hiesigen Gegend ankaufe, sei es, daß er nach Italien, Frankreich oder Holland zurückkehren würde, jedenfalls wollte er von heute an auf Abenteuer, Glücksjagd und äußeren Lebensglanz verzichten und sich so bald wie möglich ein ruhiges, sorglos unabhängiges Leben schaffen.

. Gleich nach dem Frühstück befahl er Leduc die Obhut über seine Zimmer und verließ allein und zu Fuß das Hotel. Ein lang nicht mehr gefühltes Bedürfnis zog den Vielgereisten seitab auf das Land zu Wiesen und Wald. Bald hatte er die Stadt hinter sich und wanderte ohne Eile den See entlang. Milde, zärtliche Frühlingsluft wogte lau und schwellend über graugrünen Matten, auf denen erste gelbe Blümlein strahlend lachten und an deren Rande die Hecken voll rötlich warmer, strotzender Blattknospen standen. Am feuchtblauen Himmel schwammen weich geballte, lichte Wolken hin, und in der Ferne stand über den mattgrauen und tannenblauen Vorbergen weiß und feierlich der zackige Halbkreis der Alpen.

Einzelne Ruderboote und Frachtkähne mit großem Dreiecksegel waren auf der nur schwach bewegten Seefläche unterwegs, und am Ufer führte ein guter, reinlicher Weg durch helle, meist aus Holz gebaute Dörfer. Fuhrleute und Bauern begegneten dem Spaziergänger, und manche grüßten ihn freundlich. Das alles ging ihm lieblich ein und bestärkte seine tugendhaften und klugen Vorsätze. Am Ende einer stillen Dorfstraße schenkte er einem weinenden Kinde eine kleine Silbermünze, und in einem Wirtshaus, wo er nach beinahe dreistündigem Gehen Rast hielt und einen Imbiß nahm, ließ er den Wirt leutselig aus seiner Dose schnupfen.

Casanova hatte keine Ahnung, in welcher Gegend er sich nun befinde, und mit dem Namen eines wildfremden Dorfes wäre ihm auch nicht gedient gewesen. Er fühlte sich wohl in der leise durchsonnten Luft. Von den Strapazen der letzten Zeit hatte er sich genügend ausgeruht, auch war sein ewig verliebtes Herz zur Zeit stille und hatte Feiertag, so wußte er im Augenblick nichts Schöneres, als dieses sorglose Lustwandeln durch ein fremdes, schönes Land. Da er immer wieder Gruppen von Landleuten begegnete, hatte es mit dem Verirren keine Gefahr.

Im Sicherheitsgefühl seiner neuesten Entschlüsse genoß er nun den Rückblick auf sein bewegtes Vagantenleben wie ein Schauspiel, das ihn rührte oder belustigte, ohne ihn doch in seiner jetzigen Gemütsruhe zu stören. Sein Leben war gewagt und oft liederlich gewesen, das gab er sich selber zu, aber nun er es so im ganzen überblickte, war es doch ohne Zweifel ein hübsch buntes, flottes und lohnendes Spiel gewesen, an dem man Freude haben konnte.

Indessen führte ihn, da er anfing ein wenig zu ermüden, der Weg in ein breites Tal zwischen hohen Bergen. Eine große, prächtige Kirche stand da, an die sich weitläufige Gebäude anschlossen. Erstaunt bemerkte er, daß das ein Kloster sein müsse, und freute sich, unvermutet in eine katholische Gegend gekommen zu sein.

Er trat entblößten Hauptes in die Kirche und nahm mit zunehmender Verwunderung Marmor, Gold und kostbare Stickereien wahr. Es wurde eben die letzte Messe gelesen, die er mit Andacht anhörte. Darauf begab er sich neugierig in die Sakristei, wo er eine Anzahl Benediktinermönche sah. Der Abt, erkenntlich durch das Kreuz vor der Brust, war dabei und erwiderte den Gruß des Fremden durch die höfliche Frage, ob er die Sehenswürdigkeiten der Kirche betrachten wolle.

Gerne nahm Casanova an und wurde vom Abte selbst in Begleitung zweier Brüder umhergeführt und sah alle Kostbarkeiten und Heiligtümer mit der diskreten Neugier des gebildeten Reisenden an, ließ sich die Geschichte und Legenden der Kirche erzählen und war nur dadurch ein wenig in Verlegenheit gebracht, daß er nicht wußte, wo er eigentlich sei und wie Ort und Kloster heiße.

»Wo sind Sie denn abgestiegen?« fragte schließlich der Abt.

»Nirgends, Hochwürden. Zu Fuß von Zürich her angekommen, trat ich sogleich in die Kirche.«

Der Abt, über den frommen Eifer des Wallfahrers entzückt, lud ihn zu Tische, was jener dankbar annahm. Nun, da der Abt ihn für einen bußfahrenden Sünder hielt, der weite Wege gemacht, um hier Trost zu finden, konnte Casanova vollends nicht mehr fragen, wo er sich denn befinde. Übrigens sprach er mit dem geistlichen Herrn, da es mit dem Deutschen nicht so recht gehen wollte, lateinisch.

»Unsere Brüder haben Fastenzeit«, fuhr der Abt fort, »da habe ich ein Privileg vom heiligen Vater Benedikt dem Vierzehnten, das mir gestattet, täglich mit drei Gästen auch Fleischspeisen zu essen. Wollen Sie gleich mir von dem Privilegium Gebrauch machen, oder ziehen Sie es vor zu fasten?«

»Es liegt mir fern, hochwürdiger Herr, von der Erlaubnis des Papstes wie auch von Ihrer gütigen Einladung keinen Gebrauch zu machen. Es möchte arrogant aussehen.«

»Also speisen wir!«

Im Speisezimmer des Abtes hing wirklich jenes päpstliche Breve unter Glas gerahmt an der Wand. Es waren zwei Couverts aufgelegt, zu denen ein Bedienter in Livree sogleich ein drittes fügte.

»Wir speisen zu dreien, Sie, ich und mein Kanzler. Da kommt er ja eben.«

»Sie haben einen Kanzler?«

»Ja. Als Abt von Maria-Einsiedeln bin ich Fürst des römischen Reiches und habe die Verpflichtungen eines solchen.«

Endlich wußte also der Gast, wo er hingeraten sei, und freute sich, das weltberühmte Kloster unter so besonderen Umständen und ganz unverhofft kennengelernt zu haben. Indessen nahm man Platz und begann zu tafeln.

»Sie sind Ausländer?« fragte der Abt.

»Venezianer, doch schon seit längerer Zeit auf Reisen.«

Daß er verbannt sei, brauchte er ja einstweilen nicht zu erzählen.

»Und reisen Sie weiter durch die Schweiz? Dann bin ich gerne bereit, Ihnen einige Empfehlungen mitzugeben.«

»Ich nehme das dankbar an. Ehe ich jedoch weiterreise, wäre es mein Wunsch, eine vertraute Unterredung mit Ihnen haben zu dürfen. Ich möchte Ihnen beichten und Ihren Rat über manches, was mein Gewissen beschwert, erbitten.«

»Ich werde nachher zu Ihrer Verfügung stehen. Es hat Gott gefallen, Ihr Herz zu erwecken, so wird er auch Frieden für das Herz haben. Der Menschen Wege sind vielerlei, doch sind nur wenige so weit verirrt, daß ihnen nicht mehr zu helfen wäre. Wahre Reue ist das erste Erfordernis der Umkehr, wenn auch die echte, gottgefällige Zerknirschung noch nicht im Zustand der Sünde, sondern erst in dem der Gnade eintreten kann.«

So redete er eine Weile weiter, während Casanova sich mit Speise und Wein bediente. Als er schwieg, nahm jener wieder das Wort.

»Verzeihen Sie meine Neugierde, Hochwürdiger, aber wie machen Sie es möglich, um diese Jahreszeit so vortreffliches Wild zu haben?«

»Nicht wahr? Ich habe dafür ein Rezept. Wild und Geflügel, die Sie hier sehen, sind sämtlich sechs Monate alt.«

»Ist es möglich?«

»Ich habe eine Einrichtung, mittels der ich die Sachen so lange vollkommen luftdicht abschließe.«

»Darum beneide ich Sie.«

»Bitte. Aber wollen Sie gar nichts vom Lachs nehmen?«

»Wenn Sie ihn mir eigens anbieten, gewiß.«

»Ist er doch eine Fastenspeise!«

Der Gast lachte und nahm vom Lachs.

Nach Tische empfahl sich der Kanzler, ein stiller Mann, und der Abt zeigte seinem Gaste das Kloster. Alles gefiel dem Venetianer sehr wohl. Er begriff, daß ruhebedürftige Menschen das Klosterleben erwählen und sich darin wohlfühlen konnten. Und schon begann er zu überlegen, ob dies nicht auch für ihn am Ende der beste Weg zum Frieden des Leibes und der Seele sei.

Einzig die Bibliothek befriedigte ihn wenig.

»Ich sehe da«, bemerkte er, »zwar Massen von Folianten, aber die neuesten davon scheinen mir mindestens hundert Jahre alt zu sein, und lauter Bibeln, Psalter, theologische Exegese, Dogmatik und Legendenbücher. Das alles sind ja ohne Zweifel vortreffliche Werke –«

»Ich vermute es«, lächelte der Prälat.

»Aber Ihre Mönche werden doch auch andere Bücher haben, über Geschichte, Physik, schöne Künste, Reisen und dergleichen.«

»Wozu? Unsere Brüder sind fromme, einfache Leute. Sie tun ihre tägliche Pflicht und sind zufrieden.«

»Das ist ein großes Wort. – Aber dort hängt ja, sehe ich eben, ein Bildnis des Kurfürsten von Köln.

»Der da im Bischofsornat, jawohl.«

»Sein Gesicht ist nicht ganz gut getroffen. Ich habe ein besseres Bild von ihm. Sehen Sie!«

Er zog aus einer inneren Tasche eine schöne Dose, in deren Deckel ein Miniaturporträt eingefügt war. Es stellte den Kurfürsten als Großmeister des deutschen Ordens vor.

»Das ist hübsch. Woher haben Sie das?«

»Vom Kurfürsten selbst.«

»Wahrhaftig?«

»Ich habe die Ehre, sein Freund zu sein.«

Mit Wohlgefallen nahm er wahr, wie er zusehends in der Achtung des Abtes stieg, und steckte die Dose wieder ein.

»Ihre Mönche sind fromm und zufrieden, sagten Sie. Das möchte einem beinahe Lust nach diesem Leben erwecken.«

»Es ist eben ein Leben im Dienst des Herrn.«

»Gewiß, und fern von den Stürmen der Welt.«

»So ist es.«

Nachdenklich folgte er seinem Führer und bat ihn nach einer Weile, nun seine Beichte anzuhören, damit er Absolution erhalten und morgen die Kommunion nehmen könne.

Der Herr führte ihn zu einem kleinen Pavillon, wo sie eintraten. Der Abt setzte sich und Casanova wollte niederknien, doch gab jener das nicht zu.

»Nehmen Sie einen Stuhl«, sagte er freundlich, »und erzählen Sie mir von Ihren Sünden.«

»Es wird lange dauern.«

»Bitte, beginnen Sie nur. Ich werde aufmerksam sein.«

Damit hatte der gute Mann nicht zuviel versprochen. Die Beichte des Chevaliers nahm, obwohl er möglichst gedrängt und rasch erzählte, volle drei Stunden in Anspruch. Der hohe Geistliche schüttelte anfangs ein paar Mal den Kopf oder seufzte, denn eine solche Kette von Sünden war ihm doch noch niemals vorgekommen, und er hatte eine unglaubliche Mühe, die einzelnen Frevel so in der Geschwindigkeit einzuschätzen, zu addieren und im Gedächtnis zu behalten. Bald genug gab er das völlig auf und horchte nur mit Erstaunen dem fließenden Vortrag des Italieners, der in zwangloser, flotter, fast künstlerischer Weise sein ganzes Leben erzählte. Manchmal lächelte der Abt und manchmal lächelte auch der Beichtende, ohne jedoch innezuhalten. Seine Erzählung führte in fremde Länder und Städte, durch Krieg und Seereisen, durch Fürstenhöfe, Klöster, Spielhöllen, Gefängnis, durch Reichtum und Not, sie sprang vom Rührenden zum Tollen, vom Harmlosen zum Skandalösen, vorgetragen aber wurde sie nicht wie ein Roman und nicht wie eine Beichte, sondern unbefangen, ja manchmal heiter-geistreich und stets mit der selbstverständlichen Sicherheit dessen, der Erlebtes erzählt und weder zu sparen noch dick aufzutragen braucht.

Nie war der Abt und Reichsfürst besser unterhalten worden. Besondere Reue konnte er im Ton des Beichtenden nicht wahrnehmen, doch hatte er selbst bald vergessen, daß er als Beichtvater und nicht als Zuschauer eines aufregenden Theaterstücks hier sitze.

»Ich habe Sie nun lang genug belästigt«, schloß Casanova endlich. »Manches mag ich vergessen haben, doch kommt es ja wohl auf ein wenig mehr oder minder nicht an. Sind Sie ermüdet, Hochwürden?«

»Durchaus nicht. Ich habe kein Wort verloren.«

»Und darf ich die Absolution erwarten?«

Noch ganz benommen sprach der Abt die heiligen Worte aus, durch welche Casanovas Sünden vergeben waren und die ihn des Sakramentes würdig erklärten.

Jetzt wurde ihm ein Zimmer angewiesen, damit er die Zeit bis morgen in frommer Betrachtung ungestört verbringen könnte. Den Rest des Tages verwendete er dazu, sich den Gedanken ans Mönchwerden zu überlegen. So sehr er Stimmungsmensch und rasch im Ja- oder Neinsagen war, hatte er doch zuviel Selbsterkenntnis und viel zu viel rechnende Klugheit, um sich nicht voreilig die Hände zu binden und des Verfügungsrechts über sein Leben zu begeben.

Er malte sich also sein zukünftiges Mönchsdasein bis in alle Einzelheiten aus und entwarf einen Plan, um sich für jeden möglichen Fall einer Reue oder Enttäuschung offene Tür zu halten. Den Plan wandte und drehte er um und um, bis er ihm vollkommen erschien, und dann brachte er ihn sorgfältig zu Papier.

In diesem Schriftstück erklärte er sich bereit, als Novize in das Kloster Maria-Einsiedeln zu treten. Um jedoch Zeit zur Selbstprüfung und zum etwaigen Rücktritt zu behalten, erbat er ein zehnjähriges Noviziat. Damit man ihm diese ungewöhnlich lange Frist gewähre, hinterlegte er ein Kapital von zehntausend Franken, das nach seinem Tode oder Wiederaustritt aus dem Orden dem Kloster zufallen sollte. Ferner erbat er sich die Erlaubnis, Bücher jeder Art auf eigene Kosten zu erwerben und in seiner Zelle zu haben; auch diese Bücher sollten nach seinem Tode Eigentum des Klosters werden.

Nach einem Dankgebet für seine Bekehrung legte er sich nieder und schlief gut und fest als einer, dessen Gewissen rein wie Schnee und leicht wie eine Feder ist. Und am Morgen nahm er in der Kirche die Kommunion.

Der Abt hatte ihn zur Schokolade eingeladen. Bei dieser Gelegenheit übergab Casanova ihm sein Schriftstück mit der Bitte um eine günstige Antwort.

Jener las das Gesuch sogleich, beglückwünschte den Gast

zu seinem Entschluß und versprach, ihm nach Tische Antwort zu geben.

»Finden Sie meine Bedingungen zu selbstsüchtig?«

»O nein, Herr Chevalier, ich denke, wir werden wohl einig werden. Mich persönlich würde das aufrichtig freuen. Doch muß ich Ihr Gesuch zuvor dem Konvent vorlegen.«

»Das ist nicht mehr als billig. Darf ich Sie bitten, meine Eingabe freundlich zu befürworten?«

»Mit Vergnügen. Also auf Wiedersehn bei Tische!«

Der Weltflüchtige machte nochmals einen Gang durchs Kloster, sah sich die Brüder an, inspizierte einige Zellen und fand alles nach seinem Herzen. Freudig lustwandelte er durch Einsiedeln, sah Wallfahrer mit einer Fahne einziehen und Fremde in Züricher Mietwagen abreisen, hörte nochmals eine Messe und steckte einen Taler in die Almosenbüchse.

Während der Mittagstafel, die ihm diesmal ganz besonders durch vorzügliche Rheinweine Eindruck machte, fragte er, wie es mit seinen Angelegenheiten stehe.

»Seien Sie ohne Sorge«, meinte der Abt, »obwohl ich Ihnen im Augenblick noch keine entscheidende Antwort habe. Der Konvent will noch Bedenkzeit.«

»Glauben Sie, daß ich aufgenommen werde?«

»Ohne Zweifel.«

»Und was soll ich inzwischen tun?«

»Was Sie wollen. Gehen Sie nach Zürich zurück und erwarten Sie dort unsere Antwort, die ich Ihnen übrigens persönlich bringen werde. Heut über vierzehn Tage muß ich ohnehin in die Stadt, dann suche ich Sie auf, und wahrscheinlich werden Sie dann sogleich mit mir hierher zurückkehren können. Paßt Ihnen das?«

»Vortrefflich. Also heut über vierzehn Tage. Ich wohne im Schwert. Man ißt dort recht gut; wollen Sie dann zu Mittag mein Gast sein?«

»Sehr gerne.«

»Aber wie komme ich heute nach Zürich zurück? Sind irgendwo Wagen zu haben?«

»Sie fahren nach Tisch in meiner Reisekutsche.«

»Das ist allzuviel Güte. –«

»Lassen Sie doch! Es ist schon Auftrag gegeben. Sehen Sie

lieber zu, sich noch ordentlich zu stärken. Vielleicht noch ein Stückchen Kalbsbraten?«

Kaum war die Mahlzeit beendet, so fuhr des Abtes Wagen vor. Ehe der Gast einstieg, gab ihm jener noch zwei versiegelte Briefe an einflußreiche Züricher Herren mit. Herzlich nahm Casanova von dem gastfreien Herrn Abschied, und mit dankbaren Gefühlen fuhr er in dem sehr bequemen Wagen durch das lachende Land und am See entlang nach Zürich zurück.

Als er vor seinem Gasthause vorfuhr, empfing ihn der Diener Leduc mit unverhohlenem Grinsen.

»Was lachst du?«

»Na, es freut mich nur, daß Sie in dieser fremden Stadt schon Gelegenheit gefunden haben, sich volle zwei Tage außer dem Hause zu amüsieren.«

»Dummes Zeug. Geh jetzt und sage dem Wirt, daß ich vierzehn Tage hier bleibe und für diese Zeit einen Wagen und einen guten Lohndiener haben will.«

Der Wirt kam selber und empfahl einen Diener, für dessen Redlichkeit er sich verbürgte. Auch besorgte er einen offenen Mietwagen, da andere nicht zu haben waren.

Am folgenden Tage gab Casanova seine Briefe an die Herren Orelli und Pestalozzi persönlich ab. Sie waren nicht zu Hause, machten ihm aber beide nach Mittag einen Besuch im Hotel und luden ihn für morgen und übermorgen zu Tische und für heute abend ins Konzert ein. Er sagte zu und fand sich rechtzeitig ein.

Das Konzert, das einen Taler Eintrittsgeld kostete, gefiel ihm gar nicht. Namentlich mißfiel ihm die langweilige Einrichtung, daß Männer und Frauen abgesondert je in einem Teil des Saales saßen. Sein scharfes Auge entdeckte unter den Damen mehrere Schönheiten, und er begriff nicht, warum die Sitte ihm verbiete, ihnen den Hof zu machen. Nach dem Konzert wurde er den Frauen und Töchtern der Herren vorgestellt und fand besonders in Fräulein Pestalozzi eine überaus hübsche und liebenswürdige Dame. Doch enthielt er sich jeder leichtfertigen Galanterie.

Obwohl ihm dies Benehmen nicht ganz leicht fiel, schmeichelte es doch seiner Eitelkeit. Er war seinen neuen Freunden in den Briefen des Abtes als ein bekehrter Mann und angehender Büßer vorgestellt worden und er merkte, daß man ihn mit fast ehrerbietiger Achtung behandelte, obwohl er meist mit Protestanten verkehrte. Diese Achtung tat ihm wohl und ersetzte ihm teilweise das Vergnügen, das er seinem ernsten Auftreten opfern mußte.

Und dieses Auftreten gelang ihm so gut, daß er bald sogar auf der Straße mit einer gewissen Ehrerbietung gegrüßt wurde. Ein Geruch von Askese und Heiligkeit umwehte den merkwürdigen Mann, dessen Leumund so wechselnd war wie sein Leben.

Immerhin konnte er es sich nicht versagen, vor seinem Rücktritt aus dem Weltleben dem Herzog von Württemberg noch einen unverschämt gesalzenen Brief zu schreiben. Das wußte ja niemand. Und es wußte auch niemand, daß er manchmal im Schutz der Dunkelheit abends ein Haus aufsuchte, in dem weder Mönche wohnten noch Psalmen gesungen wurden.

IV

Die Vormittage widmete der fromme Herr Chevalier dem Studium der deutschen Sprache. Er hatte einen armen Teufel von der Straße aufgelesen, einen Genuesen namens Giustiniani. Der saß nun täglich in den Morgenstunden bei Casanova und brachte ihm Deutsch bei, wofür er jedesmal sechs Franken Honorar bekam.

Dieser entgleiste Mann, dem sein reicher Schüler übrigens die Adresse jenes Hauses verdankte, unterhielt seinen Gönner hauptsächlich dadurch, daß er auf Mönchtum und Klosterleben in allen Tonarten schimpfte und lästerte. Er wußte nicht, daß sein Schüler im Begriffe stand, Benediktinerbruder zu werden, sonst wäre er zweifellos vorsichtiger gewesen. Casanova nahm ihm jedoch nichts übel. Der Genuese war vor Zeiten Kapuzinermönch gewesen und der Kutte wieder entschlüpft. Nun fand der merkwürdige Bekehrte ein Vergnügen darin, den armen Kerl seine klosterfeindlichen Ergüsse vortragen zu lassen.

»Es gibt aber doch auch gute Leute unter den Mönchen«, wandte er etwa einmal ein.

»Sagen Sie das nicht! Keinen gibt es, keinen einzigen! Sie sind ohne Ausnahme Tagdiebe und faule Bäuche.«

Sein Schüler hörte lachend zu und freute sich auf den Augenblick, in dem er das Lästermaul durch die Nachricht von seiner bevorstehenden Einkleidung verblüffen würde.

Immerhin begann ihm bei dieser stillen Lebensweise die Zeit etwas lang zu werden, und er zählte die Tage bis zum vermutlichen Eintreffen des Abtes mit Ungeduld. Nachher, wenn er dann im Klosterfrieden säße und in Ruhe seinem Studium obläge, würden Langeweile und Unrast ihn schon verlassen. Er plante eine Homerübersetzung, ein Lustspiel und eine Geschichte Venedigs und hatte, um einstweilen doch etwas in diesen Sachen zu tun, bereits einen starken Posten gutes Schreibpapier gekauft.

So verging ihm die Zeit zwar langsam und unlustig, aber sie verging doch, und am Morgen des 23. April stellte er aufatmend fest, daß dies sein letzter Wartetag sein sollte, denn andern Tages stand die Ankunft des Abtes bevor.

Er schloß sich ein und prüfte noch einmal seine weltlichen wie geistlichen Angelegenheiten, bereitete auch das Einpakken seiner Sachen vor und freute sich, endlich dicht vor dem Beginn eines neuen, friedlichen Lebens zu stehen. An seiner Aufnahme in Maria-Einsiedeln zweifelte er nicht, denn nötigenfalls war er entschlossen, das versprochene Kapital zu verdoppeln. Was lag in diesem Falle an zehntausend Franken?

Gegen sechs Uhr abends, da es im Zimmer leis zu dämmern begann, trat er ans Fenster und schaute hinaus. Er konnte von dort den Vorplatz des Hotels und die Limmatbrücke übersehen.

Eben fuhr ein Reisewagen an und hielt vor dem Gasthaus. Casanova schaute neugierig zu. Der Kellner sprang herzu und öffnete den Schlag. Heraus stieg eine in Mäntel gehüllte ältere Frau, dann noch eine, hierauf eine dritte, lauter matronenhaft ernste, ein wenig säuerliche Damen.

»Die hätten auch anderswo absteigen dürfen«, dachte der am Fenster.

Aber diesmal kam das schlanke Ende nach. Es stieg eine vierte Dame aus, eine hohe schöne Figur in einem Kostüm, das damals viel getragen und Amazonenkleid genannt wurde. Auf dem schwarzen Haar trug sie eine kokette, blauseidene Mütze mit einer silbernen Quaste.

Casanova stellte sich auf die Zehen und schaute vorgebeugt hinab. Es gelang ihm, ihr Gesicht zu sehen, ein junges, schönes, brünettes Gesicht mit schwarzen Augen unter stolzen, dichten Brauen. Zufällig blickte sie am Hause hinauf, und da sie den im Fenster Stehenden gewahr wurde und seinen Blick auf sich gerichtet fühlte, seinen Casanovablick, betrachtete sie ihn einen kleinen Augenblick mit Aufmerksamkeit – einen kleinen Augenblick.

Dann ging sie mit den andern ins Haus. Der Chevalier eilte in sein Vorzimmer, durch dessen Glastür er auf den Korridor schauen konnte. Richtig kamen die Viere, und als letzte die Schöne in Begleitung des Wirtes die Treppe herauf und an seiner Türe vorbei. Die Schwarze, als sie sich unversehens von demselben Manne fixiert sah, der sie soeben vom Fenster aus angestaunt hatte, stieß einen leisen Schrei aus, faßte sich aber sofort und eilte kichernd den anderen nach.

Casanova glühte. Seit Jahren glaubte er nichts Ähnliches gesehen zu haben.

»Amazone, meine Amazone!« sang er vor sich hin und warf seinen Kleiderkoffer ganz durcheinander, um in aller Eile große Toilette zu machen. Denn heute mußte er unten an der Tafel speisen, mit den Neuangekommenen! Bisher hatte er sich im Zimmer servieren lassen, um sein weltfeindliches Auftreten zu wahren. Nun zog er hastig eine Sammethose, neue weißseidene Strümpfe, eine goldgestickte Weste, den Galaleibrock und seine Spitzenmanschetten an. Dann klingelte er dem Kellner.

»Sie befehlen?«

»Ich speise heute an der Tafel, unten.«

»Ich werde es bestellen.«

»Sie haben neue Gäste?«

»Vier Damen.«

»Woher?«

»Aus Solothurn.«

»Spricht man in Solothurn französisch?«

»Nicht durchwegs. Aber diese Damen sprechen es.«

»Gut. – Halt, noch was. Die Damen speisen doch unten?«

»Bedaure. Sie haben das Souper auf ihr Zimmer bestellt.«

40

»Da sollen doch dreihundert junge Teufel! – –! Wann servieren Sie dort?«

»In einer halben Stunde.«

»Danke. Gehen Sie!«

»Aber werden Sie nun an der Tafel essen oder –?«

»Gottesdonner, nein! Gar nicht werde ich essen. Gehen Sie!«

Wütend stürmte er im Zimmer auf und ab. Es mußte heut abend etwas geschehen. Wer weiß, ob die Schwarze nicht morgen schon weiterfuhr. Und außerdem kam ja morgen der Abt. Er wollte ja Mönch werden. Zu dumm! Zu dumm!

Aber es wäre seltsam gewesen, wenn der Lebenskünstler nicht doch eine Hoffnung, einen Ausweg, ein Mittel, ein Mittelchen gefunden hätte. Seine Wut dauerte nur Minuten. Dann sann er nach. Und nach einer Weile schellte er den Kellner wieder herauf.

»Was beliebt?«

»Ich möchte dir einen Louisdor zu verdienen geben.«

»Ich stehe zu Diensten, Herr Baron.«

»Gut. So geben Sie mir Ihre grüne Schürze.«

»Mit Vergnügen.«

»Und lassen Sie mich die Damen bedienen.«

»Gerne. Reden Sie bitte mit Leduc, da ich unten servieren muß, habe ich ihn schon gebeten, mir das Aufwarten da oben abzunehmen.«

»Schicken Sie ihn sofort her. – Werden die Damen länger hierbleiben?«

»Sie fahren morgen früh nach Einsiedeln, sie sind katholisch. Übrigens hat die Jüngste mich gefragt, wer Sie seien.«

»Gefragt hat sie? Wer ich sei? Und was haben Sie ihr gesagt.«

»Sie seien Italiener, mehr nicht.«

»Gut. Seien Sie verschwiegen!«

Der Kellner ging und gleich darauf kam Leduc herein, aus vollem Halse lachend.

»Was lachst du, Schaf?«

»Über Sie als Kellner.«

»Also weißt du schon. Und nun hat das Lachen ein Ende oder du siehst nie mehr einen Sou von mir. Hilf mir jetzt die Schürze umbinden. Nachher trägst du die Platten herauf und

41

ich nehme sie dir unter der Tür der Damen ab. Vorwärts!«

Er brauchte nicht lange zu warten. Die Kellnerschürze über der Goldweste umgebunden, betrat er das Zimmer der Fremden.

»Ist's gefällig, meine Damen?«

Die Amazone hatte ihn erkannt und schien vor Verwunderung starr. Er servierte tadellos und hatte Gelegenheit, sie genau zu betrachten und immer schöner zu finden. Als er einen Kapaun künstlerisch tranchierte, sagte sie lächelnd: »Sie servieren gut. Dienen Sie schon lange hier?«

»Sie sind gütig, darnach zu fragen. Erst drei Wochen.«

Als er ihr nun vorlegte, bemerkte sie seine zurückgeschlagenen, aber noch sichtbaren Manschetten. Sie stellte fest, daß es echte Spitzen seien, berührte seine Hand und befühlte die feinen Spitzen. Er war selig.

»Laß das doch!« rief eine der älteren Frauen tadelnd, und sie errötete. Sie errötete! Kaum konnte Casanova sich halten.

Nach der Mahlzeit blieb er, so lange er irgendeinen Vorwand dazu fand, im Zimmer. Die drei Alten zogen sich ins Schlafkabinett zurück, die Schöne aber blieb da, setzte sich wieder und fing zu schreiben an.

Er war endlich mit dem Aufräumen fertig und mußte schlechterdings gehen. Doch zögerte er in der Türe.

»Auf was warten Sie noch?« fragte die Amazone.

»Gnädige Frau, Sie haben die Stiefel noch an und werden schwerlich mit ihnen zu Bett gehen wollen.«

»Ach so, Sie wollen sie ausziehen? Machen Sie sich nicht so viel Mühe mit mir!«

»Das ist mein Beruf, gnädige Frau.«

Er kniete vor ihr auf den Boden und zog ihr, während sie scheinbar weiterschrieb, die Schnürstiefel aus, langsam und sorglich.

»Es ist gut. Genug, genug! Danke.«

»Ich danke vielmehr Ihnen.«

»Morgen abend sehen wir uns ja wieder, Herr Kellner.«

»Sie speisen wieder hier?«

»Gewiß. Wir werden vor Abend von Einsiedeln zurück sein.«

»Danke, gnädige Frau.«

»Also gute Nacht, Kellner.«

»Gute Nacht, Madame. Soll ich die Stubentür schließen oder auflassen?«

»Ich schließe selbst.«

Das tat sie denn auch, als er draußen war, wo ihn Leduc mit ungeheurem Grinsen erwartete.

»Nun?« sagte sein Herr.

»Sie haben Ihre Rolle großartig gespielt. Die Dame wird Ihnen morgen einen Dukaten Trinkgeld geben. Wenn Sie mir aber den nicht überlassen, verrate ich die ganze Geschichte.«

»Du kriegst ihn schon heute, Scheusal.«

Am folgenden Morgen fand er sich rechtzeitig mit den geputzten Stiefeln wieder ein. Doch erreichte er nicht mehr, als daß die Amazone sich diese wieder von ihm anziehen ließ.

Er schwankte, ob er ihr nicht nach Einsiedeln nachfahren sollte. Doch kam gleich darauf ein Lohndiener mit der Nachricht, der Herr Abt sei in Zürich und werde sich die Ehre geben, um zwölf Uhr mit dem Herrn Chevalier allein auf seinem Zimmer zu speisen.

Herrgott, der Abt! An den hatte der gute Casanova nicht mehr gedacht. Nun, mochte er kommen. Er bestellte ein höchst luxuriöses Mahl, zu dem er selber in der Küche einige Anweisungen gab. Dann legte er sich, da er vom Frühaufstehen müde war, noch zwei Stunden aufs Bett und schlief.

Am Mittag kam der Abt. Es wurden Höflichkeiten gewechselt und Grüße ausgerichtet, dann setzten sich beide zu Tische. Der Prälat war über die prächtige Tafel entzückt und vergaß über den guten Platten für eine halbe Stunde ganz seine Aufträge. Endlich fielen sie ihm wieder ein.

»Verzeihen Sie«, sagte er plötzlich, »daß ich Sie so ungebührlich lange in der Spannung ließ! Ich weiß gar nicht, wie ich das so lang vergessen konnte.«

»O bitte.«

»Nach allem, was ich in Zürich über Sie hörte – ich habe mich begreiflicherweise ein wenig erkundigt –, sind Sie wirklich durchaus würdig, unser Bruder zu werden. Ich heiße Sie willkommen, lieber Herr, herzlichst willkommen. Sie können

43

nun über Ihre Tür schreiben: *Inveni portum. Spes et fortuna valete!*«

»Zu deutsch: Lebe wohl, Glücksgöttin; ich bin im Hafen! Der Vers stammt aus Euripides und ist wirklich sehr schön, wenn auch in meinem Falle nicht ganz passend.«

»Nicht passend? Sie sind zu spitzfindig.«

»Der Vers, Hochwürden, paßt nicht auf mich, weil ich nicht mit Ihnen nach Einsiedeln kommen werde. Ich habe gestern meinen Vorsatz geändert.«

»Ist es möglich?«

»Es scheint so. Ich bitte Sie, mir das nicht übel zu nehmen und in aller Freundschaft noch dies Glas Champagner mit mir zu leeren.«

»Auf Ihr Wohl denn! Möge Ihr Entschluß Sie niemals reuen! Das Weltleben hat auch seine Vorzüge.«

»Die hat es, ja.«

Der freundliche Abt empfahl sich nach einer Weile und fuhr in seiner Equipage davon. Casanova aber schrieb Briefe nach Paris und Anweisungen an seinen Bankier, verlangte auf den Abend die Hotelrechnung und bestellte für morgen einen Wagen nach Solothurn. *(1906)*

Eine Sonate

Frau Hedwig Dillenius kam aus der Küche, legte die Schürze ab, wusch und kämmte sich und ging dann in den Salon, um auf ihren Mann zu warten.

Sie betrachtete drei, vier Blätter aus einer Dürermappe, spielte ein wenig mit einer Kopenhagener Porzellanfigur, hörte vom nächsten Turme Mittag schlagen und öffnete schließlich den Flügel. Sie schlug ein paar Töne an, eine halbvergessene Melodie suchend, und horchte eine Weile auf das harmonische Ausklingen der Saiten. Feine, verhauchende Schwingungen, die immer zarter und unwirklicher wurden, und dann kamen Augenblicke, in denen sie nicht wußte, klangen die paar Töne noch nach oder war der feine Reiz im Gehör nur noch Erinnerung.

Sie spielte nicht weiter, sie legte die Hände in den Schoß und dachte. Aber sie dachte nicht mehr wie früher, nicht mehr wie in der Mädchenzeit daheim auf dem Lande, nicht mehr an kleine drollige oder rührende Begebenheiten, von denen immer nur die kleinere Hälfte wirklich und erlebt war. Sie dachte seit einiger Zeit an andere Dinge. Die Wirklichkeit selber war ihr schwankend und zweifelhaft geworden. Während der halbklaren, träumenden Wünsche und Erregungen der Mädchenzeit hatte sie oft daran gedacht, daß sie einmal heiraten und einen Mann und ein eigenes Leben und Hauswesen haben werde, und von dieser Veränderung hatte sie viel erwartet. Nicht nur Zärtlichkeit, Wärme und neue Liebesgefühle, sondern vor allem eine Sicherheit, ein klares Leben, ein wohliges Geborgensein vor Anfechtungen, Zweifeln und unmöglichen Wünschen. So sehr sie das Phantasieren und Träumen geliebt hatte, ihre Sehnsucht war doch immer nach einer Wirklichkeit gegangen, nach einem unbeirrten Wandeln auf zuverlässigen Wegen.

Wieder dachte sie darüber nach. Es war anders gekommen, als sie es sich vorgestellt hatte. Ihr Mann war nicht mehr das, was er ihr während der Brautzeit gewesen war, vielmehr sie hatte ihn damals in einem Licht gesehen, das jetzt erloschen war. Sie hatte geglaubt, er sei ihr ebenbürtig und noch überlegen, er könne mit ihr gehen bald als Freund, bald als

Führer, und jetzt wollte es ihr häufig scheinen, sie habe ihn überschätzt. Er war brav, höflich, auch zärtlich, er gönnte ihr Freiheit, er nahm ihr kleine häusliche Sorgen ab. Aber er war zufrieden, mit ihr und mit seinem Leben, mit Arbeit, Essen, ein wenig Vergnügen, und sie war mit diesem Leben nicht zufrieden. Sie hatte einen Kobold in sich, der necken und tanzen wollte, und einen Träumergeist, der Märchen dichten wollte, und eine beständige Sehnsucht, das tägliche kleine Leben mit dem großen herrlichen Leben zu verknüpfen, das in Liedern und Gemälden, in schönen Büchern und im Sturm der Wälder und des Meeres klang. Sie war nicht damit zufrieden, daß eine Blume nur eine Blume und ein Spaziergang nur ein Spaziergang sein sollte. Eine Blume sollte eine Elfe, ein schöner Geist in schöner Verwandlung sein, und ein Spaziergang nicht eine kleine pflichtmäßige Übung und Erholung, sondern eine ahnungsvolle Reise nach dem Unbekannten, ein Besuch bei Wind und Bach, ein Gespräch mit den stummen Dingen. Und wenn sie ein gutes Konzert gehört hatte, war sie noch lang in einer fremden Geisterwelt, während ihr Mann längst in Pantoffeln umherging, eine Zigarette rauchte, ein wenig über die Musik redete und ins Bett begehrte.

Seit einiger Zeit mußte sie ihn nicht selten erstaunt ansehen und sich wundern, daß er so war, daß er keine Flügel mehr hatte, daß er nachsichtig lächelte, wenn sie einmal recht aus ihrem inneren Leben heraus mit ihm reden wollte.

Immer wieder kam sie zu dem Entschluß, sich nicht zu ärgern, geduldig und gut zu sein, es ihm in seiner Weise bequem zu machen. Vielleicht war er müde, vielleicht plagten ihn Dinge in seinem Amt, mit denen er sie verschonen wollte. Er war so nachgiebig und freundlich, daß sie ihm danken mußte. Aber er war nicht ihr Prinz, ihr Freund, ihr Herr und Bruder mehr, sie ging alle lieben Wege der Erinnerung und Phantasie wieder allein, ohne ihn, und die Wege waren dunkler geworden, da an ihrem Ende nicht mehr eine geheimnisvolle Zukunft stand.

Die Glocke tönte, sein Schritt erklang im Flur, die Türe ging, und er kam herein. Sie ging ihm entgegen und erwiderte seinen Kuß.

»Geht's gut, Schatz?«

»Ja, danke, und dir?«

Dann gingen sie zu Tische.

»Du«, sagte sie, »paßt es dir, daß Ludwig heut abend kommt?«

»Wenn dir dran liegt, natürlich.«

»Ich könnte ihm nachher telefonieren. Weißt du, ich kann es kaum mehr erwarten.«

»Was denn?«

»Die neue Musik. Er hat ja neulich erzählt, daß er diese neuen Sonaten studiert hat und sie jetzt spielen kann. Sie sollen so schwer sein.«

»Ach ja, von dem neuen Komponisten, nicht?«

»Ja, Reger heißt er. Es müssen merkwürdige Sachen sein, ich bin schrecklich gespannt.«

»Ja, wir werden ja hören. Ein neuer Mozart wird's auch nicht sein.«

»Also heut abend. Soll ich ihn gleich zum Essen bitten?«

»Wie du willst, Kleine.«

»Bist du auch neugierig auf den Reger? Ludwig hat so begeistert von ihm gesprochen.«

»Nun, man hört immer gern was Neues. Ludwig ist vielleicht ein bißchen sehr enthusiastisch, nicht? Aber schließlich muß er von Musik mehr verstehen als ich. Wenn man den halben Tag Klavier spielt!«

Beim schwarzen Kaffee erzählte ihm Hedwig Geschichten von zwei Buchfinken, die sie heute in den Anlagen gesehen hatte. Er hörte wohlwollend zu und lachte.

»Was du für Einfälle hast! Du hättest Schriftstellerin werden können!«

Dann ging er fort, aufs Amt, und sie sah ihm vom Fenster aus nach, weil er das gern hatte. Darauf ging auch sie an die Arbeit. Sie trug die letzte Woche im Ausgabenbüchlein nach, räumte ihres Mannes Zimmer auf, wusch die Blattpflanzen ab und nahm schließlich eine Näharbeit vor, bis es Zeit war, wieder nach der Küche zu sehen.

Gegen acht Uhr kam ihr Mann und gleich darauf Ludwig, ihr Bruder. Er gab der Schwester die Hand, begrüßte den Schwager und nahm dann nochmals Hedwigs Hände.

Beim Abendessen unterhielten sich die Geschwister lebhaft und vergnügt. Der Mann warf hie und da ein Wort dazwischen und spielte zum Scherz den Eifersüchtigen. Ludwig ging darauf ein, sie aber sagte nichts dazu, sondern wurde nachdenklich. Sie fühlte, daß wirklich unter ihnen dreien ihr Mann der Fremde war. Ludwig gehörte zu ihr, er hatte dieselbe Art, denselben Geist, die gleichen Erinnerungen wie sie, er sprach dieselbe Sprache, begriff und erwiderte jede kleine Neckerei. Wenn er da war, umgab sie eine heimatliche Luft; dann war alles wieder wie früher, dann war alles wieder wahr und lebendig, was sie von Hause her in sich trug und was von ihrem Mann freundlich geduldet, aber nicht erwidert und im Grunde vielleicht auch nicht verstanden wurde.

Man blieb noch beim Rotwein sitzen, bis Hedwig mahnte. Nun gingen sie in den Salon, Hedwig öffnete den Flügel und zündete die Lichter an, ihr Bruder legte die Zigarette weg und schlug sein Notenheft auf. Dillenius streckte sich in einen niederen Sessel mit Armlehnen und stellte den Rauchtisch neben sich. Hedwig nahm abseits beim Fenster Platz.

Ludwig sagte noch ein paar Worte über den neuen Musiker und seine Sonate. Dann war es einen Augenblick ganz stille. Und dann begann er zu spielen.

Hedwig hörte die ersten Takte aufmerksam an, die Musik berührte sie fremd und sonderbar. Ihr Blick hing an Ludwig, dessen dunkles Haar im Kerzenlicht zuweilen aufglänzte. Bald aber spürte sie in der ungewohnten Musik einen starken und feinen Geist, der sie mitnahm und ihr Flügel gab, daß sie über Klippen und unverständliche Stellen hinweg das Werk begreifen und erleben konnte.

Ludwig spielte, und sie sah eine weite dunkle Wasserfläche in großen Takten wogen. Eine Schar von großen, gewaltigen Vögeln kam mit brausenden Flügelschlägen daher, urweltlich düster. Der Sturm tönte dumpf und warf zuweilen schaumige Wellenkämme in die Luft, die in viele kleine Perlen zerstäubten. In dem Brausen der Wellen, des Windes und der großen Vogelflügel klang etwas Geheimes mit, da sang bald mit lautem Pathos bald mit feiner Kinderstimme ein Lied, eine innige, liebe Melodie.

Wolken flatterten schwarz und in zerrissenen Strähnen, dazwischen gingen wundersame Blicke in golden tiefe Himmel auf. Auf großen Wogen ritten Meerscheusale von grausamer Bildung, aber auf kleinen Wellen spielten zarte rührende Reigen von Engelbüblein mit komisch dicken Gliedern und mit Kinderaugen. Und das Gräßliche ward vom Lieblichen mit wachsendem Zauber überwunden, und das Bild verwandelte sich in ein leichtes, luftiges, der Schwere enthobenes Zwischenreich, wo in einem eigenen, mondähnlichen Lichte ganz zarte, schwebende Elfenwesen Luftreigen tanzten und dazu mit reinen, kristallenen, körperlosen Stimmen selig leichte, leidlos verwehende Töne sangen.

Nun aber wurde es, als seien es nicht mehr die engelhaften Lichtelfen selber, die im weißen Scheine sangen und schwebten, sondern als sei es ein Mensch, der von ihnen erzähle oder träume. Ein schwerer Tropfen Sehnsucht und unstillbares Menschenleid rann in die verklärte Welt des wunschlos Schönen, statt des Paradieses erstand des Menschen Traum vom Paradiese, nicht weniger glänzend und schön, aber von tiefen Lauten unstillbaren Heimwehs begleitet. So wird Menschenlust aus Kinderlust; das faltenlose Lachen ist dahin, die Luft aber ist inniger und schmerzlich süßer geworden.

Langsam zerrannen die holden Elfenlieder in das Meeresbrausen, das wieder mächtig schwoll. Kampfgetöse, Leidenschaft und Lebensdrang. Und mit dem Wegrollen einer letzten hohen Woge war das Lied zu Ende. Im Flügel klang die Flut in leiser, langsam sterbender Resonanz nach, und klang aus, und eine tiefe Stille entstand. Ludwig blieb in gebückter Haltung lauschend sitzen, Hedwig hatte die Augen geschlossen und lehnte wie schlafend im Stuhl.

Endlich stand Dillenius auf, ging ins Speisezimmer zurück und brachte dem Schwager ein Glas Wein.

Ludwig stand auf, dankte und nahm einen Schluck.

»Nun, Schwager«, sagte er, »was meinst du?«

»Zu der Musik? Ja, es war interessant, und du hast wieder großartig gespielt. Du mußt ja riesig üben.«

»Und die Sonate?«

»Siehst du, das ist Geschmackssache. Ich bin ja nicht absolut gegen alles Neue, aber das ist mir doch zu ›originell‹. Wagner laß ich mir noch gefallen – –«

Ludwig wollte antworten. Da war seine Schwester zu ihm getreten und legte ihm die Hand auf den Arm.

»Laß nur, ja? Es ist ja wirklich Geschmackssache.«

»Nicht wahr?« rief ihr Mann erfreut. »Was sollen wir streiten? Schwager, eine Zigarre?«

Ludwig sah etwas betroffen der Schwester ins Gesicht. Da sah er, daß sie von der Musik ergriffen war, und daß sie leiden würde, wenn weiter darüber gesprochen würde. Zugleich aber sah er zum erstenmal, daß sie ihren Mann schonen zu müssen glaubte, weil ihm etwas fehlte, das für sie notwendig und ihr angeboren war. Und da sie traurig schien, sagte er vor dem Weggehen heimlich zu ihr: »Hede, fehlt dir was?«

Sie schüttelte den Kopf.

»Du mußt mir das bald wieder spielen, für mich allein. Willst du?« Dann schien sie wieder vergnügt zu sein, und nach einer Weile ging Ludwig beruhigt heim.

Sie aber konnte diese Nacht nicht schlafen. Daß ihr Mann sie nicht verstehen könne, wußte sie, und sie hoffte, es ertragen zu können. Aber sie hörte immer wieder Ludwigs Frage: »Hede, fehlt dir was?« und dachte daran, daß sie ihm mit einer Lüge hatte antworten müssen, zum erstenmal mit einer Lüge.

Und nun, schien es ihr, hatte sie die Heimat und ihre herrliche Jugendfreiheit und alle leidlose, lichte Fröhlichkeit des Paradieses erst ganz verloren.   *(1906)*

Der Weltverbesserer

Berthold Reichardt war vierundzwanzig Jahre alt. Er hatte die Eltern früh verloren, und von seinen Erziehern hatte nur ein einziger Einfluß auf ihn bekommen, ein edler, doch fanatischer Mensch und frommer Freigeist, welcher dem Jüngling früh die Gewohnheit eines Denkens beibrachte, das bei scheinbarer Gerechtigkeit doch nicht ohne Hochmut den Dingen seine Form aufzwang. Nun wäre es für den jungen Menschen Zeit gewesen, seine Kräfte im Spiel der Welt zu versuchen, um ohne Hast sich nach dem ihm zukömmlichen und erreichbaren Lebensglück umzusehen, auf das er als ein gescheiter, hübscher und wohlhabender Mann gewiß nicht lange hätte zu warten brauchen.

Berthold hatte keinen bestimmten Beruf gewählt. Seinen Neigungen gemäß hatte er bei guten Lehrern, auf Reisen und aus Büchern Philosophie und Geschichte studiert mit einer Tendenz nach den ästhetischen Fächern. Sein ursprünglicher Wunsch, Baumeister zu werden, war dabei in den Studienjahren abwechselnd erkaltet und wieder aufgeflammt; schließlich war er bei der Kunstgeschichte stehengeblieben und hatte vorläufig seine Lehrjahre durch eine Doktorarbeit abgeschlossen. Als junger Doktor traf er nun in München ein, wo er am ehesten die Menschen und die Tätigkeit zu finden hoffte, zu denen seine Natur auf noch verdunkelten Wegen doch immer stärker hinstrebte. Er dürstete danach, am Entstehen neuer Zeiten und Werke mitzuraten und mitzubauen und im Werden und Emporkommen seiner Generation mitzuwachsen. Des Vorteiles, den jeder Friseurgehilfe hat: durch Beruf und Stellung von allem Anfang an ein festes, klares Verhältnis zum Leben und eine berechtigte Stelle im Gefüge der menschlichen Tätigkeiten zu haben, dieses Vorteils also mußte Berthold bei seinem Eintritt in die Welt und ins männliche Alter entraten.

In München, wo er schon früher ein Jahr als Student gelebt hatte, war der junge Doktor in mehreren Häusern eingeführt, hatte es aber mit den Begrüßungen und Besuchen nicht eilig, da er seinen Umgang in aller Freiheit suchen und unabhängig von früheren Verpflichtungen sein Leben einrichten wollte. Vor allem war er auf die Künstlerwelt begierig, welche zur Zeit eben wieder voll neuer Ideen gärte und beinahe täglich Zustände, Gesetze und Sitten entdeckte, welchen der Krieg zu erklären war.

Er geriet bald in näheren Umgang mit einem kleinen Kreise junger Künstler dieser Art. Man traf sich bei Tische und im Kaffeehaus, bei öffentlichen Vorträgen und bald auch freundschaftlich in den Wohnungen und Ateliers, meistens in dem des Malers Hans Konegen, der eine Art geistiger Führerschaft in dieser Künstlergruppe ausübte.

Im weiteren Umgang mit diesen Künstlern fand er manchen Anlaß zur Verwunderung, ohne darüber den guten Willen zum Lernen zu verlieren. Es fiel ihm vor allem auf, daß die paar berühmten Maler und Bildhauer, deren Namen er stets in enger Verbindung mit den jungen künstlerischen Revolutionen nennen gehört hatte, offenbar diesem reformierenden Denken und Treiben der Jungen weit ferner standen, als er gedacht hätte, daß sie vielmehr in einer gewissen Einsamkeit und Unsichtbarkeit nur ihrer Arbeit zu leben schienen. Ja, diese Berühmtheiten wurden von den jungen Kollegen keineswegs als Vorbilder bewundert, sondern mit Schärfe, ja mit Lieblosigkeit kritisiert und zum Teil sogar verachtet. Es schien, als begehe jeder Künstler, der unbekümmert seine Werke schuf, damit einen Verrat an der Sache der revolutionierenden Jugend.

Es entsprach dieser Verirrung ein gewisser jugendlich-pedantischer Zug in Reichardts Wesen selbst, so daß er trotz gelegentlicher Bedenken dieser ganzen Art sehr bald zustimmte. Es fiel ihm nicht auf, wie wenig und mit wie geringer Leidenschaft in den Ateliers seiner Freunde gearbeitet wurde. Da er selbst ohne Beruf war, gefiel es ihm wohl, daß auch seine Malerfreunde fast immer Zeit und Lust zum Reden und Theoretisieren hatten. Namentlich schloß er sich an Hans Konegen an, dessen kaltblütige Kritiklust ihm ebensosehr imponierte wie sein unverhohlenes Selbstbewußtsein. Mit ihm durchstreifte er häufig die vielen Kunstausstellungen und hatte die Überzeugung, dabei viel zu lernen, denn es gab kaum ein Kunstwerk, an dem Konegen nicht klar und schön darzulegen wußte, wo seine Fehler lagen. Anfangs hatte es Berthold oft weh getan, wenn er andere über ein Bild, das ihm gefiel und in das er sich eben mit Freude hineingesehen hatte, gröblich und schonungslos hergefallen war; mit der Zeit gefiel ihm jedoch dieser Ton und färbte sogar auf seinen eigenen ab.

Da hing eine zarte grüne Landschaft, ein Flußtal mit bewaldeten Hügeln, von Frühsommerwolken überflogen, treu und zart gemalt, das Werk eines noch jungen, doch schon rühmlich bekannten Malers. »Das schätzen und kaufen nun die Leute«, sagte Hans Konegen dazu, »und es ist ja ganz nett, die Wolkenspiegel im Wasser sind sogar direkt gut. Aber wo ist da Größe, Wucht, Linie, kurz – Rhythmus? Eine nette kleine Arbeit, sauber und lieb, gewiß, aber das soll nun ein Berühmter sein! Ich bitte Sie: wir sind ein Volk, das den größten Krieg der modernen Geschichte gewonnen hat, das Handel und Industrie im größten Maßstab treibt, das reich geworden ist und Machtbewußtsein hat, das eben noch zu den Füßen Bismarcks und Nietzsches saß – und das soll nun unsere Kunst sein!«

Ob ein hübsches waldiges Flußtal geeignet sei, mit monumentaler Wucht gemalt zu werden, oder ob das Gefühl für einfache Schönheiten der ländlichen Natur unseres Volkes unwürdig sei, davon sprach er nicht.

Doktor Reichardt wußte nicht, daß seine Bekannten keineswegs die Blüte der Künstlerjugend darstellten, denn nach ihren Reden, ihrem Auftreten und ihren vielen theoretischen Kenntnissen taten sie das entschieden. Er wußte nicht, daß sie höchstens einen mäßigen Durchschnitt, ja vielleicht nur eine launige Luftblase und Zerrform bedeuteten. Er wußte auch nicht, wie wenig gründlich und gewissenhaft die Urteile Konegens waren, der von schlichten Landschaften den großen Stil, von Riesenkartons aber tonige Weichheit, von Studienblättern Bildwirkung und von Staffeleibildern größere Naturnähe verlangte, so daß freilich seine Ansprüche stets weit größer blieben als die Kunst aller Könner. Und er fragte nicht, ob eigentlich Konegens eigene Arbeiten so mächtig seien, daß sie ihm das Recht zu solchen Ansprüchen und Urteilen gäben. Wie es Art und schönes Recht der Jugend ist, unterschied er nicht zwischen seiner Freunde Idealen und ihren Taten.

Ihre Arbeit galt meistens recht anspruchslosen Dingen,

kleinen Gegenständen und Spielereien dekorativer und gewerblicher Art. Aber wie das Können des größten Malers klein wurde und elend dahinschmolz, wenn man es an ihren Forderungen und Urteilen maß, so wuchsen ihre eigenen Geschäftigkeiten ins Gewaltige, wenn man sie darüber sprechen hörte. Der eine hatte eine Zeichnung zu einer Vase oder Tasse gemacht und wußte nachzuweisen, daß diese Arbeit, so unscheinbar sie sei, doch vielleicht mehr bedeute als mancher Saal voll Bilder, da sie in ihrem schlichten Ausdrucke das Gepräge des Notwendigen trage und auf einer Erkenntnis der statischen und konstruktiven Grundgesetze jedes gewerblichen Gegenstandes, ja des Weltgefüges selbst, beruhe. Ein anderer versah ein Stück graues Papier, das zu Büchereinbänden dienen sollte, mit regellos verteilten gelblichen Flecken und konnte darüber eine Stunde lang philosophieren, wie die Art der Verteilung jener Flecken etwas Kosmisches zeige und ein Gefühl von Sternhimmel und Unendlichkeit zu wecken vermöge.

Dergleichen Unfug lag in der Luft und wurde von der Jugend als eine Mode betrieben; mancher kluge, doch schwache Künstler mochte es auch ernstlich darauf anlegen, mangelnden natürlichen Geschmack durch solche Räsonnements zu ersetzen oder zu entschuldigen. Reichardt aber in seiner Gründlichkeit nahm alles eine Zeitlang ernst und lernte dabei von Grund aus die Müßiggängerkunst eines intellektualistischen Beschäftigtseins, das der Todfeind jeder wertvollen Arbeit ist.

Über diesem Treiben aber konnte er doch auf die Dauer nicht alle gesellschaftlichen Verpflichtungen vergessen, und so erinnerte er sich vor allem eines Hauses, in dem er einst als Student verkehrt hatte, da der Hausherr vor Zeiten mit Bertholds Vater in näheren Beziehungen gestanden war. Es war dies ein Justizrat Weinland, der als leidenschaftlicher Freund der Kunst und der Geselligkeit ein glänzendes Haus geführt hatte. Dort wollte nun Reichardt, nachdem er schon einen Monat in der Stadt wohnte, einen Besuch machen und sprach in sorgfältiger Toilette in dem Hause vor, dessen erste Etage der Rat einst bewohnt hatte. Da fand er zu seinem Erstaunen einen fremden Namen auf dem Türschilde stehen, und als er einen heraustretenden Diener fragte, erfuhr er, der Rat sei vor mehr als Jahresfrist gestorben.

Die Wohnung der Witwe, die Berthold sich aufgeschrieben hatte, lag weit draußen in einer unbekannten Straße am Rande der Stadt, und ehe er dorthin ging, suchte er durch Kaffeehausbekannte, deren er einige noch von der Studentenzeit her vorgefunden hatte, über Schicksal und jetzigen Zustand des Hauses Weinland Bericht zu erhalten. Das hielt nicht schwer, da der verstorbene Rat ein weithin gekannter Mann gewesen war, und so erfuhr Berthold eine ganze Geschichte: Weinland hatte allezeit weit über seine Verhältnisse gelebt und war so tief in Schulden und mißliche Finanzgeschäfte hineingeraten, daß niemand seinen plötzlichen Tod für einen natürlichen hatte halten mögen. Jedenfalls habe sofort nach diesem unerklärlichen Todesfall die Familie alle Habe verkaufen müssen und sei, obwohl noch in der Stadt wohnhaft, so gut wie vergessen und verschollen. Schade sei es dabei um die Tochter, der man ein besseres Schicksal gegönnt hätte.

Der junge Mann, von solchen Nachrichten überrascht und mitleidig ergriffen, wunderte sich doch über das Dasein dieser Tochter, welche je gesehen zu haben er sich nicht erinnern konnte, und es geschah zum Teil aus Neugierde auf das Mädchen, als er nach einigen Tagen beschloß, die Weinlands zu besuchen. Er nahm einen Mietwagen und fuhr hinaus, durch eine unvornehme Vorstadt bis an die Grenze des freien Feldes. Der Wagen hielt vor einem einzeln stehenden mehrstöckigen Miethause, das trotz seiner Neuheit in Fluren und Treppen schon den trüben Duft der Ärmlichkeit angenommen hatte.

Etwas verlegen trat er in die kleine Wohnung im zweiten Stockwerk, deren Türe ihm eine Küchenmagd geöffnet hatte. Sogleich erkannte er in der einfachen Stube die Frau Rätin, deren strenge magere Gestalt ihm beinahe unverändert und nur um einen Schatten reservierter und kühler geworden schien. Neben ihr aber tauchte die Tochter auf, und nun wußte er genau, daß er diese noch nie gesehen habe, denn sonst hätte er sie gewiß nicht so ganz vergessen können. Sie hatte die Figur der Mutter und sah mit dem gesunden Gesicht, in der strammen, elastischen Haltung und einfachen, doch tadellosen Toilette wie eine junge Offiziersfrau oder Sportsdame aus. Bei längerem Betrachten ergab sich dann, daß in dem frischen, herben Gesicht dunkelbraune Augen ihre Stätte hatten, und in diesen ruhigen Augen sowohl wie in manchen Bewegungen der beherrschten Gestalt schien erst der wahre Charakter des schönen Mädchens zu wohnen, den das übrige Äußere härter und kälter vermuten ließ, als er war.

Reichardt blieb eine halbe Stunde bei den Frauen. Das Fräulein Agnes war, wie er nun erfuhr, während der Zeit seines früheren Verkehrs in ihrem Vaterhause im Auslande gewesen. Doch vermieden sie es alle, näher an die Vergangenheit zu rühren, und so kam es von selbst, daß vor allem des Besuchers Person und Leben besprochen wurde. Beide Frauen zeigten sich ein wenig verwundert, ihn so zuwartend und unschlüssig an den Toren des Lebens stehen zu sehen, und Agnes meinte geradezu, wenn er einiges Talent zum Baumeister in sich fühle, so sei das ein so herrlicher Beruf, daß sie sein Zaudern nicht begreife. Beim Abschied wurde er eingeladen, nach Belieben sich wieder einzufinden.

Von den veränderten Umständen der Familie hatte zwar die Lage und Bescheidenheit ihrer Wohnung Kunde gegeben, die Frauen selbst aber hatten dessen nicht nur mit keinem Worte gedacht, sondern auch in ihrem ganzen Wesen kein Wissen von Armut oder Bedrücktheit gezeigt, vielmehr den Ton innegehalten, der in ihrer früheren Lebensführung ihnen geläufig gewesen war. Reichardt nahm eine Teilnahme und Bewunderung für die schöne, tapfere Tochter mit sich in die abendliche Stadt hinein und fühlte sich bis zur Nacht und zum Augenblick des Einschlafens von einer wohlig reizenden Atmosphäre umgeben, wie vom tiefen, warmen Braun ihrer Blicke.

Dieser sanfte Reiz spornte den Doktor auch zu neuen Arbeitsgedanken und Lebensplänen an. Er hatte darüber ein langes Gespräch mit dem Maler Konegen, das jedoch zu einer Abkühlung dieser Freundschaft führte. Hans Konegen hatte auf Reichardts Klagen hin sofort einen Arbeitsplan entworfen, er war in dem großen Atelier heftig hin und wider geschritten, hatte seinen Bart mit nervösen Händen gedreht und sich alsbald, wie es seine unheimliche Gabe war, in ein

flimmerndes Gehäuse eingesponnen, das aus lauter Beredsamkeit bestand und dem Regendache jenes Meisterfechters
im Volksmärchen glich, unter welchem jener trocken stand,
obwohl er aus nichts bestand als dem rasenden Kreisschwung
seines Degens.

Er rechtfertigte zuerst die Existenz seines Freundes Reichardt, indem er den Wert solcher Intelligenzen betonte, die
als kritische und heimlich mitschöpferische Berater der
Kunst helfen und dienen könnten. Es sei also dessen Pflicht,
seine Kräfte der Kunst dienstbar zu machen. Er möge daher
trachten, an einer angesehenen Kunstzeitschrift oder noch
besser an einer Tageszeitung kritischer Mitarbeiter zu werden und zu Einfluß zu kommen. Dann würde er, Hans
Konegen, ihm durch eine Gesamtausstellung seiner Schöp-
fungen Gelegenheit geben, einer guten Sache zu dienen und
der Welt etwas Neues zu zeigen.

Als Berthold ein wenig mißmutig den Freund daran erinnerte, wie verächtlich sich dieser noch kürzlich über alle
Zeitungen und über das Amt des Kritikers geäußert habe,
legte der Maler dar, wie eben bei dem traurig tiefen Stand
der Kritik ein wahrhaft freier Geist auf diesem Gebiete zum
Reformator werden könne, zum Lessing unserer Zeit. Übrigens stehe dem Kunstschriftsteller auch noch ein anderer
und schönerer Weg offen, nämlich der des Buches. Er selbst
habe schon manchmal daran gedacht, die Herausgabe einer
Monographie über ihn, Hans Konegen, zu veranlassen; nun
sei in Reichardt der Mann für die nicht leichte Aufgabe
gefunden. Berthold solle den Text schreiben, die Illustration
des Buches übernehme er selbst.

Reichardt hörte die wortreichen Vorschläge mit zunehmender Verstimmung an. Heute, da er das Übel seiner berufslo-
sen Entbehrlichkeit besonders stark empfand, tat es ihm weh
zu sehen, wie der Maler in diesem Zustande nichts anderes
fand als eine Verlockung, ihn seinem persönlichen Ruhm
oder Vorteil dienstbar zu machen.

Aber als er ihm ins Wort fiel und diese Pläne kurz von der
Hand wies, war Hans Konegen keineswegs geschlagen.

»Gut, gut«, sagte er wohlwollend, »ich verstehe Sie vollkommen und muß Ihnen eigentlich recht geben. Sie wollen
Werte schaffen helfen, nicht wahr? Tun Sie das! Sie haben

Kenntnisse und Geschmack, Sie haben mich und einige Freunde und dadurch eine direkte Verbindung mit dem schaffenden Geist der Zeit. Gründen Sie also ein Unternehmen, mit dem Sie einen unmittelbaren Einfluß auf das Kunstleben ausüben können! Gründen Sie zum Beispiel einen Kunstverlag, eine Stelle für Herstellung und Vertrieb wertvoller Graphik, ich stelle dazu das Verlagsrecht meiner Holzschnitte und zahlreicher Entwürfe zur Verfügung, ich richte Ihre Druckerei und Ihr Privatbüro ein, die Möbel etwa in Ahornholz mit Messingbeschlägen. Oder noch besser, hören Sie! Beginnen wir eine kleine Werkstätte für vornehmes Kunstgewerbe! Nehmen Sie mich als Berater oder Direktor, für gute Hilfskräfte werde ich sorgen, ein Freund von mir modelliert zum Beispiel prachtvoll und versteht sich auch auf Bronzeguß.«

Und so ging es weiter, munter Plan auf Plan, bis Reichardt beinahe wieder lachen konnte. Überall sollte er der Unternehmer sein, das Geld aufbringen und riskieren, Konegen aber war der Direktor, der technische Leiter, kurz die Seele von allem. Zum ersten Male erkannte er deutlich, wie eng alle Kunstgedanken des Malergenies nur um dessen eigene Person und Eitelkeit kreisten, und er sah nachträglich mit Unbehagen, wie wenig schön die Rolle war, die er in der Vorstellung und den Absichten dieser Leute gespielt hatte.

Doch überschätzte er sie immer noch, indem er nun darauf dachte, sich von diesem Umgang unter möglichster Delikatesse und Schonung zurückzuziehen. Denn kaum hatte Herr Konegen nach mehrmals wiederholten Beredungsversuchen eingesehen, daß Reichardt wirklich nicht gesonnen war, diese Unternehmergelüste zu befriedigen, so fiel die ganze Bekanntschaft dahin, als wäre sie nie gewesen. Der Doktor hatte diesen Leuten ihre paar Holzschnitte und Töpfchen längst abgekauft, einigen auch kleine Geldbeträge geliehen; wenn er nun seiner Wege gehen wollte, hielt niemand ihn zurück. Reichardt, mit den Sitten der Boheme noch wenig vertraut, sah sich mit unbehaglichem Erstaunen von seinen Künstlerfreunden vergessen und kaum mehr gegrüßt, während er sich noch damit quälte, eine ebensolche Entfremdung vorsichtig einzuleiten.

Zuweilen sprach Doktor Reichardt in dem öden Vorstadt-
hause bei der Frau Rat Weinland vor, wo es ihm jedesmal
merkwürdig wohl wurde. Der vornehme Ton dort bildete
einen angenehmen Gegensatz zu den Reden und Sitten des
Zigeunertums, und immer ernsthafter beschäftigte ihn die
Tochter, die ihn zweimal allein empfing und deren strenge
Anmut ihn jedesmal entzückte und verwirrte. Denn er fand
es unmöglich, mit ihr jemals über Gefühle zu reden oder
doch die ihren kennenzulernen, da sie bei all ihrer damen-
haften Schönheit die Verständigkeit selbst zu sein schien.
Und zwar besaß sie jene praktische, auf das Notwendige und
Nächste gerichtete Klugheit, welche das nur spielerische
Sichabgeben mit den Dingen nicht kennt.

Agnes zeigte eine freundliche, sachliche Teilnahme für den
Zustand, in dem sie ihn befangen sah, und wurde nicht müde,
ihn auszufragen und ihm zuzureden, ja sie machte gar kein
Hehl daraus, daß sie es eines Mannes unwürdig finde, sich
seinen Beruf so im weiten zu suchen, wie man Abenteuer
suche, statt mit festem Willen an einem bestimmten Punkte
zu beginnen. Von den Weisheiten des Malers Konegen hielt
sie ebensowenig wie von dessen Holzschnitten, die ihr Reichardt mitgebracht hatte.

»Das sind Spielereien«, sagte sie bestimmt, »und ich hoffe,
Ihr Freund treibe dergleichen nur in Mußestunden. Es sind,
soviel ich davon verstehe, Nachahmungen japanischer Arbeiten, die vielleicht den Wert von Stilübungen haben können. Mein Gott, was sind denn das für Männer, die in den
besten Jugendjahren sich daran verlieren, ein Grün und ein
Grau gegeneinander abzustimmen! Jede Frau von einigem
Geschmack leistet ja mehr, wenn sie sich ihre Kleiderstoffe
aussucht!«

Die wehrhafte Gestalt bot selber in ihrem sehr einfachen,
doch sorgfältig und bewußt zusammengestellten Kostüm das
Beispiel einer solchen Frau. Recht als wolle es ihn mit der
Nase darauf stoßen, hatte sein Glück ihm diese prächtige
Figur in seinen Weg gestellt, daß er sich an sie halte. Aber
der Mensch ist zu nichts schwerer zu bringen als zu seinem
Glück.

Bei einem öffentlichen Vortrag über das Thema »Neue
Wege zu einer künstlerischen Kultur« hatte Berthold etwas

erfahren, was er um so bereitwilliger aufnahm, als es seiner augenblicklichen enttäuschten Gedankenlage entsprach, nämlich daß es not tue, aus allen ästhetischen und intellektualistischen Interessantheiten herauszukommen. Fort mit der formalistischen und negativen Kritik unserer Kultur, fort mit dem kraftlosen Geistreichtum auf Kosten heiliger Güter und Angelegenheiten unserer Zeit! Dies war der Ruf, dem er wie ein Erlöster folgte. Er folgte ihm in einer Art von Bekehrung sofort und unbedingt, einerlei wohin er führe.

Und er führte auf eine Straße, deren Pflaster für Bertholds Steckenpferde wie geschaffen war, nämlich zu einer neuen Ethik. War nicht ringsum alles faul und verdorben, wohin der Blick auch fallen mochte? Unsere Häuser, Möbel und Kleider geschmacklos, auf Schein berechnet und unecht, unsere Geselligkeit hohl und eitel, unsere Wissenschaft verknöchert, unser Adel vertrottelt und unser Bürgertum verfettet? Beruhte nicht unsere Industrie auf einem Raubsystem, und war es nicht ebendeshalb, daß sie das häßliche Widerspiel ihres wahren Ideals darstellte? Warf sie etwa, wie sie könnte und sollte, Schönheit und Heiterkeit in die Massen, erleichterte sie das Leben, förderte sie Freude und Edelmut?

Der gelehrige Gelehrte sah sich rings von Falschheit und Schwindel umgeben, er sah die Städte vom Kohlenrauch beschmutzt und vom Geldhunger korrumpiert, das Land entvölkert, das Bauerntum aussterbend, jede echte Lebensregung an der Wurzel bedroht. Dinge, die er noch vor Tagen mit Gleichmut, ja mit Vergnügen betrachtet hatte, enthüllten ihm nun ihre innere Fäulnis. Berthold fühlte sich für dies alles mit verantwortlich und zur Mitarbeit an der neuen Ethik und Kultur verpflichtet.

Als er dem Fräulein Weinland zum erstenmal davon berichtete, wurde sie aufrichtig betrübt. Sie hatte Berthold gerne und traute es sich zu, ihm zu einem tüchtigen und schönen Leben zu verhelfen, und nun sah sie ihn, der sie doch sichtlich liebte, blind in diese Lehren und Umtriebe stürzen, für die er nicht der Mann war und bei denen er nur zu verlieren hatte. Sie sagte ihm ihre Meinung recht deutlich und meinte, jeder, der auch nur eine Stiefelsohle mache oder einen Knopf annähe, sei der Menschheit gewiß nützlicher als diese Propheten. Es gebe in jedem kleinen Menschenleben Anlaß genug, edel zu sein und Mut zu zeigen, und nur wenige seien dazu berufen, das Bestehende anzugreifen und Lehrer der Menschheit zu werden.

Er antwortete dagegen mit Feuer, ebendiese Gesinnung, die sie äußere, sei die übliche weltkluge Lauheit, mit welcher es zu halten sein Gewissen ihm verbiete. Es war der erste kleine Streit, den die beiden hatten, und Agnes sah mit Betrübnis, wie der liebe Mensch immer weiter von seinem eigenen Leben und Glück abgedrängt und in endlose Wüsten der Theorie und Einbildungen verschlagen wurde. Schon war er im Begriffe, blind und stolz an der hübschen Glücksinsel vorüberzusegeln, wo sie auf ihn wartete.

Die Sache wurde um so übler, als Reichardt jetzt in den Einfluß eines wirklichen Propheten geriet, den er in einem »ethischen Verein« kennengelernt hatte. Dieser Mann, welcher Eduard van Vlissen hieß, war erst Theologe, dann Künstler gewesen und hatte überall, wohin er kam, rasch eine große Macht in den Kreisen der Suchenden gewonnen, welche ihm auch zukam, da er nicht nur unerbittlich im Erkennen und Verurteilen sozialer Übelstände, sondern persönlich zu jeder Stunde bereit war, für seine Gedanken einzustehen und sich ihnen zu opfern. Als katholischer Theologe hatte er eine Schrift über den heiligen Franz von Assisi veröffentlicht, worin er den Untergang seiner Ideen aus seinem Kompromiß mit dem Papsttum erklärt und den Gegensatz von heiliger Intuition und echter Sittlichkeit gegen Dogma und Kirchenmacht auf das schroffste ausgemalt hatte. Von der Kanzel deshalb vertrieben, nahm er seinen Austritt aus der Kirche und tauchte bald darauf in belgischen Kunstausstellungen als Urheber seltsamer mystischer Gemälde auf, die viel von sich reden machten. Seit Jahren aber lebte er nun auf Reisen, ganz dem Drange seiner Mission hingegeben. Er gab einem Armen achtlos sein letztes kleines Geldstück, um dann selbst zu betteln. In den Häusern der Reichen verkehrte er unbefangen, stets in dasselbe überaus einfache Lodenkleid gehüllt, das er auch auf seinen Fußwanderungen und Reisen trug. Seine Lehre war ohne Dogmen, er liebte und empfahl vor allem Bedürfnislosigkeit und Wahrhaftigkeit, so daß er auch die kleinste Höflichkeitslüge verabscheute. Wenn er daher zu jemand, den er kennenlernte, sagte: »Es freut mich«, so galt das für eine Auszeichnung, und ebendas hatte er zu Reichardt gesagt.

Seit dieser den merkwürdigen Mann gesehen hatte und seinen Umgang genoß, wurde sein Verhältnis zu Agnes Weinland immer lockerer und unsicherer. Der Prophet sah in Reichardt einen begabten jungen Mann, der im Getriebe der Welt keinen richtigen Platz finden konnte und den er keineswegs zu beruhigen und zu versöhnen dachte, denn er liebte und brauchte solche Unzufriedene, deren Not er teilte und aus deren Bedürfnis und Auflehnung er die Entstehung der besseren Zeiten erwartete. Während dilettantische Weltverbesserer stets an ihren eigenen Unzulänglichkeiten leiden, war dieser holländische Prophet gegen sein eigenes Wohl oder Wehe unempfindlich und richtete alle seine Kraft gegen jene Übel, die er als Feinde und Zerstörer menschlichen Friedens ansah. Er haßte den Krieg und die Machtpolitik, er haßte das Geld und den Luxus, und er sah seine Mission darin, seinen Haß auszubreiten und aus dem Funken zur Flamme zu machen, damit sie einst das Übel vernichte. In der Tat kannte er Hunderte und Tausende von notleidenden und suchenden Seelen in der Welt, und seine Verbindungen reichten vom russischen Gutshofe des Grafen Tolstoi bis in die Friedens- und Vegetarierkolonien an der italienischen Küste und auf Madeira.

Van Vlissen hielt sich drei Wochen in München auf und wohnte bei einem schwedischen Maler, in dessen Atelier er sich nachts eine Hängematte ausspannte und dessen mageres Frühstück er teilte, obwohl er genug reiche Freunde hatte, die ihn mit Einladungen bedrängten. Öffentliche Vorträge hielt er nicht, war aber von früh bis spät und selbst bei Gängen auf der Straße umgeben von einem Kreise Gleichgesinnter oder Ratsuchender, mit denen er einzeln oder in Gruppen redete, ohne zu ermüden. Mit einer einfachen, volkstümlichen Dialektik wußte er alle Propheten und Weisen als seine Bundesgenossen darzustellen und ihre Sprüche als Belege für seine Lehre zu zitieren, nicht nur den heiligen Franz, sondern ebenso Jesus selbst, Sokrates, Buddha, Konfuzius. Berthold unterlag willig dem Einfluß einer so starken und anziehenden Persönlichkeit. Wie ihm ging es auch hundert anderen, die sich in van Vlissens Nähe hielten. Aber Reichardt war einer von den wenigen, die sich nicht mit der Sensation des Augenblicks begnügten, sondern eine Umkehrung des Willens in sich erlebten.

In dieser Zeit besuchte er Agnes Weinland und ihre Mutter nur ein einziges Mal. Die Frauen bemerkten die Veränderung seines Wesens alsbald; seine Begeisterung, die keinen kleinsten Widerspruch ertragen konnte, und die fanatisierte Gehobenheit seiner Sprache mißfielen ihnen beiden, und indem er ahnungslos mit seinem Eifer sich immer heißer und immer weiter von Agnes wegredete, sorgte der böse Feind dafür, daß gerade heute ihn das denkbar unglücklichste Thema beschäftigen mußte.

Dieses war die damals viel besprochene Reform der Frauenkleidung, welche von vielen Seiten fanatisch gefordert wurde, von Künstlern aus ästhetischen Gründen, von Hygienikern aus hygienischen, von Ethikern aus ethischen. Während eine lärmende Jugend, von manchen ernsthaften Männern und Frauen bedeutsam unterstützt, gegen die bisherigen Frauenkleider auftrat und der Mode ihre Lebensberechtigung absprach, sah man freilich die schönen und eleganten Frauen nach wie vor sich mit dem schönen Schein dieser verfolgten Mode schmücken; und diese eleganten Frauen gefielen sich und der Welt entschieden besser als die Erstlingsopfer der neuen Reform, die mutig in ungewohnten faltenlosen Kostümen einhergingen.

Reichhardt stand neuerdings unbedingt auf der Seite der Reformer. Die anfangs humoristischen, dann ernster werdenden und schließlich indignierten Einwürfe der beiden Damen beantwortete er in einem überlegenen Tone, wie ein Weiser, der zu Kindern spricht. Die alte Dame versuchte mehrmals das Gespräch in andere Gleise zu lenken, doch vergebens, bis schließlich Agnes mit Entschiedenheit sagte: »Sprechen wir nicht mehr davon! Ich bin darüber erstaunt, Herr Doktor, wieviel Sie von diesem Gebiet verstehen, auf dem ich mich auch ein wenig auszukennen glaubte, denn ich mache alle meine Kleider selber. Da habe ich denn also, ohne es zu ahnen, Ihre Gesinnungen und Ihren Geschmack durch meine Trachten fortwährend beleidigt.«

Erst bei diesen Worten ward Reichardt inne, wie anmaßend

sein Predigen gewesen sei, und errötend bat er um Entschuldigung. »Meine Überzeugung zwar bleibt bestehen«, sagte er ernsthaft, »aber es ist mir niemals eingefallen, auch nur einen Augenblick dabei an Ihre Person zu denken, die mir für solche Kritik viel zu hoch steht. Auch muß ich gestehen, daß ich selbst wider meine Anschauungen sündige, indem Sie mich in einer Kleidung sehen, deren Prinzip ich verwerfe. Mit anderen Änderungen meiner Lebensweise, die ich schon vorbereite, werde ich auch zu einer anderen Tracht übergehen, mit deren Beschreibung ich Sie jedoch nicht belästigen darf.«

Unwillkürlich musterte bei diesen Worten Agnes seine Gestalt, die in ihrer Besuchskleidung recht hübsch und nobel aussah, und sie rief mit einem Seufzer: »Sie werden doch nicht im Ernst hier in München in einem Prophetenmantel herumlaufen wollen!«

»Nein«, sagte der Doktor, »aber ich habe eingesehen, daß ich überhaupt nicht in das Stadtleben tauge, und will mich in Bälde auf das Land zurückziehen, um in schlichter Tätigkeit ein einfaches und naturgemäßes Leben zu führen.«

Eine gewisse Befangenheit, der sie alle drei verfielen, lag lähmend über der weiteren Unterhaltung, so daß Reichardt nach wenigen Minuten Abschied nahm. Er reichte der Rätin die Hand, dann der Tochter, die jedoch erklärte, ihn hinausbegleiten zu wollen. Sie ging, was sie noch nie getan hatte, mit ihm in den engen Flur hinaus und wartete, bis er im Überzieher war. Dann öffnete sie die Tür zur Treppe, und als er ihr nun Abschied nehmend die Hand gab, hielt sie diese einen Augenblick fest, sah ihn mit dunklen Augen aus dem erbleichten Gesicht durchdringend an und sagte: »Tun Sie das nicht! Tun Sie nichts von dem, was Ihr Prophet verlangt! Ich meine es gut.«

Unter ihrem halb flehenden, halb befehlenden Blick überlief ihn ein süßer, starker Schauder von Glück, und im Augenblick schien es ihm Erlösung, sein Leben dieser Frau in die Hände zu geben. Er fühlte, wie weit aus ihrer spröden Selbständigkeit sie ihm hatte entgegenkommen müssen, und einige Sekunden lang schwankte, von diesem Wort und Blick erschüttert, das ganze Gebäude seiner Gedankenwelt, als wolle es einstürzen.

Indessen hatte sie seine Hand losgelassen und die Türe hinter ihm geschlossen.

Am folgenden Tag merkte van Vlissen wohl, daß sein Jünger unsicher geworden und von fremden Einflüssen gestört war. Er sah ihm lächelnd ins Gesicht, mit seinen klaren, doch leidvollen Augen, doch tat er keine Frage und lud ihn statt dessen zu einem Spaziergange ein. Berthold ließ alsbald einen Wagen kommen, in dem sie weit vor die Stadt hinaus isaraufwärts fuhren. Im Walde ließ van Vlissen halten und schickte den Wagen zurück. Der Wald stand vorwinterlich verlassen unter dem bleichen grauen Himmel, nur aus großer Ferne her hörten sie die Axtschläge von Holzhauern durch die graue Kühle klingen.

Auch jetzt begann der Apostel kein Gespräch. Er schritt mit leichtem, wandergewohntem Gange dahin, aufmerksam mit allen Sinnen die Waldstille einatmend und durchdringend. Wie er die Luft eintrank und den Boden trat, wie er einem entfliehenden Eichhorn nachblickte und mit lautloser Gebärde den Begleiter auf einen nahe sitzenden Specht aufmerksam machte, da war etwas still Zwingendes in seinem Wesen, eine ungetrübte Wachheit und überall mitlebende Unschuld, in welche der mächtige Mann wie in einen Zaubermantel gehüllt ein Reich zu durchwandern schien, dessen heimlicher König er war. Aus dem Walde tretend sahen sie Äcker ausgebreitet, ein Bauer fuhr am Horizont langsam mit schweren Gäulen dahin, und langsam begann van Vlissen zu sprechen, von Saat und Ernte und lauter bäuerlichen Dingen, und entfaltete in einfachen Worten ein Bild des ländlichen Lebens, das der stumpfe Bauer unbewußt führe, das aber, von bewußten und dankbaren Menschen geführt, voll Heiligung und geheimer Kraft sein müsse. Und der Jünger fühlte, wie die Weite und Stille und der ruhige große Atem der ländlichen Natur Sprache gewann und sich seines Herzens bemächtigte. Erst gegen Abend kehrten sie in die Stadt zurück.

Wenige Tage später fuhr van Vlissen zu Freunden nach Tirol, und Reichardt reiste mit ihm, und in einem südlichen Tal kaufte er einen Obstgarten und ein kleines, etwas verfallenes Weinberghäuschen, in das er ohne Säumen einziehen wollte, um sein neues Leben zu beginnen. Er trug ein einfaches Kleid aus grauem Loden, wie das des Holländers, und fuhr in diesem Kleide auch nach München zurück, wo er sein Zelt abbrechen und Abschied nehmen wollte.

Schon aus seinem langen Wegbleiben hatte Agnes geschlossen, daß ihr Rettungsversuch vergeblich gewesen sei. Das stolze Mädchen war betrübt, den Mann und die an ihn geknüpften Hoffnungen zu verlieren, doch nicht minder in ihrem Selbstgefühl verletzt, sich von ihm verschmäht zu sehen, dem sie nicht ohne Selbstüberwindung so weit entgegengekommen war.

Als jetzt Berthold Reichardt gemeldet wurde, hatte sie alle Lust, ihn gar nicht zu empfangen, bezwang jedoch ihre Verstimmung und sah ihm mit einer gewissen Neugierde entgegen. Die Mutter lag mit einer Erkältung zu Bette.

Mit Verwunderung sah Agnes den Mann eintreten, um den sie mit einem Luftgespinste zu kämpfen hatte und der nun etwas verlegen und wunderlich verändert vor ihr stand. Er trug nämlich die Tracht van Vlissens, Wams und Beinkleider von grobem Filztuch und statt steifgebügelter Wäsche ein Hemd aus naturfarbenem Linnen.

Agnes, die ihn nie anders als im schwarzen Besuchsrock oder im modischen Straßenanzug gesehen hatte, betrachtete ihn einen Augenblick, dann bot sie ihm einen Stuhl an und sagte mit einem kleinen Anklang von Spott: »Sie haben sich verändert, Herr Doktor.«

Er lächelte befangen und sagte: »Allerdings, und Sie wissen ja auch, was diese Veränderung bedeutet. Ich komme, um Abschied zu nehmen, denn ich übersiedele dieser Tage nach meinem kleinen Gute in Tirol.«

»Sie haben Güter in Tirol? Davon wußten wir ja gar nichts.«

»Es ist nur ein Garten und Weinberg und gehört mir erst seit einer Woche. Sie haben die große Güte gehabt, sich um mein Vorhaben und Ergehen zu kümmern, darum glaube ich Ihnen darüber Rechenschaft schuldig zu sein. Oder darf ich nun auf jene Teilnahme nicht mehr rechnen?«

Agnes Weinland zog die Brauen zusammen und sah ihn an.

»Ihr Ergehen«, sagte sie leise und klar, »hat mich interessiert, solange ich so etwas wie einen tätigen Anteil daran nehmen konnte. Für die Versuche mit Tolstoischer Lebensweise, die Sie vorhaben, kann ich aber leider nur wenig Interesse aufbringen.«

»Seien Sie nicht zu strenge!« sagte er bittend. »Aber wie Sie auch von mir denken mögen, Fräulein Agnes, ich werde Sie nicht vergessen können, und ich hoffe, Sie werden mir das, was ich tue, verzeihen, sobald Sie mich hierin ganz verstehen.«

»Oh, zu verzeihen habe ich Ihnen nichts.«

Berthold beugte sich vor und fragte leise: »Und wenn wir beide guten Willens wären, glauben Sie nicht, daß Sie dann vielleicht diesen Weg mit mir gemeinsam gehen könnten?«

Sie stand auf und sagte ohne Erregung: »Nein, Herr Reichardt, das glaube ich nicht. Ich kann Ihnen alles Glück wünschen. Aber ich bin in all meiner Armut gar nicht so unglücklich, daß ich Lust hätte, einen Weg zu teilen, der aus der Welt hinaus ins Unsichere führt.«

Und plötzlich aufflammend rief sie fast heftig: »Gehen Sie nur Ihren Weg! Gehen Sie ihn!«

Mit einer zornigstolzen, prachtvollen Gebärde lud sie ihn ein, sich zu verabschieden, was er betroffen und bekümmert tat, und indessen er draußen die Türe öffnete und schloß und die Treppe hinabstieg, hatte sie, die seine Schritte verklingen hörte, genau dasselbe bittere Gefühl im Herzen wie der davongehende Mann, als gehe hier einer Torheit wegen eine schöne und köstliche Sache zugrunde; nur daß jedes dabei der Torheit des andern dachte.

Es begann jetzt Berthold Reichardts Martyrium. In den ersten Anfängen sah es gar nicht übel aus. Wenn er ziemlich früh am Morgen das Lager verließ, das er sich selber bereitete, schaute durch das kleine Fenster seiner Schlafkammer das stille morgendliche Tal herein. Der Tag begann mit angenehmen und kurzweiligen Betätigungen des Einsiedlerlehrlings, mit dem Waschen oder auch Baden im Brunnentrog, mit dem Feuermachen im Steinherde, dem Herrichten der Kammer, dem Milchkochen. Sodann erschien der Knecht und Lehrmeister Xaver aus dem Dorfe, der auch das Brot mitbrachte. Mit ihm ging Berthold nun an die Arbeit, bei gutem Wetter im Freien, sonst im Holzschuppen oder im Stall.

Emsig lernte er unter des Knechtes Anleitung die wichtigsten Geräte handhaben, die Geiß melken und füttern, den Boden graben, Obstbäume putzen, den Gartenzaun flicken, Scheitholz für den Herd spalten und Reisig für den Ofen bündeln, und war es kalt und wüst, so wurden im Hause Wände und Fenster verstopft, Körbe und Strohseile geflochten, Spatenstiele geschnitzt und ähnliche Dinge betrieben, wobei der Knecht seine Holzpfeife rauchte und aus dem Gewölk hervor eine Menge Geschichten erzählte.

Wenn Berthold mit dem von ihm selbst gespaltenen Holze in der urtümlichen Feuerstelle unterm Schlunde des Rauchfanges Feuer anmachte und das Wasser oder die Milch im viel zu großen Hängekessel zu sieden begann, dann konnte er ein Gefühl robinsonschen Behagens in den Gliedern spüren, das er seit fernen Knabenzeiten nicht gekannt hatte und in dem er schon die ersten Atemzüge der ersehnten inneren Erlösung zu kosten meinte.

In der Tat mag es für den Städter nichts Erfrischenderes geben, als eine Weile mit bäuerlicher Arbeit zu spielen, die Glieder zu ermüden, früh schlafen zu gehen und früh aufzustehen. Es lassen sich jedoch ererbte und erworbene Gewohnheiten und Bedürfnisse nicht wie Hemden wechseln, das mußte auch Reichardt erfahren.

Abends ging der Knecht nach Hause oder ins Wirtshaus, um unter seinesgleichen froh zu sein und von dem Treiben seines wunderlichen Brotgebers zu erzählen; der Herr aber saß bei der Lampe und las in den Büchern, die er mitgebracht hatte und die vom Garten- und Obstbau handelten. Diese vermochten ihn aber nicht lange zu fesseln. Er las und lernte gläubig, daß das Steinobst die Neigung hat, mit seinen Wurzeln in die Breite zu gehen, das Kernobst aber mehr in die Tiefe und daß dem Blumenkohl nichts so bekömmlich sei wie eine gleichmäßig feuchte Wärme. Er interessierte sich auch noch dafür, daß die Samen von Lauch und Zwiebeln ihre Keimkraft nach zwei Jahren verlieren, während die Kerne von Gurken und Melonen ihr geheimnisvolles Leben bis ins sechste Jahr behalten. Bald aber ermüdeten und langweilten ihn diese Dinge, die er von Xaver doch besser lernen konnte, und er gab diese Lektüre auf.

Dafür nahm er jetzt einen kleinen Bücherstoß hervor, der

sich in der letzten Münchener Zeit bei ihm angesammelt, da er dies und jenes Zeitbuch auf dringende Empfehlungen hin gekauft hatte, zum Lesen aber nie gekommen war. Da waren Bücher von Tolstoi, van Vlissens Abhandlung über den Heiligen von Assisi, Schriften wider den Alkohol, wider die Laster der Großstadt, wider den Luxus, den Industrialismus, den Krieg.

Von diesen Büchern fühlte sich der Weltflüchtige wieder in allen seinen Prinzipien bestätigt, er sog sich mit erbittertem Vergnügen voll an der Philosophie der Unzufriedenen, Asketen und Idealisten, aus deren Schriften her ein Heiligenschein über sein eigenes jetziges Leben fiel. Und als nun bald der Frühling begann, erlebte Berthold mit Wonne den Segen natürlicher Arbeit und Lebensweise, er sah unter seinem Rechen hübsche Beete entstehen, tat zum erstenmal in seinem Leben die schöne, vertrauensvolle Arbeit des Säens und hatte seine Lust am Keimen und Gedeihen der Gewächse. Die Arbeit hielt ihn jetzt bis weit in die Abende hinein gefangen, die müßigen Stunden wurden selten, und in den Nächten schlief er tief. Wenn er jetzt, in einer Ruhepause auf den Spaten gestützt oder am Brunnen das Vollwerden der Gießkanne abwartend, an Agnes Weinland denken mußte, so zog sich wohl sein Herz ein wenig zusammen, aber er dachte das mit der Zeit vollends zu überwinden, und er meinte, es wäre doch schade gewesen, hätte er sich in der argen Welt zurückhalten lassen.

Dazu kam, daß jetzt sich auch die Einsamkeit mehr und mehr verlor wie ein Winternebel. Es erschienen je und je unerwartete, freundlich aufgenommene Gäste verschiedener Art, lauter fremde Menschen, von denen er nie gewußt hatte und deren eigentümliche Klasse er nun kennenlernte, da sie alle aus unbekannter Quelle seine Adresse wußten und keiner ihres Ordens durch das Tal zog, ohne ihn heimzusuchen. Es waren dies verstreute Angehörige jener großen Schar von Sonderlingsexistenzen, die außerhalb der gewöhnlichen Weltordnung ein kometenhaftes Wanderleben führen und deren einzelne Typen nun Berthold allmählich unterscheiden lernte.

Der erste, der sich zeigte, war ein ziemlich bürgerlich aussehender Herr aus Leipzig, der die Welt mit Vorträgen über die Gefahren des Alkohols bereiste und auf einer Ferientour unterwegs war. Er blieb nur eine Stunde oder zwei, hinterließ aber bei Reichardt ein angenehmes Gefühl, er sei nicht völlig in der Welt vergessen und gehöre einer heimlichen Gesellschaft edel strebender Menschen an.

Der nächste Besucher sah schon aparter aus, es war ein regsamer, begeisterter Herr in einem weiten altmodischen Gehrocke, zu welchem er keine Weste, dafür aber ein Jägerhemd, gelbe karierte Beinkleider und auf dem Kopfe einen breitrandigen Filzhut trug. Dieser Mann, welcher sich Salomon Adolfus Wolff nannte, benahm sich mit einer so leutseligen Fürstlichkeit und nannte seinen Namen so bescheiden lächelnd und alle zu hohen Ehrenbezeigungen im voraus etwas nervös ablehnend, daß Reichardt in eine kleine Verlegenheit geriet, da er ihn nicht kannte und seinen Namen nie gehört hatte.

Der Fremde war, soweit aus seinem eigenen Berichte hervorging, ein hervorragendes Werkzeug Gottes und vollzog wundersame Heilungen, wegen deren er zwar von Ärzten und Gerichten beargwöhnt und angefeindet, ja grimmig verfolgt, von der kleinen Schar der Weisen und Gerechten aber desto höher verehrt wurde. Er hatte soeben in Italien einer Gräfin, deren Namen er nicht verraten dürfe, durch bloßes Händeauflegen das schon verlorengegebene Leben wiedergeschenkt. Nun war er, als ein Verächter der modernen Hastigkeit, zu Fuß auf dem Rückwege nach der Heimat, wo ihn zahlreiche Bedürftige erwarteten. Leider sehe er sich die Reise durch Geldmangel erschwert, denn es sei ihm unmöglich, für seine Heilungen anderen Entgelt anzunehmen als die Dankestränen der Genesenen, und er schäme sich daher nicht, seinen Bruder Reichardt, zu welchem Gott ihn gewiesen, um ein kleines Darlehen zu bitten, welches nicht seiner Person – an welcher nichts gelegen sei –, sondern eben den auf seine Rückkunft harrenden Bedürftigen zugute kommen sollte.

Das Gegenteil dieses Heilandes stellte ein junger Mann von russischem Aussehen vor, welcher eines Abends vorsprach und dessen feine Gesichtszüge und Hände in Widerspruch standen mit seiner äußerst dürftigen Arbeiterkleidung und den zerrissenen groben Schuhen. Er sprach nur wenige

Worte Deutsch, und Reichardt erfuhr nie, ob er einen verfolgten Anarchisten, einen heruntergekommenen Künstler oder einen Heiligen beherbergt habe. Der Fremdling begnügte sich damit, einen glühend forschenden Blick in Reichardts Gesicht zu tun und ihn dann mit einem geheimen Signal der aufgehobenen Hände zu begrüßen. Er ging schweigend durch das ganze Häuschen, von dem verwunderten Wirte gefolgt, zeigte dann auf eine leerstehende Kammer mit einer breiten Wandbank und fragte demütig: »Ich hier kann schlafen?« Reichardt nickte, lud ihn zur Abendsuppe ein und machte ihm auf jener Bank ein Nachtlager zurecht. Am nächsten Morgen nahm der Fremde noch eine Tasse Milch an, sagte mit tiefem Gurgelton »Danke« und ging fort.

Bald nach ihm erschien ein halbnackter Vegetarier, der erste einer langen Reihe, in Sandalen und einer Art von baumwollener Hemdhose. Er hatte, wie die meisten Brüder seiner Zunft, außer einiger Arbeitsscheu keine Laster, sondern war ein kindlicher Mensch von rührender Bedürfnislosigkeit, der in seinem sonderbaren Gespinste von hygienischen und sozialen Erlösungsgedanken ebenso frei und natürlich dahinlebte, wie er äußerlich seine etwas theatralische Wüstentracht nicht ohne Würde trug.

Dieser einfache, kindliche Mann machte Eindruck auf Reichardt. Er predigte nicht Haß und Kampf, sondern war in stolzer Demut überzeugt, daß auf dem Grunde seiner Lehre ganz von selbst ein neues paradiesisches Menschendasein erblühen werde, dessen er selbst sich schon teilhaftig fühlte. Sein oberstes Gebot war: »Du sollst nicht töten!«, was er nicht nur auf Mitmenschen und Tiere bezog, sondern als eine grenzenlose Verehrung alles Lebendigen auffaßte. Ein Tier zu töten, schien ihm scheußlich, und er glaubte fest daran, daß nach Ablauf der jetzigen Periode von Entartung und Blindheit die Menschheit von diesem Verbrechen wieder völlig ablassen werde. Er fand es aber auch mörderisch, Blumen abzureißen und Bäume zu fällen. Reichardt wandte ein, daß wir, ohne Bäume zu fällen, ja keine Häuser bauen könnten, worauf der Frugivore eifrig nickte: »Ganz recht! Wir sollen ja auch keine Häuser haben, so wenig wie Kleider, das alles trennt uns von der Natur und führt uns weiter zu allen den Bedürfnissen, um derentwillen Mord und Krieg und alle Laster entstanden sind.« Und als Reichardt wieder einwarf, es möchte sich kaum irgendein Mensch finden, der in unserem Klima ohne Haus und ohne Kleider einen Winter überleben könnte, da lächelte sein Gast abermals freudig und sagte: »Gut so, gut so! Sie verstehen mich ausgezeichnet. Ebendas ist ja die Hauptquelle alles Elends in der Welt, daß der Mensch seine Wiege und natürliche Heimat im Schoß Asiens verlassen hat. Dahin wird der Weg der Menschheit zurückführen, und dann werden wir alle wieder im Garten Eden sein.«

Berthold hatte, trotz der offenkundigen Untiefen, eine gewisse Freude an dieser idyllischen Philosophie, die er noch von manchen anderen Verkündern in anderen Tönungen zu hören bekam, und er hätte ein Riese sein müssen, wenn nicht allmählich jedes dieser Bekenntnisse ihm, der außerhalb der Welt lebte, Eindruck gemacht und sein eigenes Denken gefärbt hätte. Die Welt, wie er sie jetzt sah und nicht anders sehen konnte, bestand aus dem kleinen Kreise primitiver Tätigkeiten, denen er oblag, darüber hinaus war nichts vorhanden als auf der einen Seite eine verderbte, verfaulende und daher von ihm verlassene Kultur, auf der anderen eine über die Welt verteilte kleine Gemeinde von Zukünftigen, welcher er sich zurechnen mußte und zu der auch alle die Gäste zählten, deren manche tagelang bei ihm blieben. Nun begriff er auch wohl den sonderbar religiös-schwärmerischen Anhauch, den alle diese seine Gäste und Brüder hatten. Sie waren das Salz der Erde, die Umschaffenden und Zukunftbringenden, geheime geistige Kräfte hatten sich mit ihnen verbündet, von den Faten und Mysterien der Ägypter und Inder bis zu den Phantasien der langhaarigen Obstesser und den Heilungswundern der Magnetiseure oder Gesundbeter.

Daß aus diesen Erlebnissen und Beobachtungen alsbald wieder eine systematische Theorie oder Weltanschauung werde, dafür sorgte nicht nur des Doktors eigenes Geistesbedürfnis, sondern auch eine ganze Literatur von Schriften, die ihm von diesen Gästen teils mitgebracht, teils zugesandt, teils als notwendig empfohlen wurden. Eine seltsame Bibliothek entstand in dem kleinen Häuschen, beginnend mit vegetarischen Kochbüchern und endend mit den tollsten mystischen Systemen, über Platonismus, Gnostizismus, Spiritismus und

Theosophie hinweg alle Gebiete geistigen Lebens in einer allen diesen Autoren gemeinsamen Neigung zu okkultistischer Wichtigtuerei umfassend. Der eine Autor wußte die Identität der pythagoreischen Lehre mit dem Spiritismus darzutun, der andere Jesus als Verkünder des Vegetarismus zu deuten, der dritte das lästige Liebesbedürfnis als eine Übergangsstufe der Natur zu erweisen, welche sich der Fortpflanzung nur vorläufig bediene, in ihren Endabsichten aber die leibliche Unsterblichkeit der Individuen anstrebe.

Mit dieser Büchersammlung fand sich Berthold schließlich bei rasch abnehmenden Tagen seinem zweiten Tiroler Winter gegenübergestellt. Mit dem Eintritt der kühlen Zeit hörte der Gästeverkehr, an den er sich gewöhnt hatte, urplötzlich auf wie mit der Schere abgeschnitten. Die Apostel und Brüder saßen jetzt entweder im eigenen Winternest oder hielten sich, soweit sie heimatlos von Wanderung und Bettel lebten, an andere Gegenden und an die Adressen städtischer Gesinnungsgenossen.

Um diese Zeit las Reichardt in der einzigen Zeitung, die er bezog, die Nachricht vom Tode des Eduard van Vlissen. Der hatte in einem Dorf an der russischen Grenze, wo er der Cholera wegen in Quarantäne gehalten, aber kaum bewacht wurde, in der Bauernschenke gegen den Schnaps gepredigt und war im ausbrechenden Tumult erschlagen worden.

Vereinsamt sah Berthold dem Einwintern in seinem Tale zu. Seit einem Jahr hatte er sein Stücklein Boden nimmer verlassen und sich zugeschworen, auch ferner dem Leben der Welt den Rücken zu kehren. Die Genügsamkeit und erste Kinderfreude am Neuen war aber nicht mehr in seinem Herzen, er trieb sich viel auf mühsamen Spaziergängen im Schnee herum, denn der Winter war viel härter als der vorjährige, und überließ die häusliche Handarbeit immer häufiger dem Xaver, der sich längst in dem kleinen Haushalt unentbehrlich wußte und das Gehorchen so ziemlich verlernt hatte.

Mochte sich aber Reichardt noch so viel draußen herumtreiben, so mußte er doch alle die unendlich langen Abende allein in der Hütte sitzen, und ihm gegenüber mit furchtbaren großen Augen saß die Einsamkeit wie ein Wolf, den er nicht anders zu bannen wußte als durch ein stets waches Starren in seine leeren Augen, und der ihn doch von hinten überfiel, sooft er den Blick abwandte. Die Einsamkeit saß nachts auf seinem Bett, wenn er durch leibliche Ermüdung den Schlaf gefunden hatte, und vergiftete ihm Schlaf und Träume. Und wenn am Abend der Knecht das Haus verließ und pfeifend durch den Obstgarten hinab gegen das Dorf verschwand, sah ihm sein Herr nicht selten mit nacktem Neide nach. Nichts ist gefährlicher und seelenmordender als die beständige Beschäftigung mit dem eigenen Wesen und Ergehen, der eigenen einsamen Unzufriedenheit und Schwäche. Die ganze Krankheit dieses Zustandes mußte der Eremit an sich erleben, und durch die Lektüre so manches mystischen Buches geschult, konnte er nun an sich selbst beobachten, wie unheimlich wahr alle die vielen Legenden von den Nöten und Versuchungen der frommen Einsiedler in der Wüste Thebais waren.

So brachte er trostlose Monate hin, dem Leben entfremdet und an der Wurzel krank. Er sah übel aus, und seine früheren Freunde hätten ihn nicht mehr erkannt; denn über dem wetterfarbenen, aber eingesunkenen Gesichte waren Bart und Haar lang gewachsen, und aus dem hohlen Gesicht brannten hungrig und durch die Einsamkeit scheu geworden die Augen, als hätten sie niemals gelacht und niemals sich unschuldig an der Buntheit der Welt gefreut.

Es blies schon der erste Föhnwind, da brachte eines Tages der Knecht mit der Zeitung auch einen Brief herauf, die gedruckte Einladung zu einer Versammlung aller derer, die mit Wort oder Tat sich um eine Reform des Lebens und der Menschheit mühten. Die Versammlung, zu deren Einberufung theosophische, vegetarische und andere Gesellschaften sich vereinigt hatten, sollte zu Ende des Februar in München abgehalten werden. Wohlfeile Wohnungen und fleischfreie Kosttische zu vermitteln, erbot sich ein dortiger Verein.

Mehrere Tage schwankte Reichardt ungewiß, dann aber faßte er seinen Entschluß und meldete sich in München an. Und nun dachte er drei Wochen lang an nichts anderes als an dieses Unternehmen. Schon die Reise, so einfach sie war, machte ihm, der länger als ein Jahr eingesponnen hier gehaust hatte, Gedanken und Sorgen. Gern hätte er auch zum

Bader geschickt und sich Bart und Haar zuschneiden lassen, doch scheute er davor zurück, da es ihm als eine feige Konzession an die Weltsitten erschien und da er wußte, daß manche der ihm befreundeten Sektierer auf nichts einen so hohen Wert legten wie auf die religiös eingehaltene Unbeschnittenheit des Haarwuchses. Dafür ließ er sich im Dorfe einen neuen Anzug machen, gleich in Art und Schnitt wie sein van Vlissensches Büßerkleid, aber von gutem Tuche, und einen landesüblichen Lodenkragen als Mantel.

Am vorbestimmten Tage verließ er früh am kalten Morgen sein Häuschen, dessen Schlüssel er im Dorf bei Xaver abgab, und wanderte in der Dämmerung das stille Tal hinab bis zum nächsten Bahnhof. Dann saß er mit einer lang nicht mehr gekosteten frohen Reiseunruhe im Münchener Zug und fuhr aufmerksam durch das schöne Land, unendlich froh, dem unerträglichen heimischen Zustand für ungewisse Tage entronnen zu sein.

Es war der Tag vor dem Beginn der Versammlung, und es begrüßten den Ankommenden gleich am Bahnhof die ersten Zeichen derselben. Aus einem Zug, der mit dem seinen zugleich ankam, stieg eine ganze Gesellschaft von Naturverehrern in malerisch exotischen Kostümen und auf Sandalen, mit Christusköpfen und Apostelköpfen, und mehrere Entgegenkömmlinge gleicher Art aus der Stadt begrüßten die Brüder, bis alle sich in einer ansehnlichen Prozession in Bewegung setzten. Reichardt, den ein ebenfalls heute zugereister Buddhist, einer seiner Sommerbesucher, erkannt hatte, mußte sich anschließen, und so hielt er seinen Wiedereinzug in München in einem Aufzug von Erscheinungen, deren Absonderlichkeit ihm hier peinlich auffiel. Unter dem lauten Vergnügen einer nachfolgenden Knabenhorde und den belustigten Blicken aller Vorübergehenden wallte die seltsame Schar stadteinwärts zur Begrüßung im Empfangssaale.

Reichardt erfragte so bald als möglich die ihm zugewiesene Wohnung und bekam einen Zettel mit der Adresse in die Hand gedrückt. Er verabschiedete sich, nahm an der nächsten Straßenecke einen Wagen und fuhr, ermüdet und verwirrt, nach der ihm unbekannten Straße. Da rauschte um ihn her das Leben der wohlbekannten Stadt, da standen die

Ausstellungsgebäude, in denen er einst mit Konegen Kunstkritik getrieben hatte, dort lag seine ehemalige Wohnung, mit erleuchteten Fenstern, da drüben hatte früher der Justizrat Weinland gewohnt. Er aber war vereinsamt und beziehungslos geworden und hatte nichts mehr mit alledem zu tun, und doch bereitete jede von den wieder erweckten Erinnerungen ihm einen süßen Schmerz. Und in den Straßen lief und fuhr das Volk wie ehemals und immer, als sei nichts Arges dabei und sei keine Sorge noch Gefahr in der Welt, elegante Wagen fuhren auf lautlosen Rädern zu den Theatern, und Soldaten hatten ihre Mädel im Arm.

Das alles erregte den Einsamen, das wogende rötliche Licht, das im feuchten Pflaster sich mit froher Eitelkeit abspiegelte, und das Gesumme der Wagen und Schritte, das ganze wie selbstverständlich spielende Getriebe. Da war Laster und Not, Luxus und Selbstsucht, aber da war auch Freude und Glanz, Geselligkeit und Liebe, und vor allem war da die naive Rechenschaftslosigkeit und gleichmütige Lebenslust einer Welt, deren mahnendes Gewissen er hatte sein wollen und die ihn einfach beiseite getan hatte, ohne einen Verlust zu fühlen, während sein bißchen Glück darüber in Scherben gegangen war. Und dies alles sprach zu ihm, zog mit ungelösten Fäden an seinen Gefühlen und machte ihn traurig.

Sein Wagen hielt vor einem großen Mietshause, seinem Zettel folgend stieg er zwei Treppen hinan und wurde von einer Frau, die ihn mißtrauisch musterte, in ein überaus kahles Zimmerchen geführt, das ihn kalt und ungastlich empfing.

»Für wieviel Tage ist es?« fragte die Vermieterin kühl und bedeutete ihm, daß das Mietgeld im voraus zu erlegen sei.

Unwillig zog er die Geldtasche und fragte, während sie auf die Zahlung lauerte, nach einem besseren Zimmer.

»Für anderthalb Mark am Tag gibt es keine besseren Zimmer, in ganz München nicht«, sagte die Frau. Nun mußte er lächeln.

»Es scheint hier ein Mißverständnis zu walten«, sagte er rasch. »Ich suche ein bequemes Zimmer, nicht eine Schlafstelle. Mir liegt nichts am Preise, wenn Sie ein schöneres Zimmer haben.«

Die Vermieterin ging wortlos durch den Korridor voran, öffnete ein anderes Zimmer und drehte das elektrische Licht an. Zufrieden sah der Gast sich in dem weit größeren und wohnlich eingerichteten Zimmer um, legte den Mantel ab und gab der Frau ihr Geld für einige Tage voraus.

Erst am Morgen, da er in dem ungewohnt weichen fremden Bett erwachte und sich auf den vorigen Abend besann, ward ihm bewußt, daß seine Unzufriedenheit mit der einfachen Schlafstelle und sein Verlangen nach größerer Bequemlichkeit eigentlich wider sein Gewissen sei. Allein er nahm es sich nicht zu Herzen, stieg vielmehr munter aus dem Bette und sah dem Tag mit Spannung entgegen. Früh ging er aus, und beim nüchternen Gehen durch die noch ruhigen Straßen erkannte er auf Schritt und Tritt bekannte Bilder wieder. Es war herrlich, hier umherzugehen und als kleiner Mitbewohner dem Getriebe einer schönen Stadt anzugehören, statt im verzauberten Ring der Einsamkeit zu lechzen und immer nur vom eigenen Gehirn zu zehren.

Die großen Kaffeehäuser und Läden waren noch geschlossen, er suchte daher eine volkstümliche Frühstückshalle, um eine Schale Milch zu genießen.

»Kaffee gefällig?« fragte der Kellner und begann schon einzugießen. Lächelnd ließ Reichardt ihn gewähren und roch mit heimlichem Vergnügen den Duft des Trankes, den er ein Jahr lang entbehrt hatte. Doch ließ er es bei diesem kleinen Genusse bewenden, aß nur ein Stück Brot dazu und nahm eine Zeitung zur Hand.

Dann suchte er den Versammlungssaal auf, den er mit Palmen und Lorbeer geschmückt und schon von vielen Gästen belebt fand. Die Naturburschen waren sehr in der Minderzahl, und die alttestamentlichen oder tropischen Kostüme fielen auch hier als Seltsamkeiten auf, dafür sah man manchen feinen Gelehrtenkopf und viel Künstlerjugend. Die gestrige Gruppe von langhaarigen Barfüßern stand fremd als wunderliche Insel im Gewoge.

Ein eleganter Wiener trat als erster Redner auf und sprach den Wunsch aus, die Angehörigen der vielen Einzelgruppen möchten sich hier nicht noch weiter auseinanderreden, sondern das Gemeinsame suchen und Freunde werden. Dann sprach er parteilos über die religiösen Neubildungen der Zeit und ihr Verhältnis zur Frage des Weltfriedens. Ihm folgte ein greiser Theosoph aus England, der seinen Glauben als universale Vereinigung der einzelnen Lichtpunkte aller Weltreligionen empfahl. Ihn löste ein Rassentheoretiker ab, der mit scharfer Höflichkeit für die Belehrung dankte, jedoch den Gedanken einer internationalen Weltreligion als eine gefährliche Utopie brandmarkte, da jede Nation das Bedürfnis und Recht auf einen eigenen, nach ihrer Sonderart geformten und gefärbten Glauben habe.

Während dieser Rede wurde eine neben Reichardt sitzende Frau unwohl, und er begleitete sie durch den Saal bis zum nächsten Ausgang. Um nicht weiter zu stören, blieb er alsdann hier stehen und suchte den Faden des Vortrages wieder zu erhaschen, während sein Blick über die benachbarten Stuhlreihen wanderte.

Da sah er gar nicht weit entfernt in aufmerksamer Haltung eine schöne Frauenfigur sitzen, die seinen Blick gefangenhielt, und während sein Herz unruhig wurde und jeder Gedanke an die Worte des Redners ihn jäh verließ, erkannte er Agnes Weinland. Heftig zitternd lehnte er sich an den Türbalken und hatte keine andere Empfindung als die eines Verirrten, dem in Qual und Verzweiflung unerwartet die Türme der Heimat winken. Denn kaum hatte er die stolze Haltung ihres Kopfes erkannt und von hinten den verlorenen Umriß ihrer Wange erfühlt, so wußte er nichts auf der Welt als sich und sie, und wußte, der Schritt zu ihr und der Blick ihrer braunen Augen und der Kuß ihres Mundes sei das einzige, was seinem Leben fehle und ohne welches keine Weisheit ihm helfen könne. Und dies alles schien ihm möglich und in Treue aufbewahrt; denn er fühlte mit liebender Ahnung, daß sie nur seinetwegen oder doch im Gedanken an ihn diese Versammlung aufgesucht habe.

Als der Redner zu Ende war, meldeten sich viele zur Erwiderung, und es machte sich bereits die erste Woge der Rechthaberei und Unduldsamkeit bemerklich, welche fast allen diesen ehrlichen Köpfen die Weite und Liebe nahm und woran auch dieser ganze Kongreß, statt der Welterlösung zu dienen, kläglich scheitern sollte.

Berthold Reichardt jedoch hatte für diese Vorboten naher

Stürme kein Ohr. Er starrte auf die Gestalt seiner Geliebten, als sei sein ganzes Wesen sich bewußt, daß es einzig von ihr gerettet werden könne. Mit dem Schluß jener Rede erhob sich das Fräulein, schritt dem Ausgang zu und zeigte ein ernstkühles Gesicht, in welchem sichtlich ein Widerwille gegen diese ganzen Verhandlungen unterdrückt wurde. Sie ging nahe an Berthold vorbei, ohne ihn zu beachten, und er konnte deutlich sehen, wie ihr beherrschtes kühles Gesicht noch immer in frischer Farbe blühte, doch um einen feinen lieben Schatten älter und stiller geworden war. Zugleich bemerkte er mit Stolz, wie die Vorüberschreitende überall von bewundernden und achtungsvollen Blicken begleitet wurde.

Sie trat ins Freie und ging die Straße hinab, wie sonst in tadelloser Kleidung und mit ihrem sportmäßigen Schritt, nicht eben fröhlich, aber aufrecht und elastisch. Ohne Eile ging sie dahin, von Straße zu Straße, nur vor einem prächtig prangenden Blumenladen eine Weile sich vergnügend, ohne zu ahnen, daß ihr Berthold immerzu folgte und in ihrer Nähe war. Und er blieb hinter ihr bis zur Ecke der fernen Vorstadtstraße, wo er sie im Tor ihrer alten Wohnung verschwinden sah.

Dann kehrte er um, und im langsamen Gehen blickte er an sich nieder. Er war froh, daß sie ihn nicht gesehen hatte, und die ganze ungepflegte Dürftigkeit seiner Erscheinung, die ihn schon seit gestern bedrückt hatte, schien ihm jetzt unerträglich. Sein erster Gang war zu einem Barbier, der ihm das Haar scheren und den Bart abnehmen mußte, und als er in den Spiegel sah und dann wieder auf die Gasse trat und die Frische der rasierten Wangen im leisen Winde spürte, fiel alle einsiedlerische Scheu vollends von ihm ab. Eilig fuhr er nach einem großen Kleidergeschäft, kaufte einen modischen Anzug und ließ ihn so sorgfältig wie möglich seiner Figur anpassen, kaufte nebenan weiße Wäsche, Halsbinde, Hut und Schuhe, sah sein Geld zu Ende gehen und fuhr zur Bank um neues, fügte dem Anzug einen Mantel und den Schuhen Gummischuhe hinzu und fand am Abend, als er in angenehmer Ermüdung heimkehrte, alles schon in Schachteln und Paketen daliegen und auf ihn warten.

Nun konnte er nicht widerstehen, sofort eine Probe zu

machen, und zog sich alsbald von Kopf zu Füßen an, lächelte sich etwas verlegen im Spiegel zu und konnte sich nicht erinnern, je in seinem Leben eine so knabenhafte Freude über neue Kleider gehabt zu haben. Daneben hing, unsorglich über einen Stuhl geworfen, sein asketisches Lodenzeug, grau und entbehrlich geworden wie die Puppenhülle eines jungen Schmetterlings.

Während er so vor dem Spiegel stand, unschlüssig, ob er noch einmal ausgehen sollte, wurde an seine Tür geklopft, und er hatte kaum Antwort gegeben, so trat geräuschvoll ein stattlicher Mann herein, in welchem er sofort den Herrn Salomon Adolfus Wolff erkannte, jenen reisenden Wundertäter, der ihn vor Monaten in der Tiroler Einsiedelei besucht hatte.

Wolff begrüßte den »Freund« mit heftigem Händeschütteln und nahm mit Verwunderung dessen frische Eleganz wahr. Er selbst trug den braunen Hut und alten Gehrock von damals, jedoch diesmal auch eine schwarze Weste dazu und graue Beinkleider, die jedoch für längere Beine als die seinen gearbeitet schienen, da sie oberhalb der Stiefel eine harmonikaähnliche Anordnung von widerwilligen Querfalten aufwiesen. Er beglückwünschte den Doktor zu seinem guten Aussehen und hatte nichts dagegen, als dieser ihn zum Abendessen einlud.

Schon unterwegs auf der Straße begann Salomon Adolfus mit Leidenschaft von den heutigen Reden und Verhandlungen zu sprechen und konnte es kaum glauben, daß Reichardt ihnen nicht beigewohnt habe. Am Nachmittag hätte ein schöner langlockiger Russe über Pflanzenkost und soziales Elend gesprochen und dadurch Skandal erregt, daß er beständig den nichtvegetarianischen Teil der Menschheit als Leichenfresser bezeichnet hatte. Darüber waren die Leidenschaften der Parteien erwacht, mitten im Gezänke hatte sich ein Anarchist des Wortes bemächtigt und mußte durch Polizeigewalt von der Tribüne entfernt werden. Die Buddhisten hatten stumm in geschlossenem Zuge den Saal verlassen, die Theosophen vergebens zum Frieden gemahnt. Ein Redner habe das von ihm selbst verfaßte »Bundeslied der Zukunft« vorgetragen, mit dem Refrain:

>»Ich laß der Welt ihr Teil,
Im All allein ist Heil!«

und das Publikum sei schließlich unter Lachen und Schimpfen auseinandergegangen.

Erst beim Essen beruhigte sich der erregte Mann und wurde dann gelassen und heiter, indem er ankündigte, er werde morgen selbst im Saale sprechen. Es sei ja traurig, all diesen Streit um nichts mitanzusehen, wenn man selbst im Besitz der so einfachen Wahrheit sei. Und er entwickelte seine Lehre, die vom »Geheimnis des Lebens« handelte und in der Weckung der in jedem Menschen vorhandenen magischen Seelenkräfte das Heilmittel für die Übel der Welt erblickte.

»Sie werden doch dabei sein, Bruder Reichardt?« sagte er einladend.

»Leider nicht, Bruder Wolff«, meinte dieser lächelnd. »Ich kenne ja Ihre Lehre schon, der ich guten Erfolg wünsche. Ich selber bin in Familiensachen hier in München und morgen leider nicht frei. Aber wenn ich Ihnen sonst irgendeinen Dienst erweisen kann, tue ich es sehr gerne.«

Wolff sah ihn mißtrauisch an, konnte aber in Reichardts Mienen nur Freundliches entdecken.

»Nun denn«, sagte er rasch. »Sie haben mir diesen Sommer mit einem Darlehen von zehn Kronen geholfen, die nicht vergessen sind, wenn ich auch bis jetzt nicht in der Lage war, sie zurückzugeben. Wenn Sie mir nun nochmals mit einer Kleinigkeit aushelfen wollten – mein Aufenthalt hier im Dienst unserer Sache ist mit Kosten verbunden, die niemand mir ersetzt.«

Berthold gab ihm ein Goldstück und wünschte nochmals Glück für morgen, dann nahm er Abschied und ging nach Hause, um zu schlafen.

Kaum lag er jedoch im Bette und hatte das Licht gelöscht, da waren Müdigkeit und Schlaf plötzlich dahin, und er lag die ganze Nacht brennend in Gedanken an Agnes.

Früh am Morgen verließ er das Haus, unruhig und von der schlaflosen Nacht erschöpft. Er brachte die frühen Stunden auf einem Spaziergange und im Schwimmbad zu, saß dann noch eine ungeduldige halbe Stunde vor einer Tasse Tee und fuhr, sobald ein Besuch möglich schien, in einem hübschen Wagen an der Weinlandschen Wohnung vor.

Nachdem er die Glocke gezogen, mußte er eine Weile warten, dann fragte ihn ein kleines neues Mädchen, keine richtige Magd, unbeholfen nach seinem Begehren. Er fragte nach den Damen, und die Kleine lief, die Tür offen lassend, nach der Küche davon. Dort wurde nun ein Gespräch hörbar und zur Hälfte verständlich.

»Es geht nicht«, sagte Agnesens Stimme, »du mußt sagen, daß die gnädige Frau krank ist. – Wie sieht er denn aus?«

Schließlich aber kam Agnes selbst heraus, in einem blauen leinenen Küchenkleide, sah ihn fragend an und sprach kein Wort, da sie ihn unverweilt erkannte.

Er streckte ihr die Hand entgegen. »Darf ich hereinkommen?« fragte er, und ehe weiteres gesagt wurde, traten sie in das bekannte Wohnzimmer, wo die Frau Rat in einen Wollschal gehüllt im Lehnstuhl saß und sich bei seinem Anblick alsbald steif und tadellos aufrichtete.

»Der Herr Doktor Reichardt ist gekommen«, sagte Agnes zur Mutter, die dem Besuch die Hand gab.

Sie selbst aber sah nun im Morgenlicht der hellen Stube den Mann an, las die Not eines verfehlten und schweren Jahres in seinem mageren Gesicht und den Willen einer geklärten Liebe in seinen Augen.

Sie ließ seinen Blick nicht mehr los, und eines vom andern wortlos angezogen, gaben sie einander nochmals die Hand.

»Kind, aber Kind!« rief die Rätin erschrocken, als unversehens ihre Tochter große Tränen in den Augen hatte und ihr erbleichtes Gesicht neben dem der Mutter im Lehnstuhl verbarg.

Das Mädchen richtete sich aber mit neu erglühten Wangen sogleich wieder auf und lächelte noch mit Tränen in den Augen.

»Es ist schön, daß Sie wiedergekommen sind«, begann nun die alte Dame. Da stand das hübsche Paar schon Hand in Hand bei ihr und sah dabei so gut und lachend aus, als habe es schon seit langem zusammengehört. *(1906)*

Fragment aus der Jugendzeit

Von den Hügeln sank mit goldenen Schleiern der Sommerabend. Der Tag war heiß und leuchtend gewesen, nun strich den dunkelnden Strom entlang mit kühlem Wehen vom Gebirge her der leichte Nachtwind, beladen mit dem honigschweren Duft der Lindenblüte. Indem Wagenfahren und Arbeitsgeräusch in der abendlichen Stadt mehr und mehr verstummten, sang das rasche, gleichmäßige Strömen des dunklen Wassers vernehmlicher. Aus einem schnell stromabwärts treibenden Nachen klang die Stimme eines singenden Bauernmädchens, Spaziergänger lauschten und lachten hinüber. In den Häusern der steilen Uferseite, die schwarz und schattenhaft in den milchig hellen Himmel stiegen, glommen schon hier und dort vereinzelte rote Fenster auf und bildeten zufällige Sternbilder und Figuren, deren Spiegelbild der Rhein mit ungleichem Wellengang verschob und tanzen machte.

In meiner hoch über dem Strome gelegenen Mansarde war es noch heiß. Ich lag im offenen Fenster und schaute dem Wasser zu, das ebenso unaufhaltsam und ebenso gleichmäßig und eintönig und gleichgültig der Nacht und Ferne entgegenfloß, wie mir die öden Tage dahinrannen, von denen jeder köstlich und unverlierbar wertvoll hätte sein können und sein sollen und von denen doch einer wie der andere ohne Wert und ohne Andenken unterging.

So ging es seit Wochen, und ich wußte nicht, wie und wann es anders werden sollte. Ich war dreiundzwanzig Jahre alt und brachte meinen Tag in einem unbedeutenden Bureau zu, wo ich mit einer gleichgültigen Arbeit soviel Geld verdiente, daß ich ein kleines Dachzimmer mieten und mir an Speise und Kleidung das Notwendigste kaufen konnte. Die Abende, Nächte und frühen Morgenstunden aber sowie die Sonntage versaß ich brütend in meinem Stüblein, las in den paar Büchern, die ich besaß, zeichnete zuweilen und grübelte an einer Erfindung herum, die ich schon fertig zu haben geglaubt hatte und deren Ausführung mir doch fünf- und zehnund zwanzigmal mißlungen war. Neuerdings hatte ich die Arbeit daran aufgegeben und saß nun da und wunderte mich, wohin der Fleiß und die leidenschaftliche Schaffenslust und der tröstliche Glaube an mich selber gekommen seien. Zuweilen machte ich noch einen kleinen Anlauf, ließ eine Mahlzeit ausfallen und kaufte für die gesparten Pfennige Zeichenzeug, Papier und Lampenöl, aber ich tat es nur noch aus dem Bedürfnis, mir etwas vorzulügen, und mit dem schon ungläubigen Wunsche, noch einmal Stunden und Abende wie früher im herrlichen Fieber der Hoffnung und des Schaffens hinbringen zu können. Seit nun die heiße Zeit gekommen war und meine Kammer bis in die Nacht in der ermattenden Dachwärme glühte, sah ich außerhalb meines Bureaus den Stunden nur noch als ein müßiger Betrachter zu und hatte nichts dagegen, sie vor mir vergehen zu sehen wie welke Blumen. Manchmal saß ich eine Weile auf den Bänken eines öffentlichen Platzes, wo es nach Bäumen und Rasen roch, und manchmal ergriff mich am Sonntagmorgen ein plötzliches leidenschaftliches Verlangen nach Fluren, Wald, Bergen und Dorfluft, denn ich war auf dem Lande aufgewachsen. Doch folgte ich diesem Heimweh fast niemals, denn mit dem kümmerlichen Leben und dem beständigen Geldmangel waren mir alle Frische und Unternehmungslust abhanden gekommen. Plagte mich die Erinnerung an Heimat und Kinderzeiten und ländliche Freiheit einmal allzu stark, so schrieb ich einen Brief an meine Mutter, in dem ich ihr erzählte, daß es mir gutgehe und daß in hiesiger Stadt ein herrliches Leben sei. Das geschah alle fünf oder sechs Wochen einmal, und nachher besann ich mich, warum ich eigentlich den einzigen Menschen in der Welt, der mir lieb war und der an mir hing, anlöge.

An jenem schönen Sommerabend war ich unentschlossen, ob ich der Einladung des Direktors Gelbke zu einer familiären Gartengesellschaft folgen sollte oder nicht. Es war mir unerwünscht, unter Menschen zu sein und reden und zuhören und Antwort geben zu müssen; ich war dazu zu müde und teilnahmslos, auch war ich dort wieder genötigt zu lügen, zu tun, als gehe es mir gut und als sei es mit mir in Ordnung. Hingegen war es eine angenehme und tröstliche Vorstellung, daß es dort etwas zu essen und einen guten Trunk geben würde, daß dort im kühlen Garten Blumen und Sträucher dufteten und stille Wege durch Ziergebüsche und unter alten

Bäumen hinführten. Der Direktor Gelbke war, abgesehen von meinen paar armen Mitangestellten im Geschäft, mein einziger Bekannter in der Stadt. Mein Vater hatte ihm oder vielleicht auch schon seinem Vater vorzeiten einmal irgendeinen Dienst erwiesen, und auf den Rat meiner Mutter hatte ich vor zwei Jahren einen Besuch bei ihm gemacht, und nun lud mich der freundliche Herr je und je ins Haus, ohne mich jedoch gesellschaftlichen Lagen auszusetzen, denen meine Erziehung und meine Garderobe nicht gewachsen waren.

Der Gedanke an ein luftig-kühles Sitzen in des Direktors Garten machte mir meine enge, dumpfe Stube vollends unleidlich, so daß ich hinzugehen beschloß. Ich zog den besseren Rock an, reinigte meinen Hemdkragen mit dem Radiergummi, bürstete mir Hosen und Stiefel ab und schloß nach meiner Gewohnheit die Tür hinter mir ab, obwohl kein Dieb etwas bei mir hätte holen können. Ein wenig müde, wie ich damals immer war, ging ich die enge, schon dämmernde Gasse hinab, über die belebte Brücke und durch ruhige Straßen des vornehmeren Stadtteils zu dem Haus des Direktors, das schon beinahe außerhalb der Stadt in einer halb ländlichen, altmodisch bescheidenen Herrschaftlichkeit neben seinem mauerumschlossenen Garten lag. Ich blickte, wie schon manches Mal, an dem breit und niedrig gebauten Hause, an der von Kletterrosen umwachsenen Pforte und den breitsimsigen, behäbigen Fenstern mit einer beklommenen Sehnsucht empor, zog leise die Glocke und trat an der Magd vorbei in den halbdunklen Flur mit der erregten Befangenheit, die mich vor jedem Zusammenkommen mit fremden Menschen befiel. Bis zum letzten Augenblick hatte ich noch eine halbe Hoffnung gehegt, ich würde Herrn Gelbke mit seiner Frau oder etwa mit den Kindern allein finden; nun aber drangen mir vom Garten her fremde Stimmen entgegen, und ich ging zögernd durch die kleine Halle auf die Gartenwege zu, die nur von wenigen Papierlaternen unsicher beleuchtet waren.

Die Hausfrau kam mir entgegen, gab mir die Hand und führte mich an den hohen Gebüschen hin zu einem Rondell, wo bei Lampenlicht die Gesellschaft an zwei Tischen saß. Der Direktor begrüßte mich mit seiner freundlich heiteren Art, mehrere Hausfreunde nickten mir zu, einige von den

Gästen erhoben sich, ich hörte Namen nennen, murmelte einen Gruß, verneigte mich gegen einige Damen, die hellgekleidet im Lampenscheine schimmerten und mich einen Augenblick betrachteten; dann wurde mir ein Stuhl gegeben, und ich fand mich unten an der Schmalseite eines Tisches zwischen einem älteren Fräulein und einem schlanken jungen Mädchen sitzen. Die Damen schälten Orangen, mir aber wurde Butterbrot, Schinken und ein Weinglas hingestellt. Die Ältere sah mich eine Zeitlang an und fragte dann, ob ich nicht Philolog sei und ob sie mich nicht schon da und da getroffen habe. Ich verneinte und sagte, ich sei Kaufmann, oder eigentlich Techniker, und begann, ihr einen Begriff davon zu geben, welcher Art Mensch ich sei; da sie aber gleich wieder anderswohin schaute und offenbar nicht zuhörte, schwieg ich still und begann, von den guten Speisen zu essen. Damit brachte ich, da niemand mich störte, eine gute Viertelstunde hin, denn es war mir eine festliche Ausnahme, am Abend so reichliches und feines Essen zu haben. Dann trank ich langsam ein Glas von dem guten weißen Weine und saß nun unbeschäftigt und wartend, was geschehen werde.

Da wandte sich die junge Dame zu meiner Rechten, mit der ich noch kein Wort gesprochen hatte, unversehens zu mir herüber und bot mir mit einer schlanken und biegsamen Hand eine geschälte halbe Orange an. Indem ich ihr dankte und die Frucht hinnahm, wurde mir ungewohnt fröhlich und wohl zumute, und ich dachte, daß ein fremder Mensch wohl kaum auf eine lieblichere Weise sich einem anderen nähern könne, als durch eine so einfache und schöne Darbietung. Erst jetzt betrachtete ich meine Nachbarin mit Aufmerksamkeit, und was ich sah, war ein feines, zartes Mädchen, wohl so groß wie ich oder noch größer, von beinahe gebrechlichen Formen und mit einem schmalen, schönen Gesicht. So erschien sie mir wenigstens in jenem Augenblick, denn später konnte ich wohl bemerken, daß sie zwar fein und sehr schlank von Gliedern, aber kräftig, behende und sicher war. Sobald sie aufstand und umherging, verschwand in mir die Vorstellung von schutzbedürftiger Zartheit, denn in Gang und Bewegungen war das Mädchen ruhig, stolz und selbständig.

Ich aß die halbe Orange mit Bedacht und gab mir Mühe,

dem Mädchen höfliche Worte zu sagen und mich als einen leidlich honetten Menschen zu zeigen. Denn plötzlich war mir der Verdacht gekommen, sie möchte mich vorher bei meiner stummen Mahlzeit beobachtet haben und mich nun entweder für einen Grobian halten, der überm Essen seine Nachbarschaft vergißt, oder für einen Hungerleider, und dies wäre mir das Peinlichere gewesen, da es der Wahrheit verzweifelt ähnlich sah. Dann verlor aber ihre hübsche Gabe den einfachen Sinn und wurde zu einer Spielerei, vielleicht gar zum Spott. Aber mein Verdacht schien unbegründet. Wenigstens sprach und bewegte sich das Fräulein mit einer unbefangenen Ruhe, ging auf meine Reden mit höflicher Teilnahme ein und tat durchaus nicht, als halte sie mich für einen kulturlosen Vielfraß.

Dennoch fiel mir die Unterhaltung mit ihr nicht leicht. Ich war zu jener Zeit vor den meisten jungen Leuten meines Alters in gewissen Lebenserfahrungen ebenso weit voraus, wie ich an äußerer Bildung und geselliger Übung hinter ihnen zurückstand. Ein höfliches Gespräch mit einer jungen Dame von feinen Manieren war für mich immerhin ein Wagestück. Auch bemerkte ich nach einiger Zeit wohl, daß das schöne Mädchen mein Unterlegensein wahrgenommen habe und mich schone. Das machte mir heiß, half mir aber keineswegs über meine schwerfällige Befangenheit hinweg, sondern verwirrte mich nur, so daß ich trotz des erquicklichen Anfangs bald in eine fatale Stimmung von mutlosem Trotz geriet. Und als die Dame nach einer Weile sich den Gesprächen des anderen Tisches zuwendete, machte ich keinen Versuch, sie bei mir zurückzuhalten, sondern blieb verstockt und trübe sitzen, während jene nun mit den andern lebhaft und lustig konversierte. Es wurde mir eine Zigarrenkiste hingehalten, ich nahm einen Stengel und rauchte unfroh und schweigend in den bläulichen Abend hinein. Als bald darauf mehrere Gäste sich erhoben und plaudernd in den Gartenwegen zu spazieren anfingen, stand auch ich leise auf, ging beiseite und stellte mich mit meiner Zigarre hinter einen Baum, wo niemand mich störte und ich die Lustbarkeit von weitem betrachten konnte.

Nach meiner pedantischen Art, die ich zu meinem Leidwesen niemals habe ändern können, ärgerte ich mich und machte mir Vorwürfe wegen meines töricht trotzigen Verhaltens, ohne mich doch überwinden zu können. Da niemand sich um mich kümmerte, ich aber den Entschluß zu einer harmlosen Rückkehr nicht fand, blieb ich wohl eine halbe Stunde lang in meinem unnötigen Versteck und trat erst, als ich den Hausherrn nach mir rufen hörte, zögernd hervor. Ich ward vom Direktor an seinen Tisch gezogen, gab auf seine gütigen Fragen nach meinem Leben und Ergehen ausweichende Antwort und fand mich langsam wieder in die allgemeine Geselligkeit hinein. Eine kleine Strafe für mein voreiliges Entweichen blieb mir freilich nicht erspart. Das schlanke Mädchen saß mir jetzt gegenüber, und je besser sie mir im längeren Anschauen gefiel, desto mehr bereute ich meine Fahnenflucht und versuchte wiederholt, wieder mit ihr anzuknüpfen. Sie aber war nun stolz und überhörte meine schwachen Anläufe zu einer neuen Konversation. Einmal traf mich ihr Blick, und ich dachte, er würde geringschätzend oder übelgelaunt sein, aber er war nur kühl und gleichgültig.

Die graue und häßliche Alltagsstimmung von Kümmerlichkeit, Zweifelsucht und Leere kam von neuem über mich. Ich sah den Garten mit mildschimmernden Wegen und schönen dunkeln Laubmassen, die weißgedeckten Tafeln mit Lampen, Fruchtschalen, Blumen, Birnen und Orangen, die gutgekleideten Herren und die Frauen und Mädchen in hellen, hübschen Blusen, ich sah weiße Damenhände mit Blumen spielen, roch den Duft des Obstes und den blauen Rauch der guten Zigarren, hörte höfliche und feine Menschen vergnügt und lebhaft reden – und dieses alles schien mir unendlich fremd, nicht zu mir gehörig und für mich unerreichbar, ja unerlaubt. Ich war ein Eindringling, ein höflich und vielleicht mitleidig geduldeter Gast aus einer geringeren, armseligen Welt. Ich war ein namenloser, armer kleiner Arbeiter, der wohl eine Zeitlang Träume vom Emporsteigen zu einem feineren und freieren Dasein gehegt hatte, nun aber längst in die zähe Schwere seines hoffnungslosen Wesens zurückgesunken war.

So verging mir der schöne Sommerabend und die heitere Geselligkeit in einem trostlosen Mißbehagen, das ich in törichter Selbstquälerei noch trotzig auf die Spitze trieb, statt mich wenigstens der wohligen Umgebung bescheiden zu freuen. Um elf Uhr, als die ersten aufbrachen, nahm auch ich kurzen Abschied und ging auf dem kürzesten Wege heimwärts, um ins Bett zu kommen. Denn seit einiger Zeit hatte sich eine dauernde Trägheit und Schlaflust meiner bemächtigt, mit welcher ich während der Arbeitsstunden häufig zu kämpfen hatte und der ich in meiner Mußezeit alle Augenblicke willenlos unterlag.

Einige Tage vergingen in dem gewohnten Schlendrian. Das Bewußtsein, in einem traurigen Ausnahmezustand zu leben, war mir allbereits verloren gegangen; ich lebte mit einer gedankenlos ergebenen Gleichgültigkeit stumpf dahin und sah ohne Bedauern Stunden und Tage hinter mich gleiten, von denen doch ein jeder Augenblick ein unwiederbringliches Stücklein Jugend und Lebenszeit bedeutete. Ich bewegte mich wie ein Uhrwerk, stand rechtzeitig auf, legte den Weg ins Geschäft zurück, tat mein bißchen mechanische Arbeit, kaufte mir Brot und ein Ei zum Essen, ging wieder zur Arbeit und lag dann am Abend in meiner Mansarde im Fenster, wo ich häufig einschlief. An den Gartenabend beim Direktor dachte ich nicht mehr. Überhaupt entschwanden mir die Tage, ohne Erinnerungen zu hinterlassen, und wenn ich zuweilen, etwa nachts im Traume, anderer Zeiten gedachte, waren es entlegene Kindererinnerungen, die mich wie Nachklänge einer vergessenen und fabelhaft gewordenen Präexistenz anmuteten.

Da geschah es in einer heißen Mittagsstunde, daß das Schicksal sich meiner wieder erinnerte. Ein weißgekleideter Italiener mit einer gellenden Handglocke und einem kleinen Wagen klirrte durch die Gassen und bot Eis feil. Ich kam gerade aus dem Bureau und gab, wohl zum erstenmal seit Monaten, einem plötzlichen Gelüste nach. Meine peinlich sparsame Regelmäßigkeit vergessend, zog ich ein Geldstück aus dem Beutel und ließ mir von dem Italiener einen kleinen Papierteller mit rötlichem Fruchteis füllen, das ich im Hausflur gierig verspeiste. Die aufrüttelnd kalte Erfrischung schien mir köstlich, ich kann mich daran erinnern, daß ich mit Begier das feuchte Tellerlein ableckte. Darauf aß ich mein gewohntes Brot daheim, dämmerte eine kleine Weile in halbem Schlummer und kehrte in die Schreibstube zurück. Dort wurde ich unwohl, und bald überfielen mich grausame

Leibschmerzen, ich hielt mich am Pultrand fest und litt ein paar Stunden lang verheimlichte Qualen, und nach dem Schluß der Arbeitszeit lief ich eiligst zu einem Arzt. Da ich bei einer Krankenkasse eingeschrieben war, wurde ich an einen anderen Arzt weitergewiesen; der aber war in den Sommerferien, und ich mußte nochmals einen Weg zu seinem Stellvertreter gehen. Diesen fand ich zu Hause; es war ein junger, freundlicher Herr, der mich fast wie seinesgleichen behandelte. Als ich ihm auf seine sachlichen Fragen meine Verhältnisse und tägliche Lebensweise ziemlich genau beschrieben hatte, empfahl er mir, in ein Spital zu gehen, wo ich besser versorgt wäre als in meiner schlechten Wohnung. Und da ich die Schmerzen nicht ganz verbeißen konnte, sagte er lächelnd: »Sie sind noch nicht viel krank gewesen?« Wirklich hatte ich seit meinem zehnten oder elften Jahr nie eine Krankheit gehabt. Der Arzt aber sagte fast unwillig: »Mit Ihrer Lebensweise bringen Sie sich um. Wenn Sie nicht so zäh wären, hätten Sie bei dieser Ernährung schon längst krank werden müssen. Jetzt haben Sie einen Denkzettel.« Ich dachte zwar, er mit seiner goldenen Uhr und Brille habe gut reden, sah nun aber doch, daß mein unwürdiger Zustand in den letzten Zeiten seine realen Ursachen habe, und fühlte dabei eine gewisse moralische Entlastung. Doch ließen mir die heftigen Schmerzen keine Ruhe zum Überlegen und Aufatmen. Ich nahm den Zettel, den der Doktor mir mitgab, dankte ihm und ging davon, um nach Besorgung der notwendigsten Botschaften mich im Spital zu melden, wo ich mit letzten Kräften die Glocke zog und auf der Treppe absitzen mußte, um nicht zusammenzubrechen.

Ich wurde ziemlich grob empfangen; da man jedoch meinen hilflosen Zustand wahrnahm, ward ich in ein laues Bad und dann zu Bett gebracht, wo mir bald alles Bewußtsein in einer leise winselnden Leidensdämmerung verschwand. Drei Tage lang hatte ich das Gefühl, ich müsse nun sterben, und wunderte mich kläglich, daß das so mühevoll, langsam und schmerzlich geschehe. Denn jede Stunde wurde mir unendlich lang, und als die drei Tage um waren, kam es mir vor, als sei ich manche Woche dagelegen. Endlich fand ich einige Stunden Schlaf, und beim Erwachen hatte ich das Zeitgefühl und das Bewußtsein meiner Lage wieder. Doch merkte ich zugleich, wie schwach ich war, denn jede Bewegung machte mir Mühe, und selbst das Öffnen und Schließen der Augen erschien mir wie eine kleine Arbeit. Als die Schwester kam und nach mir sah, redete ich sie an und glaubte laut wie sonst zu reden, während sie sich bücken mußte und mich doch kaum verstehen konnte. Da begriff ich, daß es mit dem Wiederaufstehen keine Eile habe, und ergab mich ohne viel Schmerz für ungewisse Zeit in den kindlichen Zustand der Abhängigkeit von fremder Pflege. Es dauerte denn auch eine längere Zeit, bis meine Kräfte wieder anfingen zu erwachen, denn der kleinste Mund voll Speise machte mir stets wieder Schmerzen und Beschwerden, auch wenn es nur ein Löffel Krankensuppe war.

In dieser merkwürdigen Zeit war ich zu meinem eigenen Erstaunen weder traurig noch ärgerlich. Die dumpfe Sinnlosigkeit meines mutlosen Dahinlebens in den letzten Monaten wurde mir immer deutlicher. Ich erschrak vor dem, was beinahe aus mir geworden wäre, und freute mich innig des wieder erlangten Bewußtseins. Es war ähnlich, als wäre ich eine lange Zeit im Schlaf gelegen, und nun ließ ich, endlich erwacht, meine Augen und Gedanken wieder mit neuer Lust auf die Weide gehen. Dabei geschah es, daß von allen den nebelhaften Eindrücken und Erlebnissen dieser trüb verdämmerten Zeit einige, die ich nahezu vergessen zu haben glaubte, nun mit erstaunlicher Leibhaftigkeit und in feurigen Farben vor mir standen. Unter diesen Bildern, an denen ich mich jetzt in dem fremden Krankensaal mit mir allein vergnügte, stand zuoberst das jenes schlanken Mädchens, das im Garten des Direktors Gelbke neben mir gesessen war und mir die Orange angeboten hatte. Ich wußte ihren Namen nicht, aber ich konnte mir in guten Stunden ihre ganze Gestalt und ihr feines Gesicht mit vertrauter Deutlichkeit vorstellen, wie man es sonst nur bei alten Bekannten vermag, samt der Art ihrer Bewegungen, ihrer Sprache und Stimme, und dies alles ergab zusammen ein Bild, vor dessen zarter Schönheit mir wohl und warm wie einem Kinde bei der Mutter wurde. Mir schien, als müsse ich sie schon in vergangenen Zeiten gesehen und gekannt haben, und ihre anmutvolle Erscheinung trat, um Widersprüche unbekümmert, als eine den Gesetzen der Zeit entrückte Begleiterin bald in allen meinen Erinnerungen, selbst in denen der Kindheit, mit hervor. Ich betrachtete diese zierliche Figur, die mir so unvermutet nahe und teuer geworden war, immer wieder mit erneutem Vergnügen und nahm ihre stille Gegenwart in meiner Gedankenwelt mit einer sorglosen und dennoch nicht undankbaren Selbstverständlichkeit hin, wie der Mensch im Frühjahr die Kirschenblüte und im Sommer den Heuduft hinzunehmen pflegt, ohne Erstaunen oder Aufregung und doch innig zufrieden.

Dies naive und anspruchslose Verhältnis zu meinem schönen Traumbilde dauerte jedoch nur so lange, als ich völlig geschwächt und vom Leben abgeschnitten daniederlag. Sobald ich wieder zu einigen Kräften kam, ein wenig Speise vertrug und mich allenfalls ohne sonderliche Erschöpfung wieder im Bett umzudrehen vermochte, rückte mir das Mädchenbild gleichsam schamhaft ferner zurück, und an die Stelle des reinen, leidenschaftslosen Gernhabens trat ein sehnsüchtiges Begehren. Jetzt fühlte ich unversehens immer häufiger ein lebhaftes Verlangen, den Namen der Schlanken auszusprechen, ihn zärtlich zu flüstern und leise zu singen, und es wurde mir zu einer wirklichen Qual, daß ich diesen Namen nicht wußte. In meinen Träumereien hatte ich mit ihr gespielt wie mit einem lieben Schwesterlein; nun aber fiel es mir plötzlich schwer aufs Herz, daß sie nichts von mir wußte, daß ich für sie ein fremder Mensch war, dessen Gruß sie vielleicht kaum annehmen und erwidern würde, ja, daß sie mich vielleicht sogar in einem schlimmen, unfreundlichen Andenken habe. Und so lag ich einen Tag um den andern in Gedanken mit ihr beschäftigt und wußte doch nichts von ihr, als wie sie aussah und die paar Worte, die ich an jenem Abend von ihr gehört hatte.

Einige kleine Ereignisse unterbrachen zwischenhinein für eine kurze Weile diesen sonderbar einseitigen Gedankenverkehr mit der Unbekannten. Zunächst kam ein Brief von meiner Mutter, den ich mit eigentümlichen Empfindungen las, da sie von meinem Kranksein nichts wußte. Sie antwortete vielmehr treuherzig auf meine letzten unwahren und prahlerischen Berichte, so daß ich mich selber und mein voriges Unwesen wie in einem Spiegel sah. Wie fern war ich ihr nun, da ich inzwischen am Tode vorbeigestreift und in leiblichem

Kranksein eine innere Genesung erlebt hatte! Beschämt steckte ich den Brief unter mein Kopfkissen und beschloß, bei der ersten Gelegenheit meine früheren Unwahrheiten gutzumachen oder wenigstens zu beichten.

Alsdann erreichte mich eine Nachricht von meinem Arbeitsherrn, die man mir eine Woche lang vorenthalten hatte. Er hatte mir den kleinen Rückstand an Lohn, den ich noch anzusprechen hatte, überschickt und mich zugleich meines Pöstleins entlassen. Diese Nachricht ließ mich ruhig, wenn auch die Art, wie ich weiterhin mein Brot erwerben würde, mir noch verborgen war. Das Gefühl, einem elenden und seelenlosen Lebensabschnitt gewaltsam entrissen worden zu sein, war in mir so stark und freudig, daß die leibliche Sorge keine Macht über mich gewann.

Weiter begab es sich, daß eines Tages zur Besuchsstunde eine Dame mit Hut und Sonnenschirm den Krankensaal betrat, in der ich mit Verwunderung die Frau Direktor Gelbke erkannte. Sie trug Blumen in der Hand und wurde von der Pflegerin begrüßt. Da ich mich schämte und nicht erkannt sein wollte – denn ich nahm an, sie besuche irgendeinen anderen Kranken –, steckte ich den Kopf unter die Linnen und hielt mich verborgen. Aber sie schritt geradewegs auf meine Bettstelle zu und blieb da stehen. Als ich hörte, wie sie die Pflegerin fragte: »Schläft er?«, drehte ich mich um und streckte ihr die Hand hin. Ich sah, daß sie über mein Aussehen betroffen war, und als sie nun mit gütigem Mitleid mich fragte und mir Vorwürfe machte, daß ich ihr keine Nachricht von meinen schlimmen Umständen gegeben habe, da tat es mir doch wunderlich wohl, daß ein Mensch nach mir fragte und an meinem Ergehen teilnahm. Nun schenkte sie mir einige wunderschöne Rosen, was freilich eine zweischneidige Wohltat war, denn mit dem Duft dieser Blumen drang die Erinnerung an alle guten Dinge da draußen plötzlich auf mich ein. Von dieser Stunde an dachte ich wieder mit Sehnsucht an die Welt und wartete auf die Stunde meiner Befreiung wie ein Gefangener.

Zugleich mit dem Erwachen meines Interesses für die Mitwelt begann ich auch eine Gemeinschaft mit meinen Leidensbrüdern zu empfinden und mich mehr nach den Saalgenossen und Bettnachbarn umzuschauen. Einer von ihnen, mein Nachbar zur Linken, ist mir im Gedächtnis geblieben und ist es wert, daß ich seiner nicht vergesse. Wahrscheinlich ist er längst im Spital begraben, und sein humoristisch klingender Name steht nur noch auf den verschollenen und vergilbten Krankenzetteln von damals. Er hieß Eustachius Zizibin und war ein wandernder Schneider oder war es vielmehr gewesen, denn seinen Wanderungen war ein Ziel gesetzt, und er hat jenes Bett und jenen Saal schwerlich anders verlassen als tot. Er wußte wohl, wie es um ihn stand, ohne jedoch darum traurig zu sein, worauf seine Natur nicht eingerichtet war. Woran er litt, weiß ich nicht mehr und habe es wohl nie gewußt, da er nie von seiner Krankheit redete. Er konnte wenig über vierzig Jahre alt sein, doch hatte der Freund Hein ihn gezeichnet, und sein magerer Kopf sah schon einem Totenschädel ähnlich. Sein Gemüt aber war unbefangen und in einer frohmütigen Kindlichkeit verblieben, und es schien mir oft, als sei diesem Menschen nur Heiteres begegnet oder als habe er für andere als heitere Dinge kein Verständnis.

»Mir hat's niemals pressieren wollen«, sagte er einmal schlau, »und jetzt stirb' i halt auch ein bissel langsam.«

Seine Heimat war, glaube ich, in Schlesien, doch hatten auf zwanzigjähriger Wanderschaft alle Mundarten der deutschen Lande ein wenig an ihm abgefärbt, wie man es manchmal an Mausefallenhändlern und Kesselflickern, an eigentlichen Handwerkern aber seltener wahrnehmen kann. Häufig fing er in seinem Bette an, still vor sich hin zu kichern, und wenn man ihn fragte, was er zu lachen habe, begann er: »Da ist mir was eingefallen«, und erzählte von einem sonderbaren Meister in Landshut, bei dem er einst in Arbeit gestanden, oder von einem Handwerksburschenabenteuer im Harz oder von dem Papagei einer Witwe in Bruchsal, bei welcher er, da sie in ihn verliebt war, einst eine Weile gewohnt hatte. Dieser Papagei freute ihn besonders und fiel ihm häufig ein, und wenn er von ihm erzählte und die zähe, eigentümlich nasale Stimme des Vogels nachahmte, war es ein Vergnügen, seine harmlose Lust mit anzusehen. Damals lachte ich viel über ihn und mit ihm, später aber mußte ich, in Zeiten des Leidens, an ihn oft mit Bewunderung, ja mit Verehrung denken, wie er sein Schicksal gelassen trug und wie er, der fast schon

Sterbende, uns Genesende mit seiner guten Laune unterhalten und getröstet hat.

Er war auch die Veranlassung, daß ich gelegentlich über den Tod meditierte, was ich nie zuvor getan hatte. Es galten auch jetzt meine Betrachtungen weniger dem Tode selber als dem schönen Rätsel des Lebens. Es kam mir zum erstenmal ein Bewußtsein dessen, wie merkwürdig unsereiner an der lichten Oberfläche des leiblichen und geistigen Daseins schwimmt, aus dem Dunkel gewesener Generationen emporgetaucht und dazu bestimmt, bald in dasselbe Dunkel wieder zurückzukehren. Dabei plagte es mich wenig, ob ich diesem Dunkel den Namen Nichts oder Ewigkeit geben müsse; die bloße Tatsache des Lebendigseins beschäftigte mich genug, denn ich hatte aufgehört, dasselbe für selbstverständlich zu halten, und sah darin vielmehr einen dankenswerten Glücksfall. Das entsprach ja auch dem Zustande eines Genesenden und eines Liebenden, und ich fühlte mich aufgelegt und fähig, von jetzt an mit meinem Pfunde zu wuchern und sorgfältiger als bisher auf den Wert der Stunden zu achten. Es schien mir rühmlich und weise, sich durch den Gedanken an das Ende vom Genuß der gegenwärtigen Stunde so wenig abhalten zu lassen wie der vergnügte Schneidergeselle Zizibin, und ich nahm mir vor, in künftigen ärgerlichen Augenblicken seinen Namen auszusprechen, als eine Mahnung an die Gebote einfachster Lebenskunst. Doch habe ich mit allen Entschlüssen meine Natur nicht zu ändern vermocht, ich blieb in meiner Haut stecken, und es ging mit meinen schönen Absichten so, wie es mit allen guten Vorsätzen zu gehen pflegt.

Immerhin halfen derartige Gedankenspiele und Vorsätze mir je und je über ungeduldige Stunden weg, deren ich jetzt viele hatte. Hätten mich nach der Genesung altgewohnte Verhältnisse erwartet, so wäre ich schwerlich so ungeduldig geworden. So aber ging ich wirklich einem neuen Leben entgegen, ich mußte von neuem Arbeit und Brot suchen und war außerdem verliebt. Erstaunt nahm ich wahr, wie sehr ich mich in der kurzen Zeit seit meiner Erkrankung innerlich verändert habe. Früher hatte ich mir eingebildet, gar freisinnig und unabhängig zu sein, da ich mich von ländlicher Herkunft und frommer Überlieferung her zu Unglauben und

bewußter Verstandesherrschaft hindurchgelesen und -ge-
zweifelt hatte. Nun fühlte ich, daß auch diese bei aller
Bescheidenheit recht selbstbewußte Philosophie mir wertlos
geworden war, und an ihre Stelle war nicht ein neues Dogma
gerückt, sondern ein befreites Gefühl von der Unzulänglichkeit jedes Bekenntnisses und eine lebhafte, innig dürstende
Neugier auf das, was in diesem wunderlichen Leben weiter
noch mit mir geschehen und aus mir werden möchte.

Da ich in meinem Bette diese neuen Gesinnungen nicht
wohl betätigen konnte, ließ ich Gefühle und Gedanken
laufen und einander jagen, und endlich schrieb ich mit
Bleistift und noch unfester Hand einen sehr langen Brief an
meine gute Mutter, worin ich alles auszudrücken glaubte,
was zur Zeit in mir vorging. Als ich die verunglückte Schrei-
berei andern Tages wieder durchlas und der Pflegerin zum
Abschicken übergeben wollte, trat mir mit einemmal das
Bild der Mutter deutlich vor den Sinn. Ich sah sie, eine
große, magere Frau mit noch kaum ergrauten Haaren, in
unserem Hause ihre Arbeit tun, Futter schneiden und in der
schweren Bütte Wasser vom Brunnen hertragen, ich sah sie
in der Stube absitzen, meinen Brief mit einer Stricknadel
öffnen und ihn nahe an die strengen, hellblauen Augen
halten. Da kamen mir meine ausgeklügelten und doch unklaren Worte töricht und unnütz vor, und ich riß meinen Brief in
kleine Stücke.

Ich durfte nun schon wieder aufstehen und einige Stunden
im Spitalgarten sein, und beim Anblick der über die Mauer
ragenden Dächer, des Himmels, der flatternden Vögel und
ziehenden Wolken stiegen Erwartung und Ungeduld bis zur
Pein. Hinter der Mauer war die Stadt und die Freiheit, dort
waren die Gassen, in denen ich mit neuer Freude um mein
Leben zu kämpfen dachte und in denen irgendwo in einem
unbekannten Hause vermutlich das schmale, liebe Mädchen
wohnte.

Mittlerweile wurde ich vom Arzt und von der Pflegerin mit
Mahnungen und Lebensregeln versehen. Es wurde mir nicht
verhehlt, daß mein Inwendiges zwar vorerst geheilt, aber der
früheren sorglosen Gesundheit verlustig gegangen sei, und
wenn ich nicht streng auf mich hielte, so könne man für
nichts einstehen. Ich hörte diese Einschränkungen meiner

nahen Freiheit mit einigem Verdruß an, doch war mir mein Magen und Darm im Augenblick nicht sonderlich ehrwürdig, und als ich endlich entlassen wurde und durch die sonnig sommerlichen Straßen in meine alte Wohnung wandelte, war es in mir so feiertäglich und glänzend wie jemals in den sorglosen Jünglingstagen.

Mein Geld reichte gerade hin, um die aufgelaufene Miete zu bezahlen. In meiner Kammer sah mich alles neu und hoffnungsfreudig an. Ich begriff nicht, daß ich hier so trostlose Zeiten hatte verbrüten können. Auch meine Papiere und Zeichnungen hatten das mutlose Aussehen verloren. Ich zweifelte nicht, daß meine Erfindung mir doch noch gelingen müsse, und wenn diese nicht, dann eine andere.

Am nächsten Tage zog ich mich sauber an und ging zum Direktor Gelbke. Der gute Herr empfing mich freundlicher als je, fragte besorgt nach meiner Gesundheit und meinen übrigen Umständen und bot mir seine Hilfe an. Ich war jedoch nicht willens, mir von irgend jemand helfen zu lassen, meine Mutter ausgenommen, und stellte dem gütigen Herrn meine Verhältnisse in den besten Farben dar. Ich berichtete ihm meinen Entschluß, alsbald zu meiner Mutter heimzureisen, und in meiner Schilderung sah diese Reise mehr wie eine hübsche Vergnügungsfahrt aus als wie der Rückzug eines Brotlosen zur alten Heimat.

»Meinetwegen«, sagte der Direktor lächelnd, »aber ehe Sie heimreisen, besuchen Sie uns noch einen Abend! Wir haben morgen ein paar Hausfreunde da. Wollen Sie kommen?«

Im Gedanken an mein schönes Mädchen sagte ich mit Eifer zu und verließ das Haus mit schwebenden Schritten wie ein Kind den Konditorladen. Den Tag bis morgen konnte ich, wenn auch mein Geld zu Ende war, mich wohl noch in der Stadt halten, und nachher gedachte ich den Heimweg zur Mutter auf alte Handwerkerart ohne weitere Kosten zu Fuß zurückzulegen. Zunächst ging ich nun in meine Wohnung und schrieb meiner Mutter, daß ich in Bälde kommen und eine Weile bei ihr bleiben würde. Dann spazierte ich vor die Stadt hinaus und legte mich, zum erstenmal seit längeren Zeiten, am Ufer in das blühende Gras. Der Wald trat dort dicht bis an den Strom, und der breite, hellgrüne Rhein zog meilenweit an seinem Rande hin; seit einigen Jahren sind aber Wehre und Kaimauern dort errichtet worden. In der schönen Wildnis nahm ich ein Bad, ruhte einige Stunden im Grase unter den schattigen Buchen, verzehrte dazwischen mein mitgebrachtes Brot und sog mit erneuten Sinnen Licht und Waldgerüche in mich ein. Auch erbat ich in meiner frohen Ungeduld ein Zeichen vom Schicksal, indem ich Zweige ins Wasser warf und aus der Richtung ihres Hinwegtreibens meine Zukunft lesen wollte. Die Zweige trieben aber weder nach rechts noch links, sondern stracks geradeaus, und nun beschloß ich, mein Glück an ein höheres Zeichen zu binden. Wenn morgen abend meine Hoffnung sich erfüllen und das schöne Fräulein wieder da sein würde, so wollte ich das als eine Versicherung dafür nehmen, daß ein guter Stern über meinem neuen Leben stehe.

Nach diesem Pakt mit meinem Geschick verließ ich den kühlen Ort und kehrte in die Stadt zurück, wo ich den folgenden Tag mit kleinen Reisezurüstungen und nichtigem Zeitvertreib in unruhiger Erwartung hinbrachte, bis die ersehnte Abendstunde schlug. Da ging ich langsam und befangen nach dem Direktorhause hinaus.

Wieder trat mir im Garten zwischen den hohen Gebüschen ein mildes Halbdunkel entgegen, in dem Rondell stand aber nur ein einziger Tisch. Ich war der erste Gast und schritt mit dem Hausherrn im Gespräch die Wege auf und ab. Bald ging die Torglocke wieder, und es kam ein junger Student, den ich schon kannte, und ihm folgte in Bälde ein Vetter des Direktors mit seiner Frau, und kaum hatten sich diese begrüßt, da erschien in einem leichten, weiß und hellbraun punktierten Kleide meine Schöne. Bei ihrem Anblick, den ich wochenlang an jedem Tage mir so vielmals vor Augen gerufen hatte, geriet ich in eine heftige Verwirrung, und als ich sie grüßte und ihr die Hand gab und als sie meine Hand kühl und flüchtig nahm und mir leicht zunickte, fiel es mir unversehens aufs Herz, daß ich in sonderbarer Verblendung mir unsere Begegnung ganz anders vorgestellt hatte. Mit der ich in Gedanken halbe Tage lang Umgang gepflegt hatte und vertraut geworden war, die stand nun als eine Fremde vor mir, und dennoch machte ihre sichtbare Gegenwart mir das Herz wärmer und seliger, als die schönsten Träume es getan hatten.

Wir waren nun vollzählig, auf der Tafel wurde die große Lampe angezündet und ein Imbiß aufgetragen. Ohne eine Aufforderung abzuwarten, hatte ich mich neben die Schlanke gesetzt, und ihr erstes Wort, das sie mir gönnte, war gütig und zeigte, daß sie sich meiner noch erinnerte.

»Sie haben sich verändert«, sagte sie, »ich sehe es erst jetzt beim Lampenlicht.«

»Ich bin ein wenig krank gewesen«, sagte ich vergnügt. Aber die Hausfrau, die mir gegenüber saß, rief dazwischen: »Ein wenig, sagt er! Und dabei wäre er uns ums Haar weggestorben, ohne uns ein Wort zu segen.«

»Sie hätten es schon erfahren«, sagte ich.

»War es denn so schlimm?« fragte das Mädchen, und als ich mich bemühte, mein Mißgeschick als unbedeutend darzustellen und das Gespräch davon abzulenken, stellte es sich heraus, daß das Fräulein einst ein Jahr lang als freiwillige Pflegerin in einem Krankenhaus gedient habe.

»Da muß man viel mit ansehen«, meinte die Hausfrau, und meine Nachbarin nickte, sagte aber sogleich: »Gewiß, aber auch manches Vergnügliche! Im Anfang hat es mich ganz niedergedrückt, so viel Schmerzen und Leid sehen zu müssen, aber später war ich oft erstaunt, wie viel Menschen ertragen können und wie seelenruhig manche dabei bleiben. Ist Ihnen nicht auch Ähnliches aufgefallen?«

Da erzählte ich von dem schlesischen Schneider Zizibin und wurde warm dabei und wunderte mich, wie leicht und schnell mir die Rede von den Lippen lief, nur weil meine Nachbarin mit lebhaften Mienen und leisem Lachen zuhörte. Während der Unterhaltung, da die Wirtin öfter teilnahm und das Fräulein anredete, erlauschte ich auch ihren Namen, der mir wie eine süße Musik durchs Ohr ins Herz schlüpfte, wo ich ihn als einen lang gesuchten Schatz bewahrte. Sie hieß Elisabeth Chevalier, und der deutsche Rufname schien mir mit dem welschen Familiennamen erstaunlich schön und lieb zusammenzuklingen.

An derselben Stelle, wo ich vor einigen Wochen einen ärgerlichen Abend in kränklicher Verstimmung hingebracht hatte, saß ich nun verwandelt als ein fröhlicher und lebhafter Tischgenosse, und es drückte mich wenig, daß diese Leute neben mir wohlhabend und besser als ich gekleidet waren

und nicht wissen durften, daß ich morgen auf Handwerks-
burschenart den weiten Weg zu meiner Mutter antreten
würde. Der Gedanke, daß ich morgen für ungewisse Zeit die
Stadt verlassen müsse, regte sich nur mit einem leisen, mil-
den Vorgefühl von Abschied und Heimweh. Wie in einem
Traume sah ich durch die Zweige der Bäume und des Ge-
sträuchs den nachtblauen Himmel mählich sich mit Sternen
füllen und atmete die weiche Sommernachtluft, während
mein Mund muntere und gleichgültige Worte redete und
mein Herz in einem warmen Sturm von Glück und Sehnsucht
schwankte. Neben mir ruhte im Lichtschein der feine Kopf
und das helle, schmale Gesicht Elisabeths, und sooft sie
sprach, schaute ich hinüber und betrachtete ihre freie, weiße
Stirn, ihr dunkelblondes Haar und die Wölbung der Brauen,
ihre ruhigen Augen und ihre auf dem Tisch liegende Hand,
die fast kindlich schmal und doch gar reif und persönlich von
Form war.

Man erhob sich, um ein paar Schritte zu lustwandeln, bis
der Tisch abgeräumt wäre. Und ich trat an der Seite Elisabeths in die stille Dämmerung der Gartenpfade, sah am
Saume ihres fließenden Kleides die kleinen Füße bei jedem
Schritt erscheinen und verschwinden, erzählte ihr Geschichten aus der Heimat und frühen Jugendzeit und schaute mit
Bewunderung zu, wie sie auf der zierlich feinen Gestalt den
Nacken und Kopf so aufrecht und energisch trug und wie ihr
gleichmäßig elastischer Schritt mit den Bewegungen der
Arme und dem Wenden und Neigen des Halses zusammen-
klang. Die Erde schien mir ein wohlbestellter Lustgarten und
das Menschenleben ein leichtfüßiges Gehen darin zu sein.
Mein dünner und flüssiger gewordenes Blut wallte warm,
und jeder Herzschlag war ein kleines Jauchzen.

Dem Mädchen war ich vielleicht nicht lieber und nicht
leider als der Student oder der Vetter oder irgendein anderer
Mann es ihr gewesen wäre. Doch fühlte sie jedenfalls meine
selige Bewunderung, die sie wie eine wärmere Luft umgab,
und wurde selber wärmer und gewann an Liebreiz, so daß die
Worte, die wir sprachen, mehr und mehr an Gewicht und
Wert verloren, indessen das Gefühl vertrauteren Naheseins
stetig wuchs. Mir war es, wie wenn in einem Kelch eine
kostbare Flut höher und höher stieg und am Rande erschäu-

mend in leisen, schweren Tropfen überquelle, und als ob wir beide diese seligen Tropfen aus dem Born des Glückes mit stillem Erschauern kosteten.

Als das Ehepaar aufbrach, schlossen auch wir Jungen uns an. Der Direktor verabschiedete mich liebenswürdig und trug mir Grüße an die Mutter auf, seine Frau wünschte mir gute Reise, wir traten auf die Straße hinaus, und als Elisabeth mich fragte, ob ich sie begleiten werde, hatte ich dies innerlich längst mit Zuversicht erhofft. Ein paar Straßen weit ging der Student noch mit, dann empfahl er sich, und ich lief mit Elisabeth allein durch die schlafende Stadt dahin.

Sie schritt leicht und schnell wie ein Reh, und wir hatten beide, als wir über die Brücke kamen, unsere Freude an dem rauschenden Wasser und an den unruhig spiegelnden Laternenlichtern. Da sie danach fragte, gab ich über meine morgige Heimreise Auskunft und schilderte mein Heimattal und unser Dorf. Doch vergaß ich nicht beizufügen, daß ich in gar nicht langer Zeit zurückzukehren gedenke, und sie sagte ruhig: »Dann sehe ich Sie wohl bei Gelbkes wieder. Es soll mich freuen.« Schneller als ich wünschte, hatten wir den Weg durchlaufen; sie bog in eine ziemlich dunkle, alte Straße ein und hielt vor einer Haustüre an, wo sie die Glocke zog und sich von mir verabschiedete. Diese Abschiedsworte schienen mir wieder plötzlich seltsam kühl zu klingen, und mit einem Anflug von Trauer sah ich Elisabeth in der Pforte verschwinden, hinter der ich einen Augenblick lang einen tiefen Fliesengang und eine leuchtertragende Magd erschauen konnte. Dann trat ich in die Mitte der Gasse zurück und betrachtete mir das Haus genau, das mit nur zwei Stockwerken und stark vorspringenden Fensterdachungen behaglich alt und patrizisch aussah. Da ich beim Tore ein kleines, ovales Messingschild gewahrte, ging ich nochmals hin, um etwas Wichtiges zu erfahren, doch stand darauf nichts als der Name Chevalier in kleinen Buchstaben eingraviert, die ich bei der Dunkelheit kaum entziffern konnte.

Ich schritt davon und wußte, daß mit diesem Hause und mit dieser Stadt mein Schicksal verknüpft sei, und als ich früh am nächsten Morgen zur Stadt hinaus marschierte, hatte ich mir geschworen, als ein fester Mann und Schmied meines Glükkes wiederzukehren. *(1907)*

Schön ist die Jugend

Sogar mein Onkel Matthäus hatte auf seine Art eine Freude daran, mich wiederzusehen. Wenn ein junger Mann ein paar Jahre lang in der Fremde gewesen ist und kommt dann eines Tages wieder und ist etwas Anständiges geworden, dann lächeln auch die vorsichtigsten Verwandten und schütteln ihm erfreut die Hand.

Der kleine braune Koffer, in dem ich meine Habe trug, war noch ganz neu, mit gutem Schloß und glänzenden Riemen. Er enthielt zwei saubere Anzüge, Wäsche genug, ein neues Paar Stiefel, einige Bücher und Photographien, zwei schöne Tabakspfeifen und eine Taschenpistole. Außerdem brachte ich meinen Geigenkasten und einen Rucksack voll Kleinigkeiten mit, zwei Hüte, einen Stock und einen Schirm, einen leichten Mantel und ein Paar Gummischuhe, alles neu und solid, und überdies trug ich in der Brusttasche vernäht über zweihundert Mark Erspartes und einen Brief, in dem mir auf den Herbst eine gute Stelle im Ausland zugesagt war. An alledem hatte ich stattlich zu tragen und kehrte nun mit dieser Ausrüstung nach längerer Wanderzeit als ein Herr in meine Heimat zurück, die ich als schüchternes Sorgenkind verlassen hatte.

Vorsichtig langsam fuhr der Zug in großen Windungen den Hügel abwärts, und mit jeder Windung wurden Häuser, Gassen, Fluß und Gärten der unten liegenden Stadt näher und deutlicher. Bald konnte ich die Dächer unterscheiden und die bekannten darunter aussuchen, bald auch schon die Fenster zählen und die Storchennester erkennen, und während aus dem Tale mir Kindheit und Knabenzeit und tausendfache köstliche Heimaterinnerung entgegenwehten schmolz mein übermütiges Heimkehrgefühl und meine Lust, den Leuten da drunten recht zu imponieren, langsam dahin und wich einem dankbaren Erstaunen. Das Heimweh, das mich im Lauf der Jahre verlassen hatte, kam nun in der letzten Viertelstunde mächtig in mir herauf, jeder Ginsterbusch am Bahnsteig und jeder wohlbekannte Gartenzaun ward mir wunderlich teuer, und ich bat ihn um Verzeihung dafür, daß ich ihn so lang hatte vergessen und entbehren können.

Als der Zug über unserm Garten hinwegfuhr, stand im obersten Fenster des alten Hauses jemand und winkte mit einem großen Handtuch; das mußte mein Vater sein. Und auf der Veranda standen meine Mutter und die Magd mit Tüchern, und aus dem obersten Schornstein floß ein leichter blauer Rauch vom Kaffeefeuer in die warme Luft und über das Städtchen hinweg. Das gehörte nun alles wieder mir, hatte auf mich gewartet und hieß mich willkommen.

Am Bahnhof lief der alte bärtige Portier mit derselben Aufregung wie früher auf und ab und drängte die Leute vom Geleise weg, und unter den Leuten sah ich meine Schwester und meinen jüngeren Bruder stehen und erwartungsvoll nach mir ausblicken. Mein Bruder hatte für mein Gepäck den kleinen Handwagen mitgebracht, der die ganzen Buben-jahre hindurch unser Stolz gewesen war. Auf den luden wir meinen Koffer und Rucksack, Fritz zog an, und ich ging mit der Schwester hinterdrein. Sie tadelte es, daß ich mir jetzt die Haare so kurz scheren lasse, fand meinen Schnurrbart hinge-gen hübsch und meinen neuen Koffer sehr fein. Wir lachten und sahen uns in die Augen, gaben einander von Zeit zu Zeit wieder die Hände und nickten dem Fritz zu, der mit dem Wägelchen vorausfuhr und sich öfters umdrehte. Er war so groß wie ich und stattlich breit geworden. Während er vor uns herging, fiel mir plötzlich ein, daß ich ihn als Knabe mehrmals bei Streitereien geschlagen hatte, ich sah sein Kindergesicht wieder und seine beleidigten oder traurigen Augen und fühlte etwas von derselben peinlichen Reue, die ich auch damals immer gespürt hatte, sobald der Zorn ver-tobt war. Nun schritt Fritz groß und erwachsen einher und hatte schon blonden Flaum ums Kinn.

Wir kamen durch die Allee von Kirschen- und Vogelbeer-bäumen, am oberen Steg vorbei, an einem neuen Kaufladen und vielen alten unveränderten Häusern vorüber. Dann kam die Brückenecke, und da stand wie immer meines Vaters Haus mit offenen Fenstern, durch die ich unsern Papagei pfeifen hörte, daß mir vor Erinnerung und Freude das Herz heftig schlug. Durch die kühle, dunkle Toreinfahrt und den großen steinernen Hausgang trat ich ein und eilte die Treppe hinauf, auf der mir der Vater entgegenkam. Er küßte mich, lächelte und klopfte mir auf die Schulter, dann führte er mich still an der Hand bis zur oberen Flurtüre, wo meine Mutter stand und mich in die Arme nahm.

Darauf kam die Magd Christine gelaufen und gab mir die Hand, und in der Wohnstube, wo der Kaffee bereitstand, begrüßte ich den Papagei Polly. Er kannte mich sogleich wieder, stieg vom Rand seines Käfigdaches auf meinen Finger herüber und senkte den schönen grauen Kopf, um sich streicheln zu lassen. Die Stube war frisch tapeziert, sonst war alles gleich geblieben, von den Bildern der Großeltern und dem Glasschrank bis zu der mit altmodischen Lilablumen bemalten Standuhr. Die Tassen standen auf dem gedeckten Tisch, und in der meinen stand ein kleiner Resedenstrauß, den ich herausnahm und ins Knopfloch steckte.

Mir gegenüber saß die Mutter und sah mich an und legte mir Milchwecken hin; sie ermahnte mich, über dem Reden das Essen nicht zu versäumen, und stellte doch selber eine Frage um die andere, die ich beantworten mußte. Der Vater hörte schweigend zu, strich seinen grau gewordenen Bart und sah mich durch die Brillengläser freundlich prüfend an. Und während ich ohne übertriebene Bescheidenheit von meinen Erlebnissen, Taten und Erfolgen berichtete, fühlte ich wohl, daß ich das Beste von allem diesen beiden zu danken habe.

An diesem ersten Tag wollte ich gar nichts sehen als das alte Vaterhaus, für alles andere war morgen und später noch Zeit genug. So gingen wir nach dem Kaffee durch alle Stuben, durch Küche, Gänge und Kammern, und fast alles war noch wie einstmals, und einiges Neue, das ich entdeckte, kam den andern auch schon alt und selbstverständlich vor, und sie stritten, ob es nicht schon zu meinen Zeiten so gewesen sei.

In dem kleinen Garten, der zwischen Efeumauern am Bergabhange liegt, schien die Nachmittagssonne auf saubere Wege und Tropfsteineinfassungen, auf das halbvolle Wasserfaß und auf die prächtig farbigen Beete, daß alles lachte. Wir setzten uns auf der Veranda in bequeme Stühle; dort floß das durch die großen transparenten Blätter des Pfeifenstrauches eindringende Sonnenlicht gedämpft und warm und lichtgrün, ein paar Bienen sumsten schwer und trunken dahin und hatten ihren Weg verloren. Der Vater sprach zum Dank für meine Heimkehr mit entblößtem Haupt das Vaterunser, wir standen still und hatten die Hände gefaltet, und obwohl die ungewohnte Feierlichkeit mich ein wenig bedrückte, hörte ich doch die alten heiligen Worte mit Freude und sprach das Amen dankbar mit.

Dann ging Vater in seine Studierstube, und die Geschwister liefen weg, es ward ganz still, und ich saß allein mit meiner Mutter an dem Tisch. Das war ein Augenblick, auf den ich mich schon gar lang gefreut und auch gefürchtet hatte. Denn wenn auch meine Rückkehr erfreulich und willkommen war, so war doch mein Leben in den letzten Jahren nicht durchaus sauber und durchsichtig gewesen.

Nun schaute mich die Mutter mit ihren schönen, warmen Augen an und las auf meinem Gesicht und überlegte sich vielleicht, was sie sagen und wonach sie fragen sollte. Ich hielt befangen still und spielte mit meinen Fingern, auf ein Examen gefaßt, das im ganzen zwar nicht allzu unrühmlich, im einzelnen jedoch recht beschämend ausfallen würde.

Sie sah mir eine Weile ruhig in die Augen, dann nahm sie meine Hand in ihre feinen, kleinen Hände.

»Betest du auch noch manchmal?« fragte sie leise.

»In der letzten Zeit nicht mehr«, mußte ich sagen, und sie blickte mich ein wenig bekümmert an.

»Du lernst es schon wieder«, meinte sie dann. Und ich sagte: »Vielleicht.«

Dann schwieg sie eine Weile und fragte schließlich: »Aber gelt, ein rechter Mann willst du werden?«

Da konnte ich ja sagen. Sie aber, statt nun mit peinlichen Fragen zu kommen, streichelte meine Hand und nickte mir auf eine Weise zu, die bedeutete, sie habe Vertrauen zu mir, auch ohne eine Beichte. Und dann fragte sie nach meinen Kleidern und meiner Wäsche, denn in den letzten zwei Jahren hatte ich mich selber versorgt und nichts mehr zum Waschen und Flicken heimgeschickt.

»Wir wollen morgen alles miteinander durchsehen«, sagte sie, nachdem ich Bericht erstattet hatte, und damit war das ganze Examen zu Ende.

Bald darauf holte die Schwester mich ins Haus. Im »schönen Zimmer« setzte sie sich ans Klavier und holte die Noten von damals heraus, die ich lang nimmer gehört und gesungen und doch nicht vergessen hatte. Wir sangen Lieder von

Schubert und Schumann und nahmen dann den Silcher vor, die deutschen und die ausländischen Volkslieder, bis es Zeit zum Nachtessen war. Da deckte meine Schwester den Tisch, während ich mich mit dem Papagei unterhielt, der trotz seines Namens für ein Männchen galt und »der« Polly hieß. Er sprach mancherlei, ahmte unsere Stimmen und unser Lachen nach und verkehrte mit jedem von uns auf einer besonderen, genau eingehaltenen Stufe von Freundschaftlichkeit. Am engsten war er mit meinem Vater befreundet, den er alles mit sich anfangen ließ, dann kam der Bruder, dann Mama, dann ich und zuletzt die Schwester, gegen die er ein Mißtrauen hegte.

Polly war das einzige Tier in unserm Hause und gehörte seit zwanzig Jahren wie ein Kind zu uns. Er liebte Gespräch, Gelächter und Musik, aber nicht in nächster Nähe. Wenn er allein war und im Nebenzimmer lebhaft sprechen hörte, lauschte er scharf, redete mit und lachte auf seine gutmütig ironische Art. Und manchmal, wenn er ganz unbeachtet und einsam auf seinem Klettergestäbe saß und Stille herrschte und die Sonne warm ins Zimmer schien, dann fing er in tiefen, wohligen Tönen an, das Leben zu preisen und Gott zu loben, in flötenähnlichen Lauten, und es klang feierlich, warm und innig, wie das selbstvergessene Singen eines einsam spielenden Kindes.

Nach dem Abendessen brachte ich eine halbe Stunde damit zu, den Garten zu gießen, und als ich naß und schmutzig wieder hereinkam, hörte ich vom Gang aus eine halb bekannte Mädchenstimme drinnen sprechen. Schnell wischte ich die Hände am Sacktuch ab und trat ein, da saß in einem lila Kleide und breitem Strohhut ein großes schönes Mädchen, und als sie aufstand und mich ansah und mir die Hand hinstreckte, erkannte ich Helene Kurz, eine Freundin meiner Schwester, in die ich früher einmal verliebt gewesen war.

»Haben Sie mich denn noch gekannt?« fragte ich vergnügt.

»Lotte hat mir schon gesagt, Sie seien heimgekommen«, sagte sie freundlich. Aber mich hätte es mehr gefreut, wenn sie einfach ja gesagt hätte. Sie war hoch gewachsen und gar schön geworden, ich wußte nichts weiter zu sagen und ging ans Fenster zu den Blumen, während sie sich mit der Mutter und Lotte unterhielt.

Meine Augen gingen auf die Straße, und meine Finger spielten mit den Blättern der Geranienstöcke, meine Gedanken aber waren nicht dabei. Ich sah einen blaukalten Winterabend und lief auf dem Flusse zwischen den hohen Erlenstauden Schlittschuh und verfolgte von ferne in scheuen Halbkreisen – eine Mädchengestalt, die noch nicht richtig Schlittschuh laufen konnte und sich von einer Freundin führen ließ.

Nun klang ihre Stimme, viel voller und tiefer geworden als früher, mir nahe und mir doch fast fremd; sie war eine junge Dame geworden, und ich kam mir nimmer gleichstehend und gleichaltrig vor, sondern wie wenn ich immer noch fünfzehnjährig wäre. Als sie ging, gab ich ihr wieder die Hand, verbeugte mich aber unnötig und ironisch tief und sagte: »Gute Nacht, Fräulein Kurz.«

»Ist die denn wieder daheim?« fragte ich nachher.

»Wo soll sie denn sonst sein?« meinte Lotte, und ich mochte nicht weiter davon reden.

Pünktlich um zehn Uhr wurde das Haus geschlossen, und die Eltern gingen ins Bett. Beim Gutenachtkuß legte der Vater mir den Arm um die Schulter und sagte leise: »Das ist recht, daß wir dich wieder einmal zu Hause haben. Freut's dich auch?«

Alles ging zu Bett, auch die Magd hatte schon vor einer Weile gute Nacht gesagt, und nachdem noch ein paar Türen einigemal auf und zu gegangen waren, lag das ganze Haus in tiefer Nachtstille.

Ich aber hatte mir zuvor ein Krüglein Bier geholt und kaltgestellt, das setzte ich in meinem Zimmer auf den Tisch, und da in den Wohnstuben bei uns nicht geraucht werden durfte, stopfte ich mir jetzt eine Pfeife und zündete sie an. Meine beiden Fenster gingen auf den dunklen, stillen Hof, von dem eine Steintreppe bergauf in den Garten führte. Dort droben sah ich die Tannen schwarz am Himmel stehen und darüber Sterne schimmern.

Länger als eine Stunde blieb ich noch auf, sah die kleinen wolligen Nachtflügler um meine Lampe geistern und blies langsam meine Rauchwolken gegen die geöffneten Fenster. In langen stillen Zügen gingen unzählige Bilder meiner Heimat- und Knabenzeit an meiner Seele vorüber, eine große,

schweigende Schar, aufsteigend und erglänzend und wieder
verschwindend wie Wogen auf einer Seefläche.

Am Morgen legte ich meinen besten Anzug an, um meiner
Vaterstadt und den vielen alten Bekannten zu gefallen und
einen sichtbaren Beweis dafür zu geben, daß es mir wohl
ergangen und daß ich nicht als armer Teufel heimgekommen
sei. Über unserm engen Tale stand der Sommerhimmel
glänzend blau, die weißen Straßen stäubten leicht, vor dem
benachbarten Posthause standen die Botenwagen aus den
Walddörfern, und auf der Gasse spielten die kleinen Kinder
mit Klickern und wollenen Bällen.
  Mein erster Gang war über die alte steinerne Brücke, das
älteste Bauwerk des Städtleins. Ich betrachtete die kleine
gotische Brückenkapelle, an der ich früher tausendmal vor-
beigelaufen war, dann lehnte ich mich auf die Brüstung und
schaute den grünen, raschen Fluß hinauf und hinab. Die
behagliche alte Mühle, an deren Giebelwand ein weißes Rad
gemalt gewesen war, die war verschwunden, und an ihrem
Platze stand ein neuer großer Bau aus Backsteinen, im
übrigen war nichts verändert, und wie früher trieben sich
unzählige Gänse und Enten auf dem Wasser und an den
Ufern herum.
  Jenseits der Brücke begegnete mir der erste Bekannte, ein
Schulkamerad von mir, der Gerber geworden war. Er trug
eine leuchtend orangegelbe Schürze und sah mich ungewiß
und suchend an, ohne mich recht zu erkennen. Ich nickte ihm
vergnügt zu und schlenderte weiter, während er mir nachschaute und sich noch immer besann. Am Fenster seiner
Werkstatt begrüßte ich den Kupferschmied mit seinem
prachtvollen weißen Bart und schaute dann auch gleich zum
Drechsler hinein, der seine Radsaite schnurren ließ und mir
eine Prise anbot. Dann kam der Marktplatz mit seinem
großen Brunnen und mit der heimeligen Rathaushalle. Dort
war der Laden des Buchhändlers, und obwohl der alte Herr
mich vor Jahren in übeln Ruf gebracht, weil ich Heines
Werke bei ihm bestellt hatte, ging ich doch hinein und kaufte
einen Bleistift und eine Ansichtspostkarte. Von hier war es
nimmer weit bis zu den Schulhäusern, ich sah mir daher im
Vorübergehen die alten Kästen an, witterte an den Toren

den bekannten ängstlichen Schulenduft und entrann aufatmend zur Kirche und dem Pfarrhaus.

Als ich noch einige Gassen abgestreift und mich beim Barbier hatte rasieren lassen, war es zehn Uhr und damit die Zeit, meinen Besuch beim Onkel Matthäus zu machen. Ich ging durch den stattlichen Hof in sein schönes Haus, stäubte mir im kühlen Gang die Hosen ab und klopfte an die Wohnstubentüre. Drinnen fand ich die Tante und beide Töchter beim Nähen, der Onkel war schon im Geschäft. Alles in diesem Hause atmete einen reinlichen, altmodisch tüchtigen Geist, ein wenig streng und zu deutlich aufs Nützliche gerichtet, aber auch heiter und zuverlässig. Was dort beständig gefegt, gekehrt, gewaschen, genäht, gestrickt und gesponnen wurde, ist nicht zu sagen, und dennoch fanden die Töchter noch die Zeit, um gute Musik zu machen. Beide spielten Klavier und sangen, und wenn sie die neueren Komponisten auch nicht kannten, so waren sie im Händel, Bach, Haydn und Mozart desto heimischer.

Die Tante sprang auf und mir entgegen, die Töchter machten ihren Stich noch fertig und gaben mir dann die Hand. Zu meinem Erstaunen wurde ich ganz als ein Ehrengast behandelt und in die feine Besuchsstube geführt. Ferner ließ Tante Berta sich durch keine Widerrede davon abhalten, mir ein Glas Wein und Backwerk vorzusetzen. Dann nahm sie mir gegenüber in einem der Staatsstühle Platz. Die Töchter blieben draußen bei der Arbeit.

Das Examen, mit dem meine gute Mutter mich gestern verschont hatte, brach nun zum Teil doch noch über mich herein. Doch kam es mir hier auch nicht darauf an, den ungenügenden Tatsachen durch meine Darstellung etwas mehr Glanz zu verleihen. Meine Tante hatte ein lebhaftes Interesse für die Persönlichkeiten geschätzter Kanzelredner, und sie fragte mich nach den Kirchen und Predigern aller Städte, in denen ich gelebt hatte, gründlich aus. Nachdem wir einige kleine Peinlichkeiten mit gutem Willen überwunden hatten, beklagten wir gemeinsam den vor zehn Jahren erfolgten Hingang eines berühmten Prälaten, den ich, falls er noch am Leben gewesen wäre, in Stuttgart hätte predigen hören können.

Darauf kam die Rede auf meine Schicksale, Erlebnisse und

Aussichten, und wir fanden, ich hätte Glück gehabt und sei auf gutem Wege.

»Wer hätte das vor sechs Jahren gedacht!« meinte sie.

»Stand es eigentlich damals so traurig mit mir?« mußte ich nun doch fragen.

»Das nicht gerade, das nicht. Aber es war damals doch eine rechte Sorge für deine Eltern.«

Ich wollte sagen »für mich auch«, aber sie hatte im Grunde recht, und ich wollte die Streitigkeiten von damals nicht wieder aufwärmen.

»Das ist schon wahr«, sagte ich deshalb und nickte ernst.

»Du hast ja auch allerlei Berufe probiert.«

»Ja freilich, Tante. Und keiner davon reut mich. Ich will auch in dem, den ich jetzt habe, nicht immer bleiben.«

»Aber nein! Ist das dein Ernst? Wo du gerade eine so gute Anstellung hast? Fast zweihundert Mark im Monat, das ist ja für einen jungen Mann glänzend.«

»Wer weiß, wie lang's dauert, Tante.«

»Wer redet auch so! Es wird schon dauern, wenn du recht dabeibleibst.«

»Nun ja, wir wollen hoffen. Aber jetzt muß ich noch zu Tante Lydia hinauf und nachher zum Onkel ins Kontor. Also auf Wiedersehen, Tante Berta.«

»Ja, adieu. Es ist mir eine Freude gewesen. Zeig dich auch einmal wieder!«

»Ja, gern.«

In der Wohnstube sagte ich den beiden Mädchen adieu und unter der Zimmertür der Tante. Dann stieg ich die breite helle Treppe hinauf, und wenn ich bisher das Gefühl gehabt hatte, eine altmodische Luft zu atmen, so kam ich jetzt in eine noch viel altmodischere.

Droben wohnte in zwei Stüblein eine achtzigjährige Großtante, die mich mit der Zärtlichkeit und Galanterie einer vergangenen Zeit empfing. Da gab es Aquarellporträte von Urgroßonkeln, aus Glasperlen gestickte Deckchen und Beutel mit Blumensträußen und Landschaften drauf, ovale Bilderrähmchen und einen Duft von Sandelholz und altem, zartem Parfüm.

Tante Lydia trug ein dunkelviolettes Kleid von ganz einfachem Schnitt, und außer der Kurzsichtigkeit und dem leisen

110

Zittern des Kopfes war sie erstaunlich frisch und jung. Sie zog mich auf ein schmales Kanapee und fing nicht etwa an, von großväterlichen Zeiten zu reden, sondern fragte nach meinem Leben und meinen Ideen und hatte für alles Aufmerksamkeit und Interesse. So alt sie war und so entlegen urväterisch es bei ihr roch und aussah, sie war doch bis vor zwei Jahren noch öfters auf Reisen gewesen und hatte von der heutigen Welt, ohne sie durchaus zu billigen, eine deutliche und nicht übelwollende Vorstellung, die sie gerne frisch hielt und ergänzte. Dabei besaß sie eine artige und liebenswerte Fertigkeit in der Konversation; wenn man bei ihr saß, floß das Gespräch ohne Pausen und war immer irgendwie interessant und angenehm.

Als ich ging, küßte sie mich und entließ mich mit einer segnenden Gebärde, die ich bei niemand sonst gesehen habe.

Den Onkel Matthäus suchte ich in seinem Kontor auf, wo er über Zeitungen und Katalogen saß. Er machte mir die Ausführung meines Entschlusses, keinen Stuhl zu nehmen und recht bald wieder zu gehen, nicht schwer.

»So, bist du auch wieder im Land?« sagte er.

»Ja, auch wieder einmal. 's ist lang her.«

»Und jetzt geht's dir gut, hört man?«

»Recht gut, danke.«

»Mußt auch meiner Frau grüß Gott sagen, gelt?«

»Ich bin schon bei ihr gewesen.«

»So, das ist brav. Na, dann ist ja alles gut.«

Damit senkte er das Gesicht wieder in sein Buch und streckte mir die Hand hin, und da er annähernd die Richtung getroffen hatte, ergriff ich sie schnell und ging vergnügt hinaus.

Nun waren die Staatsbesuche gemacht, und ich ging zum Essen heim, wo es mir zu Ehren Reis und Kalbsbraten gab. Nach Tisch zog mich mein Bruder Fritz beiseite in sein Stübchen, wo meine frühere Schmetterlingsammlung unter Glas an der Wand hing. Die Schwester wollte mitplaudern und streckte den Kopf zur Türe herein, aber Fritz winkte wichtig ab und sagte: »Nein, wir haben ein Geheimnis.«

Dann sah er mich prüfend an, und da er auf meinem Gesichte die genügende Spannung wahrnahm, zog er unter seiner Bettstatt eine Kiste hervor, deren Deckel mit einem

Stück Blech belegt und mit mehreren tüchtigen Steinen beschwert war.

»Rat, was da drinnen ist«, sagte er leise und listig.

Ich besann mich auf unsere ehemaligen Liebhabereien und Unternehmungen und rief: »Eidechsen.«

»Nein.«

»Ringelnattern?«

»Nichts.«

»Raupen?«

»Nein, nichts Lebendiges.«

»Nicht? Warum ist dann die Kiste so gut verwahrt?«

»Es gibt gefährlichere Sachen als Raupen.«

»Gefährlich? Aha – Pulver?«

Statt der Antwort nahm er den Deckel ab, und ich erblickte in der Kiste ein bedeutendes Arsenal von Pulverpaketchen von verschiedenem Korn, Holzkohle, Zunder, Zündschnüren, Schwefelstücken, Schachteln mit Salpeter und Eisenfeilspänen.

»Nun, was sagst du?«

Ich wußte, daß mein Vater keine Nacht mehr hätte schlafen können, wenn ihm bekannt gewesen wäre, daß im Bubenzimmer eine Kiste solchen Inhaltes lagerte. Aber Fritz leuchtete so vor Wonne und Überrascherfreude, daß ich diesen Gedanken nur vorsichtig andeutete und mich bei seinem Zureden sofort beruhigte. Denn ich selber war moralisch schon mitschuldig geworden und freute mich auf die Feuerwerkerei wie ein Lehrling auf den Feierabend.

»Machst du mit?« fragte Fritz.

»Natürlich. Wir können's ja abends hie und da in den Gärten loslassen, nicht?«

»Freilich können wir. Neulich hab ich im Anger draußen einen Bombenschlag mit einem halben Pfund Pulver gemacht. Es hat geklöpft wie ein Erdbeben. Aber jetzt habe ich kein Geld mehr, und wir brauchen noch allerlei.«

»Ich geb einen Taler.«

»Fein, du! Dann gibt's Raketen und Riesenfrösche.«

»Aber vorsichtig, gelt?«

»Vorsichtig! Mir ist noch nie was passiert.«

Das war eine Anspielung auf ein böses Mißgeschick, das ich als Vierzehnjähriger beim Feuerwerken erlebt hatte und das

112

mich um ein Haar Augenlicht und Leben gekostet hätte.

Nun zeigte er mir die Vorräte und die angefangenen Stücke, weihte mich in einige seiner neuen Versuche und Erfindungen ein und machte mich auf andere neugierig, die er mir vorführen wollte und einstweilen noch geheimhielt. Darüber verging seine Mittagstunde, und er mußte ins Geschäft. Und kaum hatte ich nach seinem Weggehen die unheimliche Kiste wieder bedeckt und unterm Bett verstaut, da kam Lotte und holte mich zum Spaziergang mit Papa ab.

»Wie gefällt dir Fritz?« fragte der Vater. »Nicht wahr, er ist groß geworden?«

»O ja.«

»Und auch ordentlich ernster, nicht? Er fängt doch an, aus den Kindereien herauszukommen. Ja, nun habe ich lauter erwachsene Kinder.«

Es geht an, dachte ich und schämte mich ein wenig. Aber es war ein prächtiger Nachmittag, in den Kornfeldern flammte der Mohn und lachten die Kornraden, wir spazierten langsam und sprachen von lauter vergnüglichen Dingen. Wohlbekannte Wege und Waldränder und Obstgärten begrüßten mich und winkten mir zu, und die früheren Zeiten kamen wieder herauf und sahen so hold und strahlend aus, als wäre damals alles gut und vollkommen gewesen.

»Jetzt muß ich dich noch was fragen«, fing Lotte an. »Ich habe im Sinn gehabt, eine Freundin von mir für ein paar Wochen einzuladen.«

»So, von woher denn?«

»Von Ulm. Sie ist zwei Jahre älter als ich. Was meinst du? Jetzt, wo wir dich da haben, bist du die Hauptsache, und du mußt es nur sagen, wenn der Besuch dich genieren würde.«

»Was ist's denn für eine?«

»Sie hat das Lehrerinnenexamen gemacht –«

»O je!«

»Nicht o je. Sie ist sehr nett und gar kein Blaustrumpf, sicher nicht. Sie ist auch nicht Lehrerin geworden.«

»Warum denn nicht?«

»Das mußt du sie selber fragen.«

»Also kommt sie doch?«

»Kindskopf! Es kommt auf dich an. Wenn du meinst, wir

bleiben lieber unter uns, dann kommt sie später einmal. Drum frag ich ja.«

»Ich will's an den Knöpfen abzählen.«

»Dann sag lieber gleich ja.«

»Also, ja.«

»Gut. Dann schreib ich heute noch.«

»Und einen Gruß von mir.«

»Er wird sie kaum freuen.«

»Übrigens, wie heißt sie denn?«

»Anna Amberg.«

»Amberg ist schön. Und Anna ist ein Heiligenname, aber ein langweiliger, schon weil man ihn nicht abkürzen kann.«

»Wär dir Anastasia lieber?«

»Ja, da könnte man Stasi oder Stasel draus machen.«

Mittlerweile hatten wir die letzte Hügelhöhe erreicht, die von einem Absatz zum andern nahe geschienen und sich hingezögert hatte. Nun sahen wir von einem Felsen über merkwürdig verkürzte, abschüssige Felder hinweg, durch die wir gestiegen waren, tief im engen Tale die Stadt liegen. Hinter uns aber stand auf welligem Lande stundenweit der schwarze Tannenwald, hin und wieder von schmalen Wiesen oder von einem Stück Kornland unterbrochen, das aus der bläulichen Schwärze heftig hervorleuchtete.

»Schöner als hier ist's eigentlich doch nirgends«, sagte ich nachdenklich.

Mein Vater lächelte und sah mich an.

»Es ist deine Heimat, Kind. Und schön ist sie, das ist wahr.«

»Ist deine Heimat schöner, Papa?«

»Nein, aber wo man ein Kind war, da ist alles schön und heilig. Hast du nie Heimweh gehabt, du?«

»Doch, hie und da schon.«

In der Nähe war eine Waldstelle, da hatte ich in Bubenzeiten manchmal Rotkehlchen gefangen. Und etwas weiter mußten noch die Trümmer einer Steinburg stehen, die wir Knaben einst gebaut hatten. Aber der Vater war müde, und nach einer kleinen Rast kehrten wir um und stiegen einen anderen Weg bergab.

Gern hätte ich über die Helene Kurz noch einiges erfahren, doch wagte ich nicht davon anzufangen, da ich durchschaut zu werden fürchtete. In der unbeschäftigten Ruhe des Daheimseins und in der frohen Aussicht auf mehrere müßiggängerische Ferienwochen wurde mein junges Gemüt von beginnender Sehnsucht und von Liebesplänen bewegt, für die es nur noch eines günstigen Ausgangspunktes bedurfte. Aber der fehlte mir gerade, und je mehr ich innerlich mit dem Bilde der schönen Jungfer beschäftigt war, desto weniger fand ich die Unbefangenheit, um nach ihr und ihren Umständen zu fragen.

Im langsamen Heimspazieren sammelten wir an den Feldrändern große Blumensträuße, eine Kunst, die ich lange Zeit nicht mehr geübt hatte. In unserem Haus war von der Mutter her die Gewohnheit, in den Zimmern nicht nur Topfblumen zu halten, sondern auch auf allen Tischen und Kommoden immer frische Sträuße stehen zu haben. Zahlreiche einfache Vasen, Gläser und Krüge hatten sich in den Jahren angesammelt, und wir Geschwister kehrten kaum von einem Spaziergang zurück, ohne Blumen, Farnkräuter oder Zweige mitzubringen.

Mir schien, ich hätte jahrelang gar keine Feldblumen mehr gesehen. Denn diese sehen gar anders aus, wenn man sie im Dahinwandern mit malerischem Wohlgefallen als Farbeninseln im grünen Erdreich betrachtet, als wenn man kniend und gebückt sie einzeln sieht und die schönsten zum Pflücken aussucht. Ich entdeckte kleine verborgene Pflanzen, deren Blüten mich an Ausflüge in der Schulzeit erinnerten, und andere, die meine Mutter besonders gern gehabt oder mit besonderen, von ihr selbst erfundenen Namen bedacht hatte. Die gab es alle noch, und mit jeder von ihnen ging mir eine Erinnerung auf, und aus jedem blauen oder gelben Kelche schaute meine freudige Kindheit mir ungewohnt lieb und nahe in die Augen.

Im sogenannten Saal unseres Hauses standen viele hohe Kästen aus rohem Tannenholz, in denen stand und lag ein konfuser Bücherschatz aus großväterlichen Zeiten ungeordnet und einigermaßen verwahrlost umher. Da hatte ich als kleiner Knabe in vergilbten Ausgaben mit fröhlichen Holzschnitten den Robinson und den Gulliver gefunden und gelesen, alsdann alte Seefahrer- und Entdeckergeschichten, später aber auch viele schöngeistige Literatur, wie »Siegwart, eine Klostergeschichte«, »Der neue Amadis«, »Werthers Leiden« und den Ossian, alsdann viele Bücher von Jean Paul, Stilling, Walter Scott, Platen, Balzac und Victor Hugo sowie die kleine Ausgabe von Lavaters Physiognomik und zahlreiche Jahrgänge niedlicher Almanache, Taschenbücher und Volkskalender, alte mit Kupferstichen von Chodowiecki, spätere, von Ludwig Richter illustrierte, und schweizerische mit Holzschnitten von Disteli.

Aus diesem Schatze nahm ich abends, wenn nicht musiziert wurde oder wenn ich nicht mit Fritz über Pulverhülsen saß, irgendeinen Band mit in meine Stube und blies den Rauch meiner Pfeife in die gelblichen Blätter, über denen meine Großeltern geschwärmt, geseufzt und nachgedacht hatten. Einen Band des »Titan« von Jean Paul hatte mein Bruder zu Feuerwerkszwecken ausgeweidet und verbraucht. Als ich die zwei ersten Bände gelesen hatte und den dritten suchte, gestand er es und gab vor, der Band sei ohnehin defekt gewesen.

Diese Abende waren immer schön und unterhaltsam. Wir sangen, die Lotte spielte Klavier, und Fritz geigte, Mama erzählte Geschichten aus ihrer Kinderzeit, Polly flötete im Käfig und weigerte sich, zu Bett zu gehen. Der Vater ruhte am Fenster aus oder klebte an einem Bilderbuch für kleine Neffen.

Doch empfand ich es keineswegs als eine Störung, als eines Abends Helene Kurz wieder für eine halbe Stunde zum Plaudern kam. Ich sah sie immer wieder mit Erstaunen an, wie schön und vollkommen sie geworden war. Als sie kam, brannten gerade noch die Klavierkerzen, und sie sang bei einem zweistimmigen Liede mit. Ich aber sang nur ganz leise, um von ihrer tiefen Stimme jeden Ton zu hören. Ich stand hinter ihr und sah durch ihr braunes Haar das Kerzenlicht goldig flimmern, sah, wie ihre Schultern sich beim Singen leicht bewegten, und dachte, daß es köstlich sein müßte, mit der Hand ein wenig über ihr Haar zu streichen.

Ungerechtfertigterweise hatte ich das Gefühl, mit ihr von früher her durch gewisse Erinnerungen in einer Art von Verbindung zu sein, weil ich schon im Konfirmationsalter in sie verliebt gewesen war, und ihre gleichgültige Freundlichkeit war mir eine kleine Enttäuschung. Denn ich dachte nicht daran, daß jenes Verhältnis nur von meiner Seite bestanden hatte und ihr durchaus unbekannt geblieben war.

Nachher, als sie ging, nahm ich meinen Hut und ging bis zur Glastüre mit.

»Gut Nacht«, sagte sie. Aber ich nahm ihre Hand nicht, sondern sagte: »Ich will Sie heimbegleiten.«

Sie lachte.

»Oh, das ist nicht nötig, danke schön. Es ist ja hier gar nicht Mode.«

»So?« sagte ich und ließ sie an mir vorbeigehen. Aber da nahm meine Schwester ihren Strohhut mit den blauen Bändern und rief: »Ich geh auch mit.«

Und wir stiegen zu dritt die Treppe hinunter, ich machte eifrig das schwere Haustor auf, und wir traten in die laue Dämmerung hinaus und gingen langsam durch die Stadt, über Brücke und Marktplatz und in die steile Vorstadt hinauf, wo Helenes Eltern wohnten. Die zwei Mädchen plauderten miteinander wie die Staren, und ich hörte zu und war froh, dabei zu sein und zum Kleeblatt zu gehören. Zuweilen ging ich langsamer, tat, als schaue ich nach dem Wetter aus, und blieb einen Schritt zurück, dann konnte ich sie ansehen, wie sie den dunkeln Kopf frei auf dem steilen, hellen Nacken trug und wie sie kräftig ihre ebenmäßigen, schlanken Schritte tat.

Vor ihrem Hause gab sie uns die Hand und ging hinein, ich sah ihren Hut noch im finsteren Hausgang schimmern, ehe die Tür zuschnappte.

»Ja«, sagte Lotte. »Sie ist doch ein schönes Mädchen, nicht? Und sie hat etwas so Liebes.«

»Jawohl. – Und wie ist's jetzt mit deiner Freundin, kommt sie bald?«

»Geschrieben hab ich ihr gestern.«

»So so. Ja, gehen wir den gleichen Weg heim?«

»Ach so, wir könnten den Gartenweg gehen, gelt?«

Wir gingen den schmalen Steig zwischen den Gartenzäunen. Es war schon dunkel, und man mußte aufpassen, da es viele baufällige Knüppelstufen und heraushängende morsche Zaunlatten gab.

Wir waren schon nahe an unserem Garten und konnten drüben im Haus die Wohnstubenlampe lange brennen sehen.

Da machte eine leise Stimme: »Bst! Bst!« und meine Schwester bekam Angst. Es war aber unser Fritz, der sich dort verborgen hatte und uns erwartete.

»Paßt auf und bleibt stehen!« rief er herüber. Dann zündete er mit einem Schwefelholz eine Lunte an und kam zu uns herüber.

»Schon wieder Feuerwerk?« schalt Lotte.

»Es knallt fast gar nicht«, versicherte Fritz. »Paßt nur auf, es ist eine Erfindung von mir.«

Wir warteten, bis die Lunte abgebrannt war. Dann begann es zu knistern und kleine unwillige Funken zu spritzen, wie nasses Schießpulver. Fritz glühte vor Lust.

»Jetzt kommt es, jetzt gleich, zuerst weißes Feuer, dann ein kleiner Knall und eine rote Flamme, dann eine schöne blaue!«

Es kam jedoch nicht so, wie er meinte. Sondern nach einigem Zucken und Sprühen flog plötzlich die ganze Herrlichkeit mit einem kräftigen Paff und Luftdruck als eine weiße Dampfwolke in die Lüfte.

Lotte lachte, und Fritz war unglücklich. Während ich ihn zu trösten suchte, schwebte die dicke Pulverwolke feierlich langsam über die dunkeln Gärten hinweg.

»Das Blaue hat man ein wenig sehen können«, fing Fritz an, und ich gab es zu. Dann schilderte er mir fast weinerlich die ganze Konstruktion seines Prachtfeuers, und wie alles hätte gehen sollen.

»Wir machen's noch einmal«, sagte ich.

»Morgen?«

»Nein, Fritz. Nächste Woche dann.«

Ich hätte geradesogut morgen sagen können. Aber ich hatte den Kopf voller Gedanken an die Helene Kurz und war in dem Wahn befangen, es könnte morgen leicht irgend etwas Glückliches geschehen, vielleicht daß sie am Abend wieder käme oder daß sie mich auf einmal gut leiden könnte. Kurz, ich war jetzt mit Dingen beschäftigt, die mir wichtiger und aufregender vorkamen als alle Feuerwerkskünste der ganzen Welt.

Wir gingen durch den Garten ins Haus und fanden in der Wohnstube die Eltern beim Brettspiel. Das war alles einfach und selbstverständlich und konnte gar nicht anders sein. Und ist doch so anders geworden, daß es mir heute unendlich fern zu liegen scheint. Denn heute habe ich jene Heimat nicht mehr. Das alte Haus, der Garten und die Veranda, die wohlbekannten Stuben, Möbel und Bilder, der Papagei in seinem großen Käfig, die liebe alte Stadt und das ganze Tal ist mir fremd geworden und gehört nicht mehr mir. Mutter und Vater sind gestorben, und die Kinderheimat ist zu Erinnerung und Heimweh geworden; es führt keine Straße mich mehr dorthin.

Nachts gegen elf Uhr, da ich über einem dicken Band Jean Paul saß, fing meine kleine Öllampe an, trübe zu werden. Sie zuckte und stieß kleine ängstliche Töne aus, die Flamme wurde rot und rußig, und als ich nachschaute und am Dochte schraubte, sah ich, daß kein Öl mehr drin war. Es tat mir leid um den schönen Roman, an dem ich las, aber es ging nicht an, jetzt noch im dunkeln Hause umherzutappen und nach Öl zu suchen.

So blies ich die qualmende Lampe aus und stieg unmutig ins Bett. Draußen hatte sich ein warmer Wind erhoben, der mild in den Tannen und im Syringengebüsche wehte. Im grasigen Hof drunten sang eine Grille. Ich konnte nicht einschlafen und dachte nun wieder an Helene. Es kam mir völlig hoffnungslos vor, von diesem so feinen und herrlichen Mädchen jemals etwas anderes gewinnen zu können als das sehnsüchtige Anschauen, das ebenso wehe wie wohl tat. Mir wurde heiß und elend, wenn ich mir ihr Gesicht und den Klang ihrer tiefen Stimme vorstellte und ihren Gang, den sicheren und energischen Takt der Schritte, mit dem sie am Abend über die Straße und den Marktplatz gegangen war.

Schließlich sprang ich wieder auf, ich war viel zu warm und unruhig, als daß ich hätte schlafen können. Ich ging ans Fenster und sah hinaus. Zwischen strähnigen Schleierwolken schwamm blaß der abnehmende Mond, die Grille sang noch immer im Hof. Am liebsten wäre ich noch eine Stunde draußen herumgelaufen. Aber die Haustür wurde bei uns um zehn Uhr geschlossen, und wenn es etwa einmal passierte, daß sie nach dieser Stunde noch geöffnet und benutzt werden mußte, so war das in unserm Haus stets ein ungewöhnliches, störendes und abenteuerliches Ereignis. Ich wußte auch gar nicht, wo der Hausschlüssel hing.

Da fielen mir vergangene Jahre ein, da ich als halbwüchsiger Bursche das häusliche Leben bei den Eltern zeitweilig als Sklaverei empfunden und mich nächtlich mit schlechtem Gewissen und Abenteurertrotz aus dem Hause geschlichen hatte, um in einer späten Kneipe eine Flasche Bier zu trinken. Dazu hatte ich die nur mit Riegeln geschlossene Hintertüre nach dem Garten zu benützt, dann war ich über den Zaun geklettert und hatte auf dem schmalen Steig zwischen den Nachbargärten hindurch die Straße erreicht.

Ich zog die Hose an, mehr war bei der lauen Luft nicht nötig, nahm die Schuhe in die Hand und schlich barfuß aus dem Hause, stieg über den Gartenzaun und spazierte durch die schlafende Stadt langsam talaufwärts den Fluß entlang, der verhalten rauschte und mit kleinen zitternden Mondspiegellichtern spielte.

Bei Nacht im Freien unterwegs zu sein, unter dem schweigenden Himmel, an einem still strömenden Gewässer, das ist stets geheimnisvoll und regt die Gründe der Seele auf. Wir sind dann unserm Ursprung näher, fühlen Verwandtschaft mit Tier und Gewächs, fühlen dämmernde Erinnerungen an ein vorzeitliches Leben, da noch keine Häuser und Städte gebaut waren und der heimatlos streifende Mensch Wald, Strom und Gebirg, Wolf und Habicht als seinesgleichen, als Freunde oder Todfeinde lieben und hassen konnte. Auch entfernt die Nacht das gewohnte Gefühl eines gemeinschaftlichen Lebens; wenn kein Licht mehr brennt und keine Menschenstimme mehr zu hören ist, spürt der etwa noch Wachende Vereinsamung und sieht sich losgetrennt und auf sich selber gewiesen. Jenes furchtbarste menschliche Gefühl, unentrinnbar allein zu sein, allein zu leben und allein den Schmerz, die Furcht und den Tod schmecken und ertragen zu müssen, klingt dann bei jedem Gedanken leise mit, dem Gesunden und Jungen ein Schatten und eine Mahnung, dem Schwachen ein Grauen.

Ein wenig davon fühlte auch ich, wenigstens schwieg mein Unmut und wich einem stillen Betrachten. Es tat mir weh, daran zu denken, daß die schöne, begehrenswerte Helene wahrscheinlich niemals mit ähnlichen Gefühlen an mich denken werde wie ich an sie; aber ich wußte auch, daß ich am

Schmerz einer unerwiderten Liebe nicht zugrunde gehen würde, und ich hatte eine unbestimmte Ahnung davon, daß das geheimnisvolle Leben dunklere Schlünde und ernstere Schicksale berge als die Ferienleiden eines jungen Mannes.

Dennoch blieb mein erregtes Blut warm und schuf ohne meinen Willen aus dem lauen Winde Streichelhände und braunes Mädchenhaar, so daß der späte Gang mich weder müde noch schläfrig machte. Da ging ich über die bleichen Öhmdwiesen zum Fluß hinunter, legte meine leichte Kleidung ab und sprang ins kühle Wasser, dessen rasche Strömung mich sogleich zu Kampf und kräftigem Widerstand nötigte. Ich schwamm eine Viertelstunde flußaufwärts, Schwüle und Wehmut rannen mit dem frischen Flußwasser von mir ab, und als ich gekühlt und leicht ermüdet meine Kleider wieder suchte und naß hineinschlüpfte, war mir die Rückkehr zu Haus und Bette leicht und tröstlich.

Nach der Spannung der ersten Tage kam ich allmählich in die stille Selbstverständlichkeit des heimatlichen Lebens hinein. Wie hatte ich mich draußen herumgetrieben, von Stadt zu Stadt, unter vielerlei Menschen, zwischen Arbeit und Träumereien, zwischen Studien und Zechnächten, eine Weile von Brot und Milch und wieder eine Weile von Lektüre und Zigarren lebend, jeden Monat ein anderer! Und hier war es wie vor zehn und wie vor zwanzig Jahren, hier liefen die Tage und Wochen in einem heiter stillen, gleichen Takt dahin. Und ich, der ich fremd geworden und an ein unstetes und vielfältiges Erleben gewöhnt war, paßte nun wieder da hinein, als wäre ich nie fort gewesen, nahm Interesse an Menschen und Sachen, die ich jahrelang durchaus vergessen gehabt hatte, und vermißte nichts von dem, was die Fremde mir gewesen war.

Die Stunden und Tage liefen mir leicht und spurlos hinweg wie Sommergewölk, jeder ein farbiges Bild und jeder ein schweifendes Gefühl, aufrauschend und glänzend und bald nur noch traumhaft nachklingend. Ich goß den Garten, sang mit Lotte, pulverte mit Fritz, ich plauderte mit der Mutter über fremde Städte und mit dem Vater über neue Weltbegebenheiten, ich las Goethe und las Jacobsen, und eines ging ins andere über und vertrug sich mit ihm, und keines war die Hauptsache.

Die Hauptsache schien mir damals Helene Kurz und meine Bewunderung für sie zu sein. Aber auch das war da wie alles andere, bewegte mich für Stunden und sank für Stunden wieder unter, und ständig war nur mein fröhlich atmendes Lebensgefühl, das Gefühl eines Schwimmers, der auf glattem Wasser ohne Eile und ohne Ziel mühelos und sorglos unterwegs ist. Im Walde schrie der Häher und reiften die Heidelbeeren, im Garten blühten Rosen und feurige Kapuziner, ich nahm teil daran, fand die Welt prächtig und wunderte mich, wie es sein würde, wenn auch ich einmal ein richtiger Mann und alt und gescheit wäre.

Eines Nachmittags kam ein großes Floß durch die Stadt gefahren, darauf sprang ich und legte mich auf einen Bretterhaufen und fuhr ein paar Stunden lang mit flußabwärts, an Höfen und Dörfern vorbei und unter Brücken durch, und über mir zitterte die Luft und kochten schwüle Wolken mit leisem Donner, und unter mir schlug und lachte frisch und schaumig das kühle Flußwasser. Da dachte ich mir aus, die Kurz wäre mit, und ich hätte sie entführt, wir säßen Hand in Hand und zeigten einander die Herrlichkeiten der Welt von hier bis nach Holland hinunter.

Als ich weit unten im Tal das Floß verließ, sprang ich zu kurz und kam bis an die Brust ins Wasser, aber auf dem warmen Heimweg trockneten mir die dampfenden Kleider auf dem Leib. Und als ich bestaubt und müde nach langem Marsch die Stadt wieder erreichte, begegnete mir bei den ersten Häusern Helene Kurz in einer roten Bluse. Ich zog den Hut, und sie nickte, und ich dachte an meinen Traum, wie sie mit mir Hand in Hand den Fluß hinabreiste und du zu mir sagte, und diesen Abend lang schien mir wieder alles hoffnungslos, und ich kam mir wie ein dummer Plänemacher und Sterngucker vor. Dennoch rauchte ich vor dem Schlafengehen meine schöne Pfeife, auf deren Kopf zwei grasende Rehe gemalt waren, und las im Wilhelm Meister bis nach elf Uhr.

Und am folgenden Abend ging ich gegen halb neun Uhr mit meinem Bruder Fritz auf den Hochstein hinauf. Wir hatten ein schweres Paket mit, das wir abwechselnd trugen und das ein Dutzend starker Frösche, sechs Raketen und drei große Bombenschläge samt allerlei kleinen Sachen enthielt.

Es war lau, und die bläuliche Luft hing voll feiner, leise hinwehender Florwölkchen, die über Kirchturm und Berggipfel hinwegflogen und die blassen ersten Sternbilder häufig verdeckten. Vom Hochstein herab, wo wir zuerst eine kleine Rast hielten, sah ich unser enges Flußtal in bleichen abendlichen Farben liegen. Während ich die Stadt und das nächste Dorf, Brücken und Mühlwehre und den schmalen, vom Gebüsch eingefaßten Fluß betrachtete, beschlich mich mit der Abendstimmung wieder der Gedanke an das schöne Mädchen, und ich hätte am liebsten einsam geträumt und auf den Mond gewartet. Das ging jedoch nicht an, denn mein Bruder hatte schon ausgepackt und überraschte mich von hinten durch zwei Frösche, die er, mit einer Schnur verbunden und an eine Stange geknüpft, dicht an meinen Ohren losließ.

Ich war ein wenig ärgerlich. Fritz aber lachte so hingerissen und war so vergnügt, daß ich schnell angesteckt wurde und mitmachte. Wir brannten rasch hintereinander die drei extra starken Bombenschläge ab und hörten die gewaltigen Schüsse talauf und talhinab in langem, rollendem Widerhall vertönen. Dann kamen Frösche, Schwärmer und ein großes Feuerrad, und zum Schlusse ließen wir langsam eine nach der andern unserer schönen Raketen in den schwarzgewordenen Nachthimmel steigen.

»So eine rechte, gute Rakete ist eigentlich fast wie ein Gottesdienst«, sagte mein Bruder, der zuzeiten gern in Bildern redete, «oder wie wenn man ein schönes Lied singt, nicht? Es ist so feierlich.«

Unsern letzten Frosch warfen wir auf dem Heimweg am Schindelhof zu dem bösen Hofhund hinein, der entsetzt aufheulte und uns noch eine Viertelstunde lang wütend nachbellte. Dann kamen wir ausgelassen und mit schwarzen Fingern heim, wie zwei Buben, die eine lustige Lumperei verübt haben. Und den Eltern erzählten wir rühmend von dem schönen Abendgang, der Talaussicht und dem Sternenhimmel.

Eines Morgens, während ich am Fensterflur meine Pfeife reinigte, kam Lotte gelaufen und rief: »So, um elfe kommt meine Freundin an.«

»Die Anna Amberg?«

»Jawohl. Gelt, wir holen sie dann ab?«

»Mir ist's recht.«

Die Ankunft des erwarteten Gastes, an den ich gar nimmer gedacht hatte, freute mich nur mäßig. Aber zu ändern war es nicht, also ging ich gegen elf Uhr mit meiner Schwester an die Bahn. Wir kamen zu früh und liefen vor der Station auf und ab.

»Vielleicht fährt sie zweiter Klasse«, sagte Lotte.

Ich sah sie ungläubig an.

»Es kann schon sein. Sie ist aus einem wohlhabenden Haus, und wenn sie auch einfach ist –«

Mir graute. Ich stellte mir eine Dame mit verwöhnten Manieren und beträchtlichem Reisegepäck vor, die aus der zweiten Klasse steigen und mein behagliches Vaterhaus ärmlich und mich selber nicht fein genug finden würde.

»Wenn sie Zweiter fährt, dann soll sie lieber gleich weiterfahren, weißt du.«

Lotte war ungehalten und wollte mich zurechtweisen, da fuhr aber der Zug herein und hielt, und Lotte lief schnell hinüber. Ich folgte ihr ohne Eile und sah ihre Freundin aus einem Wagen dritter Klasse aussteigen, ausgerüstet mit einem grauseidenen Schirm, einem Plaid und einem bescheidenen Handkoffer.

»Das ist mein Bruder, Anna.«

Ich sagte »grüß Gott«, und weil ich trotz der dritten Klasse nicht wußte, wie sie darüber denken würde, trug ich ihren Koffer, so leicht er war, nicht selber fort, sondern winkte den Packträger herbei, dem ich ihn übergab. Dann schritt ich neben den beiden Fräulein in die Stadt und wunderte mich, wieviel sie einander zu erzählen hatten. Aber Fräulein Amberg gefiel mir gut. Zwar enttäuschte es mich ein wenig, daß sie nicht sonderlich hübsch war, doch dafür hatte sie etwas Angenehmes im Gesicht und in der Stimme, das wohltat und Vertrauen erweckte.

Ich sehe noch, wie meine Mutter die beiden an der Glastüre empfing. Sie hatte einen guten Blick für Menschengesichter, und wen sie nach dem ersten prüfenden Anschauen mit einem Lächeln willkommen hieß, der konnte sich auf gute Tage gefaßt machen. Ich sehe noch, wie sie der Amberg in die Augen blickte und wie sie ihr dann zunickte und beide Hände gab und sie ohne Worte gleich vertraut und heimisch machte. Nun war meine mißtrauische Sorge wegen des fremden Wesens vergangen, denn der Gast nahm die dargebotene Hand und Freundlichkeit herzhaft und ohne Redensarten an und war von der ersten Stunde an bei uns heimisch.

In meiner jungen Weisheit und Lebenskenntnis stellte ich noch an jenem ersten Tage fest, das angenehme Mädchen besitze eine harmlose, natürliche Heiterkeit und sei, wenn auch vielleicht wenig lebenserfahren, jedenfalls ein schätzbarer Kamerad. Daß es eine höhere und wertvollere Heiterkeit gebe, die einer nur in Not und Leid erwirbt und mancher nie, das ahnte ich zwar, doch war es mir keine Erfahrung. Und daß unser Gast diese seltene Art versöhnlicher Fröhlichkeit besaß, blieb meiner Beobachtung einstweilen verborgen.

Mädchen, mit denen man kameradschaftlich umgehen und über Leben und Literatur reden konnte, waren in meinem damaligen Lebenskreise Seltenheiten. Die Freundinnen meiner Schwester waren mir bisher stets entweder Gegenstände des Verliebens oder gleichgültig gewesen. Nun war es mir neu und lieblich, mit einer jungen Dame ohne Geniertheit umgehen und mit ihr wie mit meinesgleichen über mancherlei plaudern zu können. Denn trotz der Gleichheit spürte ich in Stimme, Sprache und Denkart doch das Weibliche, das mich warm und zart berührte.

Nebenher merkte ich mit einer leisen Beschämung, wie still und geschickt und ohne Aufsehen Anna unser Leben teilte und sich in unsere Art fand. Denn alle meine Freunde, die schon als Feriengäste dagewesen waren, hatten einigermaßen Umstände gemacht und Fremdheit mitgebracht; ja ich selber war in den ersten Tagen nach der Heimkehr lauter und anspruchsvoller als nötig gewesen.

Zuweilen war ich erstaunt, wie wenig Rücksichtnahme Anna von mir verlangte; im Gespräch konnte ich sogar fast grob werden, ohne sie verletzt zu sehen. Wenn ich dagegen an Helene Kurz dachte! Gegen diese hätte ich auch im eifrigsten Gespräch nur behutsame und respektvolle Worte gehabt.

Übrigens kam Helene dieser Tage mehrmals zu uns und schien die Freundin meiner Schwester gern zu haben. Einmal waren wir alle zusammen bei Onkel Matthäus in den Garten eingeladen. Es gab Kaffee und Kuchen und nachher Stachelbeerwein, zwischenein machten wir gefahrlose Kinderspiele oder lustwandelten ehrbar in den Gartenwegen umher, deren akkurate Sauberkeit von selbst ein gesittetes Benehmen vorschrieb.

Da war es mir sonderbar, Helene und Anna beisammen zu sehen und gleichzeitig mit beiden zu reden. Mit Helene Kurz, die wieder wundervoll aussah, konnte ich nur von oberflächlichen Dingen sprechen, aber ich tat es mit den feinsten Tönen, während ich mit Anna auch über das Interessanteste ohne Aufregung und Anstrengung plauderte. Und indem ich ihr dankbar war und in der Unterhaltung mit ihr ausruhte, und mich sicher fühlte, schielte ich doch von ihr weg beständig nach der Schöneren hinüber, deren Anblick mich beglückte und doch immer ungesättigt ließ.

Mein Bruder Fritz langweilte sich elend. Nachdem er genug Kuchen gegessen hatte, schlug er einige derbere Spiele vor, die teils nicht zugelassen, teils schnell wieder aufgegeben wurden. Zwischenein zog er mich auf die Seite und beklagte sich bitter über den faden Nachmittag. Als ich die Achseln zuckte, erschreckte er mich durch das Geständnis, daß er einen Pulverfrosch in der Tasche habe, den er später bei dem üblichen längeren Abschiednehmen der Mädchen loszulassen gedenke. Nur durch inständiges Bitten brachte ich ihn von diesem Vorhaben ab. Darauf begab er sich in den entferntesten Teil des großen Gartens und legte sich unter die Stachelbeerbüsche. Ich aber beging Verrat an ihm, indem ich mit den andern über seinen knabenhaften Unmut lachte, obwohl er mir leid tat und ich ihn gut verstand.

Mit den beiden Kusinen war leicht fertig zu werden. Sie waren unverwöhnt und nahmen auch Bonmots, die längst nicht mehr den Glanz der Neuheit hatten, dankbar und begierig auf. Der Onkel hatte sich gleich nach dem Kaffee zurückgezogen, Tante Berta hielt sich zumeist an Lotte und war, nachdem ich mit ihr über die Zubereitung von einge-

126

machtem Beerenobst konversiert hatte, von mir befriedigt. So blieb ich den beiden Fräulein nahe und machte mir in den Pausen des Gespräches Gedanken darüber, warum mit einem Mädchen, in das man verliebt ist, es sich so viel schwieriger reden lasse als mit andern. Gern hätte ich der Helene irgendeine Huldigung dargebracht, allein es wollte mir nichts einfallen. Schließlich schnitt ich von den vielen Rosen zwei ab und gab die eine Helene, die andere der Anna Amberg.

Das war der letzte ganz harmlose Tag meiner Ferien. Am nächsten Tage hörte ich von einem gleichgültigen Bekannten in der Stadt, die Kurz verkehre neuestens viel in dem und dem Hause, und es werde wohl bald eine Verlobung geben. Er erzählte das nebenher unter andern Neuigkeiten, und ich hütete mich, mir etwas anmerken zu lassen. Aber wenn es auch nur ein Gerücht war, ich hatte ohnehin von Helene wenig zu hoffen gewagt und war nun überzeugt, sie sei mir verloren. Verstört kam ich heim und floh in meine Stube.

Wie die Umstände lagen, konnte bei meiner leichtlebigen Jugend die Trauer nicht gar lange anhalten. Doch war ich mehrere Tage für keine Lustbarkeit zu haben, lief einsame Wege durch die Wälder, lag lange gedankenlos traurig im Haus herum und phantasierte abends bei geschlossenen Fenstern auf der Geige.

»Fehlt dir etwas, mein Junge?« sagte mein Papa zu mir und legte mir die Hand auf die Schulter.

»Ich habe schlecht geschlafen«, antwortete ich, ohne zu lügen. Mehr brachte ich nicht heraus. Er aber sagte nun etwas, das mir später oft wieder einfiel.

»Eine schlaflose Nacht«, sagte er, »ist immer eine lästige Sache. Aber sie ist erträglich, wenn man gute Gedanken hat. Wenn man daliegt und nicht schläft, ist man leicht ärgerlich und denkt an ärgerliche Dinge. Aber man kann auch seinen Willen brauchen und Gutes denken.«

»Kann man?« fragte ich. Denn ich hatte in den letzten Jahren am Vorhandensein des freien Willens zu zweifeln begonnen.

»Ja, man kann«, sagte mein Vater nachdrücklich.

Die Stunde, in der ich nach mehreren schweigsamen und bitteren Tagen zuerst wieder mich und mein Leid vergaß, mit andern lebte und froh war, ist mir noch deutlich in Erinnerung. Wir saßen alle im Wohnzimmer beim Nachmittagskaffee, nur Fritz fehlte. Die andern waren munter und gesprächig, ich aber hielt den Mund und nahm nicht teil, obwohl ich im geheimen schon wieder ein Bedürfnis nach Rede und Verkehr spürte. Wie es jungen Leuten geht, hatte ich meinen Schmerz mit einer Schutzmauer von Schweigen und abwehrendem Trotz umgeben, die andern hatten mich nach dem guten Brauch unseres Hauses in Ruhe gelassen und meine sichtbare Verstimmung respektiert, und nun fand ich den Entschluß nicht, meine Mauer einzureißen, und spielte, was eben noch echt und notwendig gewesen war, als eine Rolle weiter, mich selber langweilend und auch beschämt über die kurze Dauer meiner Kasteiung.

Da schmetterte unversehens in unsere stille Kaffeetischbehaglichkeit eine Trompetenfanfare hinein, eine kühn und aggressiv geblasene, blitzende Reihe kecker Töne, die uns alle augenblicks von den Stühlen aufriß.

»Es brennt!« rief meine Schwester erschrocken.

»Das wäre ein komisches Feuersignal.«

»Dann kommt Einquartierung.«

Indessen waren wir schon alle im Sturm an die Fenster gestürzt. Wir sahen auf der Straße, gerade vor unserem Haus, einen Schwarm von Kindern und mitten darin auf einem großen weißen Roß einen feuerrot gekleideten Trompeter, dessen Horn und Habit in der Sonne gleißend prahlten. Der Wundermensch blickte während des Blasens zu allen Fenstern empor und zeigte dabei ein braunes Gesicht mit einem ungeheuren ungarischen Schnauzbart. Er blies fanatisch weiter, Signale und allerlei spontane Einfälle, bis alle Fenster der Nachbarschaft voll Neugieriger waren. Da setzte er das Instrument ab, strich den Schnurrbart, stemmte die linke Hand in die Hüfte, zügelte mit der rechten das unruhige Pferd und hielt eine Rede. Auf der Durchreise und nur für diesen einen Tag halte seine weltberühmte Truppe sich im Städtlein auf, und dringenden Wünschen nachgebend werde er heute abend auf dem Brühel eine »Galavorstellung in dressierte Pferde, höhere Equilibristik sowie eine große Pantomime« geben. Erwachsene bezahlen zwanzig Pfennig, Kinder die Hälfte. Kaum hatten wir gehört und alles gemerkt, so stieß der Reiter von neuem in sein blinkendes

Horn und ritt davon, vom Kinderschwarm und von einer dicken weißen Staubwolke begleitet.

Das Gelächter und die fröhliche Erregung, die der Kunstreiter mit seiner Verkündigung unter uns erweckt hatte, kam mir zustatten, und ich benützte den Augenblick, meine finstere Schweigsamkeit fahren zu lassen und wieder ein Fröhlicher unter den Fröhlichen zu sein. Sogleich lud ich die beiden Mädchen zur Abendvorstellung ein, der Papa gab nach einigem Widerstreben die Erlaubnis, und wir drei schlenderten sogleich nach dem Brühel hinunter, um uns den Spektakel einmal von außen anzusehen. Wir fanden zwei Männer damit beschäftigt, eine runde Arena abzustecken und mit einem Strick zu umzäunen, danach begannen sie den Aufbau eines Gerüstes, während nebenan auf der schwebenden Treppe eines grünen Wohnwagens eine schreckliche dicke Alte saß und strickte. Ein hübscher weißer Pudel lag ihr zu Füßen. Indem wir uns das betrachteten, kehrte der Reiter von seiner Stadtreise zurück, band den Schimmel hinterm Wagen an, zog sein rotes Prachtkleid ab und half in Hemdärmeln seinen Kollegen beim Aufbauen.

»Die armen Kerle!« sagte Anna Amberg. Ich wies jedoch ihr Mitleid zurück, nahm die Partei der Artisten und rühmte ihr freies, geselliges Wanderleben in hohen Tönen. Am liebsten, erklärte ich, ginge ich selber mit ihnen, stiege aufs hohe Seil und ginge nach den Vorstellungen mit dem Teller herum.

»Das möchte ich sehen«, lachte sie lustig.

Da nahm ich statt des Tellers meinen Hut, machte die Gesten eines Einsammelnden nach und bat gehorsamst um ein kleines Douceur für den Clown. Sie griff in die Tasche, suchte einen Augenblick unschlüssig und warf mir dann ein Pfennigstück in den Hut, das ich dankend in die Westentasche steckte.

Die eine Weile unterdrückte Fröhlichkeit kam wie eine Betäubung über mich, ich war jenen Tag kindisch ausgelassen, wobei vielleicht die Erkenntnis der eigenen Wandelbarkeit im Spiele war.

Am Abend zogen wir samt Fritz zur Vorstellung aus, schon unterwegs erregt und lustbarlich entzündet. Auf dem Brühel wogte eine Menschenmenge dunkel treibend umher, Kinder standen mit großen erwartenden Augen still und selig, Lausbuben neckten jedermann und stießen einander den Leuten vor die Füße, Zaungäste richteten sich in den Kastanienbäumen ein, und der Polizeidiener hatte den Helm auf. Um die Arena war eine Sitzreihe gezimmert, innen im Kreis stand ein vierarmiger Galgen, an dessen Armen Ölkannen hingen. Diese wurden jetzt angezündet, die Menge drängte näher, die Sitzreihe füllte sich langsam, und über den Platz und die vielen Köpfe taumelte das rot und rußig flammende Licht der Erdölfackeln.

Wir hatten auf einem der Sitzbretter Platz gefunden. Eine Drehorgel ertönte, und in der Arena erschien der Direktor mit einem kleinen schwarzen Pferde. Der Hanswurst kam mit und begann eine durch viele Ohrfeigen unterbrochene Unterhaltung mit jenem, die großen Beifall fand. Es fing so an, daß der Hanswurst irgendeine freche Frage stellte. Mit einer Ohrfeige antwortend, sagte der andere: »Hältst du mich denn für ein Kamel?«

Darauf der Clown: »Nein, Herr Prinzipal. Ich weiß den Unterschied genau, der zwischen einem Kamel und Ihnen ist.«

»So, Clown? Was denn für einer?«

»Herr Prinzipal, ein Kamel kann acht Tage arbeiten, ohne etwas zu trinken. Sie aber können acht Tage trinken, ohne etwas zu arbeiten.«

Neue Ohrfeige, neuer Beifall. So ging es weiter, und während ich mich über die Naivität der Witze und über die Einfalt der dankbaren Zuhörerschaft belustigt wunderte, lachte ich selber mit.

Das Pferdchen machte Sprünge, setzte über eine Bank, zählte auf zwölf und stellte sich tot. Dann kam ein Pudel, der sprang durch Reifen, tanzte auf zwei Beinen und exerzierte militärisch. Dazwischen immer wieder der Clown. Es folgte eine Ziege, ein sehr hübsches Tier, die auf einem Sessel balancierte.

Schließlich wurde der Clown gefragt, ob er denn gar nichts könne als herumstehen und Witze machen. Da warf er schnell sein weites Hanswurstkleid von sich, stand im roten Trikot da und bestieg das hohe Seil. Er war ein hübscher Kerl und machte seine Sache gut. Und auch ohne das war es

130

ein schöner Anblick, die vom Flammenschein beleuchtete rote Gestalt hoch oben am dunkelblauen Nachthimmel schweben zu sehen.

Die Pantomime wurde, da die Spielzeit schon überschritten sei, nicht mehr aufgeführt. Auch wir waren schon über die übliche Stunde ausgeblieben und traten unverweilt den Heimweg an.

Während der Vorstellung hatten wir uns beständig lebhaft unterhalten. Ich war neben Anna Amberg gesessen, und ohne daß wir anderes als Zufälliges zueinander gesagt hätten, war es so gekommen, daß ich schon jetzt beim Heimgehen ihre warme Nähe ein wenig vermißte.

Da ich in meinem Bett noch lange nicht einschlief, hatte ich Zeit, mir darüber Gedanken zu machen. Sehr unbequem und beschämend war mir dabei die Erkenntnis meiner Treulosigkeit. Wie hatte ich auf die schöne Helene Kurz so schnell verzichten können? Doch legte ich mit einiger Sophistik an diesem Abend und in den nächsten Tagen mir alles reinlich zurecht und löste alle scheinbaren Widersprüche befriedigend.

Noch in derselben Nacht machte ich Licht, suchte in meiner Westentasche das Pfennigstück, das mir Anna heute im Scherz geschenkt hatte, und betrachtete es zärtlich. Es trug die Jahreszahl 1877, war also so alt wie ich. Ich wickelte es in weißes Papier, schrieb die Anfangsbuchstaben A. A. und das heutige Datum darauf und verbarg es im innersten Fach meines Geldbeutels, als einen Glückspfennig.

Die Hälfte meiner Ferienzeit – und bei Ferien ist immer die erste Hälfte die längere – war längst vorüber, und der Sommer fing nach einer heftigen Gewitterwoche schon langsam an, älter und nachdenklicher zu werden. Ich aber, als sei sonst nichts in der Welt von Belang, steuerte verliebt mit flatternden Wimpeln durch die kaum merkbar abnehmenden Tage, belud jeden mit einer goldenen Hoffnung und sah im Übermut jeden kommen und leuchten und gehen, ohne ihn halten zu wollen und ohne ihn zu bedauern.

An diesem Übermut war nächst der unbegreiflichen Sorglosigkeit der Jugend zu einem kleinen Teile auch meine liebe Mutter schuld. Denn ohne ein Wort darüber zu sagen, ließ

131

sie es merken, daß meine Freundschaft mit Anna ihr nicht mißfiel. Der Umgang mit dem gescheiten und wohlgesitteten Mädchen hat mir in der Tat gewiß wohlgetan, und mir schien, es würde auch ein tieferes und näheres Verhältnis mit ihr die Billigung meiner Mama finden. So brauchte es keine Sorge und kein Heimlichtun, und wirklich lebte ich mit Anna nicht anders als mit einer geliebten Schwester.

Allerdings war ich damit noch lange nicht am Ziel meiner Wünsche, und nach einiger Zeit bekam dieser unverändert kameradschaftliche Verkehr gelegentlich etwas fast Peinliches für mich, da ich aus dem klar umzäunten Garten der Freundschaft in das weite freie Land der Liebe hin begehrte und durchaus nicht wußte, wie ich unvermerkt meine arglose Freundin auf diese Wege locken könnte. Doch entstand gerade hieraus für die letzte Zeit meiner Ferien ein köstlich freier, schwebender Zustand zwischen Zufriedensein und Mehrverlangen, der mir wie ein großes Glück im Gedächtnis steht.

So verlebten wir in unserm glücklichen Hause gute Sommertage. Zur Mutter war ich inzwischen wieder in das alte Kindesverhältnis gekommen, so daß ich mit ihr ohne Befangenheit über mein Leben reden, Vergangenes beichten und Pläne für später besprechen konnte. Ich weiß noch, wie wir einmal vormittags in der Laube saßen und Garn wickelten. Ich hatte erzählt, wie es mir mit dem Gottesglauben gegangen war, und hatte mit der Behauptung geendet, wenn ich wieder gläubig werden sollte, müßte erst jemand kommen, dem es gelänge, mich zu überzeugen.

Da lächelte meine Mutter und sah mich an, und nach einigem Besinnen sagte sie: »Wahrscheinlich wird der niemals kommen, der dich überzeugen wird. Aber allmählich wirst du selber erfahren, daß es ohne Glauben im Leben nicht geht. Denn das Wissen taugt ja nichts. Jeden Tag kommt es vor, daß jemand, den man genau zu kennen glaubte, etwas tut, was einem zeigt, daß es mit dem Kennen und Gewißwissen nichts war. Und doch braucht der Mensch ein Vertrauen und eine Sicherheit. Und da ist es immer besser, zum Heiland zu gehen als zu einem Professor oder zum Bismarck oder sonst zu jemand.«

»Warum?« fragte ich. »Vom Heiland weiß man ja auch nicht so viel Gewisses.«

»Oh, man weiß genug. Und dann – es hat im Lauf der Zeiten hie und da einen einzelnen Menschen gegeben, der mit Selbstvertrauen und ohne Angst gestorben ist. Das erzählt man vom Sokrates und von ein paar andern; viele sind es nicht. Es sind sogar sehr wenige, und wenn sie ruhig und getrost haben sterben können, so war es nicht wegen ihrer Gescheitheit, sondern weil sie rein im Herzen und Gewissen waren. Also gut, diese paar Leute sollen, jeder für sich, recht haben. Aber wer von uns ist wie sie? Gegen diese wenigen aber siehst du auf der andern Seite Tausende und Tausende, arme und gewöhnliche Menschen, die trotzdem willig und getrost haben sterben können, weil sie an den Heiland glaubten. Dein Großvater ist vierzehn Monate in Schmerzen und Elend gelegen, ehe er erlöst wurde, und hat nicht geklagt und hat die Schmerzen und den Tod fast fröhlich gelitten, weil er am Heiland seinen Trost hatte.«

Und zum Schluß meinte sie: »Ich weiß gut, daß das dich nicht überzeugen kann. Der Glaube geht nicht durch den Verstand, so wenig wie die Liebe. Du wirst aber einmal erfahren, daß der Verstand nicht zu allem hinreicht, und wenn du so weit bist, wirst du in der Not nach allem langen, was wie ein Trost aussieht. Vielleicht fällt dir dann manches wieder ein, was wir heute geredet haben.«

Dem Vater half ich im Garten, und oft holte ich ihm auf Spaziergängen in einem Säcklein Walderde für seine Topfblumen. Mit Fritz erfand ich neue Feuerkünste und verbrannte mir die Finger beim Loslassen. Mit Lotte und Anna Amberg brachte ich halbe Tage in den Wäldern zu, half Beeren pflücken und Blumen suchen, las Bücher vor und entdeckte neue Spaziergänge.

Die schönen Sommertage gingen einer um den andern hin. Ich hatte mich daran gewöhnt, fast immer in Annas Nähe zu sein, und wenn ich daran dachte, daß es nun bald sein Ende haben müsse, zogen schwere Wolken über meinen blauen Ferienhimmel.

Und wie denn alles Schöne und auch das Köstlichste nur zeitlich ist und sein gesetztes Ziel hat, so entrann Tag um Tag auch dieser Sommer, der mir in der Erinnerung meine ganze Jugend zu beschließen scheint. Man begann von meiner baldigen Abreise zu sprechen. Die Mutter nahm noch einmal meinen Besitz an Wäsche und Kleidern prüfend durch, flickte einiges und schenkte mir am Tage des Einpackens zwei Paar guter grauwollener Socken, die sie selber gestrickt hatte und von denen wir beide nicht wußten, daß sie ihr letztes Geschenk an mich waren.

Lang gefürchtet und doch überraschend kam endlich der letzte Tag herauf, ein hellblauer Spätsommertag mit zärtlich flatternden Spitzenwölklein und einem sanften Südostwinde, der im Garten mit den noch zahlreich blühenden Rosen spielte und schwer mit Duft beladen gegen Mittag müd wurde und einschlief. Da ich beschlossen hatte, noch den ganzen Tag auszunützen und erst spät am Abend abzureisen, wollten wir Jungen den Nachmittag noch auf einen schönen Ausflug verwenden. So blieben die Morgenstunden für die Eltern übrig, und ich saß zwischen beiden auf dem Kanapee in Vaters Studierstube. Der Vater hatte mir noch einige Abschiedsgaben aufgespart, die er mir nun freundlich und mit einem scherzhaften Ton, hinter dem er seine Bewegung verbarg, überreichte. Es war ein kleines altmodisches Beutelein mit einigen Talern, eine in der Tasche tragbare Schreibfeder und ein nett eingebundenes Heftlein, das er selber hergestellt und worin er mir ein Dutzend guter Lebenssprüche mit seiner strengen lateinischen Schrift geschrieben hatte. Mit den Talern empfahl er mir zu sparen, aber nicht zu geizen, mit der Feder bat er mich recht oft heimzuschreiben, und wenn ich einen neuen guten Spruch an mir bewährt fände, ihn ins Heftlein zu den andern zu notieren, die er im eigenen Leben brauchbar und wahr befunden habe.

Zwei Stunden und darüber saßen wir beisammen, und die Eltern erzählten mir manches aus meiner eigenen Kindheit, aus ihrer und ihrer Eltern Leben, das mir neu und wichtig war. Vieles habe ich vergessen, und da meine Gedanken zwischenrein immer wieder zu Anna entrannen, mag ich manches ernste und wichtige Wort nur halb gehört und geachtet haben. Geblieben aber ist mir eine starke Erinnerung an diesen Morgen im Studierzimmer, und geblieben ist mir eine tiefe Dankbarkeit und Verehrung für meine beiden Eltern, die ich heute in einem reinen, heiligen Lichte sehe, das für meine Augen keinen andern Menschen umgibt.

Damals aber ging mir der Abschied, den ich am Nachmittag

zu nehmen hatte, weit näher. Bald nach dem Mittagessen machte ich mich mit den beiden Mädchen auf den Weg, über den Berg nach einer schönen Waldschlucht, einem schroffen Seitental unseres Flusses.

Anfangs machte meine bedrückte Stimmung auch die andern nachdenklich und schweigsam. Erst auf der Berghöhe, von wo zwischen hohen roten Föhrenstämmen das schmale gewundene Tal und ein weites waldgrünes Hügelland zu sehen war und wo hochstielige Kerzenblumen im Winde schwankten, riß ich mich mit einem Juchzer aus der Befangenheit los. Die Mädchen lachten und stimmten sofort ein Wanderlied an; es war »O Täler weit, o Höhen«, ein altes Lieblingslied unserer Mutter, und beim Mitsingen fiel mir eine Menge fröhlicher Waldausflüge aus Kinderzeiten und vergangenen Feriensommern ein. Von diesen und von der Mutter fingen wir denn auch wie verabredet zu sprechen an, sobald der letzte Vers verklungen war. Wir sprachen von diesen Zeiten mit Dank und Stolz, denn wir haben eine herrliche Jugend- und Heimatzeit gehabt, und ich ging mit Lotte Hand in Hand, bis Anna sich lachend anschloß. Da schritten wir die ganze den Bergrücken entlang führende Straße händeschwingend zu dreien in einer Art von Tanz dahin, daß es eine Freude war.

Dann stiegen wir auf einem steilen Fußpfad seitwärts in die finstere Schlucht eines Baches hinab, der von weitem hörbar über Geröll und Felsen sprang. Weiter oben am Bache lag eine beliebte Sommerwirtschaft, in welche ich die beiden zu Kaffee und Eis und Kuchen eingeladen hatte. Bergab und den Bach entlang mußten wir hintereinander gehen, und ich blieb hinter Anna, betrachtete sie und sann auf eine Möglichkeit, sie heute noch allein zu sprechen.

Schließlich fiel mir eine List ein. Wir waren unserm Ziel schon nahe an einer grasigen Uferstelle, die voll von Bachnelken stand. Da bat ich Lotte, vorauszugehen und Kaffee zu bestellen und einen hübschen Gartentisch für uns decken zu lassen, während ich mit Anna einen großen Waldstrauß machen wolle, da es gerade hier so schön und blumig sei. Lotte fand den Vorschlag gut und ging voraus. Anna setzte sich auf ein moosiges Felsstück und begann Farnkraut zu brechen.
»Also das ist mein letzter Tag«, fing ich an.

»Ja, es ist schade. Aber Sie kommen ja sicher bald einmal wieder heim, nicht?«

»Wer weiß? Jedenfalls im nächsten Jahr nicht, und wenn ich auch wiederkomme, so ist doch nicht mehr alles wie diesmal.«

»Warum nicht?«

»Ja, wenn Sie dann auch gerade wieder da wären!«

»Das wäre schließlich nicht unmöglich. Aber meinetwegen sind Sie ja doch auch diesmal nicht heimgekommen.«

»Weil ich Sie noch gar nicht gekannt habe, Fräulein Anna.«

»Allerdings. Aber Sie helfen mir gar nicht! Geben Sie mir wenigstens ein paar von den Bachnelken dort.«

Da nahm ich mich zusammen.

»Nachher so viel Sie wollen. Aber im Augenblick ist mir etwas anderes zu wichtig. Sehen Sie, ich habe jetzt ein paar Minuten mit Ihnen allein, und darauf hab ich den ganzen Tag gewartet. Denn – weil ich doch heute reisen muß, wissen Sie – also kurz, ich wollte Sie fragen, Anna – –«

Sie sah mich an, ihr gescheites Gesicht war ernst und beinahe bekümmert.

»Warten Sie!« unterbrach sie meine hilflose Rede. »Ich glaube, ich weiß schon, was Sie mir sagen wollen. Und jetzt bitte ich Sie herzlich, sagen Sie's nicht!«

»Nicht?«

»Nein, Hermann. Ich kann Ihnen jetzt nicht erzählen, warum das nicht sein darf, doch dürfen Sie es gern wissen. Fragen Sie später einmal Ihre Schwester, die weiß alles. Unsere Zeit ist jetzt zu kurz, und es ist eine traurige Geschichte, und heut wollen wir nicht traurig sein. Wir wollen jetzt unsern Strauß machen, bis Lotte wiederkommt. Und im übrigen wollen wir gute Freunde bleiben und heute noch miteinander fröhlich sein. Wollen Sie?«

»Ich wollte schon, wenn ich könnte.«

»Nun dann, so hören Sie. Mir geht es wie Ihnen; ich habe einen lieb und kann ihn nicht bekommen. Aber wem es so geht, der muß alle Freundschaft und alles Gute und Frohe, was er sonst etwa haben kann, doppelt festhalten, nicht wahr? Drum sage ich, wir wollen gut Freund bleiben und wenigstens noch diesen letzten Tag einander fröhliche Gesichter zeigen. Wollen wir?«

136

Da sagte ich leise ja, und wir gaben einander die Hände darauf. Der Bach lärmte und jubelte und spritzte feine Tropfen zu uns herauf, unser Strauß wurde groß und farbig, und es dauerte nicht lange, da sang und rief meine Schwester uns schon wieder entgegen. Als sie bei uns war, tat ich, als wollte ich trinken, kniete am Bachrand hin und tauchte Stirn und Augen eine kleine Weile in das kalt strömende Wasser. Dann nahm ich den Strauß zur Hand, und wir gingen miteinander den kurzen Weg bis zur Wirtschaft.

Dort stand unter einem Ahornbaum ein Tisch für uns gedeckt, es gab Eis und Kaffee und Biskuits, die Wirtin hieß uns willkommen, und zu meiner eigenen Verwunderung konnte ich sprechen und Antwort geben und essen, als wäre alles gut. Ich wurde fast fröhlich, hielt eine kleine Tischrede und lachte ohne Zwang mit, wenn gelacht wurde.

Ich will es Anna nicht vergessen, wie einfach und lieb und tröstlich sie mir über das Demütigende und Traurige an jenem Nachmittag hinweggeholfen hat. Ohne merken zu lassen, daß etwas zwischen ihr und mir vorgefallen sei, behandelte sie mich mit einer schönen Freundschaftlichkeit, die mir meine Haltung bewahren half und mich nötigte, ihr älteres und tieferes Leid und die Art, wie sie es heiter trug, hoch zu achten.

Das enge Waldtal füllte sich mit frühen Abendschatten, als wir aufbrachen. In der Höhe aber, die wir rasch erstiegen, holten wir die sinkende Sonne wieder ein und schritten noch eine Stunde lang in ihrem warmen Licht, bis wir sie beim Niederstieg zur Stadt nochmals aus den Augen verloren. Ich sah ihr nach, wie sie schon groß und rötlich zwischen schwarzen Tannenwipfeln stand, und dachte daran, daß ich sie morgen weit von hier an fremden Orten wiedersehen würde.

Abends, nachdem ich vom ganzen Hause Abschied genommen hatte, gingen Lotte und Anna mit mir auf den Bahnhof und winkten mir nach, als ich im Zug war und der eingebrochenen Finsternis entgegenfuhr.

Ich stand am Wagenfenster und schaute auf die Stadt hinaus, wo schon Laternen und helle Fenster leuchteten. In der Nähe unseres Gartens nahm ich eine starke, blutrote Helle wahr. Da stand mein Bruder Fritz und hatte in jeder Hand ein bengalisches Licht, und in dem Augenblick, da ich winkte und an ihm vorbeifuhr, ließ er eine Rakete senkrecht aufsteigen. Hinauslehnend sah ich sie steigen und innehalten, einen weichen Bogen beschreiben und in einem roten Funkenregen vergehen.   *(1907)*

Berthold

I

Die ersten Jahre seines Lebens sind in Bertholds Erinnerung völlig verlorengegangen. Wenn er in seinen Mannesjahren jener Zeit gedachte, sah er sie nur als ein zerrinnendes Traumbild gestaltlos in goldenen Nebeln schweben, dem Erwachten ferne und unbegreiflich. Geschah es, daß er verlangende Arme des Heimwehs danach ausstreckte, so klang ihm wohl ein sehnlich lindes Wehen aus dem verlorenen Lande herüber, an versunkene Gebilde und Namen rührend, deren aber keines und keiner mehr in seiner Seele Leben hatte. Auch das Bildnis der jung gestorbenen Mutter ruhte schattenhaft und unwiederbringlich in dieser dämmernden Tiefe.

Bertholds Erinnerungen begannen mit der Zeit seines sechsten oder siebenten Jahres.

Da lag im grünen Flußtal die Stadt, von Mauern umfangen, eine kleine deutsche Stadt, deren Namen weiter draußen im Reich niemand kannte, ein verlorenes und ärmliches Nest, das doch seinen Bürgern und Kindern eine Welt war und den Reihen der Geschlechter Raum zum Leben und Raum zum Begraben bot. Die Kirche, in einer früheren wohlhabenderen Zeit erbaut und nicht dem Anfang gemäß vollendet, sondern notdürftig bedacht und nur mit einem sparsamen Holzturm versehen, der auf dem Dache ritt, stand in ihrer Verwahrlosung und unnötigen Größe gleich einer Ruine inmitten der kleinen Häuser, trauerte mit ihren schön gemeißelten, hohen Portalen und predigte Vergänglichkeit. Davor auf dem Marktplatz, der groß und sauber gepflastert war, spiegelten sich die bescheidenen, aus Fachwerk oder auch ganz aus Holz gebauten Bürgerhäuser mit spitzigen Giebeln in der gewaltigen steinernen Schale des Marktbrunnens. Von den Toren war das südliche gering und niedrig, das nach Norden schauende aber stattlich und hochgebaut, und hier wohnte in Ermangelung eines Kirchturmes der Feuerwächter und Türmer. Man sah ihn zuweilen, einen müden und schweigsamen Mann, in seiner Höhe still und ungesellig die schmale Galerie abschreiten und wieder in sein Gehäuse verschwinden, und es war Bertholds erster Knabenwunsch gewesen, einmal an dieses Mannes Stelle zu sein und mit dem Horn am Gürtel Türmerdienst zu tun.

Mitten durch das Städtlein rann der schmale, schnelle Fluß. Sein oberes Tal war eng, zwischen zwei Züge waldiger Berge gedrängt, und bot nur für einige flache Äcker, eine alte stille Landstraße und berganwärts für wenige, abschüssige und magere Wiesen Platz. Dort draußen hatten nur einige Häusler ihre hölzernen Hütten stehen, auch lag dort nahe am Wasser verfallend und von den Städtern mit großer Scheu gemieden ein Pesthaus, vor langer Zeit bei einer großen Seuche gebaut.

Flußabwärts hingegen führte ein wohlgehaltener Weg bald dicht am Ufer, bald durch Kornland und Wiesen das Tal hinab, das nach kurzer Weile breiter und fruchtbarer wurde. Die Berge flohen auf beiden Seiten zurück, einem breiteren und fetteren Boden Raum gebend, und bald tat sich eine gar schöne, sonnige Talebene auf, durch eine Krümme vor dem Nordwind beschützt. Während oberhalb sowie auch schon eine kleine Stunde weiter abwärts das Tal arm und rauh war und der ganze Reichtum des Landes in den Bergwäldern bestand, prangte hier still und abgeschlossen ein kleines Land mit Frucht und Obst wie ein Paradiesgärtlein zwischen den grünen Bergen. Inmitten lag breit und satt in wohligem Frieden ein Kloster samt Meierei und Mühle, und wer müde auf der Talstraße vorüberwanderte und hinüberschaute und in dem erhöht gelegenen Garten unter laubigen Bäumen die Brüder in weißen Kutten langsam wandeln sah, dem mochte der friedsame Ort eine köstliche und gesegnete Zuflucht scheinen.

Den fröhlichen Wiesenweg von der Stadt zum Kloster hinab wanderte in seinen Knabenjahren Berthold fast jeden Tag. Er ging im Kloster zur Schule, und es war von seinem Vater bestimmt, daß der Knabe in den geistlichen Stand treten sollte. Denn nach dem frühen Tode der Mutter hatte er seinen ersten Sohn vorzeitig in die Fremde gelassen, die den unbändigen Jüngling verlockte, und er war, statt seinem Handwerk nachzugehen, verwahrlost und in der Ferne bei schlimmen Händeln zugrunde gegangen. Darauf hatte der

Vater, seiner eigenen unsteten Jugendzeiten und ihrer Verfehlungen gedenkend, sich gelobt, den zweiten Knaben besser zu bewahren und womöglich einen Priester aus ihm werden zu lassen.

Eines Tages im Spätsommer kam Berthold, noch ein kleiner Schulknabe, vom Kloster her heimwärts gegen die Stadt gegangen und besann sich auf Ausreden für seine Verspätung; denn er hatte unterwegs sich eine gute Stunde lang im Beobachten der Wildenten vergessen. Die Sonne war schon hinterm Berg und der Himmel rot. Und während der Knabe auf seine Entschuldigung bedacht war, ging sein junger Verstand gleichzeitig andere Wege. Der Lehrer, ein alter Gelehrter und Sonderling, hatte ihm heute von Gottes Gerechtigkeit erzählt und sie zu beschreiben und zu erklären unternommen. Diese Gerechtigkeit schien dem Berthold eine wunderbare und verwickelte Sache zu sein, und die Beispiele und Erklärungen des Paters genügten seinem Bedürfnis nicht. Zum Beispiel um die Tiere schien Gott sich nur wenig zu bekümmern, oder warum fraß der Marder die jungen Vögel, die doch auch Gottes Geschöpfe und unschuldiger als der Marder waren?

Und warum wurden die Verbrecher gehängt oder enthauptet, wenn doch die Sünde ihren Lohn in sich selber trug; und wenn doch alles, was geschah, seine Wurzel und Zulassung in Gottes Gerechtigkeit hatte, warum war es dann nicht ganz einerlei, was einer tat oder unterließ?

Aber alle diese kindlichen Zweifel und Gedankenversuche erloschen spurlos wie die Spiegelbilder der Dinge in einem plötzlich vom Wind bestrichenen Teich, als Berthold das Tor erreichte und mit schnell ermunterten Sinnen wahrnahm, daß in der Stadt etwas Ungewöhnliches geschehen sei.

Noch wußte er nichts und sah nur die wohlbekannte Torgasse im warmen Widerschein des glühenden Abendhimmels liegen; aber so stark ist im Menschen die Macht der Gewöhnung und der Gemeinschaftlichkeit, daß selbst ein Kind jede Störung hergebrachter Ordnung sofort mit feinen Sinnen erfühlt, noch ehe es die Ursache erfahren oder mit Augen gesehen hat. So bemerkte Berthold im Augenblick, es sei in der Stadt etwas Besonderes im Gang, obwohl er nur das

Fehlen der Kinder und Frauen erkannte, die sonst die abendliche Gasse mit Spielen und Geplauder zu erfüllen pflegten.

Doch wenige Augenblicke später vernahm er schon entferntes, leis tosendes Wogen vieler Stimmen, undeutliche Rufe und trommelndes Geklapper von Pferdehufen, unbekannte und erregende Töne einer Trompete. Ohne mehr an seine Verspätung und an die Heimkehr zu denken, lief er trabend durch eine enge, steile und schon dunkelnde Nebengasse zum Marktplatz hinauf. Hastig mit heißem Kopf und stürmisch schlagendem Herzen trat er zwischen den hohen Häusern auf den noch ganz lichten Platz hinaus, von wo ihm vielfältiger Lärm entgegenscholl. Ungewohnte Bilder traten gehäuft und hinreißend seinem gierigen Blick entgegen, und ihm schien aus Reichen der Sage her alle Mannigfaltigkeit und alles Abenteuer der Welt plötzlich zauberhaft mitten in das alltägliche Leben gedrungen zu sein.

Auf dem Marktplatz, wo an anderen Tagen um diese Feierabendstunde nur spielende Knaben, wassertragende Mägde und rastend auf den steinernen Vorbänken ihrer Häuser sitzende Bürger zu sehen waren, gärte jetzt ein grelles, heftiges Leben. Es war eine Schar fremdes Kriegsvolk angekommen, Landsknechte und berittene Offiziere, Troßbuben, Marketender, buntes Weibervolk. Das trieb sich umher, verlangte Quartier, Brot, Ställe, Betten, Wein, fluchte, kreischte, sprach fremde Mundarten und fremde Sprachen, rannte umher oder lag schon satt und lachend als Zuschauer in den Wohnstubenfenstern der wohlhabendsten Markthäuser. Offiziere befahlen, Feldwebel schimpften, Bürger redeten auf die Leute ein, der Bürgermeister lief erregt und ängstlich hin und wider, Pferde wurden abgeführt. Angst und Gelächter, Krieg und Scherz klangen durcheinander.

Dieses Getümmel, das Berthold mit Wonne, Angst und brennender Neugierde betrachtete, riß den zufrieden engen Kreis seiner kleinen Knabenwelt mit einemmal gewaltsam auseinander und öffnete zum erstenmal die Welt seinen Blicken. Er hatte wohl von der Fremde, von Fürsten, fernen Ländern, von Soldaten, Krieg und Schlachten reden hören und sich davon kühne, farbige Vorstellungen gemacht; doch war für ihn zwischen diesen Dingen und den schönen Märchen kein Unterschied gewesen, und er hatte nicht gewußt, ob das alles wirklich und wesenhaft vorhanden oder nur ein Ergötzen der Gedanken und hübsches Gleichnis wäre. Nun aber sah er mit Augen Kriegsvolk, Pferde und Waffen, Spieße, Schwerter und Abzeichen, schön aufgezäumte Pferde und unheimliche Feuerrohre. Er sah Männer mit fremden, braunen und bärtigen Gesichtern, fremdartige heftige Weiber, hörte rauhe Stimmen unbekannte Sprachen reden und trank begierig den starken Duft des Neuen, Wilden, Unheimischen in seine unbeschwerte Knabenseele ein.

Behutsam ging er zwischen dem wilden Volk umher, damit er alles sehe, machte sich aus Flüchen und einigen Rippenstößen nichts und tat seiner ersten Schaulust Genüge, ehe er ans Heimgehen dachte. Er bestaunte Arkebusen und Fähnlein, betastete einen Spieß, bewunderte hochschäftige Reiterstiefel mit scharfen Sporen und hatte seine Lust an dem freien, kriegerischen Wesen der Leute, an ihren barschen, kecken, prahlerischen Worten und Gebärden. Da waren Glanz, Kühnheit, Stolz und Wildheit, lodernde Farben, wallende Federbüsche, Zauber des Kriegs und Heldentums.

Betäubt und glühend kam Berthold spät nach Hause. Der Vater war in Furcht um ihn gewesen und empfing ihn mit liebevollem Schelten. Aber der erregte Knabe hörte nichts, er wollte kaum essen und sprudelte von Fragen über, was das für Leute seien, woher sie kämen, wer ihr Feldherr sei, ob es nun eine Schlacht gebe. Er erfuhr allerlei, was er nicht verstand, von Welschen, Kaiserlichen, von Durchzug, Quartier, Plünderung, und der Vater wußte selber durchaus nicht Bescheid. Als er dagegen erzählte, es seien auch bei ihm drei Leute im Quartier, sprang Berthold auf und begehrte sie zu sehen. Wie auch der Vater wehrte und schalt, er war nicht zu bändigen und stürmte hinaus, die Stiege hinab und zu der Kammer. An der Türe blieb er atemlos stehen und lauschte. Er hörte Schritte und Reden, doch nichts Gefährliches, und so faßte er Mut, öffnete behutsam die Tür und trat auf den Zehen hinein. Dabei stieß er fast auf einen der Soldaten, einen hageren, großen Menschen in schlechten Kleidern und mit einem ungefügen Pflaster auf der Wange, der sich sofort umwandte, den Kleinen grimmig anschaute und mit drohender Gebärde wieder gehen hieß. Aber ehe Berthold Folge leisten konnte, tat ein anderer lachend Fürsprache und winkte den verzagten Knaben zu sich.

»Hast noch nie Landsknechte gesehen?« fragte er ganz freundlich, und da der Kleine den Kopf schüttelte, lachte er und fragte ihn nach seinem Namen. Als er den schüchtern sagte, brummte der Hagere: »Berthold? So heiß ich auch«, und musterte ihn mit einem aufmerksamen und scharfen Blick, als suche er das Bild seiner eigenen Kindertage in dem hübschen Knabengesicht. Ein anderer machte einen Witz, den Berthold nicht verstand, dann ließen sie den Buben unbeachtet. Zwei begannen ein Spiel mit alten, unsäuberlichen Karten, der dritte schenkte sich Wein in den Becher und machte sich gemächlich daran, eine aufgegangene Naht an seinem Lederzeug mit gepichtem Zwirn zu flicken. Bald rief drunten der Vater, und Berthold verließ mit Bedauern und ungestillter Neugierde die Soldatenkammer. Am andern Morgen half er der Magd mit Eifer die schweren Schaftstiefel der Leute putzen.

Dann mußte er sehr wider seine Wünsche wie immer ins Kloster zur Schule gehen, und als er von da eilig und begierig zurückkam, waren Landsknechte, Offiziere, Gäule und Standarten zu seinem bitteren Schmerz schon wieder weit fortgezogen. Er konnte sie nimmer vergessen, und auch andere dachten noch lange an sie; denn es waren in der einen Nacht ein Totschlag, einige Verwundungen und mancherlei Raub und Gewalttat in der Stadt geschehen. In der folgenden Zeit ergingen noch je und je Gerüchte von solchen Durchzügen in der Gegend; die Stadt aber blieb für lange Zeit verschont, und der Kriegslärm, der anwachsend das halbe Reich erfüllte, brauste fern an ihrer Stille vorbei.

Die Knaben aber spielten seit jener Einquartierung fleißig Soldaten, und zu seines Vaters Leidwesen geschah es, daß Berthold seine vorige träumerische Stille ganz von sich tat und bald der Hitzigste und Anführer der Buben wurde. Seine große Körperkraft, deren er jetzt wie nach einem Schlummer bewußt ward, machte ihn unter seinesgleichen berühmt und gefürchtet, und da den Übungen in Kampf und Tapferkeit bald auch andere, weniger edle Taten und Streiche folgten, erwuchs dem Alten mit der Zeit nicht wenig Ärger und Sorge. Denn wie im Kommandieren und Fechten, so tat der

Knabe Berthold sich auch in Prügeleien, Schabernack und Äpfeldiebstählen hervor.

Indes er aber auf diese Art den Leuten, dem Vater und seinem guten Lehrer Ärgernis gab, war es ihm selber in seiner wilden Haut nicht etwa unterschiedslos wohl, sondern er wurde nicht selten vom bösen Gewissen geplagt und kam sich oft mitten im fröhlichsten Getümmel wie ein Bezauberter vor, der nicht seinem eigenen Willen folgt. Sein eigener Wille, schien ihm, lag gefangen und betäubt, und wenn er sich in bangen Stunden regte und zu mahnen begann, schuf er ihm Qual.

Freilich geschah ihm das nur hin und wieder. An den meisten Tagen ließ er sich unbefangen treiben und beging seine Streiche, wie jeder Knabe die seinen begeht. Es war auch gar nicht sein Wille, der bei diesem Treiben unterlag und zu kurz kam, sondern ein zeitweilig schlummernder Teil seiner Seele, nämlich der Trieb zum Nachdenken und Erkennen. Dem half der Ausbruch anderer, gröberer Begierden und Regungen zu einem Schlaf, in welchem er sich nur selten schwer und traumbefangen bewegte. Das erkannte sein kluger Lehrer, der anfänglich über die Gemütsänderung des Knaben sehr erschrocken war, bald mit Beruhigung.

»Der Knabe hat früher zu viel gesonnen«, sagte er zu Bertholds Vater. »Jetzt will die Erbsünde ihr Recht und auch der kräftige Körper das seine haben, und es ist viel besser, sie toben jetzt aus, als sie melden sich erst in späteren und gefährlicheren Jahren. Unterdrücken hilft nichts, lassen wir das Böcklein nur stoßen!«

Die Erbsünde büßte denn auch ihre Lust, und das Böcklein stieß, bis es ihm weh tat. Das geschah eines Nachmittags im Winter, bei einer großen Knabenschlacht im Schnee. Zwei Heere beschossen einander mit Schneeballen, und eines hatte den Berthold zum Anführer. Sie kamen einander immer näher, und am heftigsten bekämpften sich die beiden Anführer. Der feindliche Feldherr wagte sich weit vor, mit einigem Vorrat an Geschossen, und traf den Berthold mehrmals aus nächster Nähe mit scharfen Würfen ins Gesicht, so daß der in Zorn geriet und Rache beschloß. Und als nun sein Feind ihn mit einem Schneeball traf, der einen Stein enthielt und eine Beule gab, hielt er sich nicht mehr zurück, sprang den Gegner an und nötigte ihn zum Ringkampf. Beide Heere gaben sogleich den Kampf auf und stellten sich im Kreis um die Brust an Brust Ringenden auf, um das Schauspiel zu genießen.

Der Feind kam bald in Bedrängnis und half sich, da die Kraft seiner Arme nicht ausreichte, durch einen Biß in des Gegners Ohr. Nun hatte Berthold genug. In Zorn und Schmerz warf er mit verzweifelter Kraft den Beißer von sich, ohne zu schauen wohin, und schleuderte ihn so, daß er wider einen Prellstein flog und sofort regungslos liegenblieb. Sein Gesicht wurde zusehends weiß und schmal, aus den Haaren her rann über die Stirn ein Faden roten Blutes, floß über ein geschlossenes, nicht mehr zuckendes Augenlid und blieb vertrocknend auf der Wange stehen.

Die Knabenschar, die eben noch jeden Griff der Ringer begutachtet und auch noch den letzten Gewaltwurf Bertholds mit Jubel bewundert hatte, verstummte plötzlich. Nur ein ganz kleines Bürschlein, das eigentlich noch zur Mutter gehörte, rief entsetzt mit einer hohen Kinderstimme: »Er hat ihn umgebracht!« Minutenlang starrten sie alle glotzend auf den bewegungslos, zerbrochen hingestreckten Körper. Dann wurde es ihnen unheimlich, und fast alle verschwanden lautlos, teils um sich in Sicherheit zu bringen und das Grauen zu vergessen, teils um das Ereignis eilig in der Stadt zu verkünden. Auch die Zurückgebliebenen wichen unbehaglich aus Bertholds Nähe und ließen ihn allein stehen.

Nach dem heftigen Wurf, in dem sein Zorn sich erschöpft hatte, war er einen kurzen Augenblick voll Siegergefühl und ruhiger Sättigung gewesen, gewillt, den tückischen Stein im Schneeball und den Biß ins Ohr zu vergessen. Der harte Fall und das bißchen Blut hatten ihn nicht erschreckt, da sein Gewissen von keiner Schuld wußte. Da aber der Gefallene nicht wieder aufstand und sein Gesicht weiß und steinern wurde, stockte dem Sieger Atem und Herzschlag, sein Blick hing starr an dem Blutfleck, und als der Schrei des kleinen Knaben erscholl, begann Berthold zu zittern. Trotz Schwindelgefühl und Unbehagen bemerkte er mit unheimlicher Klarheit nicht nur die Todesstarre des Dahingestreckten, die blauen Schatten unter seinen Augen und das auf seiner Wange gerinnende Blut, sondern auch das Grauen und die feige Abwendung der Kameraden, die ihm soeben noch bewundernd zugerufen hatten. Er sah sich als Mörder gemieden und von Schrecken umgeben, von den Freunden im Stich gelassen, von denen gewiß keiner für ihn einstehen würde. Zum erstenmal in seinem Leben fühlte er sich von Einsamkeit wie von einem grauenvollen Bannkreis umgeben und sein warmes Herz von Verzweiflung und Tod eisig angefaßt.

Minutenlang blieb er an dem Anblick des Erschlagenen haften. Dann überfiel ihn plötzlich der Gedanke an Strafe; in schrecklichen Vorstellungen sah er sich von Verhör und Richter, von Schmach und Todesstrafe bedroht. Darüber vergaß er sofort alles andere, sein Leben bangte vor dem unbestimmten Kommenden und setzte sich mit allen Fibern zur Wehr.

Wie ein scheuendes Roß, nachdem die erste, kurze Betäubung und Lähmung des Erschreckens sich gelöst hat, in besinnungslosem Drang, sich zu retten, davonrennt und mit verzweifeltem Galopp das Weite sucht, so riß sich Berthold aus dem dumpfen Banne los und lief nun wie gehetzt von dem Unglücksorte weg, zur Stadt hinaus und bergan in den Wald; die erste und sicherste Zuflucht jedes Flüchtigen. Seine Einbildung sah Häscher nach ihm ausziehen, Arme nach ihm greifen, Fäuste nach ihm geballt. In unnützem Laufen irrte er heiß und zagend abseits der Wege, versank in Schneewehen und zerriß Haut und Kleider im winterlichen Gestrüpp.

Es wurde Abend, der Schnee leuchtete blaß in der Dämmerung. Der Flüchtling war todmüde und halb erfroren, er dachte im Schnee umkommen zu müssen oder dem Wolf zur Beute zu fallen und strebte mit versagenden Kräften, durch die Büsche ins Freie zu kommen. Der aufsteigende Mond half ihm mit schwachem Trost. Endlich fand er sich erschöpft und taumelnd am Rande des Waldes und sah über steile Abhänge hinweg im weißen Schnee- und Mondlichte nicht eine unwirtliche und weglose Fremde, wie er gemeint hatte, sondern das wohlbekannte schöne Tal und im Grunde beschneit und friedvoll das Kloster liegen.

Der Anblick erweckte Trauer und Scham in ihm, noch tiefer im Gemüt aber Trost und frohe Rettungsahnung. Auf frierenden und müden Füßen klomm er das steile Land hinab, oft fallend und wieder aufstehend, erreichte mühevoll die Straße, die Brücke und schließlich das Klostertor, dessen schweren Pocher er mit letzter Kraft hob und auf die Eisenplatte fallen ließ. Aber während der Schall ertönte und den erstaunten Pförtner aus der warmen Halle rief, sank der Zuflüchtling still in den Schnee. Der Bruder hob ihn auf, fand ihn in einem Zustande zwischen Schlaf und Ohnmacht, sah seine Finger und Ohren blau gefroren und trug ihn hinein; denn er hatte den Schüler erkannt.

Berthold erwachte erst spät am andern Tage, sah sich in einem fremden Raum und Bette liegen, und noch ehe er die Erinnerung wiederhatte, trat sein Lehrer ein, und hinter ihm sein Vater. Da gab es ein langes Reden, und als man ihn gesund fand, ein Schelten, Klagen und Fragen. Doch hörte er von allem nur die Nachricht, daß der Erschlagene gar nicht tot und schon gestern wieder zum Bewußtsein gekommen sei.

Da tat seine verdunkelte Seele wieder zagende Augen auf, sah den Weg wieder offen und ihre Flügel beschädigt, doch ungebrochen. In erlösenden Tränen rann die Verzweiflung und Todesangst, die auch seine Träume nicht verlassen hatte, dahin.

Zugleich aber war auch das wilde und stößige Wesen, das Anführer- und Soldatentum abgetan wie eine Maske, und dahinter trat das Gesicht des alten Berthold, des Grüblers und Einspänners, hervor, zu seines Vaters Freude. Eine Woche und zwei Wochen traute er der Stille nicht und war stets gewärtig, den Unhold wieder hervorbrechen zu sehen, während er mit Seufzen jeden Tag der Mutter des verwundeten Knaben, der noch eine gute Weile krank lag, ein Schmerzensgeld bezahlte. Berthold schien jedoch gründlich bekehrt zu sein, er hatte keinen Umgang mehr mit Buben seines Alters, vermied die Gasse und die Spielplätze, lernte gewaltig Latein und neigte mehr als je zu Betrachtungen über Gott und Menschenleben. Was er von der Vergänglichkeit irdischen Ruhmes schon bei dem schlimmen Ausgang jener Knabenschlacht erfahren hatte, fand er nun bestätigt, indem die früheren Kameraden ihn bald nicht mehr vermißten. Sie folgten neuen Feldherren, und Berthold wurde von ihnen zuerst eine Weile gemieden und geschont, dann eine Weile gehänselt und dann vergessen. Niemand sprach mehr von seinen Heldentaten; seines Lateins und seiner Bestimmung zum Priester wegen wurde er wieder wie früher teils neidisch, teils verächtlich der heilige Berthold genannt, und nur das Unglück, daß er einmal beinah einen Kameraden zum Tod gebracht hätte, wurde ihm nicht vergessen. Und er kam sich selber, wie seinem Vater, verwandelt und bekehrt vor, indes doch nur seine angeborene Ungeduld und unbefriedigte Lebenslust ihr ungenügsames Wesen auf etwas andere Weise trieb.

Was der Alte und der Knabe selbst nicht erkannten, blieb dem Lehrer nicht verborgen. Der Pater Paul sah mit Sorgen das lebhafte Kind zwar still und sittsam geworden; aber sein neuer Eifer im Bereuen, Frommsein und Lernen schien ihm nicht minder übertrieben und wild zu sein als das vorherige Toben. Er sah in dem noch dämmernden Leben der jungen Seele die Ahnung von der Ungenüge und Zweifelhaftigkeit unseres Lebens wie einen Abendschatten unaufhaltsam wachsen, allzudunkel und allzufrüh, und er wußte wohl, daß gegen diesen Schaden kein Kraut in den Gärten wächst. Er wußte es; denn er gehörte selber zur stillen Gemeinde der Unzufriedenen, die niemals wissen, ob es ihre eigene Unzulänglichkeit oder die der ganzen Weltordnung ist, daran sie krank sind. Darum liebte er den hübschen, unruhigen Knaben und fürchtete für ihn.

»Wenn also Gott gerecht ist und wenn alles in der Welt nach seinem Gesetz und mit seinem Willen geschieht«, sagte Berthold, »wie ist es dann, daß es Krieg und Schlachten gibt und daß man den Stand der Soldaten eingerichtet hat, deren Beruf nichts anderes ist, als daß sie Menschen töten? Und man ehrt sie dafür noch, und die Feldherren werden Helden geheißen.«

Der Pater Paul gab Antwort: »Sie sind Werkzeuge Gottes. Wohl soll uns jedes Menschen Leben heilig sein, doch ist es nichts Vollkommenes, und Gott selber läßt ja einen Jeden sterben, den einen jung, den andern alt, den einen an Krankheit, den andern durchs Schwert oder durch andere Gewalt. So sehen wir, daß das leibliche Leben an sich selber von geringem Wert und nur ein Gleichnis und Vorbild ist.

Daraus sollten wir lernen, schon dieses hinfällige leibliche Leben in Gottes Dienst zu stellen.«

»Ja, aber die Soldaten und Mörder stehen ja auch, wie du sagst, in Gottes Dienst, und sind doch böse.«

»Wenn ein Schmied ein Pferd beschlagen will, so kann er es nicht gut allein tun, nicht wahr?«

»Ja.«

»Gut. Er braucht aber nicht nur einen Gesellen, sondern er muß auch einen Hammer haben.«

»Ja.«

»Nun, der Geselle ist aber mehr als der Hammer, er ist ein lebendiger Mensch und hat nicht nur Kräfte, sondern auch Verstand. So ist auch ein Unterschied zwischen Gottes Dienern und Gottes Werkzeugen. Jeder Mensch, auch der Mörder, ist ein Werkzeug, er muß – ob er es will und weiß oder nicht – Gottes Willen vollführen helfen und hat keinerlei Verdienst dabei. Gottes Diener sein aber ist etwas ganz anderes: das heißt mit Willen und Wissen sich ihm untergeben, auch wenn es wehe tut und dem eigenen Gelüst zuwider geht. Wer das erkannt hat, der darf nie mehr damit zufrieden sein, daß er ein Werkzeug ist, sondern muß allezeit ein Diener sein wollen. Und wenn er dessen vergißt und dennoch seinem irdischen Trieb und Gelüste nachgeht, ist er ein größerer Sünder als alle Räuber und Totschläger. Du hast gesagt, die Soldaten seien alle böse. Wie willst du denn wissen, was böse ist? Wer in Torheit und Unwissenheit Arges tut, der sündigt vielleicht weniger, als wer das Gute weiß und tut es nicht.«

»Warum läßt aber Gott so viele in Unwissenheit?«

»Das werden wir nie erforschen. Warum läßt er manche Blumen rot und andere gelb oder blau im Feld wachsen? Und ob vor ihm ein Verständiger von einem Unwissenden und ein Böser von einem Guten gar so sehr verschieden ist, das weiß ich nicht. Aber daß der, dem Gott Erkenntnis gegeben hat, auch größere Pflichten und größere Verantwortung habe, dessen sei versichert!«

So gab es häufige Unterredungen des klugen und geduldigen Paters mit dem fragelustigen Schüler. Berthold lernte viel und wuchs an Erkenntnis; nicht minder jedoch wuchs in aller Stille sein heimlicher Stolz. Er schaute mit Hochmut auf seine ehemaligen Kameraden, ja auf den eigenen Vater, und je besser er von Gott und göttlichen Dingen zu reden und disputieren lernte, desto mehr ging seiner unzufriedenen Seele die rechte Ehrfurcht und Scham verloren. Er gewöhnte sich daran, in Gedanken an allem zu zweifeln und über alles zu urteilen. Seinem Lehrer ging es dabei sonderbar. Er sah wohl, daß er den Verstand, nicht das Herz des Knaben bilde und erziehe, aber er hatte die Zügel verloren. Und während er sich darüber tadelte, tat es ihm doch wohl, einen so gescheiten Schüler zu haben, mit dem er schließlich besser disputieren konnte als mit allen Brüdern des Klosters.

In seinem Hochmut merkte Berthold kaum, wie er die Jahre der Kindheit unkindlich hinbrachte und sich um Unwiederbringliches betrog. Seit er mit Büchern umzugehen wußte und vom Pater Paul mit solchen versehen wurde, führte er ein stilles, doch gieriges Schattenleben im blassen Lande der Buchstaben und vergaß darüber die Welt, der er angehörte und die ihm zustand. Die Gesellschaft der Altersgenossen vermißte er nicht, da er diese alle mehr und mehr verachtete, und wenn der Vater oder ein Onkel gelegentlich sagte, er sehe bleich und überstudiert aus, so freute es ihn wie eine Auszeichnung. Nicht selten überfiel ihn zwar der alte Hunger und das alte wilde Verlangen nach einem gesättigten, vollen, blühenden Leben, wie er's als kleiner Bub in Soldatenspielen gesucht hatte, aber seine Gier ging jetzt in die Zukunft, wo er Herrschaft und Ehre erreichbar meinte, und in die Gedankenwelt, wo er mit vorzeitiger Lüsternheit sich gewöhnt hatte, mit dem Unerforschlichen ein aufregendes Spiel zu haben. Er glaubte sich edel und ausgezeichnet, weil sein Streben geistigen Gütern zugewendet war, und niemand sagte ihm, daß sein Streben nach Wissen eben auch nur der schlimme Hunger eines Unersättlichen war, den alles Wissen nicht gestillt hätte, da er darin nur sich selber suchte.

Da Pater Paul fand, es sei nächstens an der Zeit, den jungen Menschen auswärts auf Studien zu senden, fand Bertholds Vater seine Hoffnung, den Jungen im Ornat zu sehen, der Erfüllung nahe und gab mit Freuden seine Zustimmung. Noch mehr freute sich Berthold selbst, der jetzt fünfzehn Jahre alt war und sehnlich in die Weite begehrte.

Durch des Paters Vermittlung, der aus den Rheinlanden

stammte und dort noch Freunde besaß, fand sich im prächtigen Köln, das von alten und jungen Klerikern wimmelte, eine Unterkunft für das Studentlein, wo es im Haus eines Domkapitulars wohnen und in guter Gesellschaft die geistliche Schule besuchen sollte. Das Notwendige war bald besorgt, und eines kühlen Morgens im Herbst zog Berthold mit einer günstigen Fahrgelegenheit, auf die er zwei Wochen lang mit Ungeduld gewartet hatte, landeinwärts, von vielen Segenswünschen begleitet und mit einem recht stattlichen Reisegeld und Proviantsack versehen. Ihm entgegen reisten große herbstliche Vogelzüge am hellblauen Himmel, die Rosse trabten frisch die glatte Straße talabwärts, bald ward die Gegend fremd und neu, und nach einigen Stunden war das Flußtal zu Ende und öffnete sich gegen die weite, herbstfarbig prangende Fremde.

2

In Köln erlebte Berthold ein gutes und zufriedenes Jahr. Der Anfang freilich hatte Schwierigkeiten. Im Hause des Domkapitulars wohnten außer dem neuen Ankömmling schon zwei ältere Schüler, Adam und Johannes, die machten ihm in den ersten Tagen oft heiß mit ihrem Spott und Besserwissen. Der Fremdling aus der kleinen Stadt, des Umgangs mit abgeschliffenen Leuten und der feinen rheinischen Sitten ungewohnt, wurde in aller Höflichkeit erbarmungslos gehänselt und mit wohlwollender Überlegenheit als eine Art Hanswurst behandelt, was ihn grimmig verdroß und sogar nachts im Bett zum Weinen brachte, obwohl der muntere und behagliche Hausherr ihn freundlich in Schutz nahm.

Das dauerte sechs, acht Tage, dann hatte Berthold es satt. Als eines Morgens beim Aufstehen die Widersacher aufs neue anfingen und ihn mit boshaften Fragen in die Klemme brachten, erinnerte er sich seiner früheren Heldenschaft, ging zum Angriff über und prügelte alle beide so nachdrücklich, daß sie um Gnade bitten mußten und künftig große Achtung vor ihm empfanden. Als es sich nun auch noch zeigte, daß er im Latein einer der Ersten in der Schule war, stieg seine Geltung rasch, und es fehlte ihm nicht an Freunden.

Das Latein spielte überhaupt eine große Rolle an der Priesterschule und galt weit mehr als die eigentlichen heiligen Wissenschaften. Der Kirchendienst wurde zwar genau gelehrt und geübt, auch die Bücher der Bibel und einiger Kirchenväter durchgenommen, und namentlich fehlte es nicht an Belehrung über die alten, und noch mehr die neuen, lutherischen und anderen Ketzerlehren, sonst aber lebte und studierte man auf eine behaglich weltmännische Weise und legte auf besondere Frömmigkeit keinen Wert. Es dauerte lange, bis Berthold von den Reliquien der elftausend Jungfrauen hörte, die in der Stadt waren, und der sie ihm schließlich zeigte, machte wenig Aufhebens davon.

Von seinen Freunden war ihm bald jener Johannes der liebste, und von ihm lernte er auch am meisten. Johannes war ein schöner, feiner Jüngling, zwar von geringer Herkunft aus dem Luxemburgischen, aber an Wuchs und Benehmen jedem Grafensohn ebenbürtig. Er konnte Französisch und ein wenig Italienisch, er spielte die Zither, er verstand sich auf Weine, auf Frauenkleider, Juwelen, Gemälde. Was er jedoch am besten und meisterhaft verstand, war das Erzählen. Er wußte tausend Geschichten, und sie fielen ihm immer in der rechten Stunde ein. Oft am Abend saßen die drei Schüler in ihrer Schlafkammer oder im Garten, Johannes erzählte, und seine Geschichten flossen unermüdet und wohllautend hin wie unten durch die Stadt der strömende Rhein.

Er erzählte vom Wassermann, wie er schöngekleidet am Sommerabend den Tanz bei der Linde besucht und vornehmer ist und feiner tanzt als irgendeiner, nur seine Hände sind eiskalt, und mit der schönsten Jungfrau tanzt er von der Linde fort und weiter in schönen Touren bis zur Brücke, da nimmt er sie in den Arm und springt mit ihr hinab. Darauf erzählte Johannes von dem Fischer bei Speyer, wie er nachts von ganz kleinen Männlein angerufen ward und mußte sie über den Rhein setzen, einen Kahn voll um den andern, die ganze Nacht, und am Morgen fand er seinen Hut, den er am Strand gelassen hatte, voll von kleinen Goldmünzen.

Johannes erzählte, wie einstmals zwei geistliche Schüler einen dritten mit auf einen hohen Kirchturm nahmen, um droben Krähennester auszunehmen. Die zwei legten ein

Brett zum Schalloch hinaus und hielten es fest, der dritte stieg hinaus und nahm ein Nest an der Mauer aus. Da er sich alle Taschen voll Eier steckte, wollten die beiden drinnen auch etwas haben, aber er meinte, sie sollten selber heraussteigen, wenn sie Mut hätten. Da drohten sie ihm, wenn er ihnen keine Eier gäbe, würden sie das Brett loslassen. Er dachte, das täten sie doch nicht, und gab ihnen nichts; da ließen sie das Brett los, und der Schüler stürzte in die unermeßliche Tiefe. Aber siehe, die Luft fing sich in seinem langen, zugeknöpften Mantel und blies ihn auf wie eine Glocke, und so schwebte er zum Erstaunen der Leute ganz sanft und langsam wie ein großer schwarzer Vogel auf den Marktplatz hinab.

Teufelsgeschichten wußte er einen ganzen Sack voll. Zum Beispiel die von den drei Gesellen, die in der Kirche während des Gottesdienstes dem Kartenspiel frönten. Da setzte sich der Teufel als vierter dazu und spielte mit. Der eine merkte es und machte sich davon, und bald auch der zweite, der dritte aber war in der Spielwut und merkte nichts, sondern spielte mit dem Teufel weiter. Auf einmal scholl ein grausiger Notschrei durch die Kirche, daß die Gemeinde auffuhr und entsetzt davonlief. An der Stelle aber, wo der Spieler gesessen war, fand man hernach einen großen Blutfleck, und so viel man reiben und schaben mochte, der Fleck war nie mehr wegzubringen.

Weiter erzählte Johannes von der Findung und Hebung von Schätzen, von den unerlösten Seelen Ermordeter, die nachts vor den Häusern standen und wehklagten, kinderkleine Gestalten in roten Hemden, von freundlichen, gutartigen Hausgeistern, von Kobolden und Schlangenkönigen.

Er wußte auch noch andere Geschichten, von denen Berthold nichts hören durfte und die er nur seinem Kameraden Adam mitteilte. Mit diesem Adam hatte er, zu Bertholds Leid, ein fortwährendes Heimlichtun, ja sogar eine besondere, von ihnen erfundene Sprache, von der er auf Bertholds dringende Fragen behauptete, es sei die Sprache der Magier.

Von dieser kleinen Eifersucht auf Adam abgesehen, hatte Berthold gute Tage. Als Lateiner glänzte er in der Schule, als gefürchteter Ringer genoß er Achtung, und die kleinen Künste der feineren Lebensart machten ihm, als er sie nur kühn versuchte, bald kein Herzklopfen mehr, sah er doch im Hause oft vornehme geistliche und weltliche Herren, die er zuweilen bei der Tafel bedienen helfen mußte. Er merkte wohl, daß Schüchternheit es zu nichts bringe, und gewöhnte sich das Rotwerden und Scheusein gründlich ab. Die große, prächtige Stadt gefiel ihm sehr, er lernte die Gassen und Plätze kennen, sah mit Vergnügen schöne Häuser und Paläste, Wagen und Reiter, geputzte Leute, Uniformen, Gaukler, Musikanten. Er gewöhnte sich manche Ausdrücke der hiesigen Mundart an, und wenn er zuweilen an seine Heimat und an sein Vaterhaus dachte, freute er sich darauf, dort einmal als ein feiner und gereister Mann ehrenvoll zu Gast zu sein, um dann beizeiten wieder in die glänzende Welt zurückzukehren.

Auch das Disputieren verlernte er nicht. Nur war es ihm dabei jetzt nicht mehr um das Erklären banger Rätsel zu tun, sondern um ein elegantes Fechten mit den blanken, spielerischen Waffen der Dialektik, deren Glanz und wunderbare Magie ihn stark anzog. Er lernte mit Logik, mit Schlüssen, Beweisen, Zitaten, Bibelstellen umgehen und konnte bald, falls nicht sein Gegner ein noch besserer Dialektiker war, jeden Einfall beweisen und jede Wahrheit widerlegen. Besonders mit Johannes übte er diese Künste oft.

Nach Hause schrieb er jedes Vierteljahr einen Brief in vortrefflichem Latein, den sein Vater dann ins Kloster tragen mußte, um ihn sich vom Pater Paul übersetzen zu lassen. Aber auf den dritten oder vierten dieser Briefe kam, nach langer Pause, als Bote ein Fuhrmann aus der Heimat, der meldete, Bertholds Vater sei gestorben. Von seiten des Oheims, der das Erbe für ihn verwalten sollte, brachte der Bote ein Beutelchen Geld und für den Hausherrn zwei fette junge Gänse mit. Als Berthold ihn nach Neuigkeiten aus der Heimat fragte, berichtete er, der Bürgermeister sei vor drei Monaten gestorben, und vor zwei Monaten der alte Türmer, und das alte Pesthaus vor der Stadt sei von Buben angezündet worden und abgebrannt. Der Mann wurde in der Küche mit Wein gestärkt und nahm bald Abschied, Berthold aber wunderte sich, wieviel daheim seit seinem Weggehen passiert sei, und versuchte, sich seinen toten Vater vorzustellen. Der Hausherr klopfte ihn auf die Schulter und sagte etwas Tröstendes, versprach auch, einige Messen für den Entschlafenen zu halten. Darauf teilte Berthold seines Vaters Tod den Freunden mit. Sie machten ernsthafte Gesichter, und Johannes drückte ihm feierlich die Hand. Adam fragte, wie alt der Vater denn geworden sei, und da Berthold es nicht wußte und sich dessen schämte, log er und sagte: »Sechzig.«

Nach einiger Zeit, als er den Boten und die Heimat und den Vater schon ganz vergessen hatte, erhielt er einen Brief von Pater Paul, dessen Latein er zwar anerkannte, dessen Ermahnungen und Fragen ihm jedoch zudringlich schienen, so daß er keine Antwort gab. Es machten ihm damals ganz andere Dinge zu schaffen.

Daß er keine rechte Kindheit gehabt hatte, daß ihm Kinderzeit, Vaterhaus und Heimat so leicht und schnell verlorengingen und in Vergessenheit sanken, war nicht seine eigene Schuld. Den älteren Bruder hatte er kaum gekannt und war allein mit dem Vater aufgewachsen. Nun fehlt aber einem Knaben, der ohne eine Mutter und ohne Geschwister, zumal ohne Schwestern heranwächst, die halbe Kindheit, und mehr als die halbe, wenn ihm nicht etwa sonst ein naher Umgang mit Frauengemütern zuteil wird. Mag man im übrigen die Frauen hochschätzen oder nicht, als Hüterinnen und Bewahrerinnen der Kindheit haben sie ihr heiliges Amt, in dem niemand sie ersetzen kann.

Berthold war ohne diese Hut und ohne diese unzähligen feinen, zarten Einflüsse geblieben. Er hatte nur eine strenge, ungütige Tante und die groben oder gleichgültigen Mägde seines Vaters gekannt und wußte vom Frauenwesen weniger als vom Mond. So unabhängig und weltkühl er sonst geworden war, gegen Frauen hatte er noch immer eine spröd abwehrende Schüchternheit behalten, auch hatte er in Köln außer den Mägden des Hauses keine Frauen gesehen als die ihm auf der Gasse vorübergingen. Nun war ihm freilich nicht verborgen geblieben, daß bei diesen fremden Wesen einem Jüngling erhebliche Freuden blühen können, doch war ihm dieser Garten verschlossen, und er wußte mit allem Latein keinen Schlüssel dazu zu finden.

Hingegen war er in der letzten Zeit dahintergekommen, daß Johannes und Adam in ihren heimlichen Unterhaltungen gerade von diesen Sachen redeten. Auch vernahm er gerüchtweise von Unvorsichtigen manches über Vergnügungen und Liebschaften der hohen wie niederen Geistlichkeit, was er anfangs für boshaftes Gerede hielt, dessen mögliche Wahrheit ihm jedoch mit zunehmendem Verstande mehr und mehr einleuchtete, denn je länger ihn diese Fragen beschäftigten, desto weniger traute er sich selbst und anderen die Tugend zu, einer ernstlichen Versuchung dieser Art zu widerstehen.

Denn, um die Wahrheit zu sagen, seit einigen Monaten war seine bisherige Zufriedenheit an der Wärme solcher Gedanken dahingeschmolzen und beinahe ganz zerronnen. Von allen Dingen der unvollkommenen Welt schien ihm jetzt nicht mehr Ehre und Auszeichnung, Gelehrsamkeit und künftige Würde das Begehrenswerteste, sondern weit eher Gunst und Kuß eines schönen Mädchens, doch ohne daß er sein Begehren einer Bestimmten zugewendet hätte.

An einem dunkeln Abende gegen Weihnachten saß er mit seinen beiden Stubenkameraden beim dünnen Kerzenlichte. Adam las schläfrig im Graduale Romanum, Berthold hörte dem Johannes zu. Sie hatten von Rom und dem päpstlichen Hofhalt gesprochen, aber so ergiebig diese Materie war, war doch bei dem Geheul des Schneewindes im Dachgebälk und bei der zuckenden Dämmerung in der großen Kammer Johannes allmählich tief ins Erzählen ängstlicher Geschichten hineingeraten und reihte eine an die andere. Er berichtete unter anderm darüber, wie die Baumeister beim Errichten großer Bauten, namentlich bei Festungen und Brücken, eine völlige Sicherheit der Fundamente nur durch ein Menschenopfer zu erreichen wüßten, indem sie einen lebendigen Menschen mit einmauerten, und am besten sei hierzu ein Kind oder eine Jungfrau geeignet.

In Thüringen, erzählte er, wurde eine Feste erbaut, und um sie sicher zu machen, kauften die Baumeister für viel Geld einer Mutter ihr kleines Kind ab. Das setzten sie in eine Mauernische und begannen schnell ringsherum feste Mauern aufzuführen, und die Mutter stand dabei. Nach einer Weile rief das Kind: »Mutter, ich seh dich noch.« Und nach einer Weile: »Mutter, ich seh dich noch ein klein wenig.« Und wieder nach einer Weile: »Mutter, jetzt seh ich dich nimmermehr.«

Und bei einem andern Burgbau gab ein Maurermeister sein eigenes Kind, einen Knaben, für Geld her, damit es eingemauert werde. Ja er übernahm es sogar selber, das zu tun, und ging sogleich daran. Er errichtete rings um das Kind Mauern, die er höher und höher führte, so daß er bald eine Leiter brauchte, und der Kleine saß geduldig, ohne zu begreifen, was ihm geschehen. Als aber die Mauern immer höher wurden, rief das Kind herauf: »Vater, Vater, wie wird es so finster!« Das ging dem grausamen Mann plötzlich ins Herz, er ließ im Grausen die Leiter los und fiel zur Erde, wo er tot liegenblieb.

»Geschieht ihm recht!« rief Berthold laut, doch tat er es weniger aus Freude an der Gerechtigkeit, als um das stille Grauen zu vertreiben, das ihn bei diesen Geschichten allmählich erfaßt hatte.

Johannes sah ihn aus seinen klugen, mädchenhaften Augen blinzelnd an und fuhr fort: »Bei uns im Luxemburgischen war einmal ein Baumeister . . .« Da unterbrach ihn Berthold und bat: »Du, erzähl was anderes!«

»Was denn?« fragte Johannes.

Berthold zögerte und wurde verlegen. Dann faßte er einen Mut und sagte: »Erzähl mir, wie das ist, wenn ihr zu den Mädchen geht! – Nein, du mußt nicht leugnen, ich weiß es ja wohl.«

Und da er sah, wie Johannes mißtrauisch wurde und Gefahr witterte, nahm er eine gleichgültige Miene an und sagte: »Nun, wie du willst. Ich kann ja einmal mit dem Alten darüber reden.«

Adam hatte zugehört, nun sprang er auf, packte den Berthold am Arm und schrie: »Wenn du das tust, bist du ein Hund! Wir bringen dich um, du!«

Berthold lachte: »Da möchte ich auch dabei sein!« und faßte Adams Hand, die er mit einer Faust zusammendrückte. Adam schrie und ließ los. »Also, was willst du denn?« rief er ängstlich.

Berthold sah ihn an. »Mitgehen will ich, wenn ihr wieder die Kirche schwänzt. Ich möchte auch eine Liebschaft haben, jawohl!«

Johannes sah ihn listig an und brach in ein leises Gelächter aus. Dann sagte er schmeichelnd: »Ja, mein Berthold, bist du denn verliebt? Und in wen denn? Wenn ich das weiß, kann ich dir vielleicht helfen.«

Mißtrauisch sah ihn Berthold an. Dann stieß er verwirrt hervor: »Ich bin nicht verliebt, ich weiß von diesen Geschichten nichts. Aber ich will auch einmal ein Mädchen kennenlernen und ihr einen Kuß geben, und wenn ihr mir nicht helft und wenn ihr mich auslacht, will ich's euch schon vertreiben.«

Er sah so gefährlich aus, daß Johannes nimmer lachte. Er besann sich ein wenig und sagte dann gleichmütig: »Du bist ein sonderbarer Bruder, daß du mich fragst, in wen du dich verlieben sollst. Da kann ich nicht raten. Aber wenn du durchaus einen Kuß haben willst, so merke dir die Köchin gegenüber bei dem Seidenhändler, ich glaube, die kann dir helfen.«

»Die magere, mit dem schwarzen Haar?« fragte Berthold schnell.

»Eben die. Versuch's nur!«

»Ja, wie soll ich das anfangen?«

»Junge, das ist deine Sache. Wenn du noch eine Kindsmagd brauchst, mußt du eben nicht mit Mädchen anbändeln wollen.«

»Aber was soll ich denn tun? Was soll ich zu ihr sagen?«

»Sag einfach: ich möcht einen Kuß, aber ich hab keine Courage. Im Ernst, du brauchst ja gar nichts zu sagen! Du mußt sie bloß so anschauen, daß sie merkt, sie gefällt dir. Dann kommt alles andere von selber, verlaß dich drauf!«

Nun mochte er nicht weiter fragen, da Adam grunzte und Johannes das Wetterleuchten in seinen schönen Mädchenaugen spielen ließ. Er beschloß bei sich, dem Rat zu folgen und wenn er sich als übel erwiese, es dem Ratgeber einzutränken. Und ruhig bat er: »Jetzt erzählt noch etwas!«

Johannes lächelte, leckte sich die hellroten Lippen, blinzelte ein wenig mit den langen braunen Wimpern und fing an. »Es waren einmal«, sagte er, »drei Brüder, die hingen mit herzlicher Treue aneinander und hatten sich über die Maßen lieb. Da geschah einst in ihrer Stadt ein Totschlag, und einer von ihnen kam unschuldig in Verdacht, wurde festgenommen und ins Gefängnis gesteckt. Er beteuerte seine Unschuld, auch auf der Folter, aber es nützte ihm nicht, und der

159

Richter sprach ihm das Leben ab. Als das seine Brüder hörten, liefen sie beide her und jeder gab sich an, er selber habe den Mord verübt. Aber als der Gefangene es vernahm, rief er sogleich, nein, er sei der Mörder und wolle jetzt gestehen. Denn die Brüder hatten einander so lieb, daß jeder von ihnen lieber sterben als den andern sterben sehen wollte. So hatte der Richter auf einmal drei Mörder, von denen jeder der rechte sein wollte, und kam in Verlegenheit. Da tat er den Spruch, es solle ein jeder von den dreien eine junge Linde pflanzen, aber mit dem Wipfel in die Erde und den Wurzeln in die Luft, und wessen Lindenbaum dennoch wüchse, der solle unschuldig sein und freigelassen werden. Da pflanzte jeder sein Bäumlein, es war in der Frühlingszeit, und nach ein paar Wochen schlugen alle drei Linden fröhlich aus und gediehen so, daß sie noch heute stehen. Daran erkannte der Richter, daß alle drei unschuldig waren.«

Um dem Berthold zu gefallen, erzählte Johannes vor dem Schlafengehen auch noch eine verfängliche Historie, nämlich von dem Heidengotte Vulkanus, dessen Ehefrau eine Liebschaft mit dem Gotte Mars unterhielt, und wie Vulkanus es merkte, und wie er die beiden, als sie zärtlich beieinander waren, in einem künstlichen Drahtnetz einfing und in ihrer Schmach allen andern Göttern zur Schau stellte, so daß sie vor Lachen und die beiden vor Scham hätten sterben mögen.

Diese Anekdote war um soviel von des Johannes früheren Geschichten unterschieden, daß Berthold ihr noch eine gute Stunde nachdenken mußte, ehe er endlich einschlafen konnte, und sie machte ihm sogar noch im Traum zu schaffen. Mit beklemmendem Zauber umfing den harten Knaben die geheimnisvolle Ahnung der Liebeslust, und der Venusgarten zeigte dem befangenen Neuling nur seine herrliche Seite, wo die Rosen keine Dornen und die Pfade keine Schlangen haben. In selig schwebenden Träumen wurde seine Beklemmung zu lächelnd erlöstem, flügelschlagendem Glück, das alle Härte und alle Ungenüge aus seiner hochmütigen Seele nahm und sie zu einem Kinde machte, das im Grase spielt, und zu einem Vöglein, das in den Lüften jauchzt.

Am kalten Morgen erwachte Berthold frierend und fühlte sich traurig von den schönen Träumen genarrt. Im Traum hatte er mit einem großen, feinen Mädchen süßen Wein getrunken, sie hatte ihm Liebes gesagt, und er hatte ihr ohne Scheu geantwortet, hatte du zu ihr gesagt und sie ohne Bangen auf den warmen, frischen Mund geküßt. Jetzt aber war es kalt, in einer halben Stunde mußte er zur Frühmesse in die dunkle Kirche, und dann in die Schule, und wenn ihm unterwegs auch sieben von den schönsten Prinzessinnen begegneten, so würde er doch kaum die Augen aufzuschlagen wagen und vor lauter Herzklopfen froh sein, wenn sie nur vorüber wären.

Still und traurig stand er auf, wusch sich mit dem kalten Wasser den süßen Schlaf aus den Augen, schlüpfte ins kühle schwarze Gewand und begann den gewohnten Tag. Auf dem Weg zur Messe verfehlte er zwar nicht, am Hause des Seidenhändlers emporzuschauen, ob etwa die schwarzhaarige Köchin da sei, aber sie war in dieser Frühe noch nicht zu sehen, und er ging verdrießlich seinen Weg.

Als sie gegen Mittag heimkehrten und Berthold vor dem Haus des Seidenhändlers wieder unruhig zögerte und spähte, stieß Adam den Johannes in die Seite und grinste belustigt. Zufällig sah es Berthold, er sagte nichts, aber er sah den Spötter mit einem Blick an, daß Adam erschrak und schnell weiterging. Er beschloß in diesem Augenblick, das Abenteuer auszuführen, und wenn es sein Leben kostete, und den nächsten, der ihn verhöhnte, zu erwürgen.

So schaute er denn diesen und den nächsten Tag fleißig nach dem Nachbarhause hinüber. Zweimal sah er auch die schlanke Magd, aber so sehr er wollte, er konnte sie nicht kecklich betrachten, sondern mußte den Blick immer schnell wieder abwenden und wurde rot und verwirrt. Er wäre, trotz seiner festen Vorsätze, nie um einen Schritt weiter gekommen. Allein sie, die ein feines Auge hatte, merkte gar schnell, wohin dieser Hase laufe, und aus einer Rührung über die unverdorbene Schämigkeit des Knaben wie auch aus Wohlgefallen an seiner breiten, kräftigen Gestalt ward sie willens, diesem scheuen Kinde von seinen Sorgen zu helfen. Wie das zu geschehen habe, war ihr kein Rätsel, da sie es mit den jungen geistlichen Schülern von jeher gut gemeint hatte.

Dieser Neue machte es ihr aber wirklich schwer. Als er andern Tages wieder am Hause vorüberkam und wie ein

Verurteilter dreinschaute, trat sie aus dem Tor, und als er halb erschrocken aufblickte und ihr eine Sekunde ins Gesicht sah, erleuchtete sie ihm zu Ehren ihr gutes Gesicht mit einem wonnevollen Lächeln. Er sah es, schlug tief errötend die Augen nieder und lief mit Schritten wie ein Verbrecher die Straße hinab und davon, daß das lange Mäntelein ihm an den Waden rauschte und daß die wohlmeinende Magd aus ihrem Lächeln ein Lachen machen mußte. Doch trug der Flüchtige in seiner Verwirrung einen warmen Liebesstrahl mit sich davon, sein roter Kopf war voll süßer Träume und sein Trotz schwand wie Frühlingsschnee vor einer sonderbaren Ergriffenheit und Milde.

Trotzdem hoffte die Magd Barbara vergebens, ihr Schüler werde nach diesem Anfang rasche Fortschritte machen. Wohl hing sie täglich ihr hübsches Schildlein aus, und der Liebhaber verfehlte niemals zu erröten und innig aufzuglänzen, aber daß er einmal stehenblieb, ein Wort sagte, ein Zeichen machte oder kühnlich ins Haus trat, das wollte sich nie begeben. Nachdem drei, vier Wochen auf diese Art vertändelt waren, fing die nutzlose Mühe sie zu reuen an, und wenn Berthold das nächstemal vorüberkam, im voraus rot und selig bänglich, schickte sie ihm einen bösen, kühlen Blick, der ihm seinen ganzen blauen Himmel schwer verwölkte. Am andern Tag, da sie nach der Wirkung ausschaute, fand sie den Getreuen todesunglücklich. Er flehte sie aus feuchten, bangen, leidvollen Augen jämmerlich an, so daß sie wohl sah, diesen gefangenen Vogel würde sie nicht mehr loswerden.

Also änderte sie ihren Plan und tat entschlossen das, was eigentlich er hätte tun müssen. Sie wartete, bis er allein vorüberging und niemand in der Gasse war, da trat sie rasch hinaus, ging hart an ihm vorbei, ohne ihn anzusehen, und sagte leise: »Willst du nicht einmal zu mir kommen? Heut abend um achte.«

Diese Anrede traf den Schüchternen wie ein Blitz. Er sah das Paradies offen, und er sah auch, daß er mit seiner Angst und Quälerei ein Esel gewesen war. Wochenlang hatte er von Tag zu Tag auf einen Blick von ihr gewartet, sie zu erzürnen gefürchtet, ihrer Freundlichkeit nicht zu trauen gewagt, sich immer wieder zu täuschen geglaubt und sich

Sorgen über Sorgen gemacht. Er hatte sich müde gesonnen, wie er ihr etwa ein Brieflein, ein Geschenk zukommen lassen könnte, und alles war ihm zu gewagt, zu frech, zu gefährlich erschienen. Und jetzt war alles so leicht und einfach!

Nur eines war nicht leicht: den ganzen langen Tag hinzubringen, das ungeheure Geheimnis in der Brust zu tragen und dabei die Stunden gehen zu lassen wie sonst, und dabei immerfort daran denken zu müssen, wie es sein würde, was heut abend geschehn würde. Berthold lief umher wie einer, der noch heute eine Reise nach China antreten will, und dem schlauen Beobachter Johannes, der Bertholds Treiben seit Wochen mit stillem Vergnügen zusah, entging es nicht, daß jetzt endlich das Abenteuer im Gange sei. Er wunderte sich nicht, als Berthold nachmittags mit ernstem und geheimnisvollem Gesicht ihn auf die Seite zog und ihm eröffnete, er müsse diesen Abend in sehr wichtiger Angelegenheit das Haus verlassen und rechne auf seine Verschwiegenheit und nötigenfalls auf seinen Beistand. Ernsthaft gab er sein Versprechen und beeilte sich dann, das Ereignis Adam mitzuteilen, den es nicht minder freute.

»Die gute Bärbel!« rief er lachend. »Nun muß sie auch diesem Knollen die Weihen geben!«

So unendlich der kurze Wintertag schien, es wurde doch einmal Abend, und der Anfänger hatte Glück. Er fand um acht Uhr die Pforte noch unverschlossen, schlüpfte lautlos hinaus und näherte sich unschlüssig dem Haus des Seidenhändlers. Sein Herz schlug wie noch niemals und seine Knie zitterten. Da glitt in der Finsternis ein Schatten an ihm vorbei und eine leise Stimme flüsterte ihm zu: »Halte dich hinter mir, ich gehe voraus.« Und kaum konnte er folgen, so eilig schwand sie im Schatten der hohen Häuser davon und um die Gassenecke. Es ging durch eine enge Seitengasse, über einen wüsten Hinterhof, durch ein ganz kleines kahles Gärtchen, dessen Hälfte mit tiefem Schnee im Mondlicht gleißte, und durch einen Winkel voll alter Weinfässer, von denen Berthold in der Hast eines umwarf, daß es hohl und schallend durch die Nachtstille dröhnte. Jetzt öffnete die Magd ein Türlein, das sie hinter ihrem Begleiter wieder leise schloß, ging vor ihm her einen steinernen Gang entlang und eine schmale, finstere Stiege hinauf und trat oben mit ihm in eine halbleere Kammer, die nach Heu und Leder roch.

»Hast du Angst gehabt?« fragte sie kichernd.

»Ich habe nie Angst«, sagte Berthold feierlich. »Wo sind wir denn?«

»In unserem Hinterhaus. Das ist die Geschirrkammer, da kommt den ganzen Winter kein Mensch her. Gelt, du heißt Berthold? Ja, ich weiß schon. Willst du mir keinen Kuß geben?«

Das wollte er gerne, und er war erstaunt, wie wenig Worte und Nachdenken das alles brauchte. Es war ihm eine große Sorge gewesen, was er denn zu dem Mädchen sagen solle, nun aber saß er mit ihr auf einem Bänklein, darüber sie eine alte wollene Roßdecke gelegt hatte, und es begann ein ganz glattes einfaches Gespräch zwischen ihnen anzuglimmen. Sie fragte ihn nach seiner Herkunft und bewunderte ihn, daß er aus so weiter Ferne herkomme, und fragte nach dem Gesinde im Haus seines Gastherrn, und die Rede kam auf Essen, Trinken und andere vertraute Dinge. Dazu lehnte sie ihre Wange an die seine, und wenn ihm das nebst dem Küssen auch wunderlich neu war und ihm vor banger Lust fast weh tun wollte, ließ er doch den Mut nicht sinken, sondern bestand das Abenteuer ohne Tadel, so daß das Erstaunen nun an die Barbara kam, die in dem gar so verschämten Knaben weit eher einen empfindsamen und ängstlichen Zauderer als einen so entschlossenen Mann zu finden gedacht hatte. Denn kaum hatte sie während des ruhigen Gesprächs seinen unsicheren Händen einige stille Wege gewiesen, so fand er ohne große Umschweife sich von selber zurecht. Und als er sie verließ und allein den ganzen krummen Weg über Treppe, Winkel, Gärtchen, Hof und Gäßlein zurückfand, da wußte die verwunderte Schwarzhaarige, daß sie diesen Sonderling nichts mehr zu lehren habe.

Es war nicht gut für Berthold, und es ist für keinen gut, das Wunder der Liebe auf diese unechte Art kennenzulernen. Zunächst aber und äußerlich nahm sein Wesen von jenem Abend an einen plötzlichen Aufschwung. Die Scheu und Gedrücktheit, die Kameraden und Lehrer in letzter Zeit an ihm wahrgenommen hatten, verschwand wie ein flüchtiges Unwohlsein, sein Blick war wieder frei und strahlend, er hatte an Turnieren des Geistes und Leibes wieder sein

Vergnügen und schien zu gleicher Zeit verjüngt und reifer geworden zu sein.

Johannes und Adam sahen, er sei jetzt kein Kind mehr, und zeichneten ihn auf ihre Weise aus, indem sie ihn auch in das männliche Vergnügen des Weintrinkens einweihten. Was Berthold dabei genoß, war fürs erste nur die Lust am Verbotenen. Es dünkte ihn herrlich, zu stiller Stunde mit Heimlichkeit in den finstern Keller hinabzusteigen, im Dunkeln das richtige Faß zu ertasten und den langweiligen Wasserkrug am seufzenden Hahnen mit hellem, sacht rinnendem Weine zu füllen. Die Gefahr scheute er nicht, sie war auch nicht allzu groß, denn an des Hausherrn Tafel, die häufig Gäste sah, wurde das Jahr hindurch viel Wein verbraucht und ein Mangel kam nicht leicht zu Tage, wenn nur das kleine Fäßlein mit des Herrn Lieblingswein verschont blieb. Dieses ließen sie denn auch nur bei festlichen Anlässen und nur sparsam bluten, eigentlich bloß Johannes zuliebe, der in so jungen Jahren schon ein Schmecker war und zuweilen das Bedürfnis nach einem feinen Tropfen zu spüren behauptete.

Wenn dem Berthold früher jemand gesagt hätte, er werde in Köln das Stehlen, Lügen, den Trunk und die Wollust erlernen, würde er sich bekreuzt haben. Jetzt trieb er dieses Leben ganz ohne Bedenken, fühlte sich herrlich wohl dabei und fand, ohne die Studien gerade zu vernachlässigen, ein nie gekanntes Genügen an diesen Leibesfreuden. Er gedieh auch und blühte, der schon vorher ein stattlicher Bursche gewesen war, in die Höhe und Breite zu einem schönen Recken auf, den man gern an einer tüchtigen Arbeit gesehen hätte und dem heute das Hemd von vorgestern nicht mehr paßte.

Zweimal in der Woche, am Montag und Donnerstag abend hatte er seine Zusammenkünfte mit der Magd Barbara. Seiner List und Kraft vertrauend, besuchte er sie in ihrer eigenen Kammer, was noch keiner ihrer jungen Liebhaber gewagt hatte, und da sie ihn meistens nicht nur mit Liebkosungen, sondern auch mit guten Bissen aus ihrer Küche, mit Braten und Kuchen bewirtete, wozu er den Wein in einer Flasche mitbrachte, blieb er oft halbe und ganze Nächte dort. Immerhin trat ihm nach einiger Zeit der Gedanke nahe, sie sei ihm doch erstaunlich willig entgegengekommen. Auch geschah es mehrmals, daß er an anderen als an den von ihr bestimmten Tagen sich bei ihr anmelden wollte, und da entging ihm nicht, daß sie heftig wurde und ihn mit allzu beflissenem Eifer davon abhielt. Erst jetzt begann ihn auch die Frage zu plagen, warum wohl sein Freund Johannes ihn damals gerade an die Barbara gewiesen habe. Er nahm ihn deshalb dringlich ins Gebet, und Johannes, der zuerst Ausflüchte brauchen wollte, erzählte ihm schließlich in seiner gefällig leichten Art, was er von dem Mädchen wußte. Sie war nach seiner Darstellung eine gute Seele, jedoch übermäßig dem Umgang mit jungen Knaben, besonders aber Schwarzröcken, zugetan. Und so hatte sie den Johannes, den Adam, den Berthold und eine unbekannte Zahl von Vorgängern in ihren willigen Armen zur Liebe erzogen, eine freundliche und selbstlose Lehrerin. Sie habe freilich die bittere Erfahrung gemacht, daß Dankbarkeit und Treue seltene Tugenden sind, und pflege dem Verlust ihres jeweiligen Lieblings, wenn es wirklich nur einer sei, stets mit ängstlichem Schmerz entgegenzusehen.

Der geschickte Erzähler verteidigte die Schwarzhaarige, während er sie preisgab, und zum Schlusse empfahl er dem finster gewordenen Zuhörer, auch er möge milde denken und über einer gewissen Enttäuschung die schuldige Dankbarkeit nicht vergessen. Berthold gab ihm darauf keine Antwort. Er hatte nie geglaubt, Barbaras erster Liebhaber zu sein. Aber daß sie die Jünglinge seines Alters gewohnheitsmäßig an sich zog und wahrscheinlich auch jetzt neben ihm andere Besucher hatte, verletzte ihn schwer.

Er stellte Nachforschungen an. Mehrere Abende war er draußen und umkreiste das Haus des Seidenhändlers. Er spähte in den Nebengassen, im Hof, im Gärtchen, und zweimal sah er seinen Schatz das Hinterhaus mit einem ihm bekannten Schüler betreten. Er zitterte vor Wut, hielt sich aber zurück und beschloß nach einer schlaflosen Nacht, schweigende Verachtung zu üben. Völlig konnte er sich freilich nicht beherrschen. Als er das nächste Mal der Magd ohne Zeugen begegnete und sie ihn mit freundlichem Vorwurf ansah, denn er war nun zweimal beim Stelldichein ausgeblieben, da schnitt er eine Grimasse und streckte ihr die

Zunge heraus. Das war sein Abschied von seiner ersten Geliebten.

Da Berthold nun wieder ein unzufriedenes und widerhaariges Wesen annahm, auch mehrmals betrunken angetroffen wurde, ohne sich durch Strafe und Ermahnung zur Einkehr bringen zu lassen, ward auf den Rat eines wohlwollenden Lehrers beschlossen, ihn im Frühjahr für kurze Zeit seinen Verwandten in der Heimat zum Besuch zu schicken. Ihm kam das gar nicht willkommen, da er sich gerade in den Ostertagen zum erstenmal verliebt hatte. Er mußte jedoch gehorchen und reiste denn an einem blauen Tage zu Ende des April auf einem Schiffe den Rhein hinauf.

In der Heimat fand er sich fremd und unbehaglich. Der Oheim nahm ihn mit Güte und selbst mit einer gewissen Ehrfurcht auf, und jedermann begrüßte ihn als nahezu ausgeschlüpften Priester mit freundlicher Achtung. Doch mutete ihn dieses enge, harmlose Leben schal und lustlos an, die Basen waren langweilig und scheu, und seine Sehnsucht stand nach den blonden Haaren einer Kölner Kaufmannstochter, die er mehrmals im Dom gesehen und mit hoffnungsloser Verehrung betrachtet hatte. Denn diese, das sah er wohl, würde niemals, selbst wenn sie ihn liebte, ihn von der Gasse weg zu ihres Vaters Hinterhauspforte hereinrufen.

Die alte Zeit sprach in der Heimatstadt nirgends einladend zu ihm. Wohl erinnerte er sich der Knabenzeit, der Soldatenschlachten, jenes vermeintlichen Totschlags und seiner Flucht in den Wald, aber das alles lag fern, gleichgültig und abgetan in der Vergangenheit, die für junge Leute so wenig Sinn hat, und zeigte ihm nur, daß er diesem Leben und diesen Orten fremd geworden sei und hier nichts mehr zu suchen habe.

Nachdem er einige Tage in solchen unfrohen Gedanken herumgezogen war, zog ihn ein leiser Drang talabwärts nach dem Kloster, bei dessen Anblick ihm die frühere Zeit stärker und inniger heraufgrüßte. Nicht ohne Bewegung trat er ein und fragte nach seinem alten Lehrer. Er wurde zum Pater Paul gebracht, der in seiner Zelle schrieb und ihn, den er sofort erkannte, mit der alten Munterkeit lateinisch begrüßte. Doch hatte er stark gealtert und war gelb im Gesicht geworden.

Im Gespräch mit dem Pater tauchte, sobald die erste Neugierde gestillt war, bald wieder die alte Philosophenfrage auf.

»Nun, mein Sohn, wie schaust du denn jetzt das Leben an? Sind es noch die alten Rätsel oder sind neue draus geworden?«

»Ich weiß nicht«, sagte Berthold zögernd. »Ich habe nicht mehr viel an diese Sachen gedacht, und ich bin überhaupt kein Philosoph. Schließlich muß ja ich die Weltordnung nicht verantworten. Aber daß sie vollkommen sei, kann ich nicht glauben.«

»Hast du dort in Köln solche Erfahrungen gemacht?«

»Keine besonderen. Ich habe nur gesehen, daß Gelehrsamkeit nicht fröhlich macht, und daß man ein Schelm und Lump und dabei doch Priester, Abt, Kapitelherr und alles mögliche sein kann.«

»Was soll ich dazu sagen? Das Kleid und Amt kann nichts dafür, daß auch Schelme darin stecken. Und es ist schwer zu urteilen. Gott braucht sie alle, auch die Schlimmen, zu seinen Zwecken. Es haben schon Unwürdige viel Gutes gestiftet, und Heilige haben schon viel Jammer in die Welt gebracht. Denk an den Pater Girolamo in Florenz, von dem ich dir früher erzählte!«

»Ja, ja, wohl. Ich wollte damit eigentlich nichts weiter sagen, es steht mir auch kein Urteil zu. Es wird auch wohl so sein, daß die ganze Welt in guter Ordnung ist und daß es nur bei mir fehlt.«

»Schon wieder so bitter? Kannst du mir nicht sagen, wo es dir eigentlich fehlt? Vielleicht ist ja doch ein Rat möglich.«

»Ihr seid gütig, ich danke Euch. Aber ich habe nichts zu sagen. Ich weiß nur, daß das Menschenleben Besseres in sich haben muß, als was ich davon kenne, sonst ist es nicht der Mühe wert, davon zu reden und es zu leben.«

»Vielleicht hättest du nicht Geistlicher werden sollen.«

»Vielleicht . . .«

Berthold wurde mißtrauisch. Er hatte nicht im Sinn, des Alten Rat zu suchen, und noch weniger, ihm zu beichten. Aber während dieses Gespräches erhob sich Sehnsucht, Ungestüm und wilde Lebensbegierde in ihm heißer und hoffnungsloser als jemals. Er sah dem Kölner Wohlleben bei gestohlenem Wein und gefälschter Liebeslust, das ihm so süß eingegangen war, auf den trüben Grund seiner törichten Wüstheit und spürte sein ganzes vergangenes und gegenwärtiges Leben als einen widrigen Geschmack im Munde. Da war er nun siebzehn Jahre alt, groß und stark, gesund und auch nicht dumm, und wußte nichts Besseres zu tun als mit bleichen Buben Latein zu lesen und Scholastik zu lernen, ihre kleinen dummen Streiche mitzumachen und bestenfalls einmal ein entbehrlicher Pfaff zu werden, der seine Messen liest, eine gute Tafel hält und von der Liebe die Brocken frißt, die andere übriglassen, oder sich am sauren Ruhm einer unfreiwilligen Heiligkeit genügen läßt. Er vergaß, daß das durchaus nicht jedes Priesters notwendiges Los ist, er übertrieb mit mißmutiger Selbstquälerei und fand eine bittere Lust darin, sich selbst, sein Leben, seinen Beruf und alles, was ihn anging, schlecht und lächerlich zu machen.

Vom Pater nahm er höflichen, doch kühlen Abschied und hielt sein Versprechen, ihn bald wieder aufzusuchen, nicht. In verdrossenem Plänemachen beschloß er bald, davonzulaufen und alles Gewesene liegenzulassen, bald auch, nach Köln zurückzukehren, um nur die schöne Blonde, sei es auch ohne Hoffnung, wiederzusehen.

3

Als Berthold am Urbanstag nach Köln zurückkehrte, konnte man dort nicht finden, daß der Besuch in der Heimat gute Früchte getragen habe. Da er zu der schwarzen Barbara unter keinen Umständen mehr gehen wollte, schuf die Unterbrechung des gewohnten Vergnügens ihm je länger je mehr Qual, und da ihn zugleich die blonde Kirchengängerin mit allem grausamen Reiz des Unerreichbaren anzog und beschäftigte, ließ er die Schule Schule sein und hörte allen Mahnungen, strengen wie sanften, teilnahmslos zu, so daß er in kurzer Zeit seinen Lateinerruhm verlor und unter die mäßigen, ja schlechten Schüler geriet. Seine brachliegende Kraft bedrückte ihn, und die hübsche Kaufmannstochter ging, an seiner stummen Leidenschaft vorbei, hübsch und geschmückt in die Kirche und aus der Kirche, ohne ihn nur zu sehen. Der leichte Sieg über die Magd, das sah er nun, war kein Sieg gewesen.

In dieser Zeit schloß er sich wieder dem eleganten Johannes an, der in seiner höflichen, unverbindlichen Freundlichkeit immer zugänglich war. Eines Tages hatten sie wieder einmal philosophiert, mehr zum Zeitvertreib als aus Bedürfnis. Da sagte Berthold: »Ach, was reden wir! Das hat ja alles keinen Sinn und ist dir so wenig ernst wie mir. Ob es Cicero heißt oder Thomas von Aquin, es ist alles Gefasel. Sag du mir lieber, was du eigentlich vom Leben denkst! Du bist ja so zufrieden, warum eigentlich? Was versprichst du dir vom Leben?«

Johannes schaute ihn interessiert aus seinen lang bewimperten, kühlschönen Augen an. »Vom Leben verspreche ich mir viel – oder wenig, wie du willst. Ich bin arm, ein Kind sine patre, und ich habe im Sinn, reich und mächtig zu werden. Vor allem mächtig. Ich werde mich nie in eine Pfarre setzen, sondern in Hofdienste gehen, wo man gebildete und verschwiegene Leute braucht, und werde Macht über Menschen gewinnen. Ich werde mich so lange bücken, bis man sich wird vor mir bücken müssen. Dann werde ich auch reich sein und Häuser, Jagd, Seidenkleider, Frauen, Gemälde, Pferde, Diener haben. Aber das ist Nebensache, die Hauptsache ist Macht. Wer mich liebt, soll Geschenke haben; wer mich haßt, soll sterben. Das ist, was ich haben will und haben werde; ich weiß nicht, ist es viel oder wenig.«

»Es ist wenig«, sagte Berthold. »Du teilst dein Leben in zwei Hälften: eine Zeit der Dienstbarkeit, eine Zeit der Herrschaft. Die erste wird lang sein, die zweite kurz, und deine Jugend geht unterwegs verloren.«

»Jung bleiben kann keiner. Und ich bin auch gar nicht jung. Ich habe keine Eltern, keine Heimat, keine Freiheit gehabt, ich bin immer andern zu Dienst gewesen, das ist keine Jugend. Ich habe seit meinem zehnten Jahr keinen anderen Gedanken gehabt, als mächtig zu werden und meine Dienstbarkeit auszulöschen. Ich bin ein guter Schüler, ein guter Kamerad, ich bin den Lehrern gefällig, dem Alten gefällig, Adam gefällig, dir gefällig.«

»Aber du bist auch mit uns im Keller gewesen.«

»Ich war auch mit euch im Keller. Ich habe auch bei der Dame des reichen Prälaten Arnulf geschlafen, was mich den

Hals hätte kosten können, nicht weil ich es wollte, sondern weil sie es wollte.«

»Und das erzählst du mir!«

»Ja. Du wirst es niemand sagen, das weiß ich. Ich kenne dich. Du bist nicht gut, du bist vielleicht sogar schlechter als ich, aber du wirst es nicht weitersagen. Ich bin mit Adam besser befreundet als mit dir, aber ich würde ihm nie so etwas sagen.«

»Es ist wahr!« rief Berthold verwundert. Staunen und beinahe Schrecken kam ihn an, daß dieser Mensch, neben dem er zwei Jahre gelebt hatte und der ihm als ein kluger, doch leicht zufriedener Bursche erschienen war, innen so aussah.

»Johannes«, rief er ergriffen, »ich habe dich ja gar nicht gekannt. Ich dachte immer, ich allein sei mit dem ganzen Leben unzufrieden und mache mir schwere Gedanken. Wie hast du das nur so allein mit dir tragen können?«

Johannes sah ihn lächelnd an, mit dem leichten Spott im Blick, der ihn nie verließ. »Durch Reden wird nichts anders. Ich habe auch nicht zu klagen, es geht manchem andern schlimmer. Du bist ein Kind, Berthold. Und verliebt bist du auch, nicht? Laß uns ein wenig davon reden.«

»Ach wozu? Du kannst mir doch nicht helfen.«

»Wer weiß? Vielleicht brauchst du einmal einen Boten, oder einen Spion. Du weißt ja, ich bin dienstwillig.«

»Warum eigentlich, wo es dir doch nichts nützt? Von mir hast du doch keinen Vorteil zu erwarten.«

»O das weiß man nie. Du bist zum Beispiel sehr stark, das ist schon viel wert. Aber im Ernst, erzähl mir ein wenig!«

Berthold widerstand nicht. Er gab Bericht von dem blonden Bürgerkind, beschrieb ihr Aussehen und ihren gewohnten Platz in der Kirche. Ihren Familiennamen wußte er, den Vornamen nicht.

»Ich kenne sie nicht«, meinte Johannes, »du mußt sie mir einmal zeigen. Ich fürchte, da wird wenig zu machen sein, Bürgertöchter lassen sich selten auf Liebschaften mit unsereinem ein, die wollen heiraten. Nachher, als Frauen, sind sie nimmer so genau.«

»Rede nicht so«, bat Berthold. »Ich will nicht von der Frau eines andern geliebt werden, das ist kaum besser als man hält es mit der Barbara. Warum soll ich nicht, wie alle jungen Leute, ein liebes Mädchen für mich allein haben?«

»Warum soll ein feines, schönes Mädchen sich dir an den Hals werfen, da du sie nicht heiraten und ihr nicht einmal Geschenke machen kannst? Die müßte ja toll sein. Du verlangst zu viel, Junge. Außerdem ist es eine schöne Sache, Liebhaber oder Ehemänner eifersüchtig zu machen, es ist vielleicht so schön wie die Liebe selber. Du darfst dich nicht mit anderen ›jungen Leuten‹ vergleichen. Man kommt zu Schaden, wenn man Tatsachen übersieht. Wir tragen den schwarzen Rock und haben davon so viel Vorteile, daß wir die paar Nachteile schon in den Kauf nehmen können.«

»Die paar Nachteile«, sagst du, »wenn man auf die Liebe verzichten soll!«

»Nun, was haben denn die Weltlichen für eine Liebe? Sie haben das Vorrecht, ihre Geliebte heiraten zu dürfen oder zu müssen und sie dann samt allen Kindern zeitlebens bei sich haben zu müssen. Im übrigen haben sie nichts vor uns voraus. Wenn deine Blonde dich nicht mag, so kannst du geistlich oder weltlich sein, es hilft dir nichts. Und wenn du meinst, es liege am Heiraten – da müßtest du erst noch erklecklich Geld haben. Einem armen Manne bleibt nichts übrig, als entweder die zu nehmen, die kein anderer haben will, oder ledig zu bleiben.«

»Man kann doch auch einander liebhaben und an das Geld und all das Zeug gar nicht denken.«

»Gewiß, das tun sogar die meisten Verliebten. Aber woran sie nicht denken, daran denken desto pünktlicher der Vater und die Mutter, der Oheim, die Tante, der Vormund oder Vetter. Du bist der falschen Meinung, es gehe anderen Leuten besser als dir, und was dir an Verstand oder Glück fehlte, legst du deinem Stand zur Last. Damit kommst du nicht weit. Und was die Liebe betrifft, so könnte man geradezu sagen, daß nur der Ehelose die wahre Liebe kennenlernt. Wenn eine Frau den liebt, von dem sie nicht Geld, nicht Heirat, nicht Versorgung, nicht guten Namen für sich und ihre Kinder zu erwarten hat, so liebt sie ihn wirklich. Der andere, der ihr das alles bietet, kann niemals wissen, ob seine Frau ihn um seiner selbst willen oder nur wegen dieser Vorteile liebt.«

172

An diesen Konstruktionen hatte Berthold kein Gefallen. Sie trösteten ihn nicht und sie widersprachen dem, was er selber von der Liebe dachte, im tiefsten Grunde. Er ging nicht darauf ein.

»Du, Johannes«, sagte er nachdenklich, »du hast gesagt, du seiest kein guter Mensch und ich selber sei vielleicht noch schlechter. Was hast du damit eigentlich gemeint? Gibt es wohl überhaupt Menschen, von denen man sagen kann, sie seien gut?«

»O ja, die gibt es, und ich kenne manche. Unser Lehrer Eulogius, so lächerlich er ist, ist ein durchaus guter Mensch, und unter uns Schülern ist der Konrad aus Trier ein solcher. Hast du das nie bemerkt?«

»Du hast recht. Glaubst du, daß diese Leute nun glücklicher sind als wir?«

»Siehst du das nicht? Gewiß sind sie glücklicher, obgleich sie sich kaum ein Vergnügen gönnen. Das liegt in ihrer Natur, und wenn sie ein Verdienst dabei haben, so kann es nur das der Prädestination sein.«

»Glaubst du daran wirklich? Mir ist die Prädestination immer als eine ausgesucht dumme Vorstellung erschienen.«

»Das wäre sie auch, wenn die Welt von der Logik regiert würde. Aber die Logik, die Gerechtigkeit und alle diese scheinbar gesetzmäßigen und tadellosen Dinge sind Erfindungen der Menschen und kommen in der Natur nicht vor. Die Prädestination aber, auf deutsch der Zufall, ist gerade das eigentliche Weltgesetz. Warum wird ein Rindvieh reich und adlig geboren, und ein feiner und tüchtiger Kopf kommt im Armutwinkel zur Welt? Warum bin ich so geschaffen, daß ich ohne Frauen nicht leben könnte, da doch der einzige Stand, in dem ich meine Gaben brauchen kann, der geistliche ist? Warum sind manche schlechte Mädchen schön wie die Engel? Was können die häßlichen, denen niemand Liebe gönnt, dafür, daß sie häßlich sind? Warum bist du, mit deinem starken Herkulesleib, in der Seele unfest und schwermütig? Hat das alles einen Sinn? Ist das nicht alles dumm, Zufall, Prädestination?«

Berthold erschrak. »Aber«, sagte er, »wo bleibt dann Gott?«

Johannes lächelte resigniert. »Das mußt du mich nicht

173

fragen. Das gehört in die Schule, in die Theologische Lektion de Deo.«

»Johannes! Soll das heißen, daß du Gott leugnest?«

»Leugnen? Nein, Lieber, ich leugne nie eine Autorität, nicht einmal den zweifelhaftesten Heiligen. Was hat Gott mit der Philosophie zu tun! Wenn ich über das Leben philosophiere, so ist das nicht dogmatische, sondern natürlich nur eine müßige Verstandesübung.«

»Aber es kann doch nur *eine* Wahrheit geben!«

»Nach der Logik, meinst du? Ja. Du bist ein guter und getreuer Logiker. Aber warum soll es nicht drei oder zehn Wahrheiten geben, so gut wie eine?«

»Verzeih, das ist Unsinn. Wenn das Wahre zugleich falsch sein kann, dann ist es eben nicht wahr.«

»Ja, da ist nichts zu machen. Dann gibt es eben weder eine noch zwei, sondern gar keine Wahrheit. Es läuft auch wirklich auf eins hinaus.«

Von da an geschah es häufig, daß die beiden miteinander solche Gespräche hatten. Johannes ging auf Bertholds Fragen stets gelassen und liebenswürdig ein, sobald ihn jedoch Berthold bei einem Bekenntnis festhalten wollte, stellte er alles, was er gesagt hatte, als dialektische Versuche hin und legte keinen Wert darauf, recht zu haben oder ernstgenommen zu werden. Berthold war immer wieder erstaunt, diesen Mädchenfreund und Plauderer, den launigen Geschichtenerzähler und guten Kameraden seine Meinung über die Welt und Menschen darlegen zu hören, die vollkommen skeptisch, kühl und frei von jeder Schwärmerei war wie ein mathematisches Lehrbuch. Johannes ließ jeden Menschen gelten, gute und böse, gescheite und dumme, und sprach jedem einen Wert oder Unwert nur in Beziehung auf sich und seine eigenen Pläne zu. Er verteidigte den geistlichen Stand, ließ es aber dahingestellt sein, ob ein Gott auch außerhalb der Phantasie einiger Kirchenlehrer existiere. Berthold bewunderte bald diese leidenschaftslose Gleichmütigkeit, bald ärgerte er sich über sie, und während er im Herzen immer deutlicher fühlte, daß diese Weltbetrachtung seinem Wesen fremd und feindlich zuwider sei, gewann er doch diese Unterhaltung lieb und gewöhnte sich daran, Johannes als seinen

Liebling, ja als seinen einzigen Freund zu betrachten.

Seine Verliebtheit suchte ihm Johannes auszureden. Er lachte Berthold aus, nahm ihn auf lustige Ausflüge mit, empfahl ihm gefällige Mädchen. Jener aber ließ sich nicht trösten. Das blonde Jüngferlein, dessen Namen Agnes er endlich erfahren hatte, schien ihm begehrenswerter als alle Lust der Erde, er verfolgte sie in den Kirchen mit stummer Glut, träumte von ihr, betete zu ihr und hätte ihr zuliebe ohne Besinnen nicht bloß den schwarzen Rock an den nächsten Nagel gehängt, sondern auch jede gute oder schlimme Tat getan. Er verzichtete auf die flüchtige Liebeslust, die er bei anderen haben konnte, und sah darin ein gern gebrachtes Opfer. Er unterzog sich freiwilligem Fasten, nur um seiner Liebe einen Ausdruck zu geben. Einmal sagte er zu Johannes: »Du weißt ja gar nicht, was Liebhaben ist. Sieh, ich glaube, daß manche Priester ihr Leben lang völlig keusch bleiben, weil sie eine Frau wirklich lieben, die sie nicht haben können und in unehrenhafter Weise auch nicht haben wollen.«

»Das kann schon sein«, meinte Johannes, »es gibt Heilige aller Art, und viele wunderliche. Daß ein Mann einer Frau zulieb, die nichts davon weiß und hat, auf alles mögliche verzichtet, ist schon oft vorgekommen. Sie heiratet, kriegt Kinder, hat Liebhaber, und er darbt und verzehrt sich ohne Sinn. Es kommt vor, gewiß, aber es ist darum nicht weniger lächerlich. Es ist eine Art von Madonnenkultus, und es gibt ja Priester, die wirklich die Madonna wie eine unerreichbare Geliebte verehren. Manche behaupten ganz ernstlich, die Frauen seien überhaupt bessere, heiligere Wesen als wir. Das ist aber falsch, und wenn du mir und aller Erfahrung nicht glauben magst, so sieh dir die Lehren unserer heiligen Kirche an. Manche von den älteren Kirchenvätern haben den Frauen sogar den Besitz einer Seele abgesprochen, und auch die anderen stimmen darin überein, daß das Weib ein minderes Geschöpf und häufig ein Werkzeug des Teufels sei. Ich finde das grausam und bin überhaupt kein Frauenverächter, das weißt du, aber sie nun zu Engeln zu machen und für heilig zu achten, ist doch ein bißchen närrisch.«

Das alles konnte Berthold nicht widerlegen, aber es tat ihm weh und schien ihm falsch und ungerecht. Er hörte auf, mit

Johannes von seiner Liebe zu reden, und sah dessen vielen, feinen und geschickten Liebesabenteuern, die er mit tausend Listen anknüpfte und ausführte, mit Wehmut, doch ohne Neid zu. Er trug seine Liebe wie ein auszeichnendes Martyrium, und in den Heiligen und Engeln der Gemälde alter kölnischer Meister sah er Geschwister und Ebenbilder der schönen, zierlichen Agnes, deren Blondhaar und feiner, schmaler Mund durch alle seine Gedanken leuchtete. Oft umschlich er das Haus ihres Vaters, der einen kleinen Handel hatte und ein bescheidener Mann mit einem guten, behaglichen Weinschmeckergesicht war. Er streifte viel durch jene Gassen, erkundete den kleinen Gemüsegarten, sah Freundinnen bei der Agnes ein- und ausgehen. Wenn er nun statt eines Klerikers ein junger Kaufmann, ein Schreiberlein, ein Baumeister oder Silberschmied oder nur ein tüchtiger Küfergeselle wäre, dachte er, so könnte er in Ehren ihre Bekanntschaft suchen. So aber war keine Annäherung möglich, da bei seinem Stand jede eine Beleidigung für sie wäre. In seiner Not versuchte er sogar einmal zu dichten. Er begann einen Vers:

> Ich weiß ein Mägdelein,
> Das ist Agnes geheißen – –

Aber weiter kam er nicht und riß das Blatt in Fetzen.

Unterdessen hatte Johannes das Täubchen, wie er die Agnes Berthold gegenüber immer nannte, sich in aller Ruhe und Stille mehrmals betrachtet und den Eindruck gewonnen, das hübsche blonde Köpfchen werde wohl auch für andere als fromme Gedanken zugänglich sein. Sie gefiel ihm nicht übel, und er nahm sich vor, einen Versuch mit ihr zu wagen. Ging es gut, so dachte er den Gönner zu spielen und sie dem unbeholfenen Berthold zuzuführen. Gelang das nicht, so war doch der Versuch und vielleicht eine angenehme neue Mädchenbekanntschaft die kleine Mühe wert. Fäden zu spinnen und Brücken zu schlagen, wo es schwierig schien, machte ihm als einem geborenen Spion und Glücksritter immer ein Vergnügen.

Er stellte mit Vorsicht und ohne Hast Erkundigungen und Untersuchungen an, überzeugt, es werde auch in die Stille dieses kleinen Mädchenlebens irgendein Faden reichen, dessen anderes Ende ihm erreichbar wäre. Er beobachtete die Ahnungslose, erforschte ihre Verwandtschaft, die Zustände in ihrem Vaterhaus, ihre Pflichten und Gewohnheiten. Durch Kameraden, durch Mägde, durch Freundinnen erfuhr er, was er wollte, denn Johannes hinterließ bei seinen Abenteuern überall Freunde, nie Feinde, und hatte an jedem Finger einen, der ihm gern einen erwiesenen Dienst durch einen ähnlichen vergalt, und sein wohlgeordnetes Gedächtnis vergaß keinen.

Der Faden fand sich denn auch hier. Agnes hatte mehrere Freundinnen, und von denen war eine dem Johannes flüchtig bekannt, und eine andere unterhielt ein Verhältnis mit einem seiner Schulfreunde. Johannes kannte diese Art von Freundschaften zwischen Schülern und Bürgermädchen genau. Es waren keine Liebesverhältnisse, sondern Vorstufen und Anfänge von solchen, die selten lange dauerten und noch seltener zu Ergebnissen führten. Die jungen Leute trafen sich, häufig von willfährigen Dienstboten unterstützt, allein oder auch zu mehreren Paaren auf entlegenen Spazierwegen oder in Gärten, unterhielten sich anständig und waren mit dem schüchternen Genuß dieses heimlichen Sichtreffens zufrieden, wobei das Glück und Wagnis eines Kusses schon für etwas Erkleckliches galt. Es war eine erste schüchterne Umschau im äußersten Vorhof der Liebe, halb schon Abenteuer und halb noch Kinderspiel.

Nun traf Johannes seine Vorbereitungen. Es glückte alles, und er schaute dem Zusammentreffen mit Agnes, obwohl er für Berthold nichts und für sich wenig dabei erwartete, mit einer leichten wohligen Spannung entgegen. Von seinen Plänen hatte er aus Vorsicht niemand gesagt. Mit Adam aber, der sonst in solchen Sachen sein Vertrauter und Helfer war, hatte er gerade vor einigen Tagen Zank gehabt, so daß er mit ihm in einem trotzigen Schweigverhältnis stand, das er wie frühere Male bald und leicht zu kurieren dachte.

Eben dieser Spannung wegen hatte ihn aber Adam beobachtet und wußte zwar nicht genau, doch annähernd, was er im Schilde führe. Er wußte auch, daß es nichts Schlimmes sein konnte; denn daß Johannes ein Bürgerkind aus immerhin gutem Hause zu verführen denke, widersprach dessen vorsichtigen Gewohnheiten, vollends da er den gefährlichen

Berthold in sie verliebt wußte. Und wenn er das auch im Sinn gehabt hätte, so würde er es nicht auf diese Weise betreiben, die zu nichts führen konnte und Mitwisser brauchte.

Da also die Sache harmlos schien und Adam doch gern die Gelegenheit wahrnahm, dem Kameraden, mit dem er trutzte, etwas einzubrocken, machte er sich an Berthold, reizte ihn durch Andeutungen und gab ihm schließlich, da er ihn anbeißen sah, sein Geheimnis preis, daß Johannes morgen nachmittag an dem und dem Ort mit Mädchen zusammenkommen werde. Und es werde, meine er, eine dabei sein, die auch den Berthold angehe.

Dieser sah es ungern, daß Adam von seiner Liebe zu wissen schien, mochte aber dessen etwaige Vermutungen nicht noch bekräftigen und enthielt sich darum des Fragens. Er wußte, daß Adam gegen Johannes verstimmt war und nahm seinen Hinweis nicht allzu ernst. Doch sind Verliebte, namentlich unglückliche, immer mißtrauisch, und er konnte sich wirklich eines Argwohns, den er freilich als ein Unrecht gegen Johannes empfand, nicht ganz erwehren. Darum beschloß er, ohne dem Adam indessen für seine Mitteilung zu danken, sich die Sache morgen anzusehen.

Als Johannes andern Tages zu dem Stelldichein ging, folgte ihm Berthold aus der Ferne. Er sah ihn an einer Ecke warten, sah einen Kameraden zu ihm stoßen und die beiden plaudernd weitergehen, bis an den Rhein hinab. Dort verschwanden sie in einem ummauerten Garten, dessen Tor sie hinter sich schlossen. Berthold wartete eine Weile, dann erstieg er die Mauer an einer Stelle, wo sie vom Garten her von einem hohen Holunderbaum überragt wurde.

Da saß er geschützt in der Höhe, von der er den Garten leicht überblicken konnte. Die beiden Schüler sah er nicht, auch sonst niemanden, doch merkte er bald, daß die Gesellschaft sich in einem Gartenhäuschen befand, das von Laub umwachsen war und keinen Blick einließ. Er hörte von dort her Stimmen, unter denen er die des Johannes erkannte, doch waren die Gespräche nicht zu verstehen, und nur hin und wieder klang ein leises Lachen herüber. Ein großer Birnbaum nahm die Mitte des Gartens ein, in schmalen Beeten wuchsen Bohnen, Lattich und Gurken, von denen einige, groß und nahezu reif, auf den Sandweg heraushingen.

Weiterhin standen junge Obstbäume in einem kleinen Grasgelände und da und dort ein Beetchen voll Blumen, Rosen, Levkojen und Rosmarin, die den stillen Raum mit einem leisen, sonnenwarmen Duft erfüllten.

Berthold saß geduldig auf seiner Mauer, vom Holunder geborgen, und sah müßig in den Gartenfrieden hinab. In der Sonnenwärme kauernd, schaute er die Beete und Blumen, die jungen Bäume und ihre stillen Schatten an, roch den Blumenduft und atmete vertrauliche Gartenlüfte, die ihn leise an die Heimat und frühe Kindheit erinnerten. Es kam eine Müdigkeit über ihn, die in seinem Herzen zur Wehmut wurde. Da hing er allein und ausgeschlossen, ein ungebetener Zuschauer, auf seiner Mauer, indessen drinnen sein Freund Johannes und andere frohe junge Leute ihr Vergnügen hatten.

Eine gute Weile verging so, und er dachte daran, sich zu entfernen, da er sich dieses traurigen und wenig ehrenhaften Lauerns zu schämen anfing. Allein jetzt klangen die Stimmen lauter, er hörte, daß man sich in der Laube erhob, und nun trat jener Schüler heraus und neben ihm ein Mädchen, das ihm nicht unbekannt erschien. Bald erinnerte er sich, daß es eine von Agnesens Freundinnen war, und er erschrak und wunderte sich, sie hier zu sehen. Denn er wußte nur, daß Johannes, in Liebesgenüssen erfahren, es bei seinen Unternehmungen nicht auf harmlose süße Reden absehe. Gespannt und atemlos lauschend, spähte er hinab.

Und er hatte kaum einige Augenblicke gewartet, da trat aus der Laube auch sein Freund hervor und neben ihm rot und ängstlich ein schlankes Mädchen mit blondem Haar, und da sie sich zur Seite wandte, sah er ihr Gesicht und erkannte Agnes. Das Herz stand ihm still, und er meinte zu fühlen, wie es ihm von einer fremden Hand aus der Brust genommen ward.

Erblaßt und kaum noch seines Bewußtseins mächtig, hielt er doch mit Gewalt an sich, verbarg sich sorgfältiger und beobachtete mit brennenden Augen. Er sah Johannes mit zierlichen Bewegungen, mit seinen lang bewimperten Augen und seinem fein lächelnden, frauenhaften Munde zu Agnes gewendet, die still und schüchtern neben ihm schritt. Er sah seinen lächelnden Blick höflich und überlegen auf ihrem zarten, verwirrten Angesicht ruhen und sah, wie er mit leisen Worten auf sie einredete. Und er mußte, so wenig ihm jetzt an Gleichnissen lag, an die Schlange denken, den Verführer von Anbeginn.

Dann ließ er sich lautlos außen an der Mauer hinabgleiten, schaute sich um und versteckte sich in der Nähe hinter einem alten Boote, das geborsten nicht weit vom Ufer im Trockenen lag. Da hörte er das Wasser ziehen und die Rufe der Schiffsleute, sah Eidechsen im Grase und kleine wimmelnde Asseln im faulenden Boden des Nachens spielen, aber es war alles unwesenhaft und nicht wirklich und ging an seinen Sinnen wie ein Traum oder Bildnis vorbei. Der Strom floß dahin, und mit ihm floß Bertholds Vergangenheit, alles schattenhaft und nur im Traum gelebt, von gleitenden Wellen gleichgültig hinabgespült, zu Nichts geworden und keines Nachdenkens wert. Sein Entschluß war gefaßt, und außer ihm war nichts Lebendiges und Wirkliches mehr vorhanden.

Es ging eine Zeit hin, vielleicht eine Stunde, vielleicht viel weniger, da tat sich die Gartenpforte auf. Der Kamerad des Johannes kam heraus, schaute sich um und ging davon. Berthold lag geduckt auf der Lauer. Nach einer kleinen Weile öffnete sich das Tor von neuem und es kamen die beiden Mädchen, machten befangene Gesichter, lächelten aufatmend und gingen miteinander stadteinwärts. Berthold sah ihnen nach und verfolgte die schmale Gestalt der Agnes mit einem langen Blick. Dann schaute er rings umher. Es war kein Mensch in der Nähe.

Und wieder ging die Pforte auf, und Johannes kam heraus. Er zog das Tor zu, verschloß es und steckte den Schlüssel in die Tasche. In diesem Augenblick warf sich Berthold über ihn, mit einem weiten Sprung, und hatte ihn mit beiden Händen an der Kehle, noch ehe er schreien konnte. Er zog ihn zu Boden, sah ihm ins Gesicht und drückte die Hände fester zu. Er sah ihn blaß werden, rot werden, sah seine Augen groß und stier hervortreten und auf seinem Munde das alte Lächeln erstarren und zu einer dummen Grimasse werden. Berthold hielt ihn, der verzweifelt um sich schlug und mit allen Gliedern rasend zuckte, mit ruhigen Händen fest, er sagte kein Wort und schlug nicht und tat keine unnütze Bewegung, er spannte nur die Finger fest um den zuckenden, schwellenden Hals und hielt wartend fest, bis es genug war.

Dann blickte er um sich und überlegte, wohin er den Körper tun müsse. In den Rhein, dachte er, aber da wäre er zu schnell gesehen worden. So trug er ihn zu dem alten Boot und legte ihn darunter, und dann ging er heim.

Es war ihm ganz anders zumute als damals in der Knabenzeit, da er den Spielkameraden getötet zu haben glaubte. Seine heutige Tat war ein wirklicher Totschlag mit Willen und Überlegung vollbracht, und er bereute sie nicht. Wohl tat es ihm bitter leid, daß das gerade seinen einzigen Freund hatte treffen müssen. Aber da nun doch sein bisheriges Leben zerstört war, tat es ihm fast wohl, daß es so gründlich und an der Wurzel geschehen war und kein ungelöster Rest hinter ihm blieb. Sein Freund war falsch gewesen, seine Liebe falsch und töricht, sein Beruf verfehlt, und er hatte alles, eines wie das andere, mit eigenen Händen erwürgt und von sich getan. Jetzt galt es zu leben und eine neue Bahn zu finden, vielleicht dieses Mal die rechte.

Vor allem galt es aber, am Leben zu bleiben und sich zu retten. Berthold wußte genau, was auf ihn wartete, wenn ihm die Rettung mißlang. Er wußte, vom Augenblick der Entdeckung an gab es für ihn nur noch Feinde, und sein Tod war ihm sicher. Johannes selber hatte ihm oft genug Gefangennehmungen, peinliche Verhöre und schimpfliche Hinrichtungen mit allen scheußlichen Einzelheiten in seinen Geschichten vorgemalt. Im ersten Augenblick freilich, als ihm der Tote in den Armen hing und die Gartenszene mit der schönen Agnes ihn noch ganz erfüllte, hatte er daran gedacht, alles seinen Gang gehen zu lassen, seine Festnehmung zu erwarten, nicht zu leugnen und lieber den Tod zu leiden als ein Flüchtlingsleben, mit diesen Erinnerungen beladen, hinzuschleppen. Da ihn alles getäuscht und verlassen hatte, schien ihm das Leben keiner Anstrengungen und Opfer mehr wert. Aber das war spurlos erloschen, sobald er von dem Leichnam weg stadteinwärts gegangen war und ihm überall das Leben mit dem vertrauten Gesicht in die Augen blickte. Wenn jetzt die Büttel ihm schon auf den Fersen und an kein Entrinnen mehr zu denken gewesen wäre, er hätte sich doch zur Wehr gesetzt und das nackte Leben mit den Zähnen verteidigt.

Ein verzweifelt kühler Mut machte ihn besonnen und vorsichtig. Er war entschlossen, falls sein schnell gefaßter Plan mißlänge, jeden Feind seine Kraft fühlen zu lassen und sein Leben teuer zu verkaufen. Darin ward er ruhig und besorgte das Notwendige mit kühler Miene und ohne Hast.

Es war noch nicht Abend, da wanderte er gemächlich aus der Stadt, mit seinem schwarzen Röcklein angetan, darunter aber in einem bäuerischen Leinengewand und mit zwei Talern versehen. Rheinaufwärts wehte ein kräftiger Abendwind, und als in Köln die Glocken zu läuten begannen und Berthold einen Augenblick zurückschaute, sah er die Türme der Stadt schon grau und geisterhaft im abendlichen Dunste stehen. Der schwarze Rock lag längst, um einen guten Kieselstein gewickelt, im Strom. Sein Weg aber ging nach Westfalen, wo er Werber zu finden hoffte, um im Schatten der Fahnen und im Getöse des großen Krieges zu verschwinden.

Hier, wo Berthold den Weg in die Abenteuer des Dreißigjährigen Krieges antritt, bricht die Handschrift ab.

(1907/08)

Freunde

Der niedere Kneipsaal war voll Rauch, Biergeruch, Staub und Getöse. Ein paar Füchse fuchtelten mit Schlägern gegeneinander und hieben flüchtige Wirbel in den dicken Tabaksrauch, ein schwer Betrunkener saß auf dem Fußboden und lallte ein sinnloses Lied, einige ältere Semester knobelten am Ende der Tafel.

Hans Calwer winkte seinem Freunde Erwin Mühletal und ging zur Tür.

»He, schon fort?« rief einer der Spieler herüber.

Hans nickte nur und ging, Mühletal folgte. Sie stiegen die alte, steile Holzstiege hinab und verließen das schon still werdende Haus. Kalte Winternachtluft und blaues Sternenlicht empfing sie auf dem leeren, weiten Marktplatz. Aufatmend und den eben zugeknöpften Mantel wieder öffnend, schlug Hans den Weg nach seiner Wohnung ein. Der Freund folgte ein Stück weit schweigend, er pflegte Calwer fast jeden Abend nach Haus zu begleiten. Bei der zweiten Gasse aber blieb er stehen. »Ja«, sagte er, »dann Gutnacht. Ich geh ins Bett.«

»Gutnacht«, sagte Hans unfreundlich kurz und ging weiter. Doch kehrte er nach wenigen Schritten wieder um und rief den Freund an.

»Erwin!«

»Ja?«

»Du, ich geh noch mit dir.«

»Auch recht. Ich geh aber ins Bett, ich schlafe schon halb.«

Hans kehrte um und nahm Erwins Arm. Er führte ihn aber nicht nach Hause, sondern zum Fluß hinab, über die alte Brücke und in die lange Platanenallee, und Erwin ging ohne Widerspruch mit. »Also was ist los?« fragte er endlich. »Ich bin wirklich müde.«

»So? Ich auch, aber anders.«

»Na?«

»Kurz und gut, das war meine letzte Mittwochskneipe.«

»Du bist verrückt.«

»Nein, du bist's, wenn dir der Betrieb noch Spaß macht. Lieber brüllen, sich auf Kommando vollsaufen, idiotische

183

Reden anhören und sich von zwanzig Simpeln angrinsen und auf die Schulter klopfen lassen, das mach ich nicht mehr mit. Eingetreten bin ich seinerzeit, wie jeder, im Rausch. Aber hinaus gehe ich vernünftig und aus guten Gründen. Und zwar gleich morgen.«

»Ja aber –«

»Es ist beschlossen, und damit fertig. Du bist der einzige, der es schon vorher erfährt; du bist auch der einzige, den es etwas angeht. Ich wollte dich nicht um Rat bitten.«

»Dann nicht. Also du trittst aus. Ganz ohne Skandal geht es ja nicht.«

»Vielleicht doch.«

»Vielleicht. Nun, das ist deine Sache. Es wundert mich ja eigentlich nicht besonders, geschimpft hast du immer, und es geht ja auch bei uns soso zu. Nur, weißt du, anderwärts ist es kein Haar besser. Oder willst du in ein Korps, mit deinem bißchen Wechsel?«

»Nein. Meinst du, ich springe heut aus und morgen irgendwo anders wieder ein? Dann könnte ich ja gleich bleiben, nicht? Korps oder Burschenschaft oder Landsmannschaft, das ist eins wie das andere. Ich will mein eigener Herr sein und nimmer der Hanswurst von drei Dutzend Bundesbrüdern. Das ist alles.«

»Ja, das ist alles. Ich müßte dir ja eigentlich abraten, aber bei dir gewöhnt man sich das ab. Wenn es dir nach drei Wochen leid tut –«

»Du mußt wirklich Schlaf haben. Dann geh also in dein Bett und verzeih, daß ich deine kostbare Zeit mit solchen Dummheiten in Anspruch nahm. Gutnacht, ich geh noch spazieren.«

Erwin lief ihm erschrocken und etwas ärgerlich nach. »Es ist wahrhaftig schwer, mit dir zu reden. Wenn ich doch nichts dazu sagen darf, warum teilst du mir dann so was mit?«

»Ach, ich dachte, es würde dich vielleicht interessieren.«

»Herrgott, Hans, jetzt sei vernünftig! Was soll die Reizerei zwischen uns?«

»Du hast mich eben nicht verstanden.«

»Ach schon wieder! Jetzt sei doch gescheit! Du sagst sechs Worte, und kaum geb ich Antwort, so hab ich dich nicht verstanden! Jetzt sag deutlich, was hast du eigentlich gewollt?«

»Dir mitteilen, daß ich morgen aus der Verbindung austrete.«

»Und weiter?«

»Das weitere ist wohl mehr deine Sache.«

Erwin begann zu begreifen.

»Ach so?« sagte er mit erzwungener Ruhe. »Du trittst morgen aus, nachdem du dir's lang genug überlegt hast, und nun meinst du, ich soll Hals über Kopf nachrennen. Aber weißt du, die sogenannte Tyrannei in der Verbindung drückt mich nicht so heftig, und es sind Leute dabei, die sind mir einstweilen gut genug. Die Freundschaft in Ehren, aber dein Pudel mag ich doch nicht sein.«

»Nun ja. Wie gesagt, es tut mir leid, daß ich dich bemüht hab. Grüß Gott.«

Er ging langsam davon, mit einem nervösen, künstlich leichten Schritt, den Erwin gut kannte. Er sah ihm nach, anfangs mit der Absicht, ihn zurückzurufen, von Augenblick zu Augenblick ward das aber schwerer. Da ging er fort!

»Geh nur! Geh nur!« grollte er halblaut und sah Hans nach, bis er im Dunkel und bläulichen Schneenachtlicht verschwunden war. Da kehrte er um und ging langsam die ganze Allee zurück, die Brückentreppe hinauf und seiner Wohnung zu. Schon tat ihm alles leid, und sein Herz schlug unbeirrt dem alten Freunde nach. Aber er dachte zugleich an die letzten Wochen, wie Hans immer schwerer zu befriedigen, immer stolzer und herrischer geworden war. Und jetzt wollte er ihn durch zwei Worte zu einem wichtigen Schritt bestimmen, wie er als Schulknabe ihn ohne weiteres und ungefragt zum Handlanger bei seinen Streichen angestellt hatte. Nein, das war doch zu viel. Er hatte recht, daß er Hans laufen ließ, es war vielleicht sein Heil. Ihm schien jetzt, während ihrer ganzen Freundschaft sei er immer der Geduldete, Mitgenommene, Untergebene gewesen; auch die Bundesbrüder hatten ihn oft genug damit aufgezogen.

Sein Schritt wurde schneller, ein unechtes Triumphgefühl trieb ihn an, er kam sich mutig und entschlossen vor. Schnell schloß er das Tor auf, stieg die Treppe hinauf und trat in sein Stübchen, wo er ohne Licht zu Bett ging. Zum Fenster sah der Stiftskirchenturm in einem blauen Sternenkranz hinein, im Ofen glomm müde eine verspätete Glut. Erwin konnte nicht schlafen.

Zornig suchte er eine Erinnerung um die andere hervor, die ihm in seine trotzige Stimmung paßte. Er stellte einen Anwalt in sich auf, der ihm recht geben und Hans verurteilen mußte, und der Anwalt hatte vielen Stoff gesammelt. Zuweilen war der Anwalt unfein in seinen Mitteln, er brachte sogar Spitznamen und Scheltworte ins Gefecht, die die Bundesbrüder gelegentlich auf Hans gemünzt hatten, und wiederholte die Argumente früherer empörter Stunden, deren Erwin sich nachher stets geschämt hatte. Er schämte sich auch jetzt ein wenig und fiel dem Anwalt gelegentlich ins Wort, wenn er gehässig wurde. Aber was hatte es schließlich für einen Sinn, jetzt noch Schonung zu üben und die Worte zu wägen? Bitter und grimmig schuf er das Bild seiner Freundschaft um, bis es nichts mehr darstellte als eine Vergewaltigung, die Hans sich an ihm hatte zuschulden kommen lassen.

Er wunderte sich über die Menge von Erinnerungen, die ihm zu Hilfe kamen. Da waren Tage, an denen er mit Sorgen und ernsten Gedanken zu Hans gekommen war, und der hatte ihn gar nicht ernstgenommen, hatte ihm Wein vorgesetzt oder ihn auf einen Ball mitgeschleppt. Andere Male, wenn er recht vergnügt und voller genußsüchtiger Pläne war, hatte Hans mit einem Blick und ein paar Worten ihn dahin gebracht, daß er sich selber seiner Lustigkeit schämte. Einmal hatte Hans sogar geradezu beleidigend über das Mädchen gesprochen, in das Erwin damals verliebt war. Ja, und schließlich war es seinerzeit nur auf Hansens Zureden und Hans zuliebe geschehen, als er in die Verbindung eintrat. Eigentlich hätte es ihm bei der Burschenschaft besser gefallen.

Erwin fand keine Ruhe. Er mußte immer mehr Verborgenes ans Licht ziehen, bis auf sagenhaft ferne, vergessene Abenteuer früher Schuljahre zurück. Immer und immer war er der Gutmütige, Geduldige, Dumme gewesen, und sooft es ein Zerwürfnis gegeben hatte, war immer er zuerst gekommen und hatte um Verzeihung gebeten oder Vergessen geheuchelt. Nun ja, er war eben einmal ein guter Kerl. Aber wozu das alles? Was war denn schließlich an diesem Hans

Calwer, daß man ihm nachlaufen mußte? Ja, ein bißchen Witz und eine gewisse Sicherheit im Auftreten, das hatte er wohl, und er konnte geistreich sein, entschieden. Aber auf der andern Seite war er recht eingebildet, spielte den Interessanten, sah auf alle Leute herunter, vergaß Verabredungen und Versprechungen und wurde selber wütend, wenn man ihm einmal nicht wörtlich Wort hielt. Nun, das mochte hingehen, Hans war eben immer etwas nervös, aber dieser Stolz, diese Sicherheit, diese immer souveräne, verächtlich tuende, unbefriedigte Hochnäsigkeit, die war unverzeihlich.

Von den alten, törichten Erinnerungen war eine besonders hartnäckig. Sie waren damals beide dreizehn oder vierzehn Jahre alt und hatten bisher jeden Sommer von einem Baum, der Erwins Nachbarn gehörte, Frühpflaumen gestohlen. Auch diesmal hatte Erwin den Baum beobachtet und von Zeit zu Zeit untersucht, und nun war er eines Abends glücklich und geheimnisvoll zu Hans gekommen und hatte gesagt: »Du, sie sind reif.« »Was denn?« hatte Hans gefragt und ein Gesicht gemacht, als verstehe er nichts und denke an ganz anderes. Und dann, als Erwin ihn erstaunt und lachend an die Pflaumen erinnerte, hatte ihn Hans ganz fremd und mitleidig angesehen und gesagt: »Pflaumen? Ach, du meinst, ich solle Pflaumen stehlen? Nein, danke.«

Ah, der Großhans! Wie er sich immer interessant machte! So war es mit den Pflaumen gewesen, und genau so ging es mit dem Turnen, mit dem Deklamieren, mit den Mädchen, mit dem Radfahren. Was gestern noch selbstverständlich gewesen war, wurde heute mit einem Achselzucken und einem Blick des Nichtmehrkennens abgetan. Gerade wie jetzt wieder mit dem Ausspringen aus der Verbindung! Erwin hatte damals zur Burschenschaft gewollt, aber nein, Hans wollte das nun gerade nicht, und Erwin hatte nachgegeben. Und jetzt war mit keinem Wort mehr davon die Rede, daß es damals einzig und allein Hans gewesen war, der sich für die Verbindung entschied. Freilich hatte er Hans manchmal recht geben müssen, wenn er sich über das Verbindungsleben lustig machte oder darüber klagte. Aber darum ging man noch nicht hin und brach sein Wort und sprang wieder aus, einfach aus Langeweile. Er jedenfalls würde es nicht tun und Hans zuliebe erst recht nicht.

Die Stunden klangen vom Kirchturm durch die Nachtkühle, die Glut im Ofen war erloschen. Erwin beruhigte sich langsam, die Erinnerungen wurden wirr und verloren sich, die Argumente und Anklagen waren erschöpft, der strenge Anwalt verstummt, und doch konnte er nicht einschlafen. Er war ärgerlich. Warum nur? Erwin hätte nur sein Herz zu fragen brauchen. Das war unermüdlicher als alles andere und schlug, ob der Kopf zürnte und anklagte oder müde schwieg, unbeirrt und traurig nach dem Freund, der im blassen Schneelicht unter den Platanen weggegangen war.

Indessen ging Hans in den Anlagen flußabwärts, von Allee zu Allee. Sein unruhiger Schritt wurde im längeren Gehen gleichmäßig, da und dort blieb er stehen und sah aufmerksam in den dunklen Fluß und auf die dunkle, eingeschlafene Stadt. Er dachte nimmer an Erwin. Er überlegte, was morgen zu tun sei, was er sagen und wie er sich halten müsse. Es war unangenehm, seinen Austritt aus der Verbindung zu erklären, denn seine Gründe dafür waren derart, daß er sie nicht aussprechen und sich nicht auf Antworten und Zureden einlassen konnte. Er sah keinen andern Weg, als auf alle Rechtfertigung zu verzichten und die Wölfe hinter sich her heulen zu lassen. Nur keine Auseinandersetzung, nur keine Erklärungen über Dinge, die ihn allein angingen, und mit Leuten, die ihn doch nicht verstanden. Er überlegte Wort für Wort das, was er sagen wollte. Zwar wußte er wohl, daß er morgen doch anders sprechen würde, aber je gründlicher er die Situation im voraus erschöpfte, desto ruhiger würde er bleiben. Und darauf kam alles an: ruhig zu bleiben, ein paar Mißverständnisse einzustecken, ein paar Vorwürfe zu überhören, vor allem aber Diskussionen abzulehnen, nicht den Unverstandenen, nicht den Leidenden, auch nicht den Ankläger oder Besserwisser oder Reformator zu spielen.

Hans suchte sich die Gesichter des Seniors und der anderen vorzustellen, besonders die ihm unsympathischen, von denen er fürchtete, sie könnten ihn reizen und aus der Ruhe bringen. Er sah sie erstaunt und unwillig werden, sah sie die Mienen des Richters, des beleidigten Freundes, des wohlwollenden Zusprechers annehmen und sah sie kalt werden, abweisen, nicht begreifen, beinahe hassen.

Schließlich lächelte er, als hätte er das alles schon hinter sich. Er dachte mit verwunderter und neugieriger Erinnerung an die Zeit seines Eintritts in die Verbindung, an das ganze merkwürdige erste Semester. Er war eigentlich ziemlich kühl hergekommen, wenn auch mit vielen Hoffnungen. Aber dann geriet er in jenen sonderbaren Rausch, der acht Tage dauerte, wo er von älteren Studenten liebenswürdig behandelt, aufmerksam ins Gespräch gezogen wurde. Man fand ihn aufgeweckt und geistreich und sagte ihm das, man rühmte seine geselligen Gaben, an denen er immer gezweifelt hatte, man fand ihn originell. Und in diesem Rausch ließ er sich täuschen. Ihm schien, er käme aus der Fremde und Einsamkeit zu seinesgleichen, an einen Ort und zu Menschen, wo er sich zugehörig fühlen könne, ja er sei überhaupt nicht so zum Sonderling bestimmt, wie er vorher geglaubt hatte. Ihm schien die oft vermißte Geselligkeit, das oft bitter entbehrte Aufgehen in einer Gemeinschaft hier nahe, möglich, erreichbar, ja selbstverständlich. Das hielt eine Weile an. Er fühlte sich wohl und gerettet, er war dankbar und offen gegen alle, drückte allen die Hand, fand alle lieb, lernte die Kneipsitten mit humoristischem Vergnügen und konnte bei manchen philosophisch-stumpfsinnigen Liedern ganz gerührt mitsingen. Gar lange dauerte es allerdings nicht. Er merkte bald, wie wenige den Sinn des Stumpfsinns fühlten, wie stereotyp die Witzreden und wie konventionell die nachlässig-herzlichen Umgangsformen der Brüderschaft waren. Er konnte bald nicht mehr mit wirklichem Ernst von der Würde und Heiligkeit der Verbindung, ihres Namens, ihrer Farben, ihrer Fahne, ihrer Waffen reden hören, und sah mit neugieriger Grausamkeit das Gebaren alter Philister an, die bei einem Besuch in der Universitätsstadt bei ihren ›jungen Bundesbrüdern‹ vorsprachen, mit Bier gefüllt wurden und mit verjährten Gesten in die junge Lustigkeit einstimmten, die noch die gleiche war wie zu ihren Zeiten. Er sah und hörte, wie seine Kameraden vom Studium, vom wissenschaftlichen Betrieb, vom künftigen Amt oder Beruf redeten und dachten. Er beobachtete, was sie lasen, wie sie die Lehrer beurteilten; gelegentlich kam ihm auch ihr Urteil über ihn selbst zu Ohren. Da sah er, es war alles wie früher und wie überall, und er paßte in diese Gemeinschaft so wenig wie in eine andere.

Von da bis heute hatte es gedauert, bis sein Entschluß reif geworden war. Ohne Erwin wäre es schneller gegangen. Der hatte ihn noch gehalten, teils durch seine alte herzliche Art, teils durch ein Verantwortungsgefühl, da jener ihm in die Verbindung gefolgt war. Es würde sich zeigen, wie Erwin sich nun hielt. Wenn ihm dort drüben wohler war, hatte Hans kein Recht, ihn wieder mit sich in ein anderes Leben zu ziehen. Er war reizbar und unfreundlich gewesen, auch heute wieder; aber warum ließ Erwin sich alles gefallen?

Erwin war kein Durchschnittsmensch, aber er war unsicher und schwach. Hans erinnerte sich ihrer Freundschaft bis in die ersten Jahre zurück, da Erwin ihn nach längeren schüchternen Bemühungen erobert hatte. Seither war alles von Hans ausgegangen: Spiele, Streiche, Moden, Sport, Lektüre. Erwin war den sonderbarsten Einfällen und rücksichtslosesten Gedanken seines Freundes mit Bewunderung und Verständnis gefolgt, er hatte ihn eigentlich nie allein gelassen. Aber selber hatte er wohl wenig getan und gedacht, meinte Hans. Er hatte ihn fast immer verstanden, ihn immer bewundert, er war auf alles eingegangen. Aber sie hatten nicht ein gemeinsames, aus zwei einzelnen Leben zusammengewachsenes Leben miteinander geführt, sondern Erwin hatte eben seines Freundes Leben mitgelebt. Das fiel Hans jetzt ein, und der Gedanke erschreckte ihn, daß er selbst in dieser jahrelangen Freundschaft gar nicht, wie er immer geglaubt hatte, der Durchschauende und Wissende gewesen war. Im Gegenteil, Erwin kannte ihn besser als sonst irgendein Mensch, aber er kannte Erwin kaum. Der war immer nur sein Spiegel, sein Nachahmer gewesen. Vielleicht hatte er in all den Stunden, in denen er nicht mit Hans zusammen war, ein ganz anderes, eigenes Leben geführt. Wie gut hatte er sich mit manchen Schulkameraden und jetzt mit manchen Bundesbrüdern gestellt, zu denen Hans nie in ein Verhältnis, nicht einmal in das der Abneigung gekommen war! Es war traurig. Hatte er also wirklich gar keinen Freund gehabt, kein fremdes Leben mitbesessen? Er hatte einen Begleiter gehabt, einen Zuhörer, Jasager, Handlanger, mehr nicht.

Erwins letztes Wort an diesem ärgerlichen Abend fiel ihm ein: »Dein Pudel mag ich nicht sein.« Also hatte Erwin selber gefühlt, wie ihr Verhältnis war; er hatte sich zeitweilig zum Pudel hergegeben, weil er Hans bewunderte und gern hatte. Und gewiß hatte er das schon früher gefühlt und sich zuzeiten dagegen empört, es ihm aber verheimlicht. Er hatte ein zweites, eigenes, ganz anderes Leben geführt, an dem der Freund nicht teilhatte, von dem er nichts wußte, in das er nicht hineinpaßte.

In unwilliger Betrübnis suchte sich Hans von diesen Gedanken abzuwenden, die seinem Stolz weh taten und ihn arm machten. Er brauchte jetzt Besonnenheit und Kraft für anderes, um Erwin wollte er sich nicht kümmern. Und doch fühlte er erst jetzt, daß für ihn beim Austritt aus seiner Verbindung eigentlich nur die Frage und Sorge noch wesentlich war, ob Erwin mitkäme oder ihn im Stich ließe. Das andere war ja nur noch ein Abschluß, ein letzter formaler Schritt, innerlich längst abgetan. Ein Wagnis und eine Kraftprobe wurde es nur durch Erwin. Wenn dieser bei den andern blieb und auf ihn verzichtete, dann hatte Hans die Schlacht verloren, dann war sein Wesen und Leben wirklich weniger wert als das der anderen, dann konnte er nimmer hoffen, jemals einen anderen Menschen an sich zu fesseln und festzuhalten. Und wenn es so war, dann kam eine böse Zeit für ihn, viel böser als alles Bisherige.

Wieder ergriff ihn, wie schon manchesmal, ein hilfloser, kläglicher Zorn über all den Schwindel in der Welt und über sich selber, daß er ihm immer wieder trotz allem Besserwissen vertraut hatte. So war es auch mit der Universität und vor allem mit dem Studentenwesen. Die Universität war eine veraltete, schlecht organisierte Schule; sie gewährte dem Schüler eine scheinbar fast grenzenlose Freiheit, um ihn nachher durch ein mechanisch-formelhaftes Prüfungswesen wieder desto gründlicher einzufangen, ohne doch gegen Ungerechtigkeiten von der wohlwollenden Protektion bis zur Bestechung eine Sicherheit zu geben. Nun, das plagte ihn wenig. Aber das Studentenleben, die Abstufung der Gesellschaften nach Herkunft und Geld, die komische Uniformierung, das fahnenweihmäßige, an bürgerliche Männergesangvereine erinnernde Redenhalten, zu-Fahnen-und-Fahnen-Schwören, die schäbig und sinnlos gewordene Romantik mit Altheidelberg und Burschenfreiheit, während man zugleich der Bügelfalte huldigte, das alles existierte nicht nur fort, er war sogar selber in die lächerliche Falle gegangen!

Hans mußte an einen Studenten denken, der mehrmals in einer Vorlesung über orientalische Religionswissenschaft sein Banknachbar gewesen war. Der trug einen dicken, urgroßväterlichen Lodenmantel, schwere Bauernstiefel, geflickte Hosen und ein derbes, gestricktes Halstuch und war vermutlich ein theologiestudierender Bauernsohn. Dieser hatte für die ihm unbekannten, einer andern Welt zugehörigen, eleganten Kollegen mit Mützen und Bändern, feinen Überziehern und Galoschen, goldenen Zwickern und strohdünnen Modespazierstöckchen immer ein ganz feines, gutes, beinah anerkennendes und doch überlegenes Lächeln. Seine etwas komische Figur hatte für Hans öfters etwas Rührendes, manchmal auch Imponierendes gehabt. Nun dachte er, dieser Unscheinbare stehe ihm doch viel näher als alle bisherigen Kameraden, und er beneidete ihn ein wenig um die zufriedene Ruhe, mit der er seine Absonderung und seine groben Rohrstiefel trug. Da war einer, der gleich ihm ganz allein stand und der doch Frieden zu haben schien und der offenbar das beschämende Bedürfnis, den andern wenigstens äußerlich gleich zu sein, gar nicht kannte.

Hans Calwer quittierte aufatmend das kleine vom Vereinsdiener gebrachte Paketlein, das einen lakonischen letzten Brief des Schriftführers und sein Kommersbuch nebst einigen in der Kneipe liegengebliebenen Kleinigkeiten seines Besitzes enthielt. Der Diener war sehr steif und wollte anfangs nicht einmal ein Trinkgeld annehmen, es war ihm gewiß eigens verboten worden. Als Hans ihm aber einen Taler hinbot, nahm er ihn doch, dankte lebhaft und sagte wohlwollend:

»Das hätten Sie aber nicht tun sollen, Herr Calwer.«

»Was denn?« fragte Hans. »Den Taler hergeben?«

»Nein, austreten hätten Sie nicht sollen. Das ist immer bös, wissen Sie. Na, ich wünsch gute Zeit, Herr Calwer.«

Hans war froh, diese peinliche Sache hinter sich zu haben.

Von seinen drei Mützen hatte er schon gestern zwei verschenkt und die dritte als Andenken in seinen Reisekorb gelegt, dazu ein Band und ein paar Photographien von Bundesbrüdern. Nun legte er das mit einem dreifarbigen Schild geschmückte Kommersbuch an denselben Ort, schloß den Korb zu und wunderte sich, wie schnell man das alles loswerden konnte. Der Auftritt im Konvent war ja ein bißchen aufregend und ehrenrührig gewesen, aber jetzt war alles schön erledigt.

Er schaute nach der Tür. Darunter hatte er am meisten gelitten, daß ihm zu allen Tageszeiten bummelnde Bundesbrüder in die Wohnung gelaufen kamen, seine Bilder anschauten und kritisierten, den Tisch und Boden voll Zigarrenasche warfen und ihm seine Zeit und Ruhe stahlen, ohne irgend etwas dafür mitzubringen und ohne seine Andeutungen, daß er arbeiten und allein sein wolle, ernst zu nehmen. Einer hatte sogar eines Morgens, während Hans nicht da war, sich an seinem Tisch niedergelassen und in der Schublade ein Manuskript gefunden. Es war seine erste größere Arbeit und hatte den etwas eitlen Titel ›Paraphrasen über das Gesetz von der Erhaltung der Kraft‹, und Hans hatte sich nachher förmlich verteidigen und herauslügen müssen, um den Verdacht unheimlichen Strebertums von sich zu wälzen. Jetzt hatte er Ruhe und brauchte nimmer zu lügen. Er schämte sich jener widerwärtigen Augenblicke, da er atemlos hinter verschlossener Türe stand und sich still hielt, während ein Kamerad draußen klopfte, oder da er lachend und seine Verwunderung verbergend zuhörte, wie über eine ihm wichtige Frage im Kneipjargon gewitzelt wurde. Das war vorüber. Jetzt wollte er seine Freiheit und Ruhe wie ein Schwelger genießen und ungestört an den Paraphrasen arbeiten. Auch ein Klavier wollte er wieder mieten. Er hatte im ersten Monat eins gehabt, es aber zurückgegeben, weil es Besuche anzog und weil einer seiner Bundesbrüder fast alle Tage gekommen war und Walzer gespielt hatte. Nun hoffte er wieder manchen guten, stillen Abend zu erleben, mit Lampenschein, Zigarettenduft, lieben Büchern und guter Musik. Auch üben wollte er wieder, um die verlorenen Monate einzubringen.

Da fiel ihm noch eine versäumte Pflicht ein. Der Professor für orientalische Sprachen, den er als Alten Herrn und Mitbegründer der Verbindung kennengelernt hatte und dessen Haus er oft besuchte, wußte noch nichts von seinem Austritt. Er ging noch am gleichen Tage hin.

Das einfache, vorstädtisch still gelegene Häuschen empfing ihn mit der wohlbekannten wohligen Sauberkeit, mit den kleinen, behaglichen Zimmern voller Bücher und alter Bilder und dem Duft von wohnlich stillem, doch gastfreiem Leben feiner, gütiger Menschen.

Der Professor empfing ihn im Studierzimmer, einem durch Ausbrechen einer Wand gewonnenen, großen Raum mit unzähligen Büchern. »Guten Tag, Herr Calwer. Was führt Sie her? Ich empfange Sie hier, weil ich die Arbeit nicht lange unterbrechen kann. Aber da Sie zu ungewohnter Zeit kommen, haben Sie wohl auch einen besonderen Grund, nicht?«

»Allerdings. Erlauben Sie mir ein paar Worte, da ich nun doch leider schon gestört habe.«

Er nahm auf die Einladung des Professors Platz und erzählte seine Sache.

»Ich weiß nicht, wie Sie es auffassen, Herr Professor, und ob Sie meine Gründe gelten lassen. Zu ändern ist nichts mehr daran, ich bin ausgetreten.«

Der schlanke, magere Gelehrte lächelte.

»Lieber Herr, was soll ich dazu sagen? Wenn Sie getan haben, was Sie tun mußten, ist ja alles in Ordnung. Über das Verbindungsleben denke ich allerdings anders als Sie. Mir scheint es gut und wünschenswert, daß die Studentenfreiheit sich in diesen Gesellschaften selber Gesetze gibt und, meinetwegen im Spiel, eine Art von Organisation oder Staat schafft, dem der Einzelne sich unterordnet. Und gerade für etwas einsiedlerische, nicht sehr gesellige Naturen halte ich das für wertvoll. Was später jeder, und oft unter peinlichen Opfern, lernen muß, an das kann er hier sich unter bequemeren Formen gewöhnen: mit anderen zusammenzuleben, einer Gemeinschaft anzugehören, anderen zu dienen und sich doch selbständig zu halten. Das muß wohl jeder einmal lernen, und eine gesellschaftliche Vorschule erleichtert das nach meiner Erfahrung wesentlich. Ich hoffe, Sie finden andere Wege dahin und bauen sich nicht vorzeitig in eine gelehrten- oder künstlerhafte Einsamkeit hinein. Wo die nötig ist, kommt sie von selber, man muß ihr nicht rufen.

194

Zunächst sehe ich in Ihrem Entschluß nur die Notwehr und Reaktion eines empfindlichen Menschen auf die Enttäuschung, die jedes gesellschaftliche Leben einmal bringt. Mir scheint, Sie sind ein wenig Neurastheniker, da ist es doppelt begreiflich. Eine weitere Kritik steht mir nicht zu.«

Es gab eine Pause, Hans sah verlegen und unbefriedigt aus. Da schaute der Mann ihn aus den etwas müden grauen Augen gütig an.

»Daß Ihr Entschluß«, sagte er lächelnd, »mein Urteil über Sie wesentlich ändern oder meine Achtung mindern könnte, haben Sie doch nicht geglaubt? – Also gut, soweit haben Sie mich doch gekannt.«

Hans erhob sich und dankte herzlich. Dann errötete er leicht und sagte: »Noch eine Frage, Herr Professor! Es ist das, was mich hauptsächlich hergeführt hat. Muß ich meinen Verkehr in Ihrem Haus nun einstellen oder einschränken? Ich bin darüber nicht im klaren und hoffe, daß Sie die Frage nicht falsch deuten, nicht etwa als Bitte. Ich möchte nur einen Wink haben.«

Der Professor gab ihm die Hand.

»Also ich winke, aber nicht hinaus. Kommen Sie nur wie bisher. Die Montagabende freilich nicht; sie sind zwar ›offen‹, aber es kommen doch regelmäßig Bundesbrüder her. Genügt das?«

»Ja, danke vielmals. Ich bin so froh, daß Sie mir nicht zürnen. Adieu, Herr Professor.«

Hans ging hinaus, die Treppe hinab und durch den dünn und zart beschneiten Garten auf die Straße. Er hatte eigentlich nichts anderes erwartet, und doch war er dankbar für diese Freundlichkeit. Wenn dies Haus ihm nimmer offengestanden wäre, hätte ihn nichts mehr an die Stadt gefesselt, die er doch nicht verlassen konnte. Der Professor und seine Frau, für die Hans eine fast verliebte Verehrung hatte, schienen ihm vom ersten Besuch an seiner Art verwandt. Er glaubte zu wissen, daß diese beiden zu den Menschen gehörten, die alles schwernehmen und eigentlich unglücklich sein müßten. Und doch sah er, daß sie es nicht waren, obwohl der Frau ihre Kinderlosigkeit sichtlich leid tat. Ihm wollte es so scheinen, als hätten diese Leute etwas erreicht, was zu erreichen vielleicht auch ihm nicht verwehrt war: einen Sieg über sich und die Welt und damit eine zarte, seelenvolle Wärme des Lebens, wie man sie bei Kranken findet, die nur noch körperlich krank sind und ihrer gefährdeten Seele über alles Leid hinaus ein geläutertes, schönes Leben gewonnen haben. Das Leiden, das andere hinabzieht, hat sie gut gemacht.

Mit Befriedigung dachte Hans daran, daß es jetzt die Zeit zum Dämmerschoppen in der Krone war und daß er nicht hingehen mußte. Er ging nach Hause, schob ein paar Schaufeln voll Kohlen in den Ofen, ging leise summend auf und ab und sah dem frühen Dunkelwerden zu. Ihm war wohl, und er meinte eine gute Zeit vor sich zu sehen, ein bescheiden fleißiges Arbeiten, schönen Zielen entgegen, und die ganze genügsame Zufriedenheit eines Gelehrtenlebens, dem das persönliche Dasein beinahe unbemerkt hinrinnt, da Leidenschaft und Kampf und Unruhe des Herzens sich ungeteilt auf dem unirdischen Boden der Spekulation umtreiben und verbluten können. Da er nun einmal kein Student war, wollte er desto mehr ein Studierender sein, nicht um ein Examen und irgendein Amt zu erarbeiten, sondern um seine Kraft und Sehnsucht an großen Gegenständen zu messen und zu steigern.

Er brach die Melodie ab, zündete die Lampe an und setzte sich, die Fäuste an den Ohren, über einen stark gelesenen, mit Bleistiftstrichen und Verweisen gefüllten Band Schopenhauer. Er begann bei dem schon doppelt angestrichenen Satz: »Dieses eigentümliche Genügen an Worten trägt mehr als irgend etwas bei zur Perpetuierung der Irrtümer. Denn gestützt auf die von seinen Vorgängern überkommenen Worte und Phrasen geht jeder getrost an Dunkelheiten oder Problemen vorbei, wodurch diese sich unbeachtet Jahrhunderte hindurch von Buch zu Buch fortpflanzen und der denkende Kopf, zumal in der Jugend, in Zweifel gerät, ob etwa nur er unfähig ist, das zu verstehen, oder ob hier wirklich nicht Verständliches vorliege.«

Hans war, wie die meisten höher begabten Menschen, scheinbar vergeßlich. Ein neuer Zustand, ein neuer Gedankenkreis konnte ihn zeitweilig so erfüllen und mitnehmen, daß er darüber Naheliegendes, eben noch gegenwärtig und lebendig Gewesenes, völlig vergaß. Das dauerte jeweils so lange, bis er das Neue ganz erfaßt und zu eigen genommen hatte. Dann war nicht nur seine peinlich gepflegte Erinnerung an den gesamten Zusammenhang seines Lebens wieder da, sondern es drängten sich Erinnerungsbilder von großer Deutlichkeit ihm in oft lästiger Fülle auf. In diesen Zeiten litt er die bittere Pein aller Selbstbeobachter, die nicht schöpferische Künstler sind.

Für den Augenblick hatte er Erwin ganz vergessen. Er brauchte ihn jetzt nicht, er fühlte sich in der wiedererworbenen Freiheit und Stille befriedigt und dachte weder voraus noch zurück, sondern stillte sein seit Monaten zum wahren Hunger gewordenes Verlangen nach Einsamkeit, Lektüre und Arbeit und fühlte die Zeit des Lärmens und der vielen Kameraden beinahe spurlos hinter sich versunken.

Erwin ging es anders. Er hatte eine Begegnung mit Hans vermieden und die Nachricht von seinem Austritt und die ärgerlichen, zum Teil auch bedauernden Bemerkungen der Bundesbrüder mit trotzigem Gleichmut angehört. Als Intimus des Ausreißers war er in den ersten Tagen manchen Anspielungen ausgesetzt, die seinen Ärger steigerten und seine Abwendung von Hans bestärkten. Denn er wollte diesmal durchaus nicht nachgeben. Doch konnte sein Wille nicht hindern, daß jedes unbillige und gehässige Wort über den Ausgeschiedenen ihm weh tat. Da er aber nicht gesonnen war, unnötig um den Undankbaren zu leiden, vermied er aus Instinkt Alleinsein und Nachdenken, war den ganzen Tag mit Kameraden zusammen und redete und trank sich in eine törichte Lustigkeit hinein.

Und eben dadurch überwand er die Sache nicht und wurde den lästigen Freund im Herzen nicht los. Vielmehr folgte dem künstlichen Rausch eine tiefe Beschämung und Niedergeschlagenheit. Zu der Trauer um den verlorenen Freund kam die Selbstanklage und reuige Erkenntnis seiner Feigheit und seiner unredlichen Versuche, ihn zu vergessen.

Eines Tages, zehn Tage nach Hansens Austritt aus der Verbindung, nahm Erwin an einem Straßenbummel teil. Es war ein sonniger Wintervormittag mit hellblauem Himmel und frischer, trockener Luft. Auf den Gassen der alten, engen Stadt leuchteten die farbigen Mützen der bummelnden Studenten in fröhlicher Pracht, flotte Reiter im Wichs trabten mit hellem Getön über den harten, trockenen Winterboden.

Erwin war mit einem Dutzend Kameraden unterwegs, alle in prahlend ziegelroten Mützen. Sie flanierten langsam durch die paar Hauptstraßen, begrüßten andersfarbige Bekannte mit großer Beflissenheit und Würde, nahmen demütige Grüße von Dienern, Wirten und Geschäftsleuten nachlässig-stolz entgegen, betrachteten Schaufenster, hielten stehend an belebten Straßenecken Rast und unterhielten sich laut und ungezwungen über vorübergehende Frauen und Mädchen, Professoren, Reiter und Pferde.

Als sie eben vor einer Buchhandlung Stand gefaßt hatten und ausgehängte Bilder, Bücher und Plakate flüchtig betrachteten, ging die Ladentür auf, und Hans Calwer trat heraus. Alle zwölf oder fünfzehn Rotmützen wandten sich verächtlich ab oder bemühten sich, mit starren Gesichtern und überhoch gezogenen Brauen Nichterkennung, Abweisung, Verachtung, vollständige Ignorierung, ja Vernichtung auszudrücken.

Erwin, der beinahe mit Hans zusammengeprallt wäre, wurde dunkelrot und wandte sich scheu mit fliehender Gebärde dem Schaufenster zu. Hans ging mit unbewegtem Gesicht und ohne künstliche Eile vorüber; er hatte Erwin nicht bemerkt und fühlte sich vor den andern keineswegs befangen. Im Weitergehen freute er sich darüber, daß der Anblick der allzu bekannten Mützen und Gesichter ihn kaum erregt hatte, und dachte mit Erstaunen daran, daß er noch vor zwei Wochen zu diesen gehört habe.

Erwin gelang es nicht, seine Bewegung und Verlegenheit zu verbergen.

»Mußt dich nicht aufregen!« sagte sein Leibbursch gutmütig. Ein anderer schimpfte: »So ein hochnäsiger Kerl! Kaum daß er ausgewichen ist! Am liebsten hätt ich ihn gehauen.«

»Dummes Zeug«, beruhigte der Senior. »Er hat sich eigentlich sehr tadellos benommen. N'en parlons plus.«

Noch eine Straße weit ging Erwin mit, dann machte er sich mit kurzer Entschuldigung los und lief nach Haus. Er hatte bisher gar nicht daran gedacht, daß er ja Hans jeden Augenblick auf der Straße begegnen konnte, und wirklich hatte er ihn in diesen 10 Tagen nie gesehen. Er wußte nicht, ob Hans ihn bemerkt und erkannt habe, aber er hatte über diese lächerlich unwürdige Situation kein gutes Gewissen. Es war auch zu dumm; da ging zwei Schritt von ihm sein Herzensfreund vorbei, und er durfte ihm nicht einmal guten Morgen sagen. In den ersten trotzigen Tagen hatte er sogar seinem Leibburschen das Versprechen gegeben, keinen »inoffiziellen Verkehr« mit Hans Calwer zu pflegen. Er begriff das jetzt selbst nicht mehr und hätte sich nichts daraus gemacht, dies Wort zu brechen.

Aber Hans hatte gar nicht ausgesehen wie einer, der um einen verlorenen Schulfreund trauert. Sein Gesicht und sein Gang waren frisch und ruhig gewesen. Er sah dieses Gesicht so deutlich: die gescheiten, kühlen Augen, den schmalen, etwas hochmütigen Mund, die festen, rasierten Wangen und die helle, zu große Stirn. Es war der alte Kopf, wie in jenen ersten Schulknabenzeiten, als er ihn so sehr bewunderte und kaum zu hoffen wagte, daß dieser feine, sichere, still leidenschaftliche Knabe einmal sein Freund werden könnte. Nun war er's gewesen, und Erwin hatte ihn im Stich gelassen.

Da Erwin seinem Schmerz um den Bruch mit Hans Gewalt angetan und sich selber mit einem lustigen Gebaren betrogen hatte, fand die Selbstanklage ihn nun vollkommen schuldig. Er vergaß, daß Hans es ihm oft schwer genug gemacht hatte, sein Freund zu bleiben, daß er selber früher schon oft an Hansens Freundschaft gezweifelt hatte, daß Hans ihn längst hätte aufsuchen oder ihm schreiben können; er vergaß auch, daß er wirklich gewünscht hatte, das ungleiche Verhältnis zu brechen, daß er nimmer der Pudel hatte sein mögen. Er vergaß alles und sah nur noch seinen Verlust und seine Schuld. Und während er verzweifelt an seinem kleinen, unbequemen Schreibtisch saß, brachen ihm unvermutet reichliche Tränen aus den Augen und fielen auf seine Hand, auf die gelben Handschuhe und die rote Mütze.

Richtig betrachtet, war es Hans gewesen, der ihn einst Schritt für Schritt aus dem Kinderland ins Reich der Erkenntnis und der Verantwortung mit sich gezogen hatte. Nun aber wollte es Erwin scheinen, als habe ihn erst seit diesem Verlust die erste, ungebrochene Lebensfreude verlassen. Er dachte an alle Torheiten und Versäumnisse seiner Studentenzeit und kam sich befleckt und gefallen vor. Und so sehr er im Schmerz der schwachen Stunde übertrieb, indem er das alles in unklare Beziehung zu Hans brachte, es war doch eine gewisse Wahrheit darin. Denn Hans war, ohne es zu wollen und ganz zu wissen, sein Gewissen gewesen.

So fiel für Erwin wirklicher Schmerz und wirkliche Schuld mit seiner ersten Anwandlung von Heimweh nach der Kinderzeit zusammen, die fast alle jungen Leute gelegentlich befällt und je nach den Umständen alle Formen vom einfachen Katzenjammer bis zum echten, töricht sinnvollen Jugend-Weltschmerz annehmen kann. Das unbewehrte, widerstandslose Gemüt des Jungen beklagte in dieser Stunde den Freund, seine Verschuldung, seinen Leichtsinn, das verlorene Kinderparadies, alles miteinander, und es fehlte an einem wachen, kühlen Verstand, der ihm gesagt hätte, aller Übel Wurzel sei in seinem eigenen, weichen, leicht vertrauenden, allzu haltlosen Wesen zu suchen.

Eben darum dauerte die Anwandlung auch nicht lange. Tränen und Verzweiflung machten ihn müde; er ging früh zu Bett und tat eine langen, festen Schlaf. Und als in der animalisch-wohligen, ausgeschlafenen Stimmung des neuen Tages sich die Erinnerung an das Gestrige erheben und neue Schatten um sich verbreiten wollte, da war Erwin Mühletal schon wieder Kind genug, sich bei Kameraden und einem Likörfrühstück in der Konditorei Trost zu suchen. Von frischen Gesichtern umgeben und von lustigen Gesprächen, im Glanz der Farben, von einem hübschen und schlagfertigen Mädchen wortreich bedient, lehnte er wehmütig-froh im bequemen Stuhl, führte kleine Brötchen zum Munde und mischte sich aus verschiedenen Likörflaschen ein sonderbares Getränk zusammen, das zwar nicht eigentlich gut schmeckte, aber ihm und den anderen doch viel Vergnügen machte und im Kopf statt der Gedanken einen leichten, schwimmenden, behaglichen Nebel verbreitete. Auch die Bundesbrüder fanden, Mühletal sei heut ein feiner Kerl.

Nachmittags war ein Kolleg, in dem Erwin ein wenig schlummerte, dann machte die Reitstunde ihn wieder ganz munter, so daß er in den Roten Ochsen ging, um der neuen Kellnerin den Hof zu machen. Und da er dort kein Glück hatte, vielmehr die Begehrte von einem Rudel von Einjährigen in Anspruch genommen fand, beendete er den Tag schließlich zufrieden im Café.

So trieb er es eine gute Weile, ganz wie ein Kranker, der in klaren Stunden sein Übel genau erkennt, es aber durch Vergessen und Aufsuchen angenehmer Reize vor sich selbst verbirgt. Er kann lachen, reden, tanzen, trinken, arbeiten, lesen, aber ein dumpfes, selten bis zur Oberfläche des Bewußtseins herauf dringendes Gefühl wird er nicht los, und für Augenblicke kommt ihm deutlich die Erinnerung daran zurück, daß der Tod in seinem Leibe sitzt und im geheimen arbeitet und wächst.

Er ging spazieren, ritt, focht, kneipte und ging ins Theater, ein gesunder, schneidiger Bursch. Aber er war nicht mit sich einig und trug ein Übel in sich verborgen, von dem er wußte, daß es auch in seinen guten Stunden da war und an ihm fraß. Auf der Straße bangte er oft plötzlich vor der Möglichkeit, Hans zu begegnen. Und nachts, wenn er ermüdet schlief, ging seine unruhige Seele Erinnerungswege und wußte wieder genau, daß die Freundschaft mit Hans ihr bester Besitz gewesen war und daß es nichts half, das zu leugnen und zu vergessen.

Einmal machte ein Kamerad in Erwins Gegenwart die anderen lachend darauf aufmerksam, daß dieser so viele Ausdrücke brauche, die von Hans stammten. Erwin sagte nichts, konnte aber nicht mitlachen und ging bald weg. Also jetzt noch war er von Hans abhängig und konnte nicht verleugnen, daß er ihm angehörte und ganze Teile seines Lebens ihm verdankte.

In den Vorlesungen des Orientalisten war Hans Calwer seither jenem bäurisch aussehenden Zuhörer regelmäßig begegnet und hatte häufig neben ihm gesessen. Er hatte ihn aufmerksam betrachtet, und seine ganze Art gefiel ihm trotz dem hilflosen Äußeren mehr und mehr. Er hatte gesehen, daß jener die Vorträge sauber und mühelos stenographierte, und ihn um diese Kunst beneidet, die er aus Abneigung nie hatte lernen mögen.

Einst saß er wieder in seiner Nähe und beobachtete, ohne den Vortrag außer acht zu lassen, den fleißigen Mann. Mit Befriedigung sah er in dessen Gesicht das Aufmerken und Verstehen ausgedrückt und in leisen Bewegungen lebend. Er sah ihn einigemal nicken, einmal lächeln, und während er dies lebendige Gesicht beobachtete, empfand er nicht nur Achtung, sondern Bewunderung und Zuneigung. Er beschloß, den Studenten kennenzulernen. Als die Vorlesung zu Ende war und die Zuhörer den kleinen Raum verließen, folgte Hans dem Lodenmantel aus der Ferne, um zu sehen, wo er wohne. Zu seinem Erstaunen machte der Unbekannte aber in keiner der alten Gassen halt, wo die meisten wohlfeilen Mietzimmer zu finden waren, sondern ging auf einen neueren, weit angelegten Stadtteil zu, wo Gärten, Privathäuser und Villen lagen und nur wohlhabende Leute wohnten. Nun wurde Hans neugierig und folgte in kleinerer Entfernung. Der im Lodenmantel schritt weiter und weiter, schließlich an den äußersten Villen und letzten Gartentoren vorbei, wo die bis dahin stattliche und gepflegte Straße in einen Feldweg verlief, der über einige kleine Bodenwellen, vermutlich Ackerland, hinweg in eine wenig besuchte, Hans völlig unbekannte Gegend hinaus führte.

Noch eine Viertelstunde oder länger ging Hans hinterher, dem Vorausschreitenden immer näher kommend. Nun hatte er ihn beinahe erreicht, jener hörte seine Schritte und wandte sich um. Er sah Hans fragend an, mit einem ruhigen Blick aus klaren, offenen, braunen Augen. Hans zog den Hut und sagte guten Tag. Der andere grüßte wieder, und beide blieben stehen.

»Sie gehen spazieren?« fragte Hans schließlich.

»Ich gehe heim.«

»Ja, wo wohnen Sie denn? Gibt es hier draußen noch Häuser?«

»Hier nicht, aber eine halbe Stunde weiter. Da liegt ein Dorf, Blaubachhausen, und da wohne ich. Aber Sie sind ja wohl hier schon lang bekannt?«

»Nein, ich bin zum erstenmal hier draußen«, sagte Hans. »Darf ich ein Stück mitgehen? Mein Name ist Calwer.«

»Ja, es freut mich. Ich heiße Heinrich Wirth. Aus dem Buddha-Kolleg her kenne ich Sie ja schon länger.«

Sie gingen nebeneinander weiter, und unwillkürlich richtete Hans seinen Schritt nach dem festeren seines Nachbarn. Nach einigem Schweigen sagte Wirth: »Sie haben früher immer so eine rote Kappe aufgehabt.«

Hans lachte: »Ja«, sagte er. »Aber das ist jetzt vorbei. Es war ein Mißverständnis, hat aber doch anderthalb Semester gedauert. Und winters bei der Kälte ist ein Hut auch besser.«

Wirth sah ihn an und nickte. Fast verlegen sagte er dann: »Es ist komisch, aber denken Sie, das freut mich.«

»Warum denn?«

»Oh, es hat keinen besonderen Grund. Ich hatte aber manchmal ein Gefühl, daß Sie nicht da hineinpassen.«

»Haben Sie mich denn beobachtet?«

»Nicht gerade. Aber man sieht einander doch. Im Anfang genierte es mich eigentlich, wenn Sie neben mir saßen. Ich dachte: das ist auch so ein Tadelloser, den man nicht anschauen darf, ohne daß er wild wird. Es gibt ja solche, nicht?«

»Ja, es gibt solche. O ja.«

»Also. Und dann sah ich, ich hatte Ihnen unrecht getan. Ich merkte ja, daß Sie wirklich zum Hören und Lernen herkamen.«

»Nun, das tun die andern doch wohl auch.«

»Meinen Sie? Ich glaube, nicht viele. Die meisten wollen eben einmal ein Examen machen, weiter nichts.«

»Dazu muß man doch aber auch lernen.«

»Auch, ja, aber nicht viel. Aber man muß dagewesen sein, die Vorlesung belegt haben und so weiter. Was man in einem Kolleg über Buddha lernen kann, kommt im Examen nicht vor.«

»Allerdings. Aber – erlauben Sie – zu einer Art von Erbauung sind eigentlich die Hochschulen auch wieder nicht da. Das Unwissenschaftliche, religiös Wertvolle an Buddha zum Beispiel kann man in einem Reclambändchen haben.«

»Das wohl. Das meine ich auch nicht. Ich bin übrigens nicht eine Art Buddhist, wie Sie vielleicht meinen, wenn ich die Inder auch gern habe. – Sagen Sie, kennen Sie Schopenhauer?«

»Ja, ich glaube.«

»Also. Dann kann ich Ihnen das schnell erklären: Ich bin einmal beinah Buddhist gewesen, so wie ich's damals verstand. Und davon hat Schopenhauer mir geholfen.«

»Ganz verstehe ich das nicht.«

»Nun, die Inder sehen das Heil im Erkennen, nicht wahr?

Auch ihre Ethik ist nichts als eine Ermahnung zur Erkenntnis. Das hat mich angelockt. Aber nun saß ich da und wußte nicht, war das Erkennen überhaupt nicht der Weg zum Richtigen, oder hatte nur ich noch nicht genug erkannt. Und das wäre natürlich immer weiter gegangen und hätte mich kaputt gemacht. Da fing ich denn noch einmal mit Schopenhauer an, und dessen letzte Weisheit ist schließlich doch die, daß die Tätigkeit des Erkennens nicht die höchste ist, also auch nicht allein zum Ziele führen kann.«

»Zu welchem Ziel?«

»Ja, das ist viel gefragt.«

»Nun ja, ein andermal davon. Aber mir ist nicht recht klar, warum das Ihnen geholfen hat. Wie konnten Sie denn wissen, ob Schopenhauer recht hat oder die indische Lehre? Eins steht gegen das andere. Es war also einfach Ihre Wahl.«

»Doch nicht. Die Inder haben es im Erkennen ja weit gebracht, aber sie hatten keine Erkenntnistheorie. Die hat erst Kant gebracht, und wir können es nimmer ohne sie machen.«

»Das ist richtig.«

»Gut. Und Schopenhauer geht ja ganz von Kant aus. Ich mußte also zu ihm Vertrauen haben, gerade wie ein Luftschiffer zu Zeppelin mehr Vertrauen hat als zum Schneider von Ulm, einfach weil seither reale Fortschritte gemacht worden sind. Also stand die Waage doch nicht ganz gleich, sehen Sie. Aber die Hauptsache lag freilich anderswo. Es stand meinetwegen eine Wahrheit gegen die andere. Aber die eine konnte ich nur mit dem Verstand fassen, für den war sie fehlerlos. Die andere aber fand in mir Resonanz, ich konnte sie durch und durch fassen, nicht nur mit dem Kopf.«

»Ja, ich begreife. Darüber soll man auch nicht streiten. Und seither sind Sie also mit Schopenhauer zufrieden?«

Heinrich Wirth blieb stehen.

»Mensch, Mensch!« rief er lebhaft, doch lächelnd. »Mit Schopenhauer zufrieden! Was soll nun das bedeuten? Man ist einem Wegweiser dankbar, der einem viel Umwege gespart hat, aber man fragt doch den nächsten wieder. Ja, wenn man mit einem Philosophen zufrieden sein könnte! Dann wäre man ja am Ende.«

»Aber nicht am Ziel?«

»Nein, wahrhaftig nicht.«

Sie sahen einander an und hatte Freude aneinander. Sie nahmen das philosophische Gespräch nicht wieder auf, da sie beide fühlten, es sei dem andern nicht um Worte zu tun und sie müßten sich erst besser kennen, um weiter von solchen Dingen zu sprechen. Hans war es zumute, als hätte er unversehens einen Freund gefunden, doch wußte er nicht, ob der andere ihn ebenso ernst nahm, er hatte sogar ein mißtrauisches Gefühl, als sei Wirth trotz seiner sorglosen Offenheit viel zu sicher und fest, um sich leicht hinzugeben.

Es war das erstemal, daß er vor einem beinahe Gleichaltrigen eine solche Achtung hatte und sich als den Nehmenden fühlte, ohne sich darüber zu empören.

Hinter schwarzen, mit Schnee gefleckten Ackerfurchen stiegen jetzt zwischen kahlen Obstbäumen helle Giebel eines Weilers auf. Dreschertakt und ein Kuhgebrüll tönte durch die Stille der leeren Felder herüber.

»Blaubachhausen«, sagte Wirth und deutete auf das Dörfchen. Hans wollte Abschied nehmen und umkehren. Er nahm an, sein Bekannter wohne ärmlich und möge das nicht zeigen, oder das Dorf sei vielleicht seine Heimat und er hause dort bei Vater und Mutter.

»Nun sind Sie gleich zu Hause«, sagte er, »und ich will nun auch umkehren und sehen, daß ich zum Mittagessen komme.«

»Tun Sie das nicht«, meinte Wirth freundlich. »Kommen Sie vollends mit und sehen Sie, wo ich wohne und daß ich kein Landstreicher bin, sondern eine ganz stattliche Bude habe. Essen können Sie im Dorf auch haben, und wenn Sie mit Milch zufrieden sind, können Sie mein Gast sein.«

Es war so unbefangen angeboten, daß er gerne annahm. Sie stiegen jetzt einen Hohlweg zwischen Dornengestrüpp zum Dorf hinab. Beim ersten Hause war ein Brunnentrog, ein Knabe stand davor und wartete, bis seine Kuh genug getrunken habe. Das Tier wandte den Kopf mit den schönen, großen Augen nach den Herankommenden um, und der Knabe lief herüber und gab Wirth die Hand. Sonst war die Gasse winterlich leer und still. Es war Hans wunderlich, aus den Straßen und Hörsälen der Stadt unvermutet in diesen Dorfwinkel zu treten, und er wunderte sich auch über seinen

Begleiter, der hier und dort lebte und heimisch schien und der den stillen, weiten Weg zur Stadt tagtäglich ein- oder mehrmal ging.

»Sie haben weit in die Stadt«, sagte er.

»Eine Stunde. Wenn man dran gewöhnt ist, kommt es einem viel weniger vor.«

»Und Sie leben wohl ganz einsam da draußen?«

»Nein, gar nicht. Ich wohne bei Bauersleuten und kenne das halbe Dorf.«

»Ich meine, Sie werden wenig Besuch da haben – Studenten, Freunde –«

»Diesen Winter sind Sie der erste, der mich besucht. Aber im Sommersemester kam öfter einer heraus, ein Theolog. Er wollte Plato mit mir lesen, und wir haben auch angefangen und es drei, vier Wochen getrieben. Dann blieb er allmählich aus. Der Weg war ihm doch zu weit, er hatte ja auch in der Stadt noch Freunde, da verleidete es ihm. Für den Winter ist er jetzt in Göttingen.«

Er sprach ruhig, fast gleichgültig, und Hans hatte den Eindruck, diesem Einsiedler könne Gesellschaft, Freundschaft, Bruch der Freundschaft wenig mehr anhaben.

»Sind Sie nicht auch Theolog?« fragte er.

»Nein. Ich bin als Philolog eingetragen. Ich höre, außer dem indischen Kolleg, griechische Kulturgeschichte und Althochdeutsch. Nächstes Jahr, hoffe ich, gibt es ein Sanskrit-Seminar, da will ich teilnehmen. Sonst arbeite ich privatim und bin drei Nachmittage in der Woche auf der Bibliothek.«

Sie waren vor Wirths Wohnung angekommen. Das Bauernhaus lag still und sauber mit weißem Verputz und rotgemaltem Fachwerk, von der Straße durch einen Obstgarten getrennt. Hühner liefen umher, jenseits des Hofes wurde auf einer großen Tenne Korn gedroschen. Wirth ging seinem Besucher voran ins Haus und die schmale Treppe hinauf, die nach Heu und getrocknetem Obst roch. Oben öffnete er in der halben Finsternis des fensterlosen Flurs eine Tür und machte den Gast auf die altväterisch hohe Schwelle aufmerksam, damit er nicht falle.

»Kommen Sie herein«, sagte Wirth, »hier ist meine Wohnung.«

Der Raum war, trotz seiner bäuerlichen Einfachheit, weit

größer und behaglicher als Hansens Stadtzimmer. Es war eine sehr große Stube mit zwei breiten Fenstern. In einer ziemlich dunklen Ecke stand ein Bett und ein kleiner Waschtisch mit einem ungeheuren, grau und blauen Wasserkrug aus Steingut. Nahe bei den Fenstern und von beiden her beleuchtet stand ein sehr großer Schreibtisch aus Tannenholz, mit Büchern und Heften bedeckt, eine schlichte Holzstabelle dabei. Die eine, äußere Wand ward ganz von drei hohen, bis oben gefüllten Bücherständern eingenommen, an der Wand gegenüber stand ein gewaltiger braungelber Kachelofen, der reichlich geheizt war. Sonst war nur noch ein Kleiderschrank da und ein zweiter, kleiner Tisch. Auf diesem stand ein irdener Hafen voll Milch, daneben lag ein Holzteller mit einem Brotlaib. Wirth brachte eine zweite Stabelle herbei und bat Hans zu sitzen. »Wenn Sie mit mir halten wollen«, meinte er einladend, »so essen wir gleich. Die kalte Luft macht Hunger. Sonst bringe ich Sie ins Wirtshaus, ganz wie Sie wollen.«

Hans zog es vor, dazubleiben. Er bekam einen blau- und weißgestreiften Napf ohne Henkel, einen Teller und ein Messer. Wirth schenkte ihm Milch ein und schnitt ihm ein Stück Brot vom Laib, danach versorgte er sich selber. Er schnitt sein Brot in lange Streifen, die er in die Milch tauchte. Da er sah, daß seinem Besuch diese Art zu essen ungewohnt war, lief er nochmals hinaus und kam mit einem Löffel, den er ihm hinlegte.

Sie aßen schweigend, Hans nicht ohne Befangenheit. Als er fertig war und nichts mehr nehmen wollte, ging Wirth an den Schrank, brachte eine prächtige Birne und bot sie an: »Da hab ich noch etwas für Sie, damit Sie mir nicht hungrig bleiben. Nehmen Sie nur, ich habe noch einen ganzen Korb voll. Sie sind von meiner Mutter, die schickt mir alle Augenblicke so was Gutes.«

Calwer kam nicht aus der Verwunderung. Er war überzeugt gewesen, der Mann sei ein armer Schlucker und Stipendientheolog, nun hatte er erfahren, daß er lauter brotlose Künste treibe, und sah außerdem an dem stattlichen Bücherschatz, daß er nicht arm sein könne. Denn es war nicht eine ererbte oder aus zufälligen Geschenken entstandene Verlegenheitsbibliothek, die man mit sich schleppt und beibehält, ohne sie zu brauchen, sondern eine Sammlung guter, zum Teil ganz neuer Bücher in einfachen, anständigen Einbänden, alles offenbar in wenigen Jahren erworben. Der eine Ständer enthielt Dichter aller Völker und Zeiten bis zu Hebbel und sogar Ibsen, nebst den antiken Autoren. Alles andere war Wissenschaft, aus verschiedenen Gebieten, ein Fach voll ungebundener Sachen enthielt vieles von Tolstoi, eine Masse Broschüren und Reclambändchen.

»Wieviel Bücher Sie haben!« rief Hans bewundernd. »Auch einen Shakespeare. Und Emerson. Und da ist Rhodes ›Psyche‹! Das ist ja ein Schatz.«

»Nun ja. Wenn Sachen dabei sind, die Sie lesen möchten und nicht selber haben, dann nehmen Sie nur mit! Es wäre ja schöner, wenn man ohne Bücher leben könnte, aber man kann es doch nicht.«

Nach einer Stunde brach Hans auf. Wirth hatte ihm geraten, einen anderen, schöneren Weg nach der Stadt zurück zu gehen und begleitete ihn nun eine kleine Strecke, damit er nicht irr gehe. Als sie auf die untere Dorfstraße kamen, schien Hans die Umgebung bekannt, als sei er schon einmal hier gewesen. Und als sie an einem modernen Wirtshaus mit einem großen Kastaniengarten vorübergingen, fiel jener Tag ihm plötzlich wieder ein. Es war in seiner ersten Zeit gewesen, gleich nach seinem Eintritt in die Verbindung, sie waren in Landauern herausgefahren und hatten hier im Garten gesessen, alles fidel und schon angetrunken, in einer lärmigen Fröhlichkeit. Er schämte sich. Damals war vielleicht jener Theolog, der nachher untreu wurde, bei Wirth gesessen, und sie hatten Plato gelesen.

Beim Abschied wurde er zum Wiederkommen aufgefordert, was er gerne versprach. Erst nachher fiel ihm ein, daß er seine Adresse nicht angegeben habe. Doch war er ja sicher, seinen neuen Bekannten im indischen Kolleg wieder zu treffen. Während des ganzen Heimwegs machte er sich neugierige Gedanken über ihn. Seine plumpe Kleidung, sein Wohnen da draußen bei Bauern, sein Mittagsmahl von Brot und Milch, seine Mutter, die ihm Birnen schickte, das alles paßte gut zusammen, aber es paßte nicht zu den vielen Büchern und nicht zu Wirths Reden. Gewiß war er auch älter als er aussah und hatte schon manches erlebt und erfahren.

Seine einfache, unbefangen freie Art zu sprechen, Bekanntschaft zu machen, sich im Gespräch herzugeben und doch in Reserve zu bleiben, war im Gegensatz zu seiner sonstigen Erscheinung beinahe weltmännisch. Unvergeßlich aber war sein Blick, der ruhige, klare, sichere Blick aus schönen, warmen, braunen Augen.

Auch was er über Schopenhauer und die indische Philosophie gesagt hatte, war zwar nicht neu, aber es klang ganz und gar erlebt, nicht wie gelesen oder auswendig gelernt. In Hansens Erinnerung klang noch mit unbestimmt erregendem, mahnendem Ton wie das Nachsummen einer tiefen Saite das Wort, das jener von seinem »Ziel« gesagt hatte.

Was war das für ein Ziel? Vielleicht dasselbe, das ihm selber noch so dunkel und doch als Ahnung schon da war, während jener es schon erkannt hatte und mit Bewußtsein verfolgte? Aber Hans meinte zu wissen, daß jeder Mensch sein eigenes Ziel habe, jeder ein anderes und daß scheinbare Übereinstimmungen hier nur Täuschungen sein könnten. Immerhin war es möglich, daß zwei Menschen große Wegstrecken gemeinsam gingen und Freunde waren. Und er fühlte, daß er dieses Menschen Freundschaft begehrte, daß er zum erstenmal bereit war, sich einem andern unterzuordnen und hinzugeben, eine fremde Überlegenheit willig und dankbar gelten zu lassen.

Etwas müde und durchfroren kam er in die Stadt zurück, als es schon dämmerte. Er ging nach Hause und ließ sich Tee machen; da erzählte ihm seine Wirtin, es sei zweimal ein Student dagewesen und habe nach ihm gefragt. Das zweitemal habe er sich Hansens Zimmer öffnen lassen und dort länger als eine Stunde auf ihn gewartet. Hinterlassen habe er nichts. Die Frau wußte seinen Namen nicht, beschrieb ihn aber so, daß Hans wußte, es war Erwin gewesen.

Tags darauf begegnete er ihm am Eingang der Aula. Erwin sah blaß und übernächtigt aus. Er war in Couleur und in Gesellschaft von Bundesbrüdern, und als er Hans erkannte, wandte er das Gesicht und sah geflissentlich von ihm weg.

Hans überlegte sich, ob er ihn besuchen solle, kam aber zu keinem Entschluß. Er kannte Erwins Schwäche und Bestimmbarkeit wohl und zweifelte nicht daran, daß es nur auf ihn ankäme, um ihn wieder unter seinen Einfluß zu bringen.

Doch wußte er selbst nicht, ob das für sie beide gut wäre. Daß Erwin ihn allmählich vergäße und im Umgang mit so vielen anderen selbständiger würde, war vielleicht doch die beste Lösung. Es tat ihm leid, keinen Freund mehr zu haben, und es war ihm sonderbar peinlich, daran zu denken, daß ein ihm fremd Gewordener ihn so gut kennen und so viele Erinnerungen mit ihm gemeinsam haben solle. Aber lieber das, als ein so einseitiges Verhältnis gewaltsam weiterführen! Er gestand sich, daß es ihm ein wenig wohl tat, die Verantwortung für den allzu unselbständigen Freund los zu sein.

Dabei vergaß er, daß er noch vor vierzehn Tagen ganz anders gedacht hatte. Damals kam es ihm wie eine beschämende Niederlage vor, wenn Erwin das Bleiben in der Verbindung seiner Freundschaft vorzog, jetzt ließ ihn das kühl. Das beruhte zwar zum Teil einfach auf seiner augenblicklichen Zufriedenheit mit dem Leben, die ihn ruhig machte, weit mehr aber noch und mehr als er selbst wußte, auf seiner jungen Bewunderung für Heinrich Wirth und auf seiner Hoffnung, an ihm einen neuen, ganz anders geliebten Freund zu bekommen. Erwin war ein Spielkamerad gewesen, der andere aber konnte ein wirklicher Teilnehmer an seinem Denken und Leben, ein Ratgeber, Führer und Weggefährte sein.

Indessen war es Erwin nicht wohl. Seine Kameraden mußten sein ungleiches, erregtes Wesen bemerken, und einige fühlten heraus, daß Hans die Ursache war. Das ließ man ihn gelegentlich merken, und einer, ein grober Patron, machte sich den Spaß, Erwins Freundschaft mit Hans eine »Liebschaft« zu nennen und ihn zu fragen, ob er sich jetzt, da Hans Gott sei Dank weg sei, nicht endlich in ein Weib verlieben wolle, wie es unter gesunden Jungen Sitte sei. Die rasende Wut, in die Erwin darüber geriet, hätte beinah zu einer blutigen Rauferei geführt. Er stürzte sich auf den Spötter, den man ihm mit Gewalt entreißen mußte, und die älteren Kameraden fanden kein Mittel, ihn zu beruhigen, als daß sie den Ungezogenen zwangen, Erwin um Verzeihung zu bitten. Da die Verzeihung so erzwungen war und so wenig von Herzen kam wie die Bitte darum, blieb der Riß klaffen, und Erwin hatte nicht nur einen Feind, den er täglich sehen mußte, sondern fühlte sich auch von den anderen mit einem gewissen Mitleid behandelt, das ihm alle Unbefangenheit nahm. Nun spielte er den Forschen nicht mehr nur sich selber, sondern ebensosehr den anderen vor, und es gelang ihm schlecht.

Am Tag jener Beleidigung hatte er die beiden Fehlgänge zu Hans getan. Nun nahm er ihm übel, daß er nicht zu finden gewesen war und sah mit einer traurigen Genugtuung den Augenblick verpaßt, in welchem Beleidigung und frischer Zorn ihm einen kühnen und befreienden Schritt erleichtert hätten. Er ließ jetzt alles wieder gehen wie es mochte, und es ging schlecht genug. Unter den Augen der Kameraden hielt er sich mit Gewalt aufrecht, indem er sich auf dem Hauboden und in der Reitschule besondere Mühe gab. Weiter reichte seine Kraft nicht, und da er sich bei den Kameraden beobachtet oder geschont fühlte und es doch zu Hause, bei der Arbeit oder auf einsamen Spaziergängen nicht lange aushielt, gewöhnte er sich daran, zu beliebigen Tagesstunden die Cafés und Trinkstuben aufzusuchen, da ein paar Gläser Bier, dort einen Schoppen Wein, hier ein Glas Likör zu nehmen, so daß er nahezu den größeren Teil seiner Zeit in einer wüsten Betäubung umherlief. Richtig betrunken sah man ihn nie, aber auch selten vollkommen nüchtern, und in kürzester Zeit hatte er einige von den bekannten Trinkergewohnheiten und Gebärden angenommen, die gelegentlich so komisch drollig, auf die Dauer aber traurig und scheußlich sind. Ein in Freude oder Zorn getrunkener Rausch kann befreiend, lustig, liebenswürdig sein, während der halbwache Dusel des Wirtshausbruders, der sein Leben auf eine bequeme, langsame, träge Weise zerstört, stets ein Jammer und Ekel ist.

Eine heilsame Unterbrechung brachten die Weihnachtsferien. Erwin reiste nach Hause und blieb, da er sich krank fühlte, noch eine Woche länger, ließ sich von der Mutter und Schwester pflegen und erfreute sie, die anfangs über sein verändertes Wesen erschrocken waren, durch eine fast knabenhaft hervorbrechende Zärtlichkeit, die einer Reue über seine Dummheiten und einem Zufluchtbedürfnis seines unbeständigen Gemüts entsprang.

Er hatte einigermaßen damit gerechnet, Hans Calwer

211

würde die Feiertage ebenfalls im Heimatstädtchen zubringen und es werde sich hier eine Versöhnung oder doch eine Aussprache ergeben. Darin sah er sich enttäuscht. Calwer, dessen Eltern nicht mehr lebten, hatte die Ferien zu einer Reise benutzt. Erwin in seiner krankhaften Unselbständigkeit ließ es dabei bewenden und begann nach der Rückkehr zur Universität das alte Leben. Es war ihm in nüchternen Stunden ganz klar, daß sein Zustand unhaltbar sei, und er war eigentlich längst entschlossen, die rote Mütze abzulegen und sich zu Hans zu bekennen. Doch ließ er sich, in seinem Zustand von Selbstbedauern und Schwäche, immer wieder treiben und erwartete von außen, was er nur in sich selber finden konnte. Dazu kam noch eine neue Torheit, die ihn bald gefährlich festhielt.

Nach der Art verbummelnder Studenten, denen es sowohl an richtiger Arbeit wie an rechten Freunden fehlt, suchte er seine Zerstreuung immer mehr außerhalb seiner Gesellschaft und fand in geringen Kneipen, deren Besuch ihm eigentlich verboten war, den Umgang armer Teufel, entgleister Studenten und Sumpfhühner. Bei diesen Leuten gab es, neben gänzlichem Stumpfsinn, auch manche begabte und originelle Köpfe, die im Dunkel liederlicher Trinkstuben ein melancholisch-revolutionäres Geniewesen trieben und den Eindruck bedeutender Originalität machen konnten, da sie nichts anderes taten als ihrem sinnlosen Leben einen erklügelten Sinn unterzulegen. Hier blühten boshafter Witz, frappierend kecke Redensarten und ein unverhüllter Zynismus.

Als Erwin in einer kleinen, schäbigen Vorstadtkneipe zum erstenmal einige dieser Leute kennenlernte – es war bald nach Weihnachten –, ging er mit Begier auf dies Unwesen ein. Er fand den Ton hier weit geistreicher als den Komment seiner Verbindung, und dabei merkte er doch, daß er hier als Mitglied einer angesehenen, farbentragenden Verbindung, trotz allen darüber gemachten Witzen, einen gewissen Respekt genoß.

Natürlich wurde er gleich beim erstenmal geschröpft. Man fand ihn »verhältnismäßig genießbar«, wenn auch »noch sehr junger Hund«, und man tat ihm die Ehre an, ihn die Zeche für die kleine Tafelrunde bezahlen zu lassen.

Das alles war am Ende nicht schlimm und hätte ihn kaum

länger als einige Abende gefesselt. Aber man nahm ihn, sobald er sich als guter Kerl und gelegentlicher Spendierer erwiesen hatte, in ein merkwürdiges Café »Zum blauen Husaren« mit, wo man ihm unerhörte Genüsse in Aussicht gestellt hatte. Mit diesen Herrlichkeiten sah es nun zwar nicht allzu glänzend aus, die Bude war dunkel und schmierig, ein elendes, lichtscheues Loch mit einem alten Billard und schlechten Weinen, und die gefälligen Kellnerinnen waren nicht halb so verführerisch, als der arme Mühletal sich gedacht hatte. Immerhin atmete er hier eine diabolisch verdorbene Luft und genoß das mäßige und doch für Harmlose anziehende Vergnügen, mit schlechtem Gewissen an einem verpönten Ort zu weilen.

Und dann lernte er bei seinem zweiten Besuch im »Blauen Husaren« auch die Tochter der Wirtin kennen. Sie hieß Fräulein Elvira und führte das Regiment im Hause. Eine Art von bedauerlicher, gewissenloser Schönheit verlieh ihr Macht über die jungen Männer, die wie Fliegen auf den Leim gingen und über die sie unbedingt herrschte. Wenn ihr einer gefiel, setzte sie sich ihm auf den Schoß und küßte ihn, und wenn er arm war, gewährte sie ihm freie Zeche. War sie aber nicht bei Laune, so durfte auch der sonst Wohlgelittene sich keinen Scherz und keine Liebkosung erlauben. Wer ihr nicht paßte, den schickte sie fort und verbot ihm ganz oder zeitweise das Haus. Schwerbetrunkene ließ sie nicht herein, auch nicht, wenn es Freunde waren. Anfänger, die noch den Eindruck schüchterner Unschuld machten, behandelte sie mütterlich; sie duldete nicht, daß ein solcher sich betrank oder von den anderen um Geld gebracht oder gehänselt wurde. Zuzeiten war ihr wieder alles verleidet, dann war sie den ganzen Tag unsichtbar oder saß unnahbar in einem Polstersessel und las Romane, wobei niemand sie stören durfte. Ihre Mutter fügte sich in alle ihre Launen und war froh, wenn es ohne Stürme abging.

Als Erwin Mühletal sie zum ersten Male sah, saß Fräulein Elvira in ihrem gepolsterten Schmollsessel, hatte einen schlecht gebundenen Jahrgang einer illustrierten Zeitschrift vor sich liegen, in dem sie unaufmerksam und nervös blätterte und schenkte den Gästen und ihrem Treiben keinen Blick. Ihre nur scheinbar nachlässige Frisur ließ das gepflegte, schöne geschmeidige Haar weit über die Schläfen in das blasse, bewegliche und launische Gesicht hängen, schmale Lider mit langen Wimpern bedeckten die Augen. Ihre unbeschäftigte linke Hand lag auf dem Rücken einer großen, grauen Katze, die aus grünen, schrägen Augen schläfrig starrte.

Erst als Erwin mit seinen Begleitern längst mit Wein bedient und mit einem Würfelspiel beschäftigt waren, hob das Fräulein die Lider und betrachtete die neuen Gäste. Sie sah namentlich den Neuling an, und Erwin wurde verlegen unter ihrem unverhüllten, prüfenden Blick. Doch zog sie sich bald wieder hinter den Folianten zurück.

Aber als Erwin nach einer Stunde unbefriedigt aufstand, um zu gehen, erhob sie sich, zeigte ihre schlanke, biegsame Gestalt und nickte ihm, als er zum Abschied grüßte, fast unmerklich lächelnd und einladend zu.

Er ging verwirrt davon und konnte ihren zärtlichen, ironischen, versprechenden Blick und ihre feine, damenhafte Figur nicht vergessen. Er hatte nicht mehr den unbeirrt unschuldigen Blick, dem nur das fehlerlos Gesunde gefällt, und war doch unerfahren genug, das Gespielte für echt zu nehmen und in dem katzenhaften Fräulein zwar keinen Engel, aber dafür ein anziehend dämonisches Weib zu sehen.

Von da an suchte er, so oft er abends sich unkontrolliert seiner Gesellschaft entziehen konnte, den »Blauen Husaren« auf, um je nach der Laune Elviras ein paar aufregend glückliche Stunden oder Demütigung und Ärger zu haben. Sein Freiheitsverlangen, dem er seine einzige Freundschaft geopfert hatte und das auch die Gesetze und Pflichten seiner studentischen Vereinigung auf die Dauer lästig fand, unterwarf sich jetzt ohne Widerstand den Einfällen und Stimmungen eines koketten und herrschsüchtigen Mädchens, das dazu noch in einer widerwärtigen Höhle heimisch war und kein Geheimnis daraus machte, daß es zwar durchaus nicht jeden Beliebigen, aber doch mehrere, sei es nacheinander oder nebeneinander, lieben könne.

So ging Erwin den Weg, den schon mancher Besucher des »Blauen Husaren« gegangen war. Einmal forderte das Fräulein Elvira ihn auf, sie mit Champagner zu traktieren, ein andermal schickte sie ihn heim, da er Schlaf brauche; einmal war sie zwei, drei Tage unsichtbar, ein andermal bewirtete sie ihn mit guten Sachen und lieh ihm Geld.

Zwischenein empörten sich sein Herz und Verstand und schufen ihm verzweifelte Tage mit oft wiederholten Selbstanklagen und mit Entschlüssen, von denen er wußte, sie würden nicht zur Tat werden.

Eines Abends, nachdem er Elvira ungnädig gefunden hatte und unglücklich durch die Gassen strich, kam er an Hansens Wohnung vorbei und sah Licht in dessen Fenster. Er blieb stehen und sah mit Heimweh und Scham hinauf. Hans saß oben am Klavier und spielte aus dem Tristan, die Musik drang in die ruhige, dunkle Gasse heraus und hallte in ihr wider, und Erwin ging auf und ab und hörte zu, wohl eine Viertelstunde lang. Nachher, als das Klavier verstummt war, fehlte nicht viel, so wäre er hinaufgegangen. Da erlosch das Licht im Fenster, und bald darauf sah er seinen Freund, wie er in Begleitung eines großen, unfein gekleideten jungen Menschen das Haus verließ. Erwin wußte, daß Hans nicht jedem Beliebigen Tristan vorspielte.

Also hatte er schon wieder einen Freund gefunden!

In der Wohnung des Studiosus Wirth in Blaubachhausen saß Hans am braunen Kachelofen, indes Wirth in der geräumigen, niederen Stube auf und ab ging.

»Nun denn«, sagte Wirth, »das ist bald erzählt. Ich bin ein Bauernsohn, wie Sie wohl schon gemerkt haben. Aber allerdings war mein Vater ein besonderer Bauer. Er hat einer bei uns verbreiteten Sekte angehört und sein ganzes Leben, soweit ich davon weiß, damit hingebracht, den Weg zu Gott und zu einem richtigen Leben zu suchen. Er war wohlhabend, fast reich und besorgte seine große Wirtschaft gut genug, daß sie trotz seiner Gutmütigkeit und Wohltätigkeit eher zu- als abnahm. Das war ihm aber nicht die Hauptsache. Viel wichtiger war ihm das, was er das geistliche Leben nannte. Das nahm ihn beinahe ganz in Anspruch. Er ging zwar regelmäßig in die Kirche, war aber mit dieser nicht einverstanden, sondern fand seine Erbauung bei Sektenbrüdern in Laienpredigt und Bibelauslegung. In seiner Stube hatte er eine ganze Reihe Bücher: kommentierte Bibeln, Betrachtungen über die Evangelien, eine Kirchengeschichte, eine Weltgeschichte und eine Menge erbaulicher, zum Teil mystischer Literatur. Böhme und Eckart kannte er nicht, aber die deutsche Theologie, einige Pietisten des XVII. Jahrhunderts, namentlich Arnold, und dann noch eines von Swedenborg.

Es war beinah ergreifend, wie er mit ein paar Glaubensbrüdern sich einen Weg durch die Bibel suchte, immer einem geahnten Licht nachspürend und immer im Gestrüpp irrgehend, und wie er mit zunehmendem Alter immer besser spürte, daß zwar ein Ziel das richtige, sein Weg aber der falsche sei. Er fühlte, daß es ohne methodisches Studieren nicht gehe, und da ich schon früh auf seine Sache einging, setzte er auf mich seine Hoffnung und dachte, wenn er mich studieren ließe, müßten andächtiges Suchen und wirkliche Wissenschaft zusammen doch zu einem Ziel führen. Es tat ihm leid um seinen Hof, und der Mutter noch mehr, aber er brachte das Opfer doch und schickte mich in städtische Schulen, obwohl ich als einziger Sohn den Hof hätte übernehmen müssen. Schließlich starb er, noch ehe ich Student war, und es war ihm vielleicht besser, als wenn er es erlebt hätte, daß ich weder ein Reformator und Schriftausleger, noch auch nur ein richtiger Christ in seinem Sinn wurde. In einem etwas anderen Sinn bin ich es ja, aber er hätte das kaum verstanden.

Nach seinem Tod wurde der Hof verkauft. Die Mutter machte vorher noch Versuche, mich wieder zum Bauer zu überreden, aber ich war schon entschieden, und so gab sie sich ungern darein. Sie zog zu mir in die Stadt, hielt es aber kaum ein Jahr lang aus. Seither lebte sie daheim in unserem Dorf bei Verwandten, und ich besuche sie jedes Jahr für ein paar Wochen. Ihr Schmerz ist jetzt, daß ich kein Brotstudium treibe und daß sie keine Aussicht hat, mich bald als Pfarrer oder Doktor oder Professor zu sehen. Aber sie weiß noch vom Vater her, daß denen, die der Geist treibt, nicht mit Bitten und nicht mit Gründen zu helfen ist. Sooft ich ihr davon erzähle, daß ich den Leuten hier bei der Ernte oder beim Mosten oder Dreschen geholfen habe, wird sie nachdenklich und stellt sich mit Seufzen vor, wie schön es wäre, wenn ich das als Herr auf unserem Hof täte, statt so bei fremden Leuten ein ungewisses Leben zu führen.«

Er lächelte und blieb stehen. Dann seufzte er leicht und sagte: »Ja, es ist sonderbar. Und schließlich weiß ich nicht einmal, ob ich nicht doch einmal als Bauer sterbe. Vielleicht kommt es doch noch so, daß ich eines Tages ein Stück Land kaufe und das Pflügen wieder lerne. Wenn einmal ein Beruf sein muß und wenn man nicht gerade ein Ausnahmemensch ist, gibt es doch am Ende nichts Besseres als das Feld bestellen.«

»Warum denn?« rief Hans.

»Warum? Weil der Bauer sein Brot selber sät und erntet und der einzige Mensch ist, der direkt von seiner Hände Arbeit leben kann, ohne Tag für Tag seine Arbeit in Geld und das Geld wieder auf Umwegen in Nahrung und Kleidung zu verwandeln. Und auch darum, weil seine Arbeit immer einen Sinn hat. Was der Bauer tut, das ist fast alles notwendig. Was andere Leute tun, ist selten notwendig, und die meisten könnten gerade so gut etwas anderes treiben. Ohne Frucht und Brot kann niemand leben. Aber ohne die meisten Handwerke, Fabriken, auch ohne Wissenschaft und Bücher, könnte man ganz gut leben, viele wenigstens.«

»Ja nun. Aber schließlich läuft der Bauer, wenn ihm was fehlt, zum Arzt, und die Bäuerin, wenn sie einen Trost haben muß, zum Pfarrer.«

»Manche schon, aber nicht alle. Jedenfalls brauchen sie den Tröster mehr als den Arzt. Ein gesunder Bauernschlag kennt nur ganz wenige Krankheiten, und für die gibt es Hausmittel, und schließlich stirbt man eben. Aber den Pfarrer oder statt seiner einen andern Ratgeber, das brauchen die meisten. Darum will ich auch nicht wieder Bauer werden, ehe ich nicht Rat geben kann, mindestens mir selber.«

»Das ist also Ihr Ziel?«

»Ja. Haben Sie ein anderes? Dem Unverständlichen gewachsen sein, den Tröster in sich selber haben, das ist alles. Dem einen hilft Erkennen, dem andern Glauben und mancher braucht beides, und den meisten hilft beides nicht viel. Mein Vater hat es auf seine Art probiert und ist fehlgegangen, wenigstens hat er eine vollkommene Ruhe nie erreicht.«

»Ich glaube, die erreicht niemand.«

»O doch. Denken Sie an Buddha! Und dann an Jesus. Was die erreicht haben, meine ich, dazu sind sie auf so menschlichen Wegen gekommen, daß man denken sollte, es müsse jedem möglich sein. Und ich glaube, es haben schon sehr viele Menschen das erreicht, ohne daß man davon weiß.«

»Glauben Sie wirklich?«

»Gewiß. Die Christen haben Heilige und Selige. Und die Buddhisten haben ja auch viele Buddhas, die für ihre Person die Buddhaschaft, die Vollendung und vollkommene Erlösung, gewonnen haben. Sie stehen darin dem großen Buddha ganz gleich, nur hat er das weitere getan, daß er seinen Erlösungsweg der Welt mitgeteilt hat. Ebenso hat Jesus seine Seligkeit und innere Vollendung nicht für sich behalten, sondern seine Lehre gegeben und ihr sein Leben zum Opfer gebracht. Wenn er der vollkommenste Mensch war, so wußte er auch, was er damit tat, und er wie jeder von den großen Lehrern hat ausdrücklich das Mögliche gelehrt, nicht das Unmögliche.«

»Nun ja. Ich habe darüber wenig nachgedacht. Man kann ja dem Leben diesen oder jenen Sinn beilegen, um sich zu trösten. Aber es ist doch eine Selbsttäuschung.«

»Lieber Herr Calwer, damit kommen wir nicht weit. Selbsttäuschung ist ein Wort, Sie können statt dessen Mythus, Religion, Ahnung, Weltanschauung sagen. Was ist denn wirklich? Sie, ich, das Haus, das Dorf? Warum? Diese Rätsel sind unlösbar, selbstverständlich, aber sind sie denn so wichtig? Wir fühlen uns selbst, wir stoßen mit dem Körper an andere Körper und mit dem Verstand an Rätsel. Es gilt nicht, die Wand wegzuschaffen, sondern die Tür zu finden. Der Zweifel an der Realität der Dinge ist ein Zustand; man kann in ihm verharren, aber man tut es nicht, wenn man denkt. Denn Denken ist kein Verharren, sondern Bewegung. Und für uns kommt es nicht darauf an, das als unlösbar Erkannte zu lösen.«

»Ja, wenn wir aber doch einmal die Welt nicht erklären können, wozu dann noch denken?«

»Wozu? Um zu tun, was möglich ist. Wenn jeder sich so bescheiden wollte, dann hätten wir keinen Kopernikus und keinen Newton, auch keinen Plato und Kant. Es ist Ihnen ja auch nicht ernst damit.«

»Allerdings, so nicht. Ich meine nur, von allen Theorien sind die über die Ethik am gefährlichsten.«

»Ja. Aber ich sprach nicht von Theorien, sondern von Menschen, deren Leben eine Problemlösung, also eine Erlösung bedeutet. Aber wir sind noch zu weit auseinander; wir müssen uns erst besser kennen, dann findet sich schon ein Boden, auf dem wir uns richtig verstehen.«

»Ja, das hoffe ich. Wir sind wirklich weit auseinander, das heißt, Sie sind mir weit voraus. Sie fangen schon an zu bauen, und ich bin noch am Reinreißen und Platzschaffen. Ich habe noch nichts gelernt als mißtrauisch sein und analysieren und weiß noch nicht, ob ich je etwas anderes können werde.«

»Wer weiß? Sie haben mir gestern vorgespielt und aus ein paar Proben und Stücken mir eine Vorstellung von einem Kunstwerk gegeben, so daß ich wirklich etwas davon hatte. Das ist nicht mehr Analyse. – Aber kommen Sie jetzt, wir wollen noch hinausgehen, eh es dunkel wird.«

Sie traten miteinander aus dem Hause in den kalten, sonnenlosen Januarnachmittag und suchten auf rauh gefrorenen Feldwegen einen Hügel auf, wo fein verästelte Birken standen und eine Aussicht auf zwei Bachtäler, die nahe Stadt und entfernte Dörfer und Höhen sich auftat.

Als die beiden wieder ins Sprechen kamen, war es über persönliche Angelegenheiten. Hans erzählte von seinen Eltern, von seiner burschikosen Zeit, von seinen bisherigen Studien. Sie stellten fest, daß Wirth beinahe vier Jahre älter war als Hans. Dieser ging neben Wirth her mit dem beinahe ängstlichen Gefühl, daß dieser Mensch ihm zum Freund bestimmt und daß es doch noch nicht und vielleicht noch lange nicht Zeit sei, davon zu reden. Er empfand, daß sein Bekannter ihm im Wesen unähnlich sei und daß eine Freundschaft mit ihm nicht auf Annäherung und Vermischung, sondern nur darauf beruhen könne, daß jeder im Bewußtsein seiner eigenen Art dem andern in Freiheit sich näherte und Rechte zugestand.

Und dabei fühlte Hans sich seiner selbst weniger sicher als jemals. Seit dem Erwachen seines Bewußtseins war er sich als ein nicht zur Menge gehörender, von allen andern genau unterschiedener sehr deutlich geprägter Mensch erschienen; es war ihm auch immer lästig gewesen, sich so jung zu wissen. Statt dessen kam er sich jetzt, Wirth gegenüber, unfertig und wirklich jung vor. Er merkte nun auch wohl, daß seine

Überlegenheit über Erwin Mühletal und andere Kameraden ihm eine falsche Sicherheit verliehen hatte und von ihm mißbraucht worden war. Diesem Heinrich Wirth gegenüber genügte es nicht, ein wenig geistreich und dialektisch geschickt zu sein. Hier mußte er sich selbst ernster nehmen, bescheidener sein, seine Hoffnungen nicht wie Erfüllungen hinstellen. Diese Freundschaft würde denn auch kein Spiel und Luxus mehr sein, sondern ein Zusammenfassen und beständiges Messen seiner Kraft und seines Wertes am anderen. Wirth war ein Mensch, dem alle Probleme im Denken und Leben schließlich zu ethischen Aufgaben wurden, und Hans empfand nicht ohne Peinlichkeit, daß das eine ganz andere Rüstung war als sein geistiger Habitus, der allzuviel Schöngeisterei an sich hatte.

Wirth machte sich weniger Gedanken. Er spürte wohl, daß Hans ein Bedürfnis nach Freundschaft habe und hieß ihn im Herzen willkommen. Aber Hans war nicht der erste, der sich ihm so näherte, und er machte sich im voraus darauf gefaßt, eines Tages auch ihn wieder abfallen zu sehen. Vielleicht war Calwer auch einer von den vielen, die »sich für seine Ziele interessierten«, und Interesse war nicht das, was Wirth brauchte, sondern lebendiges Mitleben, Opfer, Hingabe. Was er sonst von niemand beanspruchte, würde er von einem Freund verlangen müssen. Doch zog ihn immerhin eine absichtslose, sanft zwingende Neigung zu Hans. Der hatte etwas, was Wirth fehlte und darum doppelt hoch schätzte, ein angeborenes Verhältnis zum Schönen, keinem Zwecke Dienenden, zur Kunst. Die Kunst war das einzige Gebiet des höheren Lebens, dem er mit Bedauern fremd geblieben war und von dem er doch ahnte, es berge Erlösung. Darum sah er in Hans nicht einen Schüler, der ihm einiges ablernen und dann weitergehen würde, sondern fühlte die Möglichkeit und Hoffnung, selbst von ihm zu lernen und einen Wegweiser an ihm zu haben.

Gedankenvoll nahmen sie voneinander Abschied, ohne einen herzlichen Ton zu finden. Sie waren sich allzu schnell nahe gekommen und empfanden beide ein instinktives Widerstreben vor der Hingabe und dem Augenblick vollkommener Offenheit, ohne den keine Bekanntschaft zur Freundschaft wird.

Nach hundert Schritten wendete Hans sich um und sah dem anderen nach, in der halben Hoffnung, auch er möchte zurückschauen. Aber dieser ging mit gleichmäßigem Schritt davon, seinem Dorf und der frühen Abenddämmerung entgegen, sah ganz aus wie ein bewährter Mann, der seinen harten Weg allein so sicher geht wie zu zweien und sich von Neigungen und Wünschen nicht leicht beirren läßt.

»Er geht wie in einer Rüstung«, dachte Hans und spürte ein brennendes Verlangen, diesen wohl Bewehrten dennoch heimlich zu treffen und durch einen unbewachten Spalt zu verwunden. Und er beschloß zu warten und zu schweigen, bis auch dieser Zielbewußte einmal schwach und menschlich und liebebedürftig wäre. Seine Hoffnung und sein Verlangen und Leiden war, ohne daß er es wußte oder daran dachte, beinahe genau von derselben Art wie vor langer Zeit, in Knabenzeiten, die Werbung und sehnliche Geduld, mit der ihn damals Erwin verfolgt hatte. An ihn dachte Hans heute nicht und überhaupt nicht mehr viel. Er wußte nicht, daß einer um ihn und durch seine Schuld litt und in der Irre ging.

Erwin war noch immer in das Fräulein Elvira verliebt oder glaubte es zu sein. Trotzdem lag er seinem Lasterleben mit einer gewissen Vorsicht ob und hatte neuerdings wieder häufig Stunden der Abrechnung und der guten Vorsätze. Sein eigentliches Wesen, so sehr es im Augenblick betäubt und hilflos lag, wehrte sich heimlich gegen die unsäuberliche Umgebung mit einem moralischen Übelbefinden. Die launenhafte Elvira erleichterte ihm das, indem sie sich meistens spröd und bissig zeigte und zwei, drei andern Stammgästen vor ihm den Vorzug gab.

In manchen Augenblicken meinte Erwin, das alles schon hinter sich zu haben und den Rückweg zu Selbstachtung und Behagen zu wissen. Es brauchte ja nur einen kräftigen Entschluß, eine kurze Zeit standhafter Enthaltung, vielleicht eine Beichte. Allein das alles kam keineswegs von selber, und der noch gar zu knabenhafte Entgleiste mußte zu seinem Schrecken erfahren, daß begonnene üble Gewohnheiten sich nicht wechseln lassen wie ein Hemd und daß das Kind sich erst schmerzlich verbrannt haben muß, ehe es das Feuer kennt und meidet. Er glaubte allerdings verbrannt genug zu sein und Elend genug gekostet zu haben, aber darin täuschte er sich sehr. Es waren ihm noch Bitternisse vorbehalten, die er sich nicht vorgestellt hatte.

Eines Tages besuchte ihn, als er noch im Bett lag, sein Leibbursch, ein flotter und eleganter Student, den er anfangs gerngehabt hatte. In der letzten Zeit war aber sein Verhältnis zur ganzen Gesellschaft so gespannt und künstlich geworden, daß ein persönlicher Verkehr auch mit einzelnen kaum mehr bestanden hatte. Darum erweckte ihm der unerwartete Besuch Unbehagen und Mißtrauen.

»Servus, Leibbursch«, rief er, künstlich gähnend, und setzte sich im Bett aufrecht.

»Wie geht's denn, Kleiner? Noch im Bett?«

»Ja, ich steh gleich auf. Ist denn heut Hauboden?«

»Das mußt du selber wissen.«

»Na ja.«

»Nun hör mal zu, Kleiner! Mir scheint, es gibt einige Sachen, die du zu meinem Erstaunen nicht selber weißt. Da muß ich mal ein bißchen revidieren.«

»Gerade jetzt?«

»Es wird am besten sein. Ich hätte dir's schon dieser Tage gesagt, aber du bist ja nie zu Haus. Und im ›Goldenen Stern‹ möchte ich dich doch nicht aufsuchen.«

»Im ›Goldenen Stern‹? Wieso?«

»Junge, mach keine unnötigen Sprünge! Du bist zweimal im ›Goldenen Stern‹ gesehen worden und du weißt, daß dir das Lokal verboten ist.«

»Ich war nie in Couleur dort.«

»Das will ich hoffen! Du sollst aber überhaupt nicht hingehen, und auch nicht in den ›Walfisch‹. Und du sollst auch nicht mit stud. med. Häseler verkehren, den kein anständiger Mensch mehr ansieht, und auch nicht mit dem stud. phil. Meyer, der vor drei Semestern bei den Rhenanen wegen Falschspiels gewimmelt worden ist und bei zwei Forderungen gekniffen hat.«

»Herrgott, das konnte ich ja nicht wissen.«

»Desto besser, wenn du's nicht gewußt hast. Die Tatsache, daß du den Umgang dieser Herren dem mit deinen Bundesbrüdern vorziehst, wird für uns dadurch ein bißchen weniger beschämend.«

»Du weißt ganz gut, warum ich mich von den Kameraden ferngehalten habe.«

»Ja, die Geschichte mit Calwer –«

»Und die Art, wie ich bei euch beleidigt worden bin –«

»Bitte, das war einer, zugegeben ein Grobian, und er hat Abbitte getan.«

»Ja, was soll ich denn tun? Dann trete ich eben aus.«

»Das ist schnell gesagt. Aber wenn du ein anständiger Kerl bist, tust du das nicht. Du mußt nicht vergessen, daß du nicht Calwer bist. Bei dem lag der Fall anders. Sein Austritt war uns ja peinlich, aber – alle Achtung – der Mensch war einwandfrei. Bei dir steht es ein wenig anders.«

»So? Bin ich nicht einwandfrei?«

»Nein, Kleiner, es tut mir leid. Übrigens laß jetzt das Heftigwerden womöglich, mir zulieb. Mein Besuch ist nicht offiziell, wie du vielleicht meinst, ich kam ganz freundschaftlich. Also sei gescheit! – Siehst du, wenn du jetzt bei uns austreten wolltest, wäre es nicht sehr fein von dir, denn du hast Dummheiten gemacht und solltest das zuerst wieder in Ordnung bringen. Dazu gehört nicht viel. Ein paar Wochen tadellose Haltung, weiter nichts. Dann vergehen dir auch die unnützen Gedanken. Schau, es ist schon vielen so gegangen wie dir, deine kleinen Exzesse sind ja noch harmlos, und es sind viel bösere Sachen schon wieder in Ordnung gebracht worden. – Und dann, um auch das zu sagen, könnte es für dich peinlich werden, wenn du jetzt austreten wolltest.«

»Warum?«

»Begreifst du nicht? Man könnte dir dann zuvorkommen.«

»Du meinst, mich hinausschmeißen? Weil ich ein paarmal im ›Goldenen Stern‹ war?«

»Ja, es wäre ja eigentlich kein Grund. Aber weißt du, im Notfall würde man es vielleicht doch tun. Es wäre schroff, auch ungerecht, aber du könntest nichts dagegen tun. Und dann wärst du fertig. Es mag ja Spaß machen, gelegentlich mit so ein paar defekten Existenzen einen Schoppen zu trinken, aber auf sie angewiesen sein – nein, das wäre schlimm, auch für robustere Naturen als deine.«

»Aber was soll ich denn tun?«

»Gar nichts, als den Verkehr dort abbrechen. Du brauchst

auch kein Verhör zu fürchten. Ich werde sagen, du habest eingesehen, daß dein Verhalten in letzter Zeit zu wünschen übrig ließ, und mir versprochen, es sofort und gründlich gutzumachen. Dann ist alles erledigt.«

»Wenn ich aber doch nicht zu euch passe und mich bei euch nicht wohl fühle?«

»Das ist deine Sache. Ich weiß nur, es ist schon vielen so gegangen und sie sind es vollkommen wieder losgeworden. So wird's dir auch gehen. Und wenn es schließlich nicht anders geht, kannst du immer noch austreten. Aber jetzt nicht, unter keinen Umständen.«

»Das sehe ich ein. Ich bin dir auch dankbar, daß du mir helfen willst, wirklich. Also ich werde nimmer in den ›Stern‹ gehen und mir Mühe geben, euch zufrieden zu stellen. Genügt das?«

»Meinetwegen. Nur mußt du, bitte, daran denken, daß ich – – ich wollte sagen, ich habe die dumme Sache jetzt quasi auf mich genommen, damit dir eine offizielle Mahnung erspart bleibt. Natürlich kann ich das nur einmal tun, das siehst du ja ein. Wenn du je wieder –«

»Selbstverständlich. Du hast jetzt schon mehr getan, als du tun mußtest.«

»Nun gut. Jetzt nimm dich eben ein wenig zusammen: zeig dich häufiger bei uns, auch wenn nichts Offizielles los ist, geh öfter mit ins Café und zum Bummeln und gib dir auf dem Hauboden Mühe. Dann ist ja alles gut.«

Das war freilich Erwins Ansicht nicht. Er fand, es sei alles schlimmer geworden, und hatte weder die Hoffnung noch die Absicht, eine befriedigende Laufbahn als Couleurstudent zu vollenden. Er nahm sich vor, nur noch so lange in der Verbindung zu bleiben, bis er mit Anstand und Ehren freiwillig gehen könnte, etwa bis zum Schluß des Semesters.

Erwin vermied denn auch, ohne sie zu vermissen, jene verbotenen Kneipen und ihre Stammgäste von nun an vollkommen. Allerdings mit Ausnahme des »Blauen Husaren«. Den suchte er schon nach wenigen Tagen wieder auf, wenn auch mit der halben Absicht, es einen Abschiedsbesuch sein zu lassen. Da hatte er aber nicht mit Elvira gerechnet. Die merkte sofort, wie es um ihn stand, und war an jenem Tage so lieb und zugänglich, daß er gleich am folgenden wiederkam. Da lockte sie ihm das Geheimnis seiner Sorgen ohne Mühe ab. Sie riet ihm sehr dringend, ja in seiner Verbindung zu bleiben, sonst möge sie ihn gar nimmer sehen.

So stahl er sich mit Diebesgefühlen immer wieder in das schlimme Haus und geriet so tief wie je unter die Gewalt des Mädchens. Und kaum war sie seiner wieder ganz sicher, da waren auch alle Launen wieder da. Darauf machte er in Zorn und wirklicher Erbitterung ihr eine heftige Szene, jedoch mit üblem Erfolg. Sie ließ ihn toben und brachte still ein kleines, unsauberes Büchlein zum Vorschein, in dem waren seine Zechschulden und die gelegentlich erhaltenen baren Darlehen, an die er längst nimmer gedacht und deren früher von ihm angebotene Rückzahlung sie damals lachend abgelehnt hatte, Summe auf Summe gebucht und machten einen ganz erstaunlich hohen Betrag aus. Es war oft an vergnügten Abenden Champagner und teurer Wein getrunken worden, ohne daß er ihn ausdrücklich bestellt hätte, und die Zechbrüder hatten fleißig mitgehalten und ihn einschenken lassen. Auch diese Flaschen und Bouteillen standen alle wohlgezählt hier in dem kleinen Büchlein und blickten ihn treulos grinsend an. Die ganze Summe war viel zu groß, als daß er sie, wenn auch allmählich, aus seinem monatlichen Gelde hätte abzahlen können, und außerdem waren das leider nicht seine einzigen Schulden.

»Stimmt das oder nicht?« fragte Fräulein Elvira mit stiller Majestät. Sie war ganz darauf gefaßt, daß er protestieren werde, und hätte äußerstenfalls einen guten Teil wieder gestrichen. Allein Erwin protestierte nicht.

»Ja, es wird schon so sein«, sagte er ergeben und kleinmütig. »Verzeih, ich hatte daran im Augenblick gar nicht gedacht. Natürlich will ich es so bald wie möglich bezahlen. Kannst du noch ein wenig warten?«

Dieser Erfolg übertraf ihre Erwartungen so sehr, daß sie gerührt wurde und ihn mütterlich streichelte.

»Siehst du«, sagte sie mild, »es ist nicht bös gemeint. Ich wollte dich nur daran erinnern, daß ich nicht bloß Schimpfworte bei dir zugute habe. Wenn du brav bist, dann bleibt das Büchlein ruhig, wo es ist, ich brauche das Geld nicht, und wenn es mir einfällt, werf ich's ins Feuer. Aber wenn du nimmer zufrieden bist und mich aufregst, dann könnte es passieren, daß ich einmal über deine Rechnung mit den Herren von deiner Verbindung rede.«

Erwin wurde blaß und starrte sie an.

»Na«, lachte sie, »du mußt keine Angst haben.«

Das kam zu spät. Er hatte Angst, er wußte nun, daß er im Garn war und seine Tage von der Gnade einer Spekulantin fristete.

»Ja, ja«, sagte er und lächelte blöde. Und dann ging er demütig und traurig fort. Sein bisheriges Elend, das sah er jetzt wohl, war eine Kinderei gewesen und seine Verzweiflung lächerlich. Nun wußte er plötzlich, wohin ein bißchen Leichtsinn und Torheit führen kann, und sah die Umgebung, in die er mit ebensoviel Harmlosigkeit wie bösem Gewissen geraten war, auf einmal in unbarmherzig grellem Licht.

Jetzt mußte etwas geschehen. Mit der Schlinge um den Hals herumlaufen konnte er nicht. Und alles Unsäuberliche und Verfehlte dieser paar Monate, das gestern noch einen Schein von Liebenswürdigkeit und Unverbindlichkeit getragen hatte, umgab ihn jetzt unversehens scheußlich und übermächtig, wie der Sumpf einen umgibt, der nach ein paar tastenden Schritten plötzlich bis zum Halse einsinkt.

Früher hatte Erwin, wie jeder junge Mensch von einigem Leichtsinn, gelegentlich in Katerstunden den Gedanken vor sich spielen lassen, daß man ja, wenn alle Freude zu Ende wäre, einen Revolver nehmen und ein Ende machen könne. Jetzt, wo die Not da war, war auch dieser schlechte Trost verflogen und tauchte nicht einmal als Möglichkeit mehr auf. Es galt jetzt nicht, eine letzte Feigheit zu begehen, sondern eine schlimme, ärgerliche Reihe von dummen Streichen mit aller Verantwortung auf sich zu nehmen und womöglich abzubüßen. Er war aus einem traumhaften, verantwortungslosen, unbegreiflichen Dämmerzustand erwacht und dachte keinen Augenblick daran, wieder einzuschlafen.

Die Nacht verbrachte er mit Pläneschmieden. Allein so notwendig es war, nach Hilfe zu suchen, noch mächtiger trieb es ihn dazu, immer wieder und immer noch einmal mit Verwunderung und Grausen das Unbegreifliche zu betrachten. War er denn in ein paar Wochen ein ganz anderer Mensch geworden? War er blind gewesen? Er spürte ein Grausen darüber, aber er wußte, es war ein nachträglicher

Schrecken, die Gefahr war vorbei. Nur mußte um jeden Preis diese Geldschuld sofort abgetan werden, alles andere würde von selber kommen.

Am Morgen war sein Plan fertig.

Er ging zu seinem Leibburschen, den er beim Rasieren antraf. Der erschrak über sein Aussehen und fürchtete, es sei ein Unglück im Gang. Erwin bat ihn, er möchte ihn für einen oder zwei Tage entschuldigen, da er sofort verreisen müsse.

»Ist dir jemand gestorben?« fragte der andere teilnehmend, und Erwin nahm in der Eile die so angebotene Notlüge willig an. »Ja«, sagte er rasch. »Aber ich kann jetzt keine Auskunft geben. Spätestens übermorgen bin ich wieder da. Sei so gut und entschuldige mich in der Fechtstunde! Später erzähl ich dir dann. Also danke schön und adieu!«

Er lief fort und zur Eisenbahn. Nachmittags kam er im Heimatstädtchen an und ging schnell, auf Umwegen das Haus seiner Mutter vermeidend, in die Schreibstube seines Schwagers. Der war Teilhaber an einer kleinen Fabrik und der einzige Mensch, an den sich Erwin zur Zeit um Geld wenden konnte.

Der Schwager war nicht wenig überrascht, ihn da zu sehen, und wurde ziemlich kühl, als er sofort erklärte, er sei in eine Geldverlegenheit gekommen. Dann setzten sie sich beide in einem Nebenzimmer einander gegenüber, und Erwin sah dem Mann seiner Schwester, für den er nie viel Interesse gehabt hatte, mit Verlegenheit in das bescheidene, solide Gesicht. Aber einmal mußte er sich doch wehe tun und büßen, also tat er es lieber gleich jetzt, und nach einigem Atemholen gab er sich preis und legte dem erstaunten Kaufmann eine vollkommene Beichte ab. Sie dauerte, mit kurzen Zwischenfragen, eine gute Stunde.

Darauf folgte eine peinliche Pause. Schließlich fragte der Schwager: »Und was tust du, wenn ich dir das Geld nicht geben kann?«

Erwin hatte sich in seiner Beichte so weit hergegeben, daß er der Grenze nahe war und seine Offenheit schon fast bereute. Nun hätte er am liebsten gesagt: »Das geht dich nichts an.« Aber er hielt an sich und schluckte es hinunter. Schließlich sagte er zögernd: »Es gibt nur einen Weg. Wenn du nicht willst oder kannst, muß ich zu meiner Mutter gehen und ihr alles sagen. Du weißt, wie weh ihr das tun wird. Es wird ihr auch schwerfallen, das Geld gleich aufzubringen, obwohl sie es sicher tun wird. Ich könnte vielleicht auch zu einem Geldverleiher gehen, aber vorher wollte ich doch zu Haus anfragen.« Der Schwager stand auf und nickte ein paarmal nachdenklich.

»Ja«, sagte er zögernd, »ich gebe dir natürlich das Geld, zum gewöhnlichen Zinsfuß. Du kannst nachher im Bureau den Schein unterschreiben. Ich kann dir keine Ratschläge geben, nicht wahr? Es tut mir leid, daß es dir so gegangen ist. Trinkst du nachher den Tee bei uns?«

Erwin dankte ihm verlegen, nahm aber die Einladung nicht an. Er wollte noch vor Abend wieder reisen. Das schien auch dem Schwager das Klügste zu sein.

»Ja, wie du meinst«, sagte er. »Den Wechsel kannst du dann gleich mitnehmen.«

Die philosophischen »Paraphrasen über das Gesetz von der Erhaltung der Kraft« waren zwar dem ursprünglichen Gedanken nach ausgeführt worden, machten aber ihrem Autor kein rechtes Vergnügen mehr. Hans Calwer stand schon stark unter dem Einfluß des bäurischen Denkers Wirth, dessen Art, Probleme anzufassen, allerdings zwar einseitiger, aber weit zielsicherer und folgerichtiger war als die seine. Er hatte daran gedacht, sein Manuskript ihm vorzulegen, hatte aber sofort wieder auf dieses Vorhaben verzichtet, denn er glaubte genau zu wissen, daß jener seine Arbeit schöngeistig und unnütz finden würde. Und allmählich kam sie ihm selber so vor. Er fand, sie sei zu sehr auf das Interessante gerichtet, fast feuilletonmäßig und im Stil zu selbstgefällig. Vernichten mochte er die sorgfältig geschriebenen Blätter nicht, die er soeben nochmals gelesen hatte, aber er rollte sie zusammen, verschnürte sie und legte sie in eine Ecke seines Schrankes, um sie nicht so bald wieder zu sehen.

Es war Abend. Die Lektüre und die peinliche Selbstkritik hatten ihn erregt und schließlich traurig gemacht. Denn er sah wohl, daß er noch nicht dazu reif sei, etwas wirklich Wertvolles zu leisten, und doch plagte ihn der Trieb, sich heimlich auszusprechen und seinen Meditationen und Einfällen eine abschließende, sorgfältige Form zu geben. So hatte er als Schüler Gedichte und Aufsätze gemacht und ein-, zweimal im Jahr alles wieder durchgesehen und vernichtet, während doch sein Verlangen, etwas Bleibenderes zu leisten, immer sehnlicher wurde. Er warf seine ausgerauchte Zigarette in den Ofen, stand eine Weile am Fenster und ließ die Winterluft herein und ging schließlich ans Klavier. Eine Weile tastete er phantasierend. Dann nahm er nach kurzem Überlegen die dreiundzwanzigste Sonate von Beethoven vor und spielte sie mit wachsender Sorgfalt und Innigkeit durch.

Als er fertig war und noch geneigt auf dem Klavierstuhl saß, klopfte es an der Tür. Er stand auf und öffnete. Erwin Mühletal kam herein.

»Du, Erwin?« rief Hans erstaunt und etwas befangen.

»Ja, darf ich?«

»Natürlich. Komm herein!«

Er streckte ihm die Hand entgegen.

Sie setzten sich beide an den Tisch, bei Lampenlicht, und nun sah Hans das bekannte Gesicht verändert und merkwürdig älter geworden. »Wie geht's dir?« fragte er, um einen Anfang zu finden. Erwin sah ihn an und lächelte.

»Nun, es geht so. Ich weiß ja nicht, ob mein Besuch dir lieb ist, aber ich wollte es einmal versuchen. Ich wollte dir ein wenig erzählen und dich vielleicht auch um einen Dienst bitten.«

Hans hörte der wohlbekannten Stimme zu und war darüber verwundert, wie wohl sie ihm tat und wieviel verlorenes, kaum mehr vermißtes Behagen sie ihm brachte. Er bot ihm nochmals, über den Tisch hinweg, die Hand.

»Es ist lieb von dir«, sagte er herzlich. »Wir haben uns so lange nicht gesehen. Eigentlich hätte ich vielleicht zu dir kommen sollen, ich hatte dir weh getan. Nun, jetzt bist du da. Nimm dir eine Zigarette.«

»Danke. Es ist behaglich bei dir. Ein Klavier hast du ja auch wieder. Und noch die gleichen guten Zigaretten. – Bist du mir bös gewesen?«

»Ach bös! Weiß Gott, wie das gegangen ist. Die dumme Verbindung – ja so, verzeih!«

»Nur zu. Ich bleibe wohl auch nicht mehr lang.«

»Meinst du? Aber doch nicht meinetwegen? Natürlich, du

hast ja durch mich gewiß viel Unangenehmes gehabt. Nicht?«

»Das auch, aber das ist schon lang vorbei. Wenn du Zeit hast, erzähl ich dir meine res gestae.«

»Sei so gut. Und schone mich nur nicht.«

»Oh, du kommst fast gar nicht darin vor, wenn ich auch die ganze Zeit an dich gedacht habe. Ich hätte damals mit dir austreten sollen. Du warst ja in den Tagen etwas kurz angebunden, und ich war trotzig und wollte nicht so durch dick und dünn mitgehen. Na, das weißt du schon. Es ist mir seither nicht gutgegangen, und ich war selber schuld daran.«

Er fing nun zu erzählen an, und Hans bekam zu seinem Erstaunen und Schrecken zu hören, wie es seinem Freund gegangen war, während er wenig an ihn gedacht und sich gut ohne ihn beholfen hatte.

»Ich weiß nicht recht, wie das kam«, hörte er ihn sagen. »Eigentlich sind ja solche Sachen gar nichts für mich. Aber ich war eben damals nie ganz bei mir. Ich lief immerfort in einem leichten Dusel herum und ließ es gehen, wie es mochte. Und jetzt kommt das Hauptkapitel. Es spielt im Café zum ›Blauen Husaren‹, von dessen Existenz du wohl nichts gewußt hast.«

Und nun kam die Geschichte mit dem Fräulein Elvira. Die erschien Hans so traurig und doch so lächerlich, daß Erwin über sein Gesicht lachen mußte.

»Und was jetzt?« fragte Hans am Schluß. »Natürlich brauchst du Geld. Aber woher nehmen? Meines steht ja zur Verfügung, aber es reicht nicht.«

»Danke schön, das Geld ist schon da«, sagte Erwin fröhlich und berichtete auch noch das, worauf Hans seinen Schwager einen anständigen Kerl nannte.

»Aber womit kann ich dir helfen?« fragte er dann. »Du sprachst doch von so etwas.«

»Jawohl. Du kannst mir einen großen Dienst tun. Nämlich, wenn du morgen früh dorthin gehen und mir die dumme Rechnung einlösen wolltest.«

»Hm, ja, natürlich kann ich das besorgen. Ich frage mich nur, ob du das nicht selber tun solltest. Es wäre doch ein kleiner Triumph für dich und ein tadelloser Abgang.«

»Das wohl, Hans. Aber ich meine, ich verzichte darauf. Es

ist nicht Feigheit, dessen bin ich ziemlich sicher, sondern einfach Widerwillen, daß ich die Bude und die ganze Gasse nicht mehr sehen mag. Und dann dachte ich, wenn du hingehst, siehst du das Milieu auch einmal, als Illustration zu meinem Bericht, und wir haben dann eine gemeinsame Erinnerung an diese Zeit und an den ›Blauen Husaren‹.«

Das leuchtete Hans ein, und er nahm den Auftrag nun mit ziemlicher Neugierde an. Als Erwin die Scheine und Goldstücke herauszog und auf den Tisch zählte, rief Hans lachend: »Herrgott, ist das ein Haufen Geld!« Und er fügte ernsthaft hinzu: »Weißt du, eigentlich ist es eine Schande und Dummheit, das alles zu zahlen. Die Elvira hat dir ja sicher das Dreifache angekreidet und ist froh und macht ein gutes Geschäft, wenn sie die Hälfte vom Ganzen kriegt. So ein Sündengeld! Das geht nicht. Ich kann ja für alle Fälle einen Schutzmann mitnehmen.« Aber davon wollte Erwin durchaus nichts wissen.

»Du magst ganz recht haben«, sagte er ruhig, »und übrigens hab ich mir's auch schon überlegt. Aber ich mag nicht. Sie soll ihr Geld haben, und wenn sie es vollständig und mit Zinsen kriegt, habe ich auch meine ganze Freiheit wieder. Und wenn das jetzt auch gründlich vorbei ist, ich war doch eine Zeitlang in sie verliebt.«

»Ach, Einbildung!« zürnte Hans.

»Meinetwegen. Ich war's doch. Und ich will, daß sie mich für einen Dummkopf und anständigen Kerl hält, aber nicht für ihresgleichen.«

»Nun denn«, gab Hans zu, »eine Donquichotterie ist freilich immer das Nobelste. Es ist dumm von dir, aber fein. Also besorge ich's morgen. Ich gebe dir dann Bericht.«

Sie trennten sich vergnügt, und Hans war froh, etwas für den Freund tun und damit einen kleinen Teil seiner Schuld abtragen zu können. Er ging am nächsten Morgen in den »Blauen Husaren«, wo ihn Elvira erst nach längerem Wartenlassen und mit großem Mißtrauen empfing. Einen unsicheren Versuch, sie über die Unlauterkeit ihres Manövers zur Rede zu stellen, gab er ihrer großartigen Miene gegenüber sofort wieder auf und begnügte sich damit, ihr das Sündengeld zu übergeben und eine Quittung dafür zu verlangen, die er denn auch bekam und der Sicherheit wegen auch noch von Elviras Mutter unterschreiben ließ. Mit diesem Dokument ging er zu Erwin, der es ihm aufatmend und lachend abnahm.

»Darf ich jetzt noch etwas fragen?« fing dieser dann befangen an.

»Ja, was denn?«

»Wer ist denn der Student, der manchmal abends bei dir war und dem du aus dem Tristan vorgespielt hast?«

Hans war verlegen und gerührt, wie er sah, daß Erwin sich so um sein Leben bekümmerte und sogar vor seinem Fenster gelauscht hatte.

»Der heißt Heinrich Wirth«, sagte er langsam, »vielleicht lernst du ihn auch noch kennen.«

»Habt ihr Freundschaft geschlossen?«

»Ein wenig, ja. Ich kannte ihn vom Kolleg her. Das ist ein bedeutender Mensch.«

»So? Nun, ich sehe ihn vielleicht einmal bei dir. Oder stört's dich?«

»Was denkst du! Ich freu mich, daß du wieder zu mir kommst.«

Ganz im stillen störte es ihn aber doch ein wenig. Ein leiser Ton der Eifersucht war in Erwins Frage gewesen, der gefiel ihm nicht, denn er hatte nicht im Sinn, Erwin Einfluß auf sein Verhältnis zu Wirth einzuräumen. Doch sprach er das nicht aus, und seine Freude über die Versöhnung war echt genug, um fürs erste keine Sorgen in ihm aufkommen zu lassen.

Es kam nun eine ruhige Zeit, zumal für Erwin, der mit dem Glücksgefühl eines Genesenen umherging und nun auch seine Kameraden und ihre Ansprüche an ihn milder und gerechter betrachtete. Er glaubte zu wissen, daß sein erneuter Umgang mit Hans Calwer seinen Bundesbrüdern nicht verborgen geblieben sei, und freute sich, daß man ihn nicht darüber zur Rede stellte. Desto lieber gab er sich Mühe, seine Pflichten zu erfüllen. Er fehlte bei keiner Zusammenkunft, schloß sich seinem Leibburschen wieder freundlich an, machte die Exkneipen der älteren Semester mit, und da er das alles nimmer verdrossen und gelangweilt tat, sondern mit Laune und gutem Willen, fand man ihn bald hinlänglich gebessert und kam ihm mit neuer Freundlichkeit entgegen. Dabei wurde ihm wohl; er fand Gleichgewicht und Humor wieder, und es dauerte nicht lange, so war die Gesellschaft mit ihm und er mit sich selbst ganz zufrieden. Sein Austritt schien ihm durchaus keine Notwendigkeit mehr zu sein, jedenfalls hatte er es damit nicht mehr eilig.

Auch Hans befand sich dabei wohl. Erwin besuchte ihn zwei-, dreimal in der Woche, und wenn er selbständiger geworden war und keine Miene machte, sich wieder in die alte Abhängigkeit zu begeben, so blieb dafür Hans selber freier und empfand das lockerer gewordene Verhältnis nur angenehm.

Gegen Ende des Semesters kam Erwin einmal zu ihm und begann von seinem Verbindungsleben zu sprechen. Er meinte, jetzt sei der Augenblick, um entweder auszutreten, was er nun in allen Ehren tun könnte, oder aber aus freiem Entschluß Couleurstudent zu bleiben, da er jetzt zum Burschen vorrücken werde.

Und als ihm Hans lächelnd erklärte, er finde, die Farben stehen ihm gut, und er rate ihm, sie weiter zu tragen, rief er lebhaft: »Du hast recht! Sieh, wenn du ein Wort gesagt hättest, wär ich sofort ausgesprungen; du bist mir immer noch lieber als der ganze Rummel dort. Aber Spaß macht es mir doch, und da ich jetzt die Fuchsenzeit ausgehalten habe, wäre es dumm, wegzugehen, wo das eigentlich Lustige erst anfängt. Also wenn du mir's nicht übel nimmst, bleib ich dabei.«

So war zwar die alte Unzertrennlichkeit dahin, aber es gab auch keine Mißverständnisse, Händel und Stürme mehr; das leidenschaftliche Verhältnis von ehemals war friedlich, behaglich und ein wenig oberflächlicher geworden. Man ließ einander gelten, sprach nicht mehr alles zusammen durch, gönnte einander Ruhe und fühlte beim Zusammensein doch, daß man zueinander gehöre.

Erwin hatte sich freilich anfangs etwas mehr versprochen, doch gab ihm die muntere Geselligkeit in der Verbindung Ersatz für manches Vermißte, und ein unbewußter Stolz in ihm empfand sein allmähliches Freiwerden von Hansens Einfluß als einen Fortschritt. Und Hans war mit diesem Zustand um so mehr zufrieden, da ihm Heinrich Wirth mehr und mehr zu schaffen machte.

Kurz vor Semesterschluß traf eines Abends Erwin in Hansens Wohnung mit Wirth zusammen. Er betrachtete den

233

Mann, auf den er eifersüchtig war, mit Aufmerksamkeit, und obwohl ihm jener freundlich entgegenkam, gefiel er ihm nicht sonderlich. Es störte ihn schon das Äußere des bäurischen Weisen, der ihm mit seiner unjugendlichen Würde und mit seinem vegetarischen Lebenswandel wenig imponierte, was Hans nicht ohne Ärger wahrnahm. Er versuchte sogar, den Fremdling ein wenig aufzuziehen und redete mit übertriebenem Interesse von studentischen Dingen. Und da Wirth ihn geduldig anhörte und ihn sogar durch Fragen ermunterte, ging er auf anderes über und fing an, über Abstinenz und Vegetarismus zu sprechen.

»Was haben Sie nun eigentlich für Vorteile von diesem Asketenleben?« fragte er. »Andere trinken und essen gut und haben doch keine Beschwerden.«

Wirth lachte gutmütig. »Nun ja, dann trinken Sie eben weiter! Die Beschwerden werden später schon kommen. Aber es hätte auch jetzt schon Vorteile für Sie, wenn Sie anders leben würden.«

»Welche zum Beispiel? Sie meinen, daß ich viel Geld sparen könnte? Daran liegt mir wenig.«

»Warum auch? Aber ich denke an anderes. Ich lebe zum Beispiel seit drei Jahren auf meine Art, die Sie asketisch nennen, und habe kaum ein Bedürfnis nach Frauen. Früher habe ich darunter viel gelitten, und es geht wohl allen Studenten so. Was sie durch Reiten und Fechten an Gesundheit und Widerstandskraft gewinnen, geben sie auf der Kneipe wieder aus, und das finde ich schade.«

Erwin war etwas verlegen geworden und verzichtete auf eine Fortsetzung des Streites. Er sagte nur noch: »Man könnte meinen, wir seien lauter Krüppel. Ich halte nicht viel von einer Gesundheit, an die man immerfort denken muß. Junge Leute sollten doch etwas vertragen können.«

Hans machte dem Gespräch ein Ende, indem er das Klavier öffnete.

»Was soll ich spielen?« fragte er Wirth.

»Oh, ich verstehe ja nichts von Musik, leider. Aber wenn Sie so gut sein wollen, möchte ich sehr gern noch einmal die Sonate von neulich hören.«

Hans nickte und schlug einen Band Beethoven auf. Während er spielte und wie er im Spielen zuweilen umschaute

234

und Wirths Blick suchte, konnte Erwin wohl bemerken, daß er für diesen allein spiele und mit seiner Musik um ihn werbe. Er sah es, und er beneidete den Bauernlümmel darum. Aber als das Spiel zu Ende war und wieder ein Gespräch im Gang war, zeigte er sich höflich und bescheiden. Er sah, daß dieser Mann Macht über seinen Freund gewonnen habe, und er sah auch, daß Hans bei einer Wahl ihn selber, nicht den andern preisgeben würde. Auf diese Wahl wollte er es nicht ankommen lassen.

Ihm schien der Einfluß, den Wirth auf Hans ausübte, nicht gut. Ihm schien, er ziehe seinen Freund noch mehr auf die andere Seite hinüber, zu der er schon zuviel neigte, in ein Grüblertum und Sonderlingswesen, das ihm halb lächerlich, halb unheimlich war. Früher hatte Hans wohl etwas vom Schwärmer und Denker gehabt, doch war er dabei immer ein frischer, eleganter Kerl gewesen, dem alles Lächerliche unmöglich war. Nun aber, fand Erwin, verführte ihn dieser Wirth und ging darauf aus, ihn mehr und mehr zu einem Stubenhocker und Problemwälzer zu machen.

Wirth blieb ganz harmlos, während Hans die Stimmung fühlte und auf Erwin ärgerlich wurde. Er ließ es ihn auch merken und fiel im Gespräch mit ihm in den alten überlegenen Ton, den Erwin jetzt nicht mehr ertrug, so daß er frühzeitig Abschied nahm und gereizt fortging.

»Warum waren Sie denn so ruppig mit Ihrem Freund?« sagte Wirth nachher tadelnd. »Er hat mir gut gefallen.«

»Wirklich? Ich fand ihn heut unausstehlich. Was braucht er Sie so dumm aufzuziehen!«

»Das war doch nicht schlimm. Ich kann schon einen Spaß vertragen. Wenn es mich geärgert hätte, wäre ja ich der Dumme gewesen.«

»Es galt auch gar nicht Ihnen, es galt mir. Er meint, ich dürfe mit niemand Umgang haben als mit ihm. Dabei läuft er den ganzen Tag mit zwanzig Bundesbrüdern herum.«

»Aber Mann, Sie ärgern sich ja wirklich! Das sollten Sie verlernen, wenigstens Freunden gegenüber. Es war Ihrem Freund unangenehm, Sie nicht allein zu finden, und er hat uns das ein bißchen merken lassen. Aber sonst finde ich ihn nett und liebenswürdig; ich möchte ihn gern besser kennenlernen.«

»Nun, lassen wir's gut sein. Ich begleite Sie noch ein Stück weit hinaus, wenn ich darf.«

Sie gingen in die dunkle Gasse hinab, durch die Stadt, die da und dort von Chorgesang widerhallte, und langsam ins freie Feld hinaus, wo die milde, sternlose Märznacht leise wehte. Von nördlichen Hügelabhängen schimmerte hie und da noch ein schmaler Streifen Schnee mit blassem Schein herüber. Die Luft ging weich und lässig durch das kahle Gesträuch, die Ferne lag schwarz in undurchdringlicher Nacht. Heinrich Wirth schritt wie immer ruhig und kräftig aus; Hans ging erregt neben ihm her, wechselte oft den Schritt, blieb manchmal stehen und sah in die bläuliche Nachtschwärze.

»Sie sind unruhig«, meinte Wirth. »Lassen Sie doch den kleinen Ärger fahren!«

»Es ist nicht deswegen.«

Wirth gab keine Antwort.

Eine kleine Weile gingen sie schweigend weiter. Ganz fern in einem Gehöft schlugen Hunde an. Im nächsten Gebüsch sang eine Amsel.

Wirth hob den Finger auf: »Hören Sie?«

Hans nickte nur und schritt schneller aus. Dann blieb er plötzlich stehen.

»Herr Wirth, wie denken Sie eigentlich über mich?«

»Das kann ich Ihnen nicht sagen.«

»Ich meine – wollen Sie nicht mein Freund sein?«

»Ich denke, das bin ich.«

»Noch nicht ganz. Ach, ich glaube, ich brauche Sie, ich brauche einen Führer und Kameraden. Können Sie das nicht verstehen?«

»Ich kann schon. Sie wollen etwas anderes als die anderen; Sie suchen sich einen Weg, und Sie denken, ich könnte vielleicht den rechten wissen. Aber den weiß ich nicht, und ich glaube, es muß jeder seinen eigenen finden. Wenn ich Ihnen dazu helfen kann, dann gut! Dann müssen Sie eben eine Strecke weit meinen Weg mitgehen. Es ist nicht Ihrer, und ich glaube, die Strecke wird nicht lang sein.«

»Wer weiß? Aber wie soll ich es anfangen, Ihren Weg zu gehen? Wohin führt er? Wie finde ich ihn?«

»Das ist einfach. Leben Sie, wie ich lebe, es wird Ihnen gut tun.«

236

»Wie denn?«

»Suchen Sie viel an der Luft zu sein, womöglich draußen zu arbeiten. Ich weiß Gelegenheit dazu. Weiter, essen Sie kein Fleisch, trinken Sie keinen Alkohol, auch nicht Kaffee und Tee, und rauchen Sie nicht mehr. Leben Sie von Brot, Milch und Früchten. Das ist der Anfang.«

»Ich soll also ganz Vegetarier werden? Und warum?«

»Damit Sie sich das ewige Fragen nach dem Warum abgewöhnen. Wenn man vernünftig lebt, wird sehr vieles selbstverständlich, was vorher problematisch aussah.«

»Meinen Sie? Es kann ja sein. Aber ich finde, die Praxis sollte das Ergebnis des Nachdenkens sein, nicht umgekehrt. Sobald ich einsehe, wozu dies Leben gut ist, kann ich es damit versuchen. Aber so ins Blaue hinein –«

»Ja, das ist Ihre Sache. Sie haben mich um Rat gefragt, und ich habe meinen Rat gegeben, den einzigen, den ich weiß. Sie wollten mit dem Denken anfangen und mit dem Leben aufhören, ich tue das Gegenteil. Das ist der Weg, von dem ich sprach.«

»Und wenn ich den nicht gehe, wollen Sie nicht mein Freund sein?«

»Es wird nicht gehen. Wir können ja trotzdem Gespräche führen und miteinaner philosophieren, es ist eine angenehme Übung. Ich will Sie auch gar nicht bekehren. Aber wenn Sie mein Freund sein wollen, muß ich Sie ernst nehmen können.«

Sie gingen weiter. Hans war verwirrt und enttäuscht. Statt eines warmen Zuspruches, statt einer herzlichen Freundschaft wurde ihm eine Art von naturheilmäßigem Rezept geboten, das ihm nebensächlich und fast lächerlich vorkam. »Iß kein Fleisch mehr, so bin ich dein Freund.« Wenn er aber an seine früheren Unterhaltungen mit Wirth und an dessen ganzes Wesen dachte, dessen Ernst und Sicherheit ihn so mächtig angezogen hatte, konnte er ihn doch nicht für einen bloßen Apostel Tolstois oder des Vegetarismus halten.

Trotz seiner Ernüchterung begann er sich Wirths Vorschlag zu überlegen und dachte daran, wie verlassen er sein werde, wenn auch dieser einzige Mensch, der ihn anzog und von dem er sich Förderung versprach, ihn allein ließ.

Sie waren weit gegangen und standen schon vor den ersten

Häusern von Blaubachhausen; da gab Hans seinem Freunde die Hand und sagte: »Ich will es mit Ihrem Rat versuchen.«

Hans begann sein neues Leben gleich am nächsten Morgen. Er tat es mehr, um sich Wirth willfährig zu zeigen als aus Überzeugung, und es fiel ihm weniger leicht als er gedacht hatte.

»Frau Ströhle«, sagte er morgens zu seiner Hausfrau, »ich trinke von jetzt an keinen Kaffee mehr. Bitte besorgen Sie mir jeden Tag einen Liter Milch.«

»Ja sind Sie denn krank?« fragte Frau Ströhle verwundert.

»Nicht gerade, aber Milch ist doch gesünder.«

Schweigend tat sie, was er wünschte; es gefiel ihr aber nicht. Bei ihrem Zimmerherrn war ein Sparren los, das sah sie wohl. Das viele Bücherlesen bei einem so jungen Studenten, das einsame Klavierspielen, der Austritt aus einer so stattlichen Gesellschaft, der Verkehr mit dem schäbig aussehenden Philologen und jetzt die Milchtrinkerei, das war nicht in Ordnung. Anfangs hatte sie sich ja gefreut, einen so stillen und bescheidenen Mietherrn zu haben, aber das ging zu weit, und sie hätte es lieber gesehen, wenn er wie die anderen zuweilen einen rechten Rausch heimgebracht und sich auf der Treppe schlafen gelegt hätte. Sie beobachtete ihn von jetzt an mit Mißtrauen, und was sie sah, freute sie keineswegs. Sie bemerkte, daß er nicht mehr ins Gasthaus zum Essen ging, dafür täglich verschämte Pakete heimbrachte, und als sie nachschaute, fand sie eine Tischlade voll von Brotresten, Nüssen, Äpfeln, Orangen und gedörrten Pflaumen.

»O je!« rief sie bei dieser Entdeckung, und um ihre Achtung vor Hans Calwer war es geschehen. Der war entweder verrückt oder bekam keinen Wechsel mehr. Und als er einige Tage später mitteilte, er werde im nächsten Semester die Wohnung wechseln, zuckte sie die Achseln und sagte nur: »Wie Sie wollen, Herr Calwer.«

Inzwischen hatte Hans eine Bauernstube in Blaubachhausen in Wirths nächster Nähe, gemietet, die er nach den Ferien beziehen wollte.

Das Milchtrinken und Obstessen focht ihn wenig an, doch kam er sich bei diesem Leben wie in einer aufgenötigten

Rolle vor. Seine Zigaretten aber entbehrte er schmerzlich, und mindestens einmal im Tag kam eine Stunde, in der er trotz allem eine anzündete und mit schlechtem Gewissen beim offenen Fenster rauchte. Nach einigen Tagen schämte er sich aber dessen und verschenkte alle seine Zigaretten, eine große Schachtel voll, an einen Austräger, der ihm eine Zeitschrift gebracht hatte.

Während Hans so seine Tage hinbrachte und nicht allzu heiter war, ließ Erwin sich nimmer sehen. Er war von jenem Abend her verstimmt und wollte durchaus mit Wirth nicht wieder zusammentreffen. Dazu war, da schon in einer Woche die Ferien beginnen sollten, seine Zeit sehr ausgefüllt, denn er wurde jetzt als vielversprechender Jungbursch behandelt und bereitete sich darauf vor, aus dem Fuchsentum in die Reihe der Angesehenen und Tonangebenden zu treten.

So kam es, daß er Hans erst am letzten Tage vor der Abreise wieder besuchte. Er fand ihn am Packen und sah sogleich, daß er die Wohnung nicht behalten wollte, da das Klavier weggeschafft und die Bilder von den Wänden genommen waren.

»Willst du ausziehen?« rief er überrascht.

»Ja. Nimm Platz!«

»Hast du schon eine neue Bude? – Ja? Wo denn?«

»Vor der Stadt draußen, für den Sommer.«

»So – und wo?«

»In Blaubachhausen.«

Erwin sprang auf. »Wirklich? Nein, du machst ja Spaß.«

Hans schüttelte den Kopf.

»Also im Ernst?«

»Ja doch.«

»Nach Blaubachhausen! Zu dem Wirth hinaus, gelt? Zu dem Kohlrabifresser. – Du, sei gescheit und tu das nicht.«

»Ich habe schon gemietet und werde hinausziehen. Was geht's dich an?«

»Aber Hans! Laß doch den seine Grillen allein fangen! Das mußt du noch einmal überlegen. Hast du mir eine Zigarette?«

»Nein, ich rauche nimmer.«

»Aha. Also darum! Und jetzt ziehst du zu dem Waldmen-

239

schen hinaus und wirst sein Jünger? Du bist bescheiden geworden, muß ich sagen.«

Hans hatte sich vor dem Augenblick gefürchtet, wo er Erwin seinen Entschluß würde mitteilen müssen. Jetzt half ihm der Zorn über die Verlegenheit weg.

»Danke für dein freundliches Urteil«, sagte er kühl, »ich konnte mir das ja denken. Übrigens bin ich nicht gewohnt, mir von dir Ratschläge geben zu lassen.«

Erwin wurde heftig. »Nein, leider nicht. Dann mach eben deine Dummheiten allein!«

»Mit Vergnügen.«

»Ich meine es im Ernst. Wenn du da draußen mit deinem schmierigen Heiligen lebst, darf ich mich nimmer in deiner Nähe sehen lassen.«

»Das ist ja auch nicht nötig. Geh du nur zu deinen Couleuraffen.«

Nun hatte Erwin genug. Er hätte Hans schlagen können, wenn er ihm nicht immer noch ein wenig leid getan hätte. Ohne Abschied lief er hinaus, schlug die Türe hinter sich zu und war fort. Hans rief ihn nicht zurück, obwohl seine Erregung schon nachließ.

Er hatte sich nun einmal hingegeben, um diesen eigensinnigen, stillen Wirth durch Unterwerfung zu erobern; nun hieß es aushalten und dabei bleiben. Im Herzen begriff er Erwin sehr wohl; diese Jüngerschaft war ihm selber fast lächerlich. Aber er wollte nun einmal diesen beschwerlichen Weg gehen; er wollte einmal seinen Willen gefangen geben und auf seine Freiheit verzichten, einmal von unten auf dienen. Vielleicht war das der Weg, der ihm fehlte, vielleicht führte hier die schmale Brücke zur Erkenntnis und zur Zufriedenheit. Wie einst, als er im Rausch einer Gesellschaft beigetreten war, zu der er nicht paßte, so trieb ihn auch jetzt Schwäche und Unzufriedenheit, wieder einen Halt und eine Gemeinschaft zu suchen.

Übrigens war er überzeugt, Erwin würde nach einigem Schmollen schon wieder zu ihm kommen.

Darin täuschte er sich freilich. Nach dem, was Erwin in der Zeit nach seinem Austritt seinetwegen durchgemacht hatte, hätte er ihn von neuem fester an sich fesseln müssen, um ihn für immer zu halten. Jener hatte sich von seiner Rückkehr zu Hans mehr versprochen. Und außerdem hatte er im »Blauen Husaren«, im Kontor seines Schwagers und namentlich bei seinen Bundesbrüdern seither einiges gelernt, was Hans nicht ahnte und was die frühere bedingungslose Herrschaft Hansens über ihn zu Fall gebracht hatte. Er war, trotz allen Burschentorheiten, in aller Stille zu einem Mann geworden, und ohne selbst darüber im klaren zu sein, hatte er damit Hansens frühere Überlegenheit überwunden und sehen gelernt, daß der bewunderte Freund mit all seinem Geist doch kein Held sei.

Kurz, Erwin nahm sich den neuen Bruch mit ihm nicht übermäßig zu Herzen. Leid tat es ihm wohl, und er fühlte sich nicht ganz ohne Schuld; im Grunde aber fand er, es geschehe Hans recht, und bald dachte er an diese Sache gar nicht mehr. Es kam jetzt anderes über ihn.

Als er, vom Stiftungsfest und den Nachfeiern angenehm ermüdet, nach Hause in die Osterferien gekommen war, hatte er in seiner neuen Burschenherrlichkeit auf die Mama und die Schwestern einen sehr guten Eindruck gemacht. Er war zufrieden, strahlend, liebenswürdig und launig, machte in einem feinen, neuen Sommeranzug Besuche, spielte mit der Mutter Domino und brachte den Schwestern Blumen mit, gewann die Herzen der Tanten durch kleine Dienste und befliß sich nach allen Seiten einer angenehmen Tadellosigkeit.

Das hatte seinen guten Grund. Erwin Mühletal hatte sich gleich am ersten Ferientage verliebt. Bei seinem Onkel war ein junges Mädchen, eine Freundin der Cousinen, zu Besuch. Die war hübsch, lebhaft, neckisch, spielte Tennis, sang, sprach von den Berliner Theatern und ließ sich von dem jungen Studenten, obschon sie ihn recht gern sah, nicht im mindesten imponieren. Desto mehr gab er sich Mühe und erschöpfte sich in Liebenswürdigkeit und Diensteifer, bis die Stolze gnädig und schließlich weich wurde und er die schönen Ferien mit einer heimlichen Verlobung krönend abschließen konnte.

Von Hans war nie die Rede. Als Erwins Mutter einmal nach ihm fragte, meinte er kurz: »Der Calwer! Ach, der ist ja nicht gescheit. Das Neueste ist, daß er zu den Abstinenten geht und mit einem Sonderling zusammenlebt, der Buddhist oder Theosoph oder so etwas ist und sich die Haare nur alle Jahre einmal schneiden läßt.«

Das Sommersemester fing prächtig an. Die Anlagen blühten und erfüllten die ganze Stadt mit dem süßen Duft von Flieder und Jasmin; die Tage waren glänzend blau und die Nächte schon sommerlich mild. Farbige Studentenhaufen zogen prahlend durch die Straßen, ritten, kutschierten und führten die grünen Keilfüchse spazieren. In den Nächten scholl Gesang aus offenen Fenstern und Gärten.

Von diesem Freudenleben bekam Hans nur wenig zu sehen. Er war in Blaubachhausen eingezogen, ging jeden Morgen mit Heinrich Wirth in die Stadt zu einem Sanskritkolleg, tunkte mittags Brot in seine Milch, ging spazieren oder versuchte bei ländlichen Arbeiten mitzuhelfen und fiel jeden Abend todmüde in sein hartes Strohsackbett, ohne doch gut zu schlafen.

Sein Freund machte es ihm nicht leicht. Er glaubte an seinen Ernst immer noch nur halb und hatte sich vorgenommen, ihn eine rauhe Schule durchmachen zu lassen. Ohne je aus seiner heiteren Ruhe zu fallen und ohne je zu befehlen, zwang er ihn, in allem nach seiner eigenen Weise zu leben. Er las mit ihm in den Upanishads der Veden, trieb mit ihm Sanskrit, lehrte ihn eine Sense in die Hände nehmen und Gras schneiden. War Hans ermüdet oder ärgerlich, so zuckte er die Achseln und ließ ihn in Ruhe. Fing Hans räsonierend über dies Leben zu reden an, so lächelte er und schwieg, auch wenn Hans wütend und beleidigend wurde.

»Es tut mir leid«, sagte er einmal, »daß es dir so schwer fällt. Aber ehe du die Not des Lebens am eigenen Leib erfahren hast und begreifen lernst, was Unabhängigkeit von Lust und Reizen des äußeren Lebens bedeutet, kannst du nicht vorwärts kommen. Du gehst denselben Weg, den Buddha ging und den jeder gegangen ist, dem es mit der Erkenntnis ernst war. Die Askese selber ist wertlos und hat noch keinen Heiligen gemacht, aber als Vorstufe ist sie notwendig. Die alten Inder, deren Weisheit wir verehren und zu deren Büchern und Lehren jetzt Europa zurückkehren möchte, die haben vierzig und mehr Tage fasten können. Erst wenn die leiblichen Bedürfnisse ganz überwunden und nebensächlich geworden sind, kann ein ernstliches geistiges Leben anfangen. Du sollst kein indischer Büßer werden, aber du sollst den Gleichmut lernen, ohne den keine reine Betrachtung möglich ist.«

Nicht selten war Hans so erschöpft und verstimmt, daß es ihm unmöglich war, mit zur Arbeit zu gehen oder auch nur mit Heinrich zusammen zu sein. Dann ging er hinter seinem Hause über die Matten zu einem Weidehügel, wo ein paar breitästige Kiefern Schatten gaben, warf sich ins Gras und blieb lange Stunden so liegen. Er hörte die Geräusche der bäuerlichen Arbeit herübertönen, das helle, scharfe Sensendengeln und das weiche Schneiden des Grases, hörte Hunde bellen und kleine Kinder schreien, zuweilen auch Studenten in Wagen durchs Dorf fahren und lärmend singen. Und er hörte geduldig und müde zu und beneidete sie alle, die Bauern, die Kinder, die Hunde, die Studenten. Er beneidete das Gras um sein stilles Wachsen und um seinen leichten Tod, die Vögel um ihr Schweben, den Wind um seinen lässigen Flug. Wie lebte das alles leicht und selbstverständlich dahin, als wäre das Leben ein Vergnügen!

Zuweilen suchte ihn ein wehmütig schöner Traum heim – das waren seine besten Tage. Dann dachte er an die Abende, die er früher im Haus des Professors zugebracht hatte, und an dessen schöne, stille Frau, deren Bild fein und sehnsuchtweckend in ihm wohnte, und dann wollte es ihm scheinen, in jenem Hause werde ein ernsthaftes, wahrhaftiges Leben gelebt, mit notwendigen, sinnvollen Opfern und Leiden, während er selber sich ohne Not künstliche Leiden und Opfer schaffe, um dem Sinn des Lebens näher zu kommen.

Diese Gedanken kamen und gingen mit dem Winde, traumartig und ungewollt. Sobald die Müdigkeit und Seelenstille nachließ, stand wieder Heinrich Wirth in der Mitte seiner Gedanken und hielt das ruhige, stumm befehlende Auge fragend auf ihn gerichtet. Er kam von diesem Manne nicht los, ob er es auch vielleicht zuzeiten schon wünschte.

Lange verhehlte er es vor sich selber, daß er anderes von Wirth erwartet habe und enttäuscht sei. Das spartanische Essen, die Feldarbeit, der Verzicht auf alle Bequemlichkeit tat ihm zwar weh, hätte ihn aber nicht sobald ernüchtert. Am meisten vermißte er die stillen Abendstunden beim Klavier, die langen, behaglichen Lesetage und die Dämmerstunden mit der Zigarette. Es schienen ihm Jahre vergangen, seit er zuletzt gute Musik gehört hatte, und manchmal hätte er alles darum gegeben, eine Stunde frisch und wohlgekleidet unter feinen Leuten zu sitzen. Wohl hätte er das leicht haben können, er brauchte nur in die Stadt und etwa zum Professor zu gehen. Aber er wollte und konnte nicht. Er wollte nicht von dem, worauf er feierlich verzichtet hatte, dennoch naschen. Außerdem war er beständig müde und lustlos, das ungewohnte Leben bekam ihm schlecht, wie jede Gewaltkur schlecht bekommt, wenn sie nicht aus eigenem Antrieb und innerer Notwendigkeit unternommen wird.

Am schwersten litt er darunter, daß sein Meister und Freund alle seine Anstrengungen mit stiller Ironie betrachtete. Er spottete nie, aber er sah zu und schwieg und schien wohl zu merken, daß Hans auf falschem Wege sei und sich unnütz abquäle.

Nach zwei heißen, sauren Monaten wurde der Zustand unerträglich. Hans hatte sich das Räsonieren abgewöhnt und schwieg verdrossen. An der Arbeit nahm er seit einigen Tagen nimmer teil, sondern lag, wenn er gegen Mittag vom Kolleg zurückkam, den Rest des Tages auf seiner Wiese, untätig und hoffnungslos. Da fand Wirth es an der Zeit, ein Ende zu machen.

Eines Morgens erschien er, der stets früh auf den Beinen war, bei Hans, der noch im Bett lag, setzte sich zu ihm und sah ihn mit seinem stillen Lächeln an.

»Nun, Hans?«

»Was ist? Schon Zeit ins Kolleg?«

»Nein, es ist kaum fünf Uhr. Ich wollte ein bißchen mit dir plaudern. Stört dich's?«

»Eigentlich ja, um diese Zeit. Ich habe wenig geschlafen. Was ist denn los?«

»Nichts. Laß uns ein wenig reden. Sag, bist du nun eigentlich zufrieden?«

»Nein, gar nicht.«

»Man sieht es. Ich glaube, für dich wäre es jetzt das Beste, du würdest dir in der Stadt eine nette Stube mieten, mit einem Klavier – –«

»Ach, laß die Scherze!«

»Ich weiß, es ist dir nicht zum Scherzen zumute. Mir auch nicht. Ich meine es ernst. – – Sieh, du hast meinen Weg gehen wollen, und ich muß sagen, du hast dir's sauer werden lassen. Es will aber nicht gehen, und ich denke, du solltest der Quälerei ein Ende machen, nicht? Du hast dich jetzt drein verbissen und deine Ehre drein gesetzt, nicht nachzulassen, aber es hat ja keinen Sinn mehr.«

»Ja, mir scheint es auch so. Es war eine Dummheit, die mich einen schönen Sommer gekostet hat. Und du hast zugesehen und deinen Spaß daran gehabt. O du Held! Und jetzt, wo es dir genug scheint und langweilig wird, winkst du gnädig ab und schickst mich wieder fort.«

»Nicht schimpfen, Hans! Es kommt dir vielleicht so vor, aber du weißt doch, die Sachen sind immer anders, als sie uns vorkommen. Ich habe mir zwar gedacht, es würde so gehen, aber meinen Spaß habe ich nicht daran gehabt. Ich meinte es gut und glaube, du hast doch dabei gelernt.«

»O ja, gelernt genug.«

»Vergiß nicht, daß es dein Wille war. Warum sollte ich dich nicht machen lassen, solange es nicht gefährlich schien? Aber jetzt ist's genug. Das Bisherige können wir beide noch verantworten, scheint mir.«

»Und was jetzt?«

»Das mußt du wissen. Ich hatte gehofft, du könntest vielleicht mein Leben zu deinem machen. Das ist nicht gegangen – was bei mir freiwillig war, ist für dich ein trauriger Zwang, bei dem du verkommst. Ich will nicht sagen, dein Wille habe nicht ausgereicht, obwohl ich an den freien Willen glaube. Du bist anders als ich, du bist schwächer, aber auch feiner, für dich sind Dinge Bedürfnis, die für mich Luxus sind. Wenn zum Beispiel deine Musik bloß Einbildung oder Getue gewesen wäre, würde sie dir jetzt nicht so fehlen.«

»Getue! Du denkst nett von mir.«

»Verzeih! Der Ausdruck war nicht so schlimm gemeint. Sagen wir statt dessen Selbsttäuschung. So war es mit deinen philosophischen Gedanken. Du warst mit dir unzufrieden, du hast deinen Freund, den guten Kerl, mißbraucht und tyrannisiert. Du hast es mit der roten Mütze probiert, dann mit Buddhastudien, schließlich mit mir. Aber das Opfer deiner selbst hast du nie ganz gebracht. Du hast dir Mühe gegeben, es zu tun, aber es ging nicht. Du hast dich selber noch zu lieb. Erlaube, daß ich alles sage! Du glaubtest, in einer großen Not zu sein, und warst bereit, alles daranzugeben, um deinen Frieden zu finden. Aber dich selbst hast du nicht drangeben können und kannst es vielleicht nie. Du hast versucht, das größte Opfer zu bringen, weil du mich dabei glücklich sahst. Du wolltest meinen Weg gehen und wußtest nicht, daß er nach Nirwana führt. Du wolltest dein persönliches Leben steigern und erhöhen, dazu konnte ich dir nicht helfen, weil es mein Ziel ist, kein persönliches Leben mehr zu haben und im Ganzen aufzugehen. Ich bin das Gegenteil von dir und kann dich nichts lehren. Denke, du seist in ein Kloster gegangen und enttäuscht worden.«

»Du hast recht, so ähnlich ist es.«

»Darum gehst du jetzt wieder hinaus und suchst dein Heil anderswo. Es war eben ein Umweg.«

»Und das Ziel?«

»Das Ziel ist Friede. Vielleicht bist du stark und Künstler genug – dann wirst du deine Ungenüge lieben lernen und Leben aus ihr schöpfen. Ich kann das nicht. Oder, wer weiß, kommst du doch noch einmal dahin, dich ganz zu opfern und wegzugeben, dann bist du wieder auf meinem Weg, ob du ihn nun Askese, Buddha, Jesus, Tolstoi oder sonstwie nennen wirst. Der steht dir immer wieder offen.«

»Ich danke dir, Heinrich, du meinst es gut. Sag mir nur noch: wie denkst du dir dein Leben weiter? Wohin führt schließlich dein Weg?«

»Ich hoffe, er führt zum Frieden. Ich hoffe, er führt dazu, daß ich einmal mich meines Bewußtseins freuen und doch unbekümmert in Gottes Hand ruhen kann wie ein Vogel und eine Pflanze. Wenn ich kann, werde ich einmal anderen von meinem Leben und Wissen mitteilen, sonst aber suche ich nichts, als daß ich für mich den Tod und die Furcht überwinde. Das kann ich nur, wenn ich mein Leben nicht mehr als ein Einzelnes und Losgetrenntes fühle, erst dann wird jeder Augenblick meines Lebens seinen Sinn haben.«

»Das ist viel.«

»Das ist alles. Das ist das einzige, was ein Wünschen und ein Leben lohnt.«

Am Abend des nächsten Tages klopfte es an Erwins Tür. Er rief herein und dachte, es sei ein Bundesbruder, den er erwartete. Als er sich umwandte, stand Hans vor ihm. Er sah ihn verlegen und überrascht an. »Du?«

»Ja, verzeih! Ich will nicht stören. Wir sind das letztemal ohne Abschied auseinander gegangen.«

»Ja, ich weiß. Nun – –«

»Es tut mir leid, ich war schuld. Bist du mir noch böse?«

»Ach nein. Aber verzeih, ich erwarte Besuch . . .«

»Nur einen Augenblick! Ich reise morgen fort; ich bin etwas krank, und im nächsten Sommer komme ich jedenfalls nicht mehr hierher.«

»Schade. Was fehlt dir denn. Doch nichts Schlimmes?«

»Nein, Kleinigkeiten. Ich wollte nur hören, wie dir's geht. Gut, nicht?«

»O ja. Aber du weißt ja gar nicht –«

»Was?«

»Ich bin verlobt, schon seit dem Frühjahr. Es war bis jetzt noch nicht öffentlich, aber nächste Woche fahre ich nach Berlin zur Verlobungsfeier. Meine Braut ist nämlich Berlinerin.«

»Da gratuliere ich. Du bist doch ein Glückskerl! Jetzt wirst du dich auch heftig hinter deine Medizin setzen.«

»Es geht an. Aber vom nächsten Semester an wird geschuftet. Und was hast du im Sinn?«

»Vielleicht Leipzig. Aber gelt, ich störe dich?«

»Na, wenn du's nicht übel nimmst – ich erwarte einen Bundesbruder. Du begreifst, es wäre ja auch für dich peinlich – –«

»Ja so! Daran hatte ich gar nicht mehr gedacht. Nun, bis wir uns wiedersehen, sind diese Geschichten wohl vergessen. Leb wohl, Erwin!«

»Adieu, Hans, und nichts für ungut! Es war nett von dir, daß du gekommen bist. Schreibst du mir einmal? – Danke. Und gute Reise!«

Hans ging die Treppe hinab. Er wollte dem Professor, mit dem er gestern eine lange Unterredung gehabt hatte, noch einen Abschiedsbesuch machen. Draußen sah er noch einmal an Erwins Fenster hinauf.

Im Weggehen dachte er an die fleißigen Bauern, an die

Dorfkinder, an die Verbindung mit den ziegelroten Mützen, an Erwin und an alle die Glücklichen, denen die Tage leicht und unbedauert durch die Finger gleiten, und dann an Heinrich Wirth und an sich selber und an alle, denen das Leben zu schaffen macht und die er im Herzen als seine Freunde und Brüder begrüßte.

(1907/08)

Taedium vitae

Erster Abend

Es ist Anfang Dezember. Der Winter zögert noch, Stürme heulen und seit Tagen fällt ein dünner, hastiger Regen, der sich manchmal, wenn es ihm selber zu langweilig wird, für eine Stunde in nassen Schnee verwandelt. Die Straßen sind ungangbar, der Tag dauert nur sechs Stunden.

Mein Haus steht allein im freien Felde, umgeben vom heulenden Westwind, von Regendämmerung und Geplätscher, von dem braunen, triefenden Garten und schwimmenden bodenlos gewordenen Feldwegen, die nirgendshin führen. Es kommt niemand, es geht niemand, die Welt ist irgendwo in der Ferne untergegangen. Es ist alles, wie ich mir's oft gewünscht habe – Einsamkeit, vollkommene Stille, keine Menschen, keine Tiere, nur ich allein in einem Studierzimmer, in dessen Kamin der Sturm jammert und an dessen Fensterscheiben Regen klatscht.

Die Tage vergehen so: Ich stehe spät auf, trinke Milch, besorge den Ofen. Dann sitze ich im Studierzimmer, zwischen dreitausend Büchern, von denen ich zwei abwechselnd lese. Das eine ist die »Geheimlehre« der Frau Blavatsky, ein schauerliches Werk. Das andere ist ein Roman von Balzac. Manchesmal stehe ich auf, um ein paar Zigarren aus der Schublade zu holen, zweimal um zu essen. Die »Geheimlehre« wird immer dicker, sie wird nie ein Ende nehmen und mich ins Grab begleiten. Der Balzac wird immer dünner, er schwindet täglich, obwohl ich nicht viel Zeit an ihn wende.

Wenn mir die Augen weh tun, setze ich mich in den Lehnstuhl und schaue zu, wie die dürftige Tageshelle an den bücherbedeckten Wänden hinstirbt und versiegt. Oder ich stelle mich vor die Wände und schaue die Bücherrücken an. Sie sind meine Freunde, sie sind mir geblieben, sie werden mich überleben; und wenn auch mein Interesse für sie im Schwinden begriffen ist, muß ich mich doch an sie halten, da ich nichts anderes habe. Ich schaue sie an, diese stummen, zwangsweise treu gebliebenen Freunde, und denke an ihre Geschichten. Da ist ein griechischer Prachtband, in Leyden gedruckt, irgendein Philosoph. Ich kann ihn nicht lesen, ich kann schon lang kein Griechisch mehr. Ich kaufte ihn in Venedig, weil er billig war und weil der Antiquar ganz überzeugt war, ich lese Griechisch geläufig. So kaufte ich ihn, aus Verlegenheit, und schleppte ihn in der Welt herum, in Koffern und Kisten, sorgfältig eingepackt und ausgepackt, bis hierher, wo ich nun festsitze und wo auch er seinen Stand und seine Ruhe gefunden hat.

So vergeht der Tag, und der Abend vergeht bei Lampenlicht, Büchern, Zigarren, bis gegen zehn Uhr. Dann steige ich im kalten Nebenzimmer ins Bett, ohne zu wissen warum, denn ich kann wenig schlafen. Ich sehe das Fensterviereck, den weißen Waschtisch, ein weißes Bild überm Bett in der Nachtblässe schwimmen, ich höre den Sturm im Dach poltern und an den Fenstern zittern, höre das Stöhnen der Bäume, das Fallen des gepeitschten Regens, meinen Atem, meinen leisen Herzschlag. Ich mache die Augen auf, ich mache sie wieder zu; ich versuche an meine Lektüre zu denken, doch gelingt es mir nicht. Statt dessen denke ich an andere Nächte, an zehn, an zwanzig vergangene Nächte, da ich ebenso lag, da ebenso das bleiche Fenster schimmerte und mein leiser Herzschlag die blassen, wesenlosen Stunden abzählte. So vergehen die Nächte.

Sie haben keinen Sinn, so wenig wie die Tage, aber sie vergehen doch, und das ist ihre Bestimmung. Sie werden kommen und vergehen, bis sie wieder irgendeinen Sinn erhalten oder auch bis sie zu Ende sind, bis mein Herzschlag sie nimmer zählen kann. Dann kommt der Sarg, das Grab, vielleicht an einem hellblauen Septembertag, vielleicht bei Wind und Schnee, vielleicht im schönen Juni, wenn der Flieder blüht.

Immerhin sind meine Stunden nicht alle so. Eine, eine halbe von hundert ist doch anders. Dann fällt mir plötzlich das wieder ein, an was ich eigentlich immerfort denken will und was mir die Bücher, der Wind, der Regen, die blasse Nacht immer wieder verhüllen und entziehen. Dann denke ich wieder: Warum ist das so? Warum hat Gott dich verlassen? Warum ist deine Jugend von dir gewichen? Warum bist du so tot?

Das sind meine guten Stunden. Dann weicht der erdrückende Nebel. Geduld und Gleichgültigkeit fliehen fort, ich schaue erwacht in die scheußliche Öde und kann wieder fühlen. Ich fühle die Einsamkeit wie einen gefrorenen See um mich her, ich fühle die Schande und Torheit dieses Lebens, ich fühle den Schmerz um die verlorene Jugend grimmig flammen. Es tut weh, freilich, aber es ist doch Schmerz, es ist doch Scham, es ist doch Qual, es ist doch Leben, Denken, Bewußtsein.

Warum hat Gott dich verlassen? Wo ist deine Jugend hin? Ich weiß es nicht, ich werde es nie erdenken. Aber es sind doch Fragen, es ist doch Auflehnung, es ist doch nicht mehr Tod.

Und statt der Antwort, die ich doch nicht erwarte, finde ich neue Fragen. Zum Beispiel: Wie lang ist es her? Wann war's das letzte Mal, daß du jung gewesen bist?

Ich denke nach, und die erfrorene Erinnerung kommt langsam in Fluß, bewegt sich, schlägt unsichere Augen auf und strahlt unversehens ihre klaren Bilder aus, die unverloren unter der Todesdecke schliefen.

Anfangs will es mir scheinen, die Bilder seien ungeheuer alt, zum mindestens zehn Jahre alt. Aber das taub gewordene Zeitgefühl wird zusehends wacher, legt den vergessenen Maßstab auseinander, nickt und mißt. Ich erfahre, daß alles viel näher beieinander liegt, und nun tut auch das entschlafene Identitätsbewußtsein die hochmütigen Augen auf und nickt bestätigend und frech zu den unglaublichsten Dingen. Es geht von Bild zu Bild und sagt: »Ja, das war ich«, und jedes Bild rückt damit sofort aus seiner kühlschönen Beschaulichkeit heraus und wird ein Stück Leben, ein Stück meines Lebens. Das Identitätsbewußtsein ist eine zauberhafte Sache, gar fröhlich zu sehen, und doch unheimlich. Man hat es, und man kann doch ohne es leben und tut es oft genug, wenn nicht meistens. Es ist herrlich, denn es vernichtet die Zeit; und ist schlimm, denn es leugnet den Fortschritt.

Die erwachten Funktionen arbeiten, und sie stellen fest, daß ich einmal an einem Abend im vollen Besitz meiner Jugend war, und daß es erst vor einem Jahr gewesen ist. Es war ein unbedeutendes Erlebnis, viel zu klein, als daß es sein Schatten sein könnte, in dem ich nun so lange lichtlos lebe. Aber es war ein Erlebnis, und da ich seit Wochen, vielleicht

Monaten vollkommen ohne Erlebnisse war, dünkt es mir eine wunderbare Sache, schaut mich wie ein Paradieslein an und tut viel wichtiger als nötig wäre. Allein mir ist das lieb, ich bin dafür unendlich dankbar. Ich habe eine gute Stunde. Die Bücherreihen, die Stube, der Ofen, der Regen, das Schlafzimmer, die Einsamkeit, alles löst sich auf, zerrinnt, schmilzt hin. Ich rege, für eine Stunde, befreite Glieder.

Das war vor einem Jahr, Ende November, und es war ein ähnliches Wetter wie jetzt, nur war es fröhlich und hatte einen Sinn. Es regnete viel, aber melodisch schön, und ich hörte nicht vom Schreibtisch aus zu, sondern ging im Mantel und auf leisen, elastischen Gummischuhen draußen umher und betrachtete die Stadt. Ebenso wie der Regen war mein Gang und meine Bewegungen und mein Atem, nicht mechanisch, sondern schön, freiwillig, voller Sinn. Auch die Tage schwanden nicht so totgeboren hin, sie verliefen im Takte, mit Hebungen und Senkungen, und die Nächte waren lächerlich kurz und erfrischend, kleine Ruhepausen zwischen zwei Tagen, nur von den Uhren gezählt. Wie herrlich ist es, so seine Nächte zu verbringen, ein Drittel seines Lebens guten Mutes zu verschwenden, statt dazuliegen und die Minuten nachzuzählen, von denen doch keine den geringsten Wert hat.

Die Stadt war München. Ich war dorthin gereist, um ein Geschäft zu besorgen, das ich aber nachher brieflich abtat, denn ich traf so viele Freunde, sah und hörte so viel Hübsches, daß an Geschäfte nicht zu denken war. Einen Abend saß ich in einem schönen, wundervoll erleuchteten Saal und hörte einen kleinen, breitschultrigen Franzosen namens Lamond Stücke von Beethoven spielen. Das Licht glänzte, die schönen Kleider der Damen funkelten freudevoll, und durch den hohen Saal flogen große, weiße Engel, verkündeten Gericht und verkündeten frohe Botschaft, gossen Füllhörner der Lust aus und weinten schluchzend hinter vorgehaltenen, durchsichtigen Händen.

Eines Morgens fuhr ich, nach einer durchgezechten Nacht, mit Freunden durch den Englischen Garten, sang Lieder und trank beim Aumeister Kaffee. Einen Nachmittag war ich ganz von Gemälden umgeben, von Bildnissen, von Waldwiesen und Meerufern, von denen viele wunderbar erhöht und paradiesisch atmeten wie eine neue, unbefleckte Schöpfung. Abends sah ich den Glanz der Schaufenster, der für Landleute unendlich schön und gefährlich ist, sah Photographien und Bücher ausgestellt, und Schalen voll fremdländischer Blumen, teure Zigarren in Silberpapier gewickelt und feine Lederwaren von lachender Eleganz. Ich sah elektrische Lampen in den feuchten Straßen spiegelnd blitzen und die Helme alter Kirchentürme in Wolkendämmerung verschwinden.

Mit alledem verging die Zeit schnell und leicht, wie ein Glas leer wird, aus dem jeder Schluck Vergnügen macht. Es war Abend, ich hatte meinen Koffer gepackt und mußte morgen abreisen, ohne daß es mir leid tat. Ich freute mich schon auf die Eisenbahnfahrt an Dörfern, Wäldern und schon beschneiten Bergen vorbei, und auf die Heimkehr.

Für den Abend war ich noch eingeladen, in einem schönen neuen Hause in einer vornehmen Schwabinger Straße, wo es mir bei lebhaften Gesprächen und feinen Speisen wohl erging. Es waren auch einige Frauen da, doch bin ich im Verkehr mit solchen schamhaft und behindert, so daß ich lieber zu den Männern hielt. Wir tranken Weißwein aus dünnen Kelchgläsern, und rauchten gute Zigarren, deren Asche wir in silberne, innen vergoldete Becher fallen ließen. Wir sprachen von Stadt und Land, von der Jagd und vom Theater, auch von der Kultur, die uns nahe herbeigekommen schien. Wir sprachen laut und zart, mit Feuer und mit Ironie, ernst und witzig, und schauten uns klug und lebhaft in die Augen.

Erst spät, als der Abend beinahe vorüber war und das Männergespräch sich zur Politik wandte, wovon ich wenig verstehe, sah ich mir die eingeladenen Damen an. Sie wurden von einigen jungen Malern und Bildhauern unterhalten, die zwar arme Teufel, aber sämtlich mit großer Eleganz gekleidet waren, so daß ich ihnen gegenüber nicht Mitleid fühlen konnte, sondern Achtung und Respekt empfinden mußte. Doch ward ich auch von ihnen liebenswürdig geduldet, ja als zugereister Gast vom Lande freundlich ermuntert, so daß ich meine Schüchternheit ablegte und auch mit ihnen ganz brüderlich ins Reden kam. Daneben warf ich neugierige Blicke auf die jungen Damen.

Unter ihnen entdeckte ich nun eine ganz junge, vielleicht neunzehn Jahre alt, mit hellblonden, kinderhaften Haaren und einem blauäugigen, schmalen Märchengesicht. Sie trug ein helles Kleid mit blauen Besätzen und saß horchend und zufrieden auf ihrem Sessel. Ich sah sie kaum, da ging auch schon ihr Stern mir auf, daß ich ihre feine Gestalt und innige, unschuldige Schönheit im Herzen begriff und die Melodie erfühlte, in welche eingehüllt sie sich bewegte. Eine stille Freude und Rührung machte meinen Herzschlag leicht und schnell, und ich hätte sie gerne angeredet, doch wußte ich nichts Stichhaltiges zu sagen. Sie selber sprach wenig, lächelte nur, nickte und sang kurze Antworten mit einer leichten, hold schwebenden Stimme. Über ihr dünnes Handgelenk fiel eine Manschette aus Spitzen, daraus die Hand mit den zarten Fingern kindlich und beseelt hervorschaute. Ihr Fuß, den sie spielend schaukelte, war mit einem feinen, hohen Stiefel aus braunem Leder bekleidet, und seine Form und Größe stand, wie auch die ihrer Hände in einem richtigen, wohlgefälligen Verhältnis zu der ganzen Gestalt.

»Ach du!« dachte ich mir und sah sie an, »du Kind, du schöner Vogel du! Wohl mir, daß ich dich in deinem Frühling sehen darf.«

Es waren noch andere Frauen da, glänzendere und verheißungsvolle in reifer Pracht, und kluge mit durchdringenden Augen, doch hatte keine einen solchen Duft und keine war so von sanfter Musik umflossen. Sie sprachen und lachten und führten Krieg mit Blicken aus Augen aller Farben. Sie zogen auch mich gütig und neckend ins Gespräch und erwiesen mir Freundlichkeit, doch gab ich nur wie im Schlummer Antwort und blieb mit dem Gemüt bei der Blonden, um ihr Bild in mich zu fassen und die Blüte ihres Wesens nicht aus der Seele zu verlieren.

Ohne daß ich darauf achtete, wurde es spät, und plötzlich waren alle aufgestanden und unruhig geworden, gingen hin und her und nahmen Abschied. Da erhob auch ich mich schnell und tat dasselbe. Draußen zogen wir Mäntel und Kragen an, und ich hörte einen von den Malern zu der Schönen sagen: »Darf ich Sie begleiten?« Und sie sagte: »Ja, aber das ist ein großer Umweg für Sie. Ich kann ja auch einen Wagen nehmen.«

Da trat ich rasch hinzu und sagte: »Lassen Sie mich mitgehen, ich habe den gleichen Weg.«

Sie lächelte und sagte: »Gut, danke schön.« Und der Maler grüßte höflich, sah mich verwundert an und ging davon.

Nun schritt ich neben der lieben Gestalt die nächtliche Straße hinab. An einer Ecke stand eine späte Droschke und schaute uns aus müden Laternen an. Sie sagte: »Soll ich nicht lieber die Droschke nehmen? Es ist eine halbe Stunde weit.« Ich bat sie jedoch, es nicht zu tun. Nun fragte sie plötzlich: »Woher wissen Sie denn, wo ich wohne?«

»Oh, das ist ja gleichgültig. Übrigens weiß ich es gar nicht.«

»Sie sagten doch, Sie hätten den gleichen Weg?«

»Ja, den habe ich. Ich wäre ohnehin noch eine halbe Stunde spazieren gegangen.«

Wir schauten an den Himmel, der war klar geworden und stand voll von Sternen, und durch die weiten, stillen Straßen strich ein frischer, kühler Wind.

Anfangs war ich in Verlegenheit, da ich durchaus nichts mit ihr zu reden wußte. Sie schritt jedoch frei und unbefangen dahin, atmete die reine Nachtluft mit Behagen und tat nur hie und da, wie es ihr einfiel, einen Ausruf oder eine Frage, auf die ich pünktlich Antwort gab. Da wurde auch ich wieder frei und zufrieden, und es ergab sich im Takt unserer Schritte ein ruhiges Plaudern, von dem ich heute kein Wort mehr weiß.

Wohl aber weiß ich noch, wie ihre Stimme klang; sie klang rein, vogelleicht und dennoch warm, und ihr Lachen ruhig und fest. Ihr Schritt nahm meinen gleichmäßig mit, ich bin nie so froh und schwebend gegangen, und die schlafende Stadt mit Palästen, Toren, Gärten und Denkmälern glitt still und schattenhaft an uns vorüber.

Es begegnete uns ein alter Mann in schlechten Kleidern, der nicht mehr gut zu Fuße war. Er wollte uns ausweichen, doch nahmen wir das nicht an, sondern machten ihm zu beiden Seiten Platz, und er drehte sich langsam um und blickte uns nach. »Ja, schau du nur!« sagte ich, und das blonde Mädchen lachte vergnügt.

Von hohen Türmen schollen Stundenschläge, flogen klar und frohlockend im frischen Winterwind über die Stadt und vermischten sich fern in den Lüften zu einem verhallenden

Brausen. Ein Wagen fuhr über einen Platz, die Hufschläge tönten klappernd auf dem Pflaster, die Räder aber hörte man nicht, sie liefen auf Gummireifen.

Neben mir schritt heiter und frisch die schöne junge Gestalt, die Musik ihres Wesens umschloß auch mich, mein Herz schlug denselben Takt wie ihres, meine Augen sahen alles, was ihre Augen sahen. Sie kannte mich nicht, und ich wußte ihren Namen nicht, aber wir waren beide sorgenlos und jung, wir waren Kameraden wie zwei Sterne und wie zwei Wolken, die denselben Weg ziehen, dieselbe Luft atmen und sich ohne Worte wunschlos wohl fühlen. Mein Herz war wieder neunzehn Jahre alt und unversehrt.

Mir schien, wir beide müßten ohne Ziel und unermüdet weiter wandern. Mir schien, wir gingen schon unausdenklich lange nebeneinander, und es könnte nie ein Ende nehmen. Die Zeit war ausgelöscht, ob auch die Uhren schlugen.

Da aber blieb sie unvermutet stehen, lächelte, gab mir die Hand und verschwand in einem Haustor.

Zweiter Abend

Ich habe den halben Tag gelesen und meine Augen schmerzen, ohne daß ich weiß, warum ich sie eigentlich so anstrenge. Aber auf irgendeine Art muß ich die Zeit doch hinbringen. Jetzt ist es wieder Abend, und indem ich überlese, was ich gestern schrieb, richtet sich jene vergangene Zeit wieder auf, blaß und entrückt, aber doch erkennbar. Ich sehe Tage und Wochen, Ereignisse und Wünsche, Gedachtes und Erlebtes schön verknüpft und in sinnvoller Folge aneinander gereiht, ein richtiges Leben mit Kontinuität und Rhythmus, mit Interessen und Zielen, und mit der wunderbaren Berechtigung und Selbstverständlichkeit eines gewöhnlichen, gesunden Lebens, was alles mir seither so völlig abhanden gekommen ist.

Also ich war, am Tag nach jenem schönen Abendgang mit dem fremden Mädchen, abgereist und in meine Heimat gefahren. Ich saß fast ganz allein im Wagen und freute mich über den guten Schnellzug und über die fernen Alpen, die eine Zeitlang klar und glänzend zu sehen waren. In Kempten aß ich am Büffet eine Wurst und unterhielt mich mit dem

Schaffner, dem ich eine Zigarre kaufte. Später wurde das Wetter trüb, und den Bodensee sah ich grau und groß wie ein Meer im Nebel und leisem Schneegeriesel liegen.

Zu Hause in demselben Zimmer, in dem ich auch jetzt sitze, machte ich mir ein gutes Feuer in den Ofen und ging mit Eifer an meine Arbeit. Es kamen Briefe und Bücherpakete und gaben mir zu tun, und einmal in der Woche fuhr ich ins Städtchen hinüber, machte meine paar Einkäufe, trank ein Glas Wein und spielte eine Partie Billard.

Dabei merkte ich doch allmählich, daß die freudige Munterkeit und zufriedene Lebenslust, mit der ich noch kürzlich in München umhergegangen war, sich anschickte zur Neige zu gehen und durch irgendeinen kleinen, dummen Riß zu entrinnen, so daß ich langsam in einen minder hellen, träumerischen Zustand hineingeriet. Im Anfang dachte ich, es werde ein kleines Unwohlsein sich ausbrüten, darum fuhr ich in die Stadt und nahm ein Dampfbad, das jedoch nichts helfen wollte. Ich sah auch bald ein, daß dieses Übel nicht in den Knochen und im Blut steckte. Denn ich begann jetzt, ganz wider oder doch ohne meinen Willen, zu allen Stunden des Tages mit einer gewissen hartnäckigen Begierde an München zu denken, als ob ich in dieser angenehmen Stadt etwas Wesentliches verloren hätte. Und ganz allmählich nahm dieses Wesentliche für mein Bewußtsein Gestalt an, und es war die liebliche schlanke Gestalt der neunzehnjährigen Blonden. Ich merkte, daß ihr Bildnis und jener dankbar frohe abendliche Gang an ihrer Seite in mir nicht zur stillen Erinnerung, sondern zu einem Teil meiner selbst geworden war, der jetzt zu schmerzen und zu leiden anfing.

Es ging schon leis in den Frühling hinein, da war die Sache reif und brennend geworden und ließ sich auf keine Weise mehr unterschlagen. Ich wußte jetzt, daß ich das liebe Mädchen wiedersehen müsse, ehe an anderes zu denken war. Wenn alles stimmte, so durfte ich den Gedanken nicht scheuen, meinem stillen Leben Fahrwohl zu sagen und mein harmloses Schicksal mitten in den Strom zu lenken. War es auch bisher meine Absicht gewesen, meinen Weg allein als ein unbeteiligter Zuschauer zu gehen, so schien doch jetzt ein ernsthaftes Bedürfnis es anders zu wollen.

Darum überlegte ich mir alles Notwendige gewissenhaft

257

und kam zu dem Schlusse, es sei mir durchaus möglich und erlaubt, mich einem jungen Mädchen anzutragen, falls es dazu kommen sollte. Ich war wenig über dreißig Jahre alt, auch gesund und gutartig, und besaß so viel Vermögen, daß eine Frau, wenn sie nicht zu sehr verwöhnt war, sich mir ohne Sorge anvertrauen konnte. Gegen Ende März fuhr ich denn wieder nach München, und diesmal hatte ich auf der langen Eisenbahnfahrt recht viel zu denken. Ich nahm mir vor, zunächst die nähere Bekanntschaft des Mädchens zu machen und hielt es nicht für völlig unmöglich, daß dann vielleicht mein Bedürfnis sich als minder heftig und überwindbar erweisen könnte. Vielleicht, meinte ich, werde das bloße Wiedersehen meinem Heimweh Genüge tun und das Gleichgewicht in mir sich dann von selber wieder herstellen.

Das war nun allerdings die törichte Annahme eines Unerfahrenen. Ich erinnere mich nun wieder wohl daran, mit wieviel Vergnügen und Schlauheit ich diese Reisegedanken spann, während ich im Herzen schon fröhlich war, da ich mich München und der Blonden nahe wußte.

Kaum hatte ich das vertraute Pflaster wieder betreten, so stellte sich auch ein Behagen ein, das ich wochenlang vermißt hatte. Es war nicht frei von Sehnsucht und verhüllter Unruhe, aber doch war mir längere Zeit nicht mehr so wohl gewesen. Wieder freute mich alles, was ich sah, und hatte einen wunderlichen Glanz, die bekannten Straßen, die Türme, die Leute in der Trambahn mit ihrer Mundart, die großen Bauten und stillen Denkmäler. Ich gab jedem Trambahnschaffner einen Fünfer Trinkgeld, ließ mich durch ein feines Schaufenster verleiten, mir einen eleganten Regenschirm zu kaufen, gönnte mir auch in einem Zigarrenladen etwas Feineres, als eigentlich meinem Stande und Vermögen entsprach, und fühlte mich in der frischen Märzluft recht unternehmungslustig.

Nach zwei Tagen hatte ich schon in aller Stille mich nach dem Mädchen erkundigt und nicht viel anderes erfahren, als ich ungefähr erwartet hatte. Sie war eine Waise und aus gutem Hause, doch arm, und besuchte eine kunstgewerbliche Schule. Mit meinem Bekannten in der Leopoldstraße, in dessen Haus ich sie damals gesehen hatte, war sie entfernt verwandt.

Dort sah ich sie auch wieder. Es war eine kleine Abendgesellschaft, fast alle Gesichter von damals tauchten wieder auf, manche erkannten mich wieder und gaben mir freundlich die Hand. Ich aber war sehr befangen und erregt, bis endlich mit anderen Gästen auch sie erschien. Da wurde ich still und zufrieden, und als sie mich erkannte, mir zunickte und mich sogleich an jenen Abend im Winter erinnerte, fand sich bei mir das alte Zutrauen ein, und ich konnte mit ihr reden und ihr in die Augen sehen, als wäre seither keine Zeit vergangen und wehte noch derselbe winterliche Nachtwind um uns beide. Doch hatten wir einander nicht viel mitzuteilen, sie fragte nur, wie es mir seither gegangen sei und ob ich die ganze Zeit auf dem Land gelebt habe. Als das besprochen war, schwieg sie ein paar Augenblicke, sah mich dann lächelnd an und wendete sich zu ihren Freunden, während ich sie nun aus einiger Ferne nach Lust betrachten konnte. Sie schien mir ein wenig verändert, doch wußte ich nicht wie und in welchen Zügen, und erst nachher, als sie fort war und ich ihre beiden Bilder in mir streiten fühlte und vergleichen konnte, fand ich heraus, daß sie ihr Haar jetzt anders aufgesteckt hatte und auch zu etwas volleren Wangen gekommen war. Ich betrachtete sie still und hatte dabei dasselbe Gefühl der Freude und Verwunderung, daß es etwas so Schönes und innig Junges gebe und daß es mir erlaubt war, diesem Menschenfrühling zu begegnen und in die hellen Augen zu sehen.

Während des Abendessens und nachher beim Moselwein ward ich in die Herrengespräche hineingezogen, und wenn auch von anderen Dingen die Rede war als bei meinem letzten Hiersein, schien mir das Gespräch doch wie eine Fortsetzung des damaligen, und ich nahm mit einer kleinen Genugtuung wahr, daß diese lebhaften und verwöhnten Stadtleute doch auch trotz aller Augenlust und Neuigkeiten einen gewissen Zirkel haben, in dem ihr Geist und Leben sich bewegt, und daß bei allem Vielerlei und Wechsel doch auch hier der Zirkel unerbittlich und verhältnismäßig eng ist. Obschon mir in ihrer Mitte recht wohl war, fühlte ich mich doch durch meine lange Abwesenheit im Grunde um nichts betrogen und konnte die Vorstellung nicht ganz unterdrükken, diese Herrschaften seien alle noch von damals her sitzen geblieben und redeten noch am selben Gespräch von damals fort. Dieser Gedanke war natürlich ungerecht und kam nur davon her, daß meine Aufmerksamkeit und Teilnahme diesmal häufig von der Unterhaltung abwich.

Ich wandte mich auch, so bald ich konnte, dem Nebenzimmer zu, wo die Damen und jungen Leute ihre Unterhaltung hatten. Es entging mir nicht, daß die jungen Künstler von der Schönheit des Fräuleins stark angezogen wurden und mit ihr teils kameradschaftlich, teils ehrerbietig umgingen. Nur einer, ein Bildnismaler namens Zündel, hielt sich kühl bei den älteren Frauen und schaute uns Schwärmern mit einer gutmütigen Verachtung zu. Er sprach lässig und mehr horchend als redend mit einer schönen, braunäugigen Frau, von der ich gehört hatte, sie stehe im Ruf großer Gefährlichkeit und vieler gehabter oder noch schwebender Liebesabenteuer.

Doch nahm ich alles das nur nebenbei mit halben Sinnen wahr. Das Mädchen nahm mich ganz in Anspruch, doch ohne daß ich mich ins allgemeine Gespräch mischte. Ich fühlte, wie sie in einer lieblichen Musik befangen lebte und sich bewegte, und der milde, innige Reiz ihres Wesens umgab mich so dicht und süß und stark wie der Duft einer Blume. So wohl mir das jedoch tat, so konnte ich doch unzweifelhaft spüren, daß ihr Anblick mich nicht stillen und sättigen könne und daß mein Leiden, wenn ich jetzt wieder von ihr getrennt würde, noch weit quälender werden müsse. Mir schien in ihrer zierlichen Person mein eigenes Glück und der blühende Frühling meines Lebens mich anzublicken, daß ich ihn fasse und an mich nehme, der sonst nie wieder käme. Es war nicht eine Begierde des Blutes nach Küssen und nach einer Liebesnacht, wie es manche schöne Frau schon für Stunden in mir erweckt und mich damit erhitzt und gequält hatte. Vielmehr war es ein frohes Vertrauen, daß in dieser lieben Gestalt mein Glück mir begegnen wolle, daß ihre Seele mir verwandt und freundlich und mein Glück auch ihres sein müsse.

Darum beschloß ich, ihr nahe zu bleiben und zur rechten Stunde meine Frage an sie zu tun.

Es soll nun einmal erzählt sein, also weiter!

Ich hatte nun in München eine schöne Zeit. Meine Wohnung lag nicht weit vom Englischen Garten, den suchte ich jeden Morgen auf. Auch in die Bildersäle ging ich häufig, und wenn ich etwas besonders Herrliches sah, war es immer wie ein Zusammentreffen der äußeren Welt mit dem seligen Bilde, das ich in mir bewahrte.

Eines Abends trat ich in ein kleines Antiquariat, um mir etwas zum Lesen zu kaufen. Ich stöberte in staubigen Regalen und fand eine schöne, zierlich eingebundene Ausgabe des Herodot, die ich erwarb. Darüber kam ich mit dem Gehilfen, der mich bediente, in ein Gespräch. Es war ein auffallend freundlicher, still höflicher Mann mit einem bescheidenen, doch heimlich durchleuchteten Gesicht, und in seinem ganzen Wesen lag eine sanfte, friedliche Güte, die man sofort spürte und auch aus seinen Zügen und Gebärden lesen konnte. Er zeigte sich belesen, und da er mir so gut gefiel, kam ich mehrmals wieder, um etwas zu kaufen und mich eine Viertelstunde mit ihm zu unterhalten. Ohne daß er dergleichen gesagt hätte, hatte ich von ihm den Eindruck eines Mannes, der die Finsternis und Stürme des Lebens vergessen oder überwunden habe und ein friedvolles und gutes Leben führe.

Nachdem ich den Tag in der Stadt bei Freunden oder in Sammlungen hingebracht, saß ich abends vor dem Schlafengehen stets noch eine Stunde in meinem Mietzimmer, in die Wolldecke gehüllt, las im Herodot oder ließ meine Gedanken hinter dem schönen Mädchen her gehen, dessen Namen Maria ich nun auch erfahren hatte.

Beim nächsten Zusammentreffen mit ihr gelang es mir, sie etwas besser zu unterhalten, wir plauderten ganz vertraulich, und ich erfuhr manches über ihr Leben. Auch durfte ich sie nach Hause begleiten, und es war mir wie im Traum, daß ich wieder mit ihr denselben Weg durch die ruhigen Straßen ging. Ich sagte ihr, ich habe oft an jenen Heimweg gedacht und mir gewünscht, ihn noch einmal gehen zu dürfen. Sie lachte vergnügt und fragte mich ein wenig aus. Und schließlich, da ich doch am Bekennen war, sah ich sie an und sagte:

»Ich bin nur Ihretwegen nach München gekommen, Fräulein Maria.«

Ich fürchtete sogleich, das möchte zu dreist gewesen sein, und wurde verlegen. Aber sie sagte nichts darauf und sah mich nur ruhig und ein wenig neugierig an. Nach einer Weile sagte sie dann: »Am Donnerstag gibt ein Kamerad von mir ein Atelierfest. Wollen Sie auch kommen? – Dann holen Sie mich um acht Uhr hier ab.«

Wir standen vor ihrer Wohnung. Da dankte ich und nahm Abschied.

So war ich denn von Maria zu einem Fest eingeladen worden. Eine große Freudigkeit kam über mich. Ohne daß ich mir von diesem Feste allzuviel versprach, war es mir doch ein wunderlich süßer Gedanke, von ihr dazu aufgefordert zu sein und ihr etwas zu verdanken. Ich besann mich, wie ich ihr dafür danken könne, und beschloß, ihr am Donnerstag einen schönen Blumenstrauß mitzubringen.

In den drei Tagen, die ich noch warten mußte, fand ich die heiter zufriedene Stimmung nicht wieder, in der ich die letzte Zeit gewesen war. Seit ich ihr das gesagt hatte, daß ich ihretwegen hierher gereist sei, war meine Unbefangenheit und Ruhe verloren. Es war doch so gut wie ein Geständnis gewesen, und nun mußte ich immer denken, sie wisse um meinen Zustand und überlege sich vielleicht, was sie mir antworten solle. Ich brachte diese Tage meist auf Ausflügen außerhalb der Stadt zu, in den großen Parkanlagen von Nymphenburg und von Schleißheim oder im Isartal in den Wäldern.

Als der Donnerstag gekommen war und es Abend wurde, zog ich mich an, kaufte im Laden einen großen Strauß rote Rosen und fuhr damit in einer Droschke bei Maria vor. Sie kam sogleich herab, ich half ihr in den Wagen und gab ihr die Blumen, aber sie war aufgeregt und befangen, was ich trotz meiner eigenen Verlegenheit wohl bemerkte. Ich ließ sie denn auch in Ruhe, und es gefiel mir, sie so mädchenhaft vor einer Festlichkeit in Aufregung und Freudenfieber zu sehen. Bei der Fahrt im offenen Wagen durch die Stadt überkam auch mich allmählich eine große Freude, indem es mir scheinen wollte, als bekenne damit Maria, sei es auch nur für eine Stunde, sich zu einer Art von Freundschaft und Einverständnis mit mir. Es war mir ein festtägliches Ehrenamt, sie für diesen Abend unter meinen Schutz und meiner Begleitung zu haben, da es ihr hierzu doch gewiß nicht an anderen erbötigen Freunden gefehlt hätte.

Der Wagen hielt vor einem großen kahlen Miethause, dessen Flur und Hof wir durchschreiten mußten. Dann ging es im Hinterhause unendliche Treppen hinauf, bis uns im obersten Korridor ein Schwall von Licht und Stimmen entgegenbrach. Wir legten in einer Nebenstube ab, wo ein eisernes Bett und ein paar Kisten schon mit Mänteln und Hüten bedeckt waren, und traten dann in das Atelier, das hell erleuchtet und voll von Menschen war. Drei oder vier waren mir flüchtig bekannt, die andern samt dem Hausherrn aber alle fremd.

Diesem stellte mich Maria vor und sagte dazu: »Ein Freund von mir. Ich durfte ihn doch mitbringen?«

Das erschreckte mich ein wenig, da ich glaubte, sie habe mich angemeldet. Aber der Maler gab mir unbeirrt die Hand und sagte gleichmütig: »Ist schon recht.«

Es ging in dem Atelier recht lebhaft und freimütig zu. Jeder setzte sich, wo er Platz fand, und man saß nebeneinander, ohne sich zu kennen. Auch nahm sich jedermann nach Belieben von den kalten Speisen, die da und dort herumstanden, und vom Wein oder Bier, und während die einen erst ankamen oder ihr Abendbrot aßen, hatten andere schon die Zigarren angezündet, deren Rauch sich allerdings anfänglich in dem sehr hohen Raume leicht verlor.

Da niemand nach uns sah, versorgte ich Maria und dann auch mich mit einigem Essen, das wir ungestört an einem kleinen niederen Zeichentisch verzehrten, zusammen mit einem fröhlichen, rotbärtigen Manne, den wir beide nicht kannten, der uns aber munter und anfeuernd zunickte. Hie und da griff jemand von den später Gekommenen, für die es an Tischen fehlte, über unsre Schultern hinweg nach einem Schinkenbrot, und als die Vorräte zu Ende waren, klagten viele noch über Hunger, und zwei von den Gästen gingen aus, um noch etwas einzukaufen, wozu der eine von seinen Kameraden kleine Geldbeiträge erbat und erhielt.

Der Gastgeber sah diesem munteren und etwas lärmigen Wesen gleichmütig zu, aß stehend ein Butterbrot und ging mit diesem und einem Weinglas in den Händen plaudernd bei den Gästen hin und wider. Auch ich nahm an dem ungebundenen Treiben keinen Anstoß, doch wollte es mir im stillen leid tun, daß Maria sich hier anscheinend wohl und heimisch fühlte. Ich wußte ja, daß die jungen Künstler Kollegen und zum Teil sehr achtenswerte Leute waren, und hatte keinerlei Recht, etwas anders zu wünschen. Dennoch war es mir ein leiser Schmerz und fast eine kleine Enttäuschung, zu sehen, wie sie diese immerhin robuste Geselligkeit befriedigt hinnahm. Ich blieb bald allein, da sie nach der kurzen Mahlzeit sich erhob und ihre Freunde begrüßte. Den beiden ersten stellte sie mich vor und suchte mich mit in ihre Unterhaltung zu ziehen, wobei ich freilich versagte. Dann stand sie bald da bald dort bei Bekannten, und da sie mich nicht zu vermissen schien, zog ich mich in einen Winkel zurück, lehnte mich an die Wand und schaute mir die lebhafte Gesellschaft in Ruhe an. Ich hatte nicht erwartet, daß Maria sich den ganzen Abend in meiner Nähe halten würde, und war damit zufrieden, sie zu sehen, etwa einmal mit ihr zu plaudern und sie dann wieder nach Hause zu begleiten. Trotzdem kam allmählich ein Mißbehagen über mich, und je munterer die andern wurden, desto unnützer und fremder stand ich da, nur selten von jemand flüchtig angeredet.

Unter den Gästen bemerkte ich auch jenen Porträtmaler Zündel sowie jene schöne Frau mit den braunen Augen, die mir als gefährlich und etwas übel berufen bezeichnet worden war. Sie schien in diesem Kreis wohlbekannt und ward von den meisten mit einer gewissen lächelnden Vertrautheit, doch ihrer Schönheit wegen auch mit freimütiger Bewunderung betrachtet. Zündel war ebenfalls ein hübscher Mensch, groß und kräftig, mit scharfen dunklen Augen und von einer sichern, stolzen und überlegenen Haltung wie ein verwöhnter und seines Eindrucks gewisser Mann. Ich betrachtete ihn mit Aufmerksamkeit, da ich von Natur für solche Männer ein merkwürdiges, mit Humor und auch mit etwas Neid vermischtes Interesse habe. Er versuchte den Gastgeber wegen der mangelhaften Bewirtung aufzuziehen.

»Du hast ja nicht einmal genug Stühle«, meinte er geringschätzig. Aber der Hausherr blieb unangefochten. Er zuckte die Achseln und sagte: »Wenn ich mich einmal zum Porträtmalen hergeb', wird's bei mir schon auch fein werden.« Dann tadelte Zündel die Gläser: »Aus den Kübeln kann man doch keinen Wein trinken. Hast du nie gehört, daß zum Wein feine Gläser gehören?« Und der Gastgeber antwortete unverzagt: »Vielleicht verstehst du was von Gläsern, aber vom Wein verstehst du nichts. Mir ist alleweil ein feiner Wein lieber als ein feines Glas.«

Die schöne Frau hörte lächelnd zu, und ihr Gesicht sah merkwürdig zufrieden und selig aus, was kaum von diesen Witzen herrühren konnte. Ich sah denn auch bald, daß sie unterm Tischblatt ihre Hand tief in den linken Rockärmel des Malers gesteckt hielt, während sein Fuß leicht und nachlässig mit ihrem spielte. Doch schien er mehr höflich als zärtlich zu sein, sie aber hing mit einer unangenehmen Inbrunst an ihm, und ihr Anblick wurde mir bald unerträglich.

Übrigens machte sich auch Zündel nun von ihr los und stand auf. Es war jetzt ein starker Rauch im Atelier, auch Frauen und Mädchen rauchten Zigaretten, Gelächter und laute Gespräche klangen durcheinander, alles ging auf und ab, setzte sich auf Stühle, auf Kisten, auf den Kohlenbehälter, auf den Boden. Eine Pikkoloflöte wurde geblasen, und mitten in dem Getöse las ein leicht angetrunkener Jüngling einer lachenden Gruppe ein ernsthaftes Gedicht vor.

Ich beobachtete Zündel, der gemessen hin und wider ging und völlig ruhig und nüchtern blieb. Dazwischen sah ich immer wieder zu Maria hinüber, die mit zwei andern Mädchen auf einem Diwan saß und von jungen Herren unterhalten wurde, die mit Weingläsern in den Händen dabeistanden. Je länger die Lustbarkeit dauerte und je lauter sie wurde, desto mehr kam eine Trauer und Beklemmung über mich. Es schien mir, ich sei mit meinem Märchenkind an einen unreinen Ort geraten, und ich begann darauf zu warten, daß sie mir winke und fortzugehen begehre.

Der Maler Zündel stand jetzt abseits und hatte sich eine Zigarre angezündet. Er beschaute sich die Gesichter und blickte auch aufmerksam zu dem Diwan hin. Da hob Maria den Blick, ich sah es genau, und sah ihm eine kleine Weile in die Augen. Er lächelte, sie aber blickte ihn fest und gespannt an, und dann sah ich ihn ein Auge schließen und den Kopf fragend heben, sie aber leise nicken.

Da wurde mir schwül und dunkel im Herzen. Ich wußte ja nichts, und es konnte ein Scherz, ein Zufall, eine kaum gewollte Gebärde sein. Allein ich tröstete mich damit nicht. Ich hatte gesehen, es gab ein Einverständnis zwischen den beiden, die den ganzen Abend kein Wort miteinander gesprochen und sich fast auffallend voneinander fern gehalten hatten.

In jenem Augenblick fiel mein Glück und meine kindische Hoffnung zusammen, es blieb kein Hauch und kein Glanz davon übrig. Es blieb nicht einmal eine reine, herzliche Trauer, die ich gern getragen hätte, sondern nur eine Scham und Enttäuschung, ein widerwärtiger Geschmack und Ekel. Wenn ich Maria mit einem frohen Bräutigam oder Liebhaber gesehen hätte, so hätte ich ihn beneidet und mich doch gefreut. Nun aber war es ein Verführer und Weiberheld, dessen Fuß noch vor einer halben Stunde mit dem der braunäugigen Frau gespielt hatte.

Trotzdem raffte ich mich zusammen. Es konnte immer noch eine Täuschung sein, und ich mußte Maria Gelegenheit geben, meinen bösen Verdacht zu widerlegen.

Ich ging zu ihr und sah ihr betrübt in das frühlinghafte, liebe Gesicht. Und ich fragte: »Es wird spät, Fräulein Maria, darf ich Sie nicht heimbegleiten?«

Ach, da sah ich sie zum erstenmal unfrei und verstellt. Ihr Gesicht verlor den feinen Gotteshauch, und auch ihre Stimme klang verhüllt und unwahr. Sie lachte und sagte laut: »O verzeihen Sie, daran hatte ich gar nicht gedacht. Ich werde abgeholt. Wollen Sie schon gehen?«

Ich sagte: »Ja, ich will gehen. Adieu, Fräulein Maria.«

Ich nahm von niemand Abschied und wurde von niemand aufgehalten. Langsam ging ich die vielen Treppen hinunter, über den Hof und durch das Vorderhaus. Draußen besann ich mich, was nun zu tun sei, und kehrte wieder um und verbarg mich im Hof hinter einem leeren Wagen. Dort wartete ich lang, beinahe eine Stunde. Dann kam der Zündel, warf einen Zigarrenrest weg und knöpfte seinen Mantel zu, ging durch die Einfahrt hinaus, kam aber bald wieder und blieb am Ausgang stehen.

Es dauerte fünf, zehn Minuten, und immerfort verlangte es mich, hervorzutreten, ihn anzurufen, ihn einen Hund zu heißen und an der Kehle zu packen. Aber ich tat es nicht, ich blieb still in meinem Versteck und wartete. Und es dauerte nicht lang, da hörte ich wieder Schritte auf der Treppe, und die Türe ging, und Maria kam heraus, schaute sich um, schritt zum Ausgang und legte still ihren Arm in den des Malers. Rasch gingen sie miteinander fort, ich sah ihnen nach und machte mich dann auf den Heimweg.

Zu Hause legte ich mich ins Bett, konnte aber keine Ruhe finden, so daß ich wieder aufstand und in den Englischen Garten ging. Dort lief ich die halbe Nacht herum, kam dann wieder in mein Zimmer und schlief nun fest bis in den Tag hinein.

Ich hatte mir nachts vorgenommen, gleich am Morgen fortzureisen. Dafür war ich nun aber zu spät erwacht und hatte also noch einen Tag hinzubringen. Ich packte und zahlte, nahm von meinen Freunden schriftlich Abschied, aß in der Stadt und setzte mich in ein Kaffeehaus. Die Zeit wollte mir lang werden, und ich sann nach, womit ich den Nachmittag verbringen könne. Dabei fing ich an, mein Elend zu fühlen. Seit Jahren war ich nicht mehr in dem scheußlichen und unwürdigen Zustand gewesen, daß ich die Zeit fürchtete und verlegen war, wie ich sie umbringe. Spazierengehen, Gemälde sehen, Musik hören, ausfahren, eine Partie Billard spielen, lesen, alles lockte mich nicht, alles war dumm, fad, sinnlos. Und wenn ich auf der Straße um mich blickte, sah ich Häuser, Bäume, Menschen, Pferde, Hunde, Wagen, alles unendlich langweilig, reizlos und gleichgültig. Nichts sprach zu mir, nichts machte mir Freude, erweckte mir Teilnahme oder Neugierde.

Während ich eine Tasse Kaffee trank, um die Zeit hinter mich zu bringen und eine Art von Pflicht zu erfüllen, fiel mir ein, ich müsse mich umbringen. Ich war froh, diese Lösung gefunden zu haben, und überlegte sachlich das Notwendige. Allein meine Gedanken waren zu unstet und haltlos, als daß sie länger als für Minuten bei mir geblieben wären. Zerstreut zündete ich mir eine Zigarre an, warf sie wieder weg, bestellte die zweite oder dritte Tasse Kaffee, blätterte in einer Zeitschrift und schlenderte schließlich weiter. Es kam mir wieder in den Sinn, daß ich hatte abreisen wollen, und ich nahm mir vor, es morgen gewiß zu tun. Plötzlich machte

mich der Gedanke an meine Heimat warm, und für Augenblicke fühlte ich statt des elenden Ekels eine rechte, reinliche
Trauer. Ich erinnerte mich daran, wie schön es in der Heimat
war, wie dort die grünen und blauen Berge weich aus dem
See emporstiegen, wie der Wind in den Pappeln tönte und
wie die Möwen kühn und launisch flogen. Und mir schien,
ich müsse nur aus dieser verfluchten Stadt hinaus und wieder
in die Heimat kommen, damit der böse Zauber breche und
ich die Welt wieder in ihrem Glanze sehen, verstehen und
liebhaben könne.

Im Hinschlendern und Denken verlor ich mich in den
Gassen der Altstadt, ohne genau zu wissen wo ich war, bis
ich unversehens vor dem Laden meines Antiquars stand. Im
Fenster hing ein Kupferstich ausgestellt, das Bildnis eines
Gelehrten aus dem siebzehnten Jahrhundert, und ringsum
standen alte Bücher in Leder, Pergament und Holz gebun-
den. Das weckte in meinem ermüdeten Kopf eine neue,
flüchtige Reihe von Vorstellungen, in denen ich eifrig Trost
und Ablenkung suchte. Es waren angenehme, etwas träge
Vorstellungen von Studien und mönchischem Leben, von
einem stillen, resignierten und etwas staubigen Winkelglück
bei Leselampe und Büchergeruch. Um den flüchtigen Trost
noch eine Weile festzuhalten, trat ich in den Laden und
wurde sogleich von jenem freundlichen Gehilfen empfangen.
Er führte mich eine enge Wendeltreppe hinauf in das obere
Stockwerk, wo mehrere große Räume ganz mit wandhohen
Bücherschäften gefüllt waren. Die Weisen und Dichter vieler
Zeiten schauten mich traurig aus blinden Bücheraugen an,
der schweigsame Antiquar stand wartend da und sah mich
bescheiden an.

Da geriet ich auf den Einfall, diesen stillen Mann um Trost
zu fragen. Ich sah in sein gutes, offenes Gesicht und sagte:
»Bitte nennen Sie mir etwas, was ich lesen soll. Sie müssen
doch wissen, wo etwas Tröstliches und Heilsames zu finden
ist; Sie sehen gut und getröstet aus.«

»Sind Sie krank?« fragte er leise.

»Ein wenig«, sagte ich.

Und er: »Ist es schlimm?«

»Ich weiß nicht. Es ist *taedium vitae*.«

Da nahm sein einfaches Gesicht einen großen Ernst an. Er

sagte ernst und eindringlich: »Ich weiß einen guten Weg für Sie.«

Und als ich ihn mit den Augen fragte, fing er an zu reden und erzählte mir von der Gemeinde der Theosophen, zu der er gehörte. Manches davon war mir nicht unbekannt, doch war ich nicht fähig, ihm mit rechter Aufmerksamkeit zuzuhören. Ich vernahm nur ein mildes, wohlgemeintes, herzliches Sprechen, Sätze von Karma, Sätze von der Wiedergeburt, und als er innehielt und beinah verlegen schwieg, wußte ich gar keine Antwort. Schließlich fragte ich, ob er mir Bücher zu nennen wisse, in denen ich diese Sache studieren könne. Sofort brachte er mir einen kleinen Katalog theosophischer Bücher.

»Welches soll ich lesen?« fragte ich unsicher.

»Das grundlegende Buch über die Lehre ist von Madame Blavatsky«, sagte er entschieden.

»Geben Sie mir das!«

Wieder wurde er verlegen. »Es ist nicht hier, ich müßte es für Sie kommen lassen. Aber allerdings – – das Werk hat zwei starke Bände, es braucht Geduld zum Lesen. Und leider ist es sehr teuer, es kostet über fünfzig Mark. Soll ich versuchen, es Ihnen leihweise zu verschaffen?«

»Nein danke, bestellen Sie es mir!«

Ich schrieb ihm meine Adresse auf, bat ihn, das Buch gegen Nachnahme dahin zu schicken, nahm Abschied von ihm und ging.

Ich wußte schon damals, daß die »Geheimlehre« mir nicht helfen würde. Ich wollte nur dem Antiquar eine kleine Freude machen. Und warum sollte ich nicht ein paar Monate hinter den Blavatskybänden sitzen?

Ich ahnte auch, daß meine anderen Hoffnungen nicht haltbarer sein würden. Ich ahnte, daß auch in meiner Heimat alle Dinge grau und glanzlos geworden seien, und daß es überall so sein würde, wohin ich ginge.

Diese Ahnung hat mich nicht getäuscht. Es ist etwas verlorengegangen, was früher in der Welt war, ein gewisser unschuldiger Duft und Liebreiz, und ich weiß nicht, ob das wiederkommen kann.

(1908)

Walter Kömpff

Über den alten Hugo Kömpff ist wenig zu sagen, als daß er in
allem ein echter Gerbersauer von der guten Sorte war. Das
alte, feste und große Haus am Marktplatz mit dem niedrigen
und finsteren Kaufladen, der aber für eine Goldgrube galt,
hatte er von Vater und Großvater übernommen und führte
es im alten Sinne fort. Nur darin war er einen eigenen Weg
gegangen, daß er seine Braut von auswärts geholt hatte. Sie
hieß Kornelie und war eine Pfarrerstochter, eine hübsche
und ernste Dame ohne das geringste bare Vermögen. Das
Erstaunen und Reden darüber dauerte seine Weile, und
wenn man die Frau auch später noch ein wenig seltsam fand,
gewöhnte man sich doch zur Not an sie. Kömpff lebte in
einer sehr stillen Ehe und bei guten Geschäftszeiten unauf-
fällig nach der väterlichen Art dahin, war gutmütig und
wohlangesehen, dabei ein vortrefflicher Kaufmann, so daß es
ihm an nichts fehlte, was hierorts zum Glück und Wohlsein
gehört. Zur rechten Zeit stellte sich ein Söhnlein ein und
wurde Walter getauft; er hatte das Gesicht und den Glieder-
bau der Kömpffe, aber keine graublauen, sondern von der
Mutter her braune Augen. Nun war ein Kömpff mit braunen
Augen freilich noch nie gesehen worden, aber genau betrachtet schien das dem Vater kein Unglück, und der Bub
ließ sich auch nicht an wie ein aus der Art Geschlagener.
Es lief alles seinen leisen, gesunden Gang, das Geschäft
ging vortrefflich, die Frau war zwar immer noch ein wenig
anders, als man gewohnt war, aber das war kein Schade,
und der Kleine wuchs und gedieh und kam in die Schule,
wo er zu den Besten gehörte. Nun fehlte dem Kaufmann
noch, daß er in den Gemeinderat kam, aber auch das konnte
nimmer lang auf sich warten lassen, und dann wäre seine
Höhe erreicht und alles wie beim Vater und Großvater gewesen.

Es kam aber nicht dazu. Ganz wider die Kömpffsche Tradi-
tion legte sich der Hausherr schon mit vierundvierzig Jahren
zum Sterben nieder. Es nahm ihn langsam genug hinweg, daß
er alles Notwendige noch in Ruhe bestimmen und ordnen
konnte. Und so saß denn eines Tages die hübsche dunkle

Frau an seinem Bette, und sie besprachen dies und jenes, was zu geschehen habe und was die Zukunft etwa bringen könnte. Vor allem war natürlich von dem Buben Walter die Rede, und in diesem Punkte waren sie, was sie beide nicht überraschte, keineswegs derselben Gesinnung und gerieten darüber in einen stillen, doch zähen Kampf. Freilich, wenn jemand an der Stubentüre gehorcht hätte, der hätte nichts von einem Streit gemerkt.

Die Frau hatte nämlich vom ersten Tage der Ehe an darauf gehalten, daß auch an unguten Tagen Höflichkeit und sanfte Rede herrsche. Mehr als einmal war der Mann, wenn er bei irgendwelchem Vorschlag oder Entschlusse ihren stillen, aber festen Widerstand spürte, in Zorn geraten. Aber dann verstand sie ihn beim ersten scharfen Wort auf eine Art anzusehen, daß er schnell einzog und seinen Groll wenn nicht abtat, so doch in den Laden oder auf die Gasse trug und die Frau damit verschonte, deren Willen dann meistens ohne weitere Worte bestehen blieb und erfüllt wurde. So ging auch jetzt, da er schon nah am Tode war und seinem letzten und stärksten Wunsch ihr festes Andersmeinen gegenüberstand, das Gespräch in Maß und Zucht seine Bahn. Doch sah das Gesicht des Kranken so aus, als wäre es mühsam gebändigt und könne von Augenblick zu Augenblick die Haltung verlieren und Zorn oder Verzweiflung zeigen.

»Ich bin an mancherlei gewöhnt, Kornelie«, sagte er, »und du hast ja gewiß auch manchmal gegen mich recht gehabt, aber du siehst doch, daß es sich diesmal um eine andre Sache handelt. Was ich dir sage, ist mein fester Wunsch und Wille, der seit Jahren feststeht, und ich muß ihn jetzt deutlich und bestimmt aussprechen und darauf bestehen. Du weißt, daß es sich hier nicht um eine Laune handelt und daß ich den Tod vor Augen habe. Wovon ich sprach, das ist ein Stück von meinem Testament, und es wäre besser, du würdest es in Güte hinnehmen.«

»Es hilft nichts«, erwiderte sie, »soviel drüber zu reden. Du hast mich um etwas gebeten, was ich nicht gewähren kann. Das tut mir leid, aber zu ändern ist nichts daran.«

»Kornelie, es ist die letzte Bitte eines Sterbenden. Denkst du daran nicht auch?«

»Ja, ich denke schon. Aber ich denke noch mehr daran, daß

ich über das ganze Leben des Buben entscheiden soll, und das darf ich so wenig, wie du es darfst.«

»Warum nicht? Es ist etwas, was jeden Tag vorkommt. Wenn ich gesund geblieben wäre, hätte ich aus Walter doch auch gemacht, was mir recht geschienen hätte. Jetzt will ich wenigstens dafür sorgen, daß er auch ohne mich Weg und Ziel vor sich hat und zu seinem Besten kommt.«

»Du vergißt nur, daß er uns beiden gehört. Wenn du gesund geblieben wärst, hätten wir beide ihn angeleitet, und wir hätten es abgewartet, was sich als das Beste für ihn gezeigt hätte.«

Der kranke Herr verzog den Mund und schwieg. Er schloß die Augen und besann sich auf Wege, doch noch in Güte zum Ziel zu kommen. Allein er fand keine, und da er Schmerzen hatte und nicht sicher sein konnte, ob er morgen noch das Bewußtsein haben werde, entschloß er sich zum letzten.

»Sei so gut und bring ihn her«, sagte er ruhig.

»Den Walter?«

»Ja, aber sogleich.«

Frau Kornelie ging langsam bis an die Tür. Dann kehrte sie um.

»Tu es lieber nicht!« sagte sie bittend.

»Was denn?«

»Das, was du tun willst, Hugo. Es ist gewiß nicht das Rechte.«

Er hatte die Augen wieder zugemacht und sagte nur noch müde: »Bring ihn her!«

Da ging sie hinaus und in die große, helle Vorderstube hinüber, wo Walter über seinen Schulaufgaben saß. Er war zwischen zwölf und dreizehn, ein zarter und gutwilliger Knabe. Im Augenblick war er freilich verscheucht und aus dem Gleichgewicht, denn man hatte ihm nicht verheimlicht, daß es mit dem Vater zu Ende gehe. So folgte er der Mutter verstört und mit einem inneren Widerstreben kämpfend in die Krankenstube, wo der Vater ihn einlud, neben ihm auf dem Bettrand zu sitzen.

Der kranke Mann streichelte die warme, kleine Hand des Knaben und sah ihn gütig an.

»Ich muß etwas Wichtiges mit dir sprechen, Walter. Du bist ja schon groß genug, also hör gut zu und versteh mich recht.

272

In der Stube da ist mein Vater und mein Großvater gestorben, im gleichen Bett, aber sie sind viel älter geworden als ich, und jeder hat schon einen erwachsenen Sohn gehabt, dem er das Haus und den Laden und alles hat ruhig übergeben können. Das ist nämlich eine wichtige Sache, mußt du wissen. Stell dir vor, daß dein Urgroßvater und dann der Großvater und dann dein Vater jeder viele Jahre lang hier geschafft hat und Sorgen gehabt hat, damit das Geschäft auch in gutem Stand an den Sohn komme. Und jetzt soll ich sterben und weiß nicht einmal, was aus allem werden und wer nach mir der Herr im Hause sein soll. Überleg dir das einmal. Was meinst du dazu?«

Der Junge blickte verwirrt und traurig vor sich nieder; er konnte nichts sagen und konnte auch nicht nachdenken, der ganze Ernst und die feierliche Befangenheit dieser sonderbaren Stunde in dem dämmernden Zimmer umgab ihn wie eine schwere, dicke Luft. Er schluckte, weil ihm das Weinen nahe war, und blieb in Trauer und Verlegenheit still.

»Du verstehst mich schon«, fuhr der Vater fort und streichelte wieder seine Hand. »Mir wär es sehr lieb, wenn ich nun ganz gewiß wissen könnte, daß du, wenn du einmal groß genug bist, unser altes Geschäft weiterführst. Wenn du mir also versprechen würdest, daß du Kaufmann werden und später da drunten alles übernehmen willst, dann wäre mir eine große Sorge abgenommen, und ich könnte viel leichter und froher sterben. Die Mutter meint –«

»Ja, Walter«, fiel die Frau Kornelie ein, »du hast gehört, was der Vater gesagt hat, nicht wahr? Es kommt jetzt ganz auf dich an, was du sagen willst. Du mußt es dir nur gut überlegen. Wenn du denkst, es wäre vielleicht besser, daß du kein Kaufmann wirst, so sag es nur ruhig; es will dich niemand zwingen.«

Eine kleine Weile schwiegen alle drei.

»Wenn du willst, kannst du hinübergehen und es noch bedenken, dann ruf ich dich nachher«, sagte die Mutter. Der Vater heftete die Blicke fest und fragend auf Walter, der Knabe war aufgestanden und wußte nichts zu sagen. Er fühlte, daß die Mutter nicht dasselbe wolle wie der Vater, dessen Bitte ihm nicht gar so groß und wichtig schien. Eben wollte er sich abwenden, um hinauszugehen, da griff der

Leidende noch einmal nach seiner Hand, konnte sie aber nicht erreichen. Walter sah es und wandte sich ihm zu, da sah er in des Kranken Blick die Frage und die Bitte und fast eine Angst, und er fühlte plötzlich mit Mitleid und Schrecken, daß er es in der Hand habe, seinem sterbenden Vater weh oder wohl zu tun. Dies Gefühl von ungewohnter Verantwortung drückte ihn wie ein Schuldbewußtsein, er zögerte, und in einer plötzlichen Regung gab er dem Vater die Hand und sagte leise unter hervorbrechenden Tränen: »Ja, ich verspreche es.«

Dann führte ihn die Mutter ins große Zimmer zurück, wo es nun auch zu dunkeln begann; sie zündete die Lampe an, gab dem Knaben einen Kuß auf die Stirn und suchte ihn zu beruhigen. Darauf ging sie zu dem Kranken zurück, der nun erschöpft tief in den Kissen lag und in einen leichten Schlummer sank. Die großgewachsene, schöne Frau setzte sich in einen Armstuhl am Fenster und suchte mit müden Augen in die Dämmerung hinaus, über den Hof und die unregelmäßigen, spitzigen Dächer der Hinterhäuser hinweg an den bleichen Himmel blickend. Sie war noch in guten Jahren und war noch eine Schönheit, nur daß an den Schläfen die blasse Haut gleichsam ermüdet war.

Sie hätte wohl auch einen Schlummer nötig gehabt, doch schlief sie nicht ein, obwohl alles an ihr ruhte. Sie dachte nach. Es war ihr eigen, daß sie entscheidende, wichtige Zeiten ungeteilt bis auf die Neige durchleben mußte, sie mochte wollen oder nicht. So hielt es sie auch jetzt, der Ermattung zum Trotz, mitten in dem unheimlich stillerregten, überreizten Lebendigsein dieser Stunden fest, in denen alles wichtig und ernst und unabsehbar war. Sie mußte an den Knaben denken und ihn in Gedanken trösten, und sie mußte auf das Atmen ihres Mannes horchen, der dort lag und schlummerte und noch da war und doch eigentlich schon nicht mehr hierher gehörte. Am meisten aber mußte sie an diese vergangene Stunde denken.

Das war nun ihr letzter Kampf mit dem Mann gewesen, und sie hatte ihn wieder verloren, obwohl sie sich im Recht wußte. Alle diese Jahre hatte sie den Gatten überschaut und ihm ins Herz gesehen in Liebe und in Streit, und hatte es durchgeführt, daß es ein stilles und reinliches Miteinanderleben war. Sie hatte ihn lieb, heute noch wie immer, und doch war sie immer allein geblieben. Sie hatte es verstanden, in seiner Seele zu lesen, aber er hatte die ihre nicht verstehen können, auch in Liebe nicht, und war seine gewohnten Wege hingegangen. Er war immer an der Oberfläche geblieben mit dem Verstand wie mit der Seele, und wenn es Dinge gab, in denen es ihr nicht erlaubt und möglich war, sich ihm zu fügen, hatte er nachgegeben und gelächelt, aber ohne sie zu verstehen.

Und nun war das Schlimmste doch geschehen. Sie hatte über das Kind mit ihm nie ernstlich reden können, und was hätte sie ihm auch sagen sollen? Er sah ja nicht ins Wesen hinein. Er war überzeugt, der Kleine habe von der Mutter die braunen Augen und alles andere von ihm. Und sie wußte seit Jahren jeden Tag, daß das Kind die Seele von ihr habe und daß in dieser Seele etwas lebe, was dem väterlichen Geist und Wesen widersprach, unbewußt und mit unverstandenem Schmerze widersprach. Gewiß, er hatte viel vom Vater, er war ihm fast in allem ähnlich. Aber den innersten Nerv, dasjenige, was eines Menschen wahres Wesen ausmacht und geheimnisvoll seine Geschicke schafft, diesen Lebensfunken hatte das Kind von ihr, und wer in den innersten Spiegel seines Herzens hätte sehen können, in die leise wogende, zarte Quelle des Persönlichen und Eigensten, hätte dort die Seele der Mutter gespiegelt gefunden.

Behutsam stand Frau Kömpff auf und trat ans Bett, sie bückte sich zu dem Schlafenden und sah ihn an. Sie wünschte sich noch einen Tag, noch ein paar Stunden für ihn, um ihn noch einmal recht zu sehen. Er hatte sie nie ganz verstanden, aber ohne seine Schuld, und eben die Beschränktheit seiner kräftigen und klaren Natur, die auch ohne inneres Verstehen sich ihr so oft gefügt hatte, erschien ihr liebenswert und ritterlich. Überschaut hatte sie ihn schon in der Brautzeit, damals nicht ohne einen feinen Schmerz.

Später war der Mann in seinen Geschäften und unter seinen Kameraden freilich um ein weniges derber, gewöhnlicher und spießbürgerlich beschränkter geworden, als ihr lieb war, aber der Grund seiner ehrenhaft festen Natur war doch geblieben, und sie hatten ein Leben miteinander geführt, an dem nichts zu bereuen war. Nur hatte sie gedacht, den Knaben so zu leiten, daß er frei bleibe und seiner eingeborenen Art unbehindert folgen könne. Und jetzt ging ihr vielleicht mit dem Vater auch das Kind verloren.

Der Kranke konnte bis spät in die Nacht hinein schlafen. Dann erwachte er mit Schmerzen, und gegen den Morgen hin war es deutlich zu sehen, daß er abnahm und die letzten Kräfte rasch verlor. Doch gab es dazwischen noch einen Augenblick, wo er klar zu reden vermochte.

»Du«, sagte er. »Du hast doch gehört, daß er es mir versprochen hat?«

»Ja, freilich. Er hat es versprochen.«

»Dann kann ich darüber ganz ruhig sein?«

»Ja, das kannst du.«

»Das ist gut. – Du, Kornelie, bist du mir böse?«

»Warum?«

»Wegen Walter.«

»Nein, du, gar nicht.«

»Wirklich?«

»Ganz gewiß. Und du mir auch nicht, nicht wahr?«

»Nein, nein. O du! Ich dank dir auch.«

Sie war aufgestanden und hielt seine Hand. Die Schmerzen kamen, und er stöhnte leise, eine Stunde um die andere, bis er am Morgen erschöpft und still mit halb offenen Augen lag.

Er starb erst zwanzig Stunden später.

Die schöne Frau trug nun schwarze Kleider und der Knabe ein schwarzes Florband um den Arm. Sie blieben im Hause wohnen, der Laden aber wurde verpachtet. Der Pächter hieß Herr Leipolt und war ein kleines Männlein von einer etwas aufdringlichen Höflichkeit. Zu Walters Vormund war ein gutmütiger Kamerad seines Vaters bestimmt, der sich selten im Hause zeigte und vor der strengen und scharfblickenden Witwe einige Angst hatte. Übrigens galt er für einen vorzüglichen Geschäftsmann. So war fürs erste alles nach Möglichkeit wohlbestellt, und das Leben im Hause Kömpff ging ohne Störungen weiter.

Nur mit den Mägden, mit denen schon zuvor eine ewige Not gewesen war, haperte es wieder mehr als je, und die Witwe mußte sogar einmal drei Wochen lang selber kochen und das Haus besorgen. Zwar gab sie nicht weniger Lohn als andere Leute, sparte auch am Essen der Dienstboten und an Geschenken zu Neujahr keineswegs, dennoch hatte sie selten eine Magd lang im Hause. Denn während sie in vielem fast freundlich war und namentlich nie ein grobes Wort hören ließ, zeigte sie in manchen Kleinigkeiten eine kaum begreifliche Strenge. Vor kurzem hatte sie ein fleißiges, anstelliges Mädchen, an der sie sehr froh gewesen war, wegen einer winzigen Notlüge entlassen. Das Mädchen bat und weinte, doch war alles umsonst. Der Frau Kömpff war die geringste Ausrede oder Unoffenheit unerträglicher als zwanzig zerbrochene Teller oder verbrannte Suppen.

Da fügte es sich, daß die Holderlies nach Gerbersau heimkehrte. Die war längere Jahre auswärts in Diensten gewesen, brachte ein ansehnliches Erspartes mit und war hauptsächlich gekommen, um sich nach einem Vorarbeiter aus der Deckenfabrik umzusehen, mit dem sie vorzeiten ein Verhältnis gehabt und der seit langem nicht mehr geschrieben hatte. Sie kam zu spät und fand den Ungetreuen verheiratet, was ihr so nahe ging, daß sie sogleich wieder abreisen wollte. Da fiel sie durch Zufall der Frau Kömpff in die Hände, ließ sich trösten und zum Dableiben überreden und ist von da an volle dreißig Jahre im Hause geblieben.

Einige Monate war sie als fleißige und stille Magd in Stube und Küche tätig. Ihr Gehorsam ließ nichts zu wünschen übrig, doch scheute sie sich auch gelegentlich nicht, einen Rat unbefolgt zu lassen oder einen erhaltenen Auftrag sanft zu tadeln. Da sie es verständiger und gebührlicher Weise und immer mit voller Offenheit tat, ließ die Frau sich darauf ein, rechtfertigte sich und ließ sich belehren, und so kam es allmählich, daß unter Wahrung der herrschaftlichen Autorität die Magd zu einer Mitsorgerin und Mitarbeiterin herangedieh. Dabei blieb es jedoch nicht. Sondern eines Abends kam es wie von selber, daß die Lies ihrer Herrin am Tisch bei der Lampe und feierabendlichen Handarbeit ihre ganze sehr ehrbare, aber nicht sehr fröhliche Vergangenheit erzählte, worauf Frau Kömpff eine solche Achtung und Teilnahme für das ältliche Mädchen faßte, daß sie ihre Offenherzigkeit erwiderte und ihr selber manche von ihren streng behüteten Erinnerungen mitteilte. Und bald war es beiden zur Gewohnheit geworden, miteinander über ihre Gedanken und Ansichten zu reden.

Dabei geschah es, daß unvermerkt vieles von der Denkart der Frau auf die Magd überging. Namentlich in religiösen Dingen nahm sie viele Ansichten von ihr an, nicht durch Bekehrung, sondern unbewußt, aus Gewohnheit und Freundschaft. Frau Kömpff war zwar eine Pfarrerstochter, aber keine ganz orthodoxe, wenigstens galt ihr die Bibel und ihr angeborenes Gefühl weit mehr als die Norm der Kirche. Peinlich achtete sie darauf, ihr tägliches Tun und Leben stets im Einklang mit ihrer Ehrfurcht vor Gott und den ihr gefühlsmäßig innewohnenden Gesetzen zu halten. Dabei entzog sie sich den natürlichen Ergebnissen und Forderungen des Tages nicht, nur bewahrte sie sich ein stilles Gebiet im Innern, wohin Begebnisse und Worte nicht reichen durften und wo sie in sich selber ausruhen oder in unsicheren Lagen ihr Gleichgewicht suchen konnte.

Es konnte nicht ausbleiben, daß von den beiden Frauen und der Art des Zusammenhausens auch der kleine Walter beeinflußt wurde. Doch nahm ihn fürs erste die Schule zu sehr in Anspruch, als daß er viel für sonstige Gespräche und Belehrungen übrig gehabt hätte. Auch ließ ihn die Mutter gern in Ruhe, und je sicherer sie seines innersten Wesens war, desto unbefangener beobachtete sie, wie viele Eigenschaften und Eigentümlichkeiten des Vaters nach und nach in dem Kinde zum Vorschein kamen. Namentlich in der äußeren Gestalt wurde er ihm immer ähnlicher.

Aber wenn auch vorerst niemand etwas Besonderes an ihm fand, so war der Knabe doch von recht ungewöhnlicher Natur. So wenig die braunen Augen in sein Kömpffsches Familiengesicht paßten, so unverschmelzbar schienen in seinem Gemüt väterliches und mütterliches Erbteil nebeneinander zu liegen. Einstweilen spürte selbst die Mutter nur selten etwas davon. Doch war Walter nun schon in die späteren Kinderjahre getreten, in welchen allerlei Gärungen und seltsame Rösselsprünge vorkommen und wo die jungen Leute sich beständig zwischen empfindlicher Schamhaftigkeit und derbem Wildtun hin und wider bewegen. Da war es immerhin gelegentlich auffallend, wie schnell oft seine Erregungen wechselten und wie leicht seine Gemütsart umschlagen konnte. Ganz wie sein Vater fühlte er nämlich das Bedürfnis, sich dem Durchschnitt und herrschenden Ton anzupassen, war also ein guter Klassenkamerad und Mitschüler, auch von den Lehrern gern gesehen. Und doch schienen daneben andre Bedürfnisse in ihm mächtig zu sein. Wenigstens war es manchmal, als besänne er sich auf sich selbst und lege eine Maske ab, wenn er sich von einem tobenden Spiel beiseite schlich und sich entweder einsam in seine Dachbodenkammer setzte oder mit ungewohnter, stummer Zärtlichkeit zur Mutter kam. Gab sie ihm dann gütig nach und erwiderte sein Liebkosen, so war er unknabenhaft gerührt und weinte sogar zuweilen. Auch hatte er einst an einer kleinen Rachehandlung der Klasse gegen den Lehrer teilgenommen und fühlte sich, nachdem er sich zuvor laut des Streiches gerühmt hatte, nachher plötzlich sehr zerknirscht, daß er aus eigenem Antrieb hinging und um Verzeihung bat.

Das alles war erklärlich und sah harmlos aus. Es zeigte sich dabei zwar eine gewisse Schwäche, aber auch das gute Herz Walters, und niemand hatte Schaden davon. So verlief die Zeit bis zu seinem fünfzehnten Jahr in Stille und Zufriedenheit für Mutter, Magd und Sohn. Auch Herr Leipolt gab sich um Walter Mühe, suchte wenigstens seine Freundschaft durch öfteres Überreichen von kleinen, für Knaben erfreulichen Ladenartikeln zu erwerben. Dennoch liebte Walter den allzu höflichen Ladenmann gar nicht und wich ihm nach Kräften aus.

Am Ende des letzten Schuljahrs hatte die Mutter eine Unterredung mit dem Söhnlein, wobei sie zu erkunden suchte, ob er auch wirklich entschlossen und ohne Widerstreben damit einverstanden sei, nun Kaufmann zu werden. Sie traute ihm eher Neigung zu weiteren Schul- und Studienjahren zu. Aber der Jüngling hatte gar nichts einzuwenden und nahm es für selbstverständlich hin, daß er jetzt ein Ladenlehrling werde. So sehr sie im Grunde darüber erfreut sein mußte und auch war, kam es ihr doch fast wie eine Art von Enttäuschung vor. Zwar gab es noch einen ganz unerwarteten Widerstand, indem der Junge sich hartnäckig weigerte, seine Lehrzeit im eignen Hause unter Herrn Leipolt abzudienen, was das einfachste und für ihn auch das leichteste gewesen wäre und bei Mutter und Vormund längst für selbstverständlich gegolten hatte. Die Mutter fühlte nicht ungern in diesem festen Widerstand etwas von ihrer eignen Art, sie gab nach, und es wurde in einem andern Kaufhaus eine Lehrstelle für den Knaben gefunden.

Walter begann seine neue Tätigkeit mit dem üblichen Stolz und Eifer, wußte täglich viel davon zu erzählen und gewöhnte sich schon in der ersten Zeit einige bei den Gerbersauer Geschäftsleuten übliche Redensarten und Gesten an, zu denen die Mutter freundlich lächelte. Allein dieser fröhliche Anfang dauerte nicht sehr lange.

Schon nach kurzer Zeit wurde der Lehrling, der anfangs nur geringe Handlangerdienste tun oder zusehen durfte, zum Bedienen und Verkaufen am Ladentisch herangezogen, was ihn zunächst sehr froh und stolz machte, bald aber in einen schweren Konflikt führte. Kaum hatte er nämlich ein paarmal selbständig einige Kunden bedient, so deutete sein Lehrherr ihm an, er möge vorsichtiger mit der Waage umgehen. Walter war sich keines Versäumnisses bewußt und bat um eine genauere Anweisung.

»Ja, weißt du denn das nicht schon von deinem Vater her?« fragte der Kaufmann.

»Was denn? Nein, ich weiß nichts«, sagte Walter verwundert.

Nun zeigte ihm der Prinzipal, wie man beim Zuwägen von Salz, Kaffee, Zucker und dergleichen durch ein nachdrückliches letztes Zuschütten die Waage scheinbar zugunsten des Käufers niederdrücken müsse, indessen tatsächlich noch etwas am Gewicht fehle. Das sei schon deshalb notwendig, da man zum Beispiel am Zucker ohnehin fast nichts verdiene. Auch merke es ja niemand.

Walter war ganz bestürzt.

»Aber das ist ja unrecht«, sagte er schüchtern.

Der Kaufmann belehrte ihn eindringlich, aber er hörte kaum zu, so überwältigend war ihm die Sache gekommen. Und plötzlich fiel ihm die vorige Frage des Prinzipals wieder ein. Mit rotem Kopf unterbrach er zornig dessen Rede und rief: »Und mein Vater hat das nie getan, ganz gewiß nicht.«

Der Herr war unangenehm erstaunt, unterdrückte aber klüglich eine heftige Zurechtweisung und sagte mit Achselzucken: »Das weiß ich besser, du Naseweis. Es gibt keinen vernünftigen Laden, wo man das nicht tut.«

Der Junge war aber schon an der Tür und hörte nicht mehr auf den Mann, sondern ging in hellem Zorn und Schmerz nach Hause, wo er durch sein Erlebnis und seine Klagen die Mutter in nicht geringe Bestürzung brachte. Sie wußte, mit welcher gewissenhaften Ehrerbietung er seinen Lehrherrn betrachtet hatte und wie sehr es seiner Art widerstrebte, Auffallendes zu tun und Szenen zu machen. Aber sie verstand Walter diesmal sehr gut und freute sich trotz aller augenblicklichen Sorge, daß sein empfindliches Gewissen stärker als Gewohnheit und Rücksicht gewesen war. Sie suchte nun zunächst selbst den Kaufmann auf und sprach beruhigend mit ihm; dann mußte der Vormund zu Rate gezogen werden, dem nun wieder Walters Auflehnung unbegreiflich war und der durchaus nicht verstand, daß ihm die Mutter auch noch recht gebe. Auch er ging zum Prinzipal und sprach mit ihm. Dann schlug er der Mutter vor, den Jungen ein paar Tage in Ruhe zu lassen, was auch geschah. Doch war dieser auch nach drei und nach vier und nach acht Tagen nicht zu bewegen, wieder in jenen Laden zu gehen. Und wenn wirklich jeder Kaufmann es nötig habe, zu betrügen, sagte er, so wolle er auch keiner werden.

Nun hatte der Vormund in einem weiter talaufwärts gelegenen Städtchen einen Bekannten, der ein kleines Ladengeschäft betrieb und für einen Frömmler und Stundenbruder galt, als welchen auch er ihn gering geschätzt hatte. Diesem schrieb er in seiner Ratlosigkeit, und der Mann antwortete in Bälde, er halte zwar sonst keinen Lehrling, sei aber bereit, Walter versuchsweise bei sich aufzunehmen. So wurde Walter nach Deltingen gebracht und jenem Kaufmann übergeben.

Der hieß Leckle und wurde in der Stadt »der Schlotzer« geheißen, weil er in nachdenklichen Augenblicken seine Gedanken und Entschlüsse aus dem linken Daumen zu saugen pflegte. Er war zwar wirklich sehr fromm und Mitglied einer kleinen Sekte, aber darum kein schlechter Kaufmann. Er machte sogar in seinem Lädchen vorzügliche Geschäfte und stand trotz seinem stets schäbigen Äußeren im Ruf eines wohlhabenden Mannes. Er nahm Walter ganz zu sich ins Haus, und dieser fuhr dabei nicht übel; denn war der Schlotzer etwas knapp und krittlig, so war Frau Leckle eine sanfte Seele voll unnötigen Mitleids und suchte, soweit es in der Stille geschehen konnte, den Lehrling durch Trostworte und Tätscheln und gute Bissen nach Kräften zu verwöhnen.

Im Leckleschen Laden ging es zwar genau und sparsam zu, aber nicht auf Kosten der Kunden, denen Zucker und Kaffee gut und vollwichtig zugewogen wurden. Walter Kömpff begann daran zu glauben, daß man auch als Kaufmann ehrlich sein und bleiben könne, und da es ihm an Geschick zu seinem Beruf nicht fehlte, war er selten einem Verweis seines strengen Lehrherrn ausgesetzt. Doch war die Kaufmannschaft nicht das einzige, was er in Deltingen zu lernen bekam. Der Schlotzer nahm ihn fleißig in die »Stunden« mit, die manchmal sogar in seinem Hause stattfanden. Da saßen Bauern, Schneider, Bäcker, Schuster beisammen, bald mit, bald ohne Weiber, und suchten den Hunger ihres Geistes und ihrer Gemüter an Gebet, Laienpredigt und gemeinschaftlicher Bibelauslegung zu stillen. Zu diesem Treiben steckt im dortigen Volk ein starker Zug, und es sind meistens die besseren und höher angelegten Naturen, die sich ihm anschließen.

Im ganzen war Walter, ob ihm auch das Bibelerklären manchmal zu viel wurde, diesem Wesen von Natur nicht abgeneigt und brachte es öfters zu wirklicher Andacht. Aber er war nicht nur sehr jung, sondern auch ein Gerbersauer Kömpff; als ihm daher nach und nach auch einiges Lächerliche an der Sache aufstieß und als er immer öfter Gelegenheit hatte, andre junge Leute sich über sie lustig machen zu hören, da wurde er mißtrauisch und hielt sich möglichst zurück. Wenn es auffällig und gar lächerlich war, zu den Stundenbrüdern zu gehören, so war das nichts für ihn, dem trotz allen widerstrebenden Regungen das Verharren im bürgerlich Hergebrachten ein tiefes Bedürfnis war. Immerhin blieb von dem Stundenwesen und vom Geist des Leckleschen Hauses genug an ihm hängen.

Er hatte sich schließlich sogar so eingewöhnt, daß er nach Abschluß seiner Lehrzeit sich scheute, fortzugehen, und trotz allen Mahnungen des Vormundes noch zwei volle Jahre bei dem Schlotzer blieb. Endlich nach zwei Jahren gelang es dem Vormund, ihn zu überzeugen, daß er notwendig noch ein Stück Welt und Handelschaft kennenlernen müsse, um später einmal sein eigenes Geschäft führen zu können. So ging denn Walter am Ende in die Fremde, ungern und zweifelnd, nachdem er zuvor seine Militärzeit abgedient hatte. Ohne diese rauhe Vorschule hätte er es vermutlich nicht lange im fremden Leben draußen ausgehalten. Auch so fiel es ihm nicht leicht, sich durchzubringen. An sogenannten guten Stellen fehlte es ihm freilich nicht, da er überall mit guten Empfehlungen ankam. Aber innerlich hatte er viel zu schlucken und zu flicken, um sich oben zu halten und nicht davonzulaufen. Zwar mutete ihm niemand mehr zu, beim Wägen zu mogeln, denn er war nun meist in den Kontors großer Geschäfte tätig, aber wenn auch keine beweisbaren Unredlichkeiten geschahen, kam ihm doch der ganze Umtrieb und Wettbewerb ums Geld oft unleidlich roh und grausam und nüchtern vor, besonders da er nun keinen Umgang mehr mit Leuten von des Schlotzers Art hatte und nicht wußte, wo er die unklaren Bedürfnisse seiner Phantasie befriedigen sollte.

Trotzdem biß er sich durch und fand sich allmählich mit müde gewordener Ergebung darein, daß es nun einmal so sein müsse, daß auch sein Vater es nicht besser gehabt habe und daß alles mit Gottes Willen geschehe. Die geheime, sich selber nicht verstehende Sehnsucht nach der Freiheit eines klaren, in sich begründeten und befriedigten Lebens starb allerdings niemals in ihm ab, nur wurde sie stiller und glich ganz jenem feinen Schmerze, mit dem jeder tief veranlagte Mensch am Ende der Jünglingsjahre sich in die Ungenüge des Lebens findet.

Seltsam war es nun, daß es wieder die größte Mühe kostete, ihn nach Gerbersau zurückzubringen. Obwohl er einsah, daß es sein Schade sei, das heimische Geschäft länger als nötig in fremder Pacht zu lassen, wollte er durchaus nicht heimkommen. Es war nämlich, je näher diese Notwendigkeit ihm rückte, eine wachsende Angst in ihn gefahren. Wenn er erst einmal im eigenen Haus und Laden saß, sagte er sich, dann gab es vollends kein Entrinnen mehr. Es graute ihm davor, nun auf eigne Rechnung Geschäfte zu treiben, da er zu wissen glaubte, daß das die Leute schlecht mache. Wohl kannte er manche große und kleine Handelsleute, die durch Rechtlichkeit und edle Gesinnung ihrem Stand Ehre machten und ihm verehrte Vorbilder waren; aber das waren sämtlich kräftige, scharfe Persönlichkeiten, denen Achtung und Erfolg von selbst entgegenzukommen schienen, und soweit kannte sich Kömpff, daß er wußte, diese Kraft und Einheitlichkeit gehe ihm völlig ab.

Fast ein Jahr lang zog er die Sache hin. Dann mußte er wohl oder übel kommen, denn Leipolts schon einmal verlängerte Pachtzeit war nächstens wieder abgelaufen, und dieser Termin konnte ohne erheblichen Verlust nicht versäumt werden.

Er gehörte schon nicht mehr ganz zu den Jungen, als er gegen Wintersanfang mit seinem Koffer in der Heimat anlangte und das Haus seiner Väter in Besitz nahm. Äußerlich glich er nun fast ganz seinem Vater, wie derselbe zur Zeit seiner Verheiratung ausgesehen hatte. In Gerbersau nahm man ihn überall mit der ihm zukommenden Achtung als den heimkehrenden Erben und Herrn eines respektablen Hauses und Vermögens auf, und Kömpff fand sich leichter, als er gedacht hatte, in seine Rolle. Die Freunde seines Vaters gönnten ihm wohlwollende Grüße und hielten darauf, daß er sich ihren Söhnen anschließe. Die ehemaligen Schulkameraden schüttelten ihm die Hand, wünschten ihm Glück und führten ihn an die Stammtische im Hirschen und im Anker. Überall fand er durch das Vorbild und Gedächtnis seines Vaters nicht nur einen Platz offen, sondern auch einen unausweichlichen Weg vorgezeichnet und wunderte sich nur zuweilen, daß ihm ganz dieselbe Wertschätzung wie einst dem Vater zufiel, während er fest überzeugt war, daß jener ein ganz andrer Kerl gewesen sei.

Da Herrn Leipolts Pachtzeit schon beinahe abgelaufen war, hatte Kömpff in dieser ersten Zeit vollauf zu tun, sich mit den Büchern und dem Inventar bekannt zu machen, mit Leipolt abzurechnen und sich bei Lieferanten und Kunden einzuführen. Er saß oft nachts noch über den Büchern und war im stillen froh, gleich so viel Arbeit angetroffen zu haben, denn er vergaß darüber zunächst die tiefersitzenden Sorgen und konnte sich, ohne daß es auffiel, noch eine Zeitlang den Fragen der Mutter entziehen. Er fühlte wohl, daß für ihn wie für sie ein gründliches Aussprechen notwendig sei, und das schob er gern noch hinaus. Im übrigen begegnete er ihr mit einer ehrlichen, etwas verlegenen Zärtlichkeit, denn es war ihm plötzlich wieder klargeworden, daß sie doch der einzige Mensch in der Welt sei, der zu ihm passe und ihn verstehe und in der rechten Weise liebhabe.

Als endlich alles im Gange und der Pächter abgezogen war, als Walter die meisten Abende und auch den Tag über manche halbe Stunde bei der Mutter saß, erzählte und sich erzählen ließ, da kam ganz ungesucht und ungerufen auch die Stunde, in der Frau Kornelie sich das Herz ihres Sohnes erschloß und wieder wie zu seinen Knabenzeiten seine etwas scheue Seele offen vor sich sah. Mit wunderlichen Empfindungen fand sie ihre alte Ahnung bestätigt: ihr Sohn war, allem Anschein zum Trotz, im Herzen kein Kömpff und kein Kaufmann geworden, er stak nur, innerlich ein Kind geblieben, in der aufgenötigten Rolle und ließ sich verwundert treiben, ohne daß er lebendig mit dabei war. Er konnte rechnen, buchführen, einkaufen und verkaufen wie ein andrer, aber es war eine erlernte, unwesentliche Fertigkeit. Und nun hatte er die doppelte Angst, entweder seine Rolle schlecht zu spielen und dem väterlichen Namen Unehre zu machen oder am Ende in ihr zu versinken und schlecht zu werden und seine Seele ans Geld zu verlieren.

Es kam nun eine Reihe von stillen Jahren. Herr Kömpff merkte allmählich, daß die ehrenvolle Aufnahme, die er in der Heimatstadt gefunden hatte, zu einem Teil auch seinem ledigen Stande galt. Daß er trotz vielen Verlockungen älter und älter wurde, ohne zu heiraten, war – wie er selbst mit schlechtem Gewissen fühlte – ein entschiedener Abfall von den hergebrachten Regeln der Stadt und des Hauses. Doch vermochte er nichts dawider zu tun. Denn es ergriff ihn mehr und mehr eine peinliche Scheu vor allen wichtigen Entschlüssen. Und wie hätte er eine Frau und gar Kinder behandeln sollen, er, der sich selber oft wie ein Knabe vorkam mit seiner Herzensunruhe und seinem mangelnden Zutrauen zu sich selber? Manchmal, wenn er am Stammtisch in der Honoratiorenstube seine Altersgenossen sah, wie sie auftraten und sich selber und einer den andern ernst nahmen, wollte es ihn wundern, ob diese wirklich alle in ihrem Innern sich so sicher und männlich gefestigt vorkamen, wie es den Anschein hatte. Und wenn das war, warum nahmen sie ihn dann ernst, und warum merkten sie nicht, daß es mit ihm ganz anders stand?

Doch sah das niemand, kein Kunde im Laden und kein Kollege und Kamerad auf dem Markt oder beim Schoppen, außer der Mutter. Diese mußte ihn freilich genau kennen, denn bei ihr saß das große Kind immer wieder, klagend, Rat haltend und fragend, und sie beruhigte ihn und beherrschte ihn, ohne es zu wollen. Die Holderlies aber nahm bescheiden daran teil. Die drei merkwürdigen Leute, wenn sie abends beisammen waren, sprachen ungewöhnliche Dinge miteinander. Sein immerfort unruhiges Gewissen trieb den Kaufmann in neue und wieder neue Fragen und Gedanken, über die man zu Rate saß und aus der Erfahrung und aus der Bibel Aufschlüsse suchte und Anmerkungen machte. Der Mittelpunkt aller Fragen war der Übelstand, daß Herr Kömpff nicht glücklich war und es gern gewesen wäre.

Ja, wenn er eben geheiratet hätte, meinte die Lies seufzend. O nein, bewies aber der Herr, wenn er geheiratet hätte, wäre es eher noch schlimmer; er wußte viele Gründe dafür. Aber wenn er etwa studiert hätte, oder er wäre Schreiber oder Handwerker geworden. Da wäre es so und so gegangen. Und der Herr bewies, daß er dann wahrscheinlich erst recht im Pech wäre. Man probierte es mit dem Schreiner, Schullehrer, Pfarrer, Arzt, aber es kam auch nichts dabei heraus.

»Und wenn es auch vielleicht ganz gut gewesen wäre«, schloß er traurig, »es ist ja doch alles anders, und ich bin Kaufmann wie der Vater.«

Zuweilen erzählte Frau Kornelie vom Vater. Davon hörte er immer gern. Ja, wenn ich ein Mann wäre, wie der einer gewesen ist! dachte er dabei und sagte es auch bisweilen. Darauf lasen sie ein Bibelkapitel oder auch irgendeine Geschichte, die man aus der Bürgervereinsbibliothek dahatte. Und die Mutter zog Schlüsse aus dem Gelesenen und sagte: »Man sieht, die wenigsten Leute treffen es im Leben gerade so, wie es gut für sie wäre. Es muß jeder genug durchmachen und leiden, auch wenn man's ihm nicht ansieht. Der liebe Gott wird es schon wissen, zu was es gut ist, und einstweilen muß man es eben auf sich nehmen und Geduld haben.«

Dazwischen trieb Walter Kömpff seinen Handel, rechnete und schrieb Briefe, machte da und dort einen Besuch und ging in die Kirche, alles pünktlich und ordentlich, wie es das Herkommen erforderte. Im Lauf der Jahre schläferte ihn das auch ein wenig ein, doch niemals ganz; in seinem Gesicht stand immer etwas, was einem verwunderten und bekümmerten Sichbesinnen ähnlich sah.

Seiner Mutter war anfangs dies Wesen ein wenig beängstigend. Sie hatte gedacht, er würde vielleicht noch weniger zufrieden, aber mannhafter und entschiedener werden. Dafür rührte sie wieder die gläubige Zuversicht, mit der er an ihr hing und nicht müde wurde, alles mit ihr zu teilen und gemeinsam zu haben. Und wie die Zeiten dahinliefen und alles im gleichen blieb, gewöhnte sie sich daran und fand nicht viel Beunruhigendes mehr an seinem bekümmerten und ziellosen Wesen.

Walter Kömpff war nun nahe an vierzig und hatte nicht geheiratet und sich wenig verändert. In der Stadt ließ man sein etwas zurückgezogenes Leben als eine Junggesellenschrulle hingehen.

Daß in dies resignierte Leben noch eine Änderung kommen könnte, hätte er nie gedacht.

Sie kam aber plötzlich, indem Frau Kornelie, deren langsames Altern man kaum bemerkt hatte, auf einem kurzen Krankenlager vollends ganz weiß wurde, sich wieder aufraffte und wieder erkrankte, um nun schnell und still zu sterben. Am Totenbette, von dem der Stadtpfarrer eben weggegangen war, standen der Sohn und die alte Magd.

»Lies, geh hinaus«, sagte Herr Kömpff.

»Ach, aber lieber Herr –!«

»Geh hinaus, sei so gut!«

Sie ging hinaus und saß ratlos in der Küche. Nach einer Stunde klopfte sie, bekam keine Antwort und ging wieder. Und wieder kam sie nach einer Stunde und klopfte vergebens. Sie klopfte noch einmal.

»Herr Kömpff! O Herr!«

»Sei still, Lies!« rief es von drinnen.

»Und mit dem Nachtessen?«

»Sei still, Lies! Iß du nur!«

»Und Sie nicht?«

»Ich nicht. Laß jetzt gut sein! Gute Nacht!«

»Ja, darf ich denn gar nimmer hinein?«

»Morgen dann, Lies.«

Sie mußte davon abstehen. Aber nach einer schlaflosen Kummernacht stand sie morgens schon um fünf Uhr wieder da.

»Herr Kömpff!«

»Ja, was ist?«

»Soll ich gleich Kaffee machen?«

»Wie du meinst.«

»Und dann, darf ich dann hinein?«

»Ja, Lies.«

Sie kochte ihr Wasser und nahm die zwei Löffel gemahlenen Kaffee und Zichorie, ließ das Wasser durchlaufen, trug Tassen auf und schenkte ein. Dann kam sie wieder.

Er schloß auf und ließ sie hereinkommen. Sie kniete ans Bett und sah die Tote an und rückte ihr die Tücher zurecht. Dann stand sie auf und sah nach dem Herrn und besann sich, wie sie ihn anreden solle. Aber wie sie ihn ansah, kannte sie ihn kaum wieder. Er war blaß und hatte ein schmales Gesicht und machte große merkwürdige Augen, als wolle er einen durch und durch schauen, was sonst gar nicht in seiner Art war.

»Sie sind gewiß nicht wohl, Herr –«

»Ich bin ganz wohl. Wir können ja jetzt Kaffee trinken.«

Das taten sie, ohne daß ein Wort gesprochen wurde.

Den ganzen Tag saß er allein in der Stube. Es kamen ein paar Trauerbesuche, die er sehr ruhig empfing und sehr bald und kühl wieder verabschiedete, ohne daß er jemand die Tote sehen ließ. Nachts wollte er wieder bei ihr wachen, schlief aber auf dem Stuhle ein und wachte erst gegen Morgen auf. Erst jetzt fiel es ihm ein, daß er sich schwarz anziehen müsse. Er holte selber den Gehrock aus dem Kasten. Abends war die Beerdigung, wobei er nicht weinte und sich sehr ruhig benahm. Desto aufgeregter war die Holderlies, die in ihrem weiten Staatskleid und mit rotgeweintem Gesicht den Zug der Weiber anführte. Über das nasse Sacktuch hinweg äugte sie fortwährend, vor Tränen blinzelnd, nach ihrem Herrlein hinüber, um das sie Angst hatte. Sie fühlte, daß dieses kalte und ruhige Gebaren nicht echt war und daß die trotzige Verschlossenheit und Einsiedelei ihn verzehren müsse.

Doch gab sie sich vergebens Mühe, ihn seiner Erstarrung zu entreißen. Er saß daheim am Fenster und lief ruhelos durch die Zimmer. An der Ladentür verkündete ein Zettel, daß das Geschäft für drei Tage geschlossen sei. Es blieb aber auch am vierten und fünften Tag zu, bis einige Bekannte ihn dringend mahnten.

Kömpff stand nun wieder hinter dem Ladentisch, wog, rechnete und nahm Geld ein, aber er tat es, ohne dabei zu sein. An den Abenden der Bürgergesellschaft und der Hirschengäste erschien er nicht mehr, und man ließ ihn gewähren, da er ja in Trauer war. In seiner Seele war es leer und still. Wie sollte er nun leben? Eine tödliche Ratlosigkeit hielt ihn wie ein Krampf bestrickt, er konnte nicht stehen noch fallen, sondern fühlte sich ohne Boden im Leeren schweben.

Nach einiger Zeit begann es ihn unruhig zu treiben; er fühlte, daß irgend etwas geschehen müsse, nicht von außen her, sondern aus ihm selbst heraus, um ihn zu befreien. Damals fingen nun auch die Leute an, etwas zu merken, und die Zeit begann, in der Walter Kömpff zum bekanntesten und meistbesprochenen Mann in Gerbersau wurde.

Wie es scheint, hatte der sonderbare Kaufmann in diesen Zeiten, da er sein Schicksal der Reife nahe fühlte, ein starkes Bedürfnis nach Einsamkeit und ein Mißtrauen gegen sich selbst, das ihm gebot, sich von gewohnten Einflüssen zu befreien und sich eine eigne, abschließende Atmosphäre zu schaffen. Wenigstens fing er nun an, allen Verkehr zu meiden, und suchte sogar die treue Holderlies zu entfernen.

»Vielleicht kann ich dann die selige Mutter eher vergessen«, sagte er und bot der Lies ein beträchtliches Geschenk an, daß sie in Frieden abgehe. Die alte Dienerin lachte jedoch nur und erklärte, sie gehöre nun einmal ins Haus und werde auch bleiben. Sie wußte gut, daß ihm nicht daran gelegen war, seine Mutter zu vergessen, daß er vielmehr ihrem Andenken stündlich nachhing und keinen geringsten Gegenstand vermissen mochte, der ihn an sie erinnerte. Und vielleicht verstand die Holderlies ihres Herrn Gemütszustände ahnungsweise schon damals; jedenfalls verließ sie ihn nicht, sondern sorgte mütterlich für sein verwaistes Hauswesen.

Es muß nicht leicht für sie gewesen sein, in jenen Tagen bei dem Sonderling auszuharren. Walter Kömpff begann damals zu fühlen, daß er zu lange das Kind seiner Mutter geblieben war. Die Stürme, die ihn nun bedrängten, waren schon jahrelang in ihm gewesen, und er hatte sie dankbar von der Mutterhand beschwören und besänftigen lassen. Jetzt schien ihm aber, es wäre besser gewesen, beizeiten zu scheitern und neu zu beginnen, statt erst jetzt, da er nicht mehr bei Jugendkräften und durch jahrelange Gewohnheit hundertfach gefesselt und gelähmt war. Seine Seele verlangte so leidenschaftlich wie jemals nach Freiheit und Gleichgewicht, aber sein Kopf war der eines Kaufmanns, und sein ganzes Leben lief eine feste, glatte Bahn abwärts, und er wußte keinen Weg, aus diesem sicheren Gleiten sich auf neue, bergan führende Pfade zu retten.

In seiner Not besuchte er mehrmals die abendlichen Versammlungen der Pietisten. Eine Ahnung des Trostes und der Erbauung wachte dort zwar in ihm auf, doch mißtraute er heimlich der inneren Wahrhaftigkeit dieser Männer, die ganze Abende mit kleinlichen Versuchen einer untheologischen Bibelauslegung verbrachten, viel verbissenen Autodidaktenstolz an den Tag legten und selten recht einig untereinander waren. Es mußte eine Quelle des Vertrauens und der Gottesfreude geben, eine Möglichkeit der Heimkehr zur Kindeseinfalt und in Gottes Arme: aber hier war sie nicht. Diese Leute hatten doch alle, so schien ihm, irgendeinmal einen Kompromiß geschlossen und hielten in ihrem Leben eine irgendeinmal angenommene Grenze zwischen Geistlichem und Weltlichem inne. Ebendas hatte Kömpff selber sein Leben lang getan, und ebendas hatte ihn müde und traurig gemacht und ohne Trost gelassen.

Das Leben, das er sich dachte, müßte in allen kleinsten Regungen Gott hingegeben und von herzlichem Vertrauen erleuchtet sein. Er wollte keine noch so geringe Tätigkeit mehr verrichten, ohne dabei mit sich und mit Gott einig zu sein. Und er wußte genau, daß dies süße und heilige Gefühl ihm bei Rechnungsbuch und Ladenkasse niemals zuteil werden könne. In seinem Sonntagsblättlein las er zuweilen von großen Laienpredigern und gewaltigen Erweckungen in Amerika, in Schweden oder Schottland, von Versammlungen, in denen Dutzende und Hunderte, vom Blitz der Erkenntnis getroffen, sich gelobten, fortan ein neues Leben im Geist und in der Wahrheit zu führen. Bei solchen Berichten, die er mit Sehnsucht verschlang, hatte Kömpff ein Gefühl, als steige Gott selber zuzeiten auf die Erde herab und wandle unter den Menschen, da oder dort, in manchen Ländern, aber niemals hier, aber niemals in seiner Nähe.

Die Holderlies erzählt, er habe damals jämmerlich ausgesehen. Sein gutes, ein wenig kindliches Gesicht wurde mager und scharf, die Falten tiefer und härter. Auch ließ er, der bisher das Gesicht glatt getragen hatte, jetzt den Bart ohne Pflege stehen, einen dünnen, farblos blonden Bart, um den ihn die Buben auslachten. Nicht weniger vernachlässigte er seine Kleidung, und ohne die zähe Fürsorge der bekümmerten Magd wäre er schnell vollends zum Kindergespött geworden. Den ölfleckigen alten Ladenrock trug er meistens auch bei Tisch und auch abends, wenn er auf seine langen Spaziergänge ausging, von denen er oft erst gegen Mitternacht heimkam.

Nur den Laden ließ er nicht verkommen. Das war das letzte, was ihn mit der früheren Zeit und mit dem Althergebrachten verband, und er führte seine Bücher peinlich weiter, stand selber den ganzen Tag im Geschäft und bediente. Freude hatte er nicht daran, obwohl die Geschäfte erfreulich gingen. Aber er mußte eine Arbeit haben, er mußte sein Gewissen und seine Kraft an eine feste, immerwährende Pflicht binden, und wußte genau, daß mit dem Aufgeben seiner gewohnten Tätigkeit ihm die letzte Stütze entgleiten und er rettungslos den Mächten verfallen würde, die er nicht weniger fürchtete als verehrte.

In kleinen Städtlein gibt es immer irgendeinen Bettler und Tunichtgut, einen alten Säufer oder entlassenen Zuchthäusler, der jedermann zum Spott und Ärgernis dient und als Entgelt für die spärliche Wohltätigkeit der Stadt den Kinderschreck und verachteten Auswürfling abgeben muß. Als solcher diente zu jenen Zeiten ein Alois Beckeler, genannt Göckeler, ein schnurriger, alter Taugenichts und weltkundiger Herumtreiber, der nach langen Landstreicherjahren hier hängengeblieben war. Sobald er etwas zu beißen oder zu trinken hatte, tat er großartig und gab in den Kneipen eine drollige Faulpelzphilosophie zum besten, nannte sich Fürst von Ohnegeld und Erbprinz von Schlaraffia, bemitleidete jedermann, der von seiner Hände Arbeit lebte, und fand immer ein paar Zuhörer, die ihn protegierten und ihm manchen Schoppen zahlten.

Eines Abends, als Walter Kömpff einen seiner langen, einsamen und hoffnungslosen Spaziergänge unternahm, stieß er auf diesen Göckeler, welcher der Quere nach in der Straße lag und einen kleinen Nachmittagsrausch soeben ausgeschlafen hatte.

Kömpff erschrak zuerst, als er unvermutet den Daliegenden zu Gesicht bekam, auf den er im Halbdunkel beinahe getreten wäre. Doch erkannte er rasch den Vagabunden und rief ihn vorwurfsvoll an:

»He Beckeler, was macht Ihr da?«

Der Alte richtete sich auf, blinzelte vergnügt und meinte: »Ja, und Ihr, Kömpff, was macht denn Ihr da, he?«

Dem so Angeredeten wollte es mißfallen, daß der Lump ihn weder mit Herr noch mit Sie titulierte.

»Könnt Ihr nicht höflicher sein, Beckeler?« fragte er gekränkt.

»Nein, Kömpff«, grinste der Alte, »das kann ich nicht, so leid mir's tut.«

»Und warum denn nicht?«

»Weil mir niemand was dafür gibt, und umsonst ist der Tod. Hat mir vielleicht der hochgeehrte Herr von Kömpff irgendeinmal was geschenkt oder zugewendet? O nein, der reiche Herr von Kömpff hat das noch nie getan, der ist viel zu fein und zu stolz, als daß er ein Aug auf einen armen Teufel könnte haben. Ist's so, oder ist's nicht so?«

»Ihr wißt gut, warum. Was fangt Ihr mit einem Almosen? Vertrinken, weiter nichts, und zum Vertrinken hab ich kein Geld und geb auch keins.«

»So, so. Na, denn gute Nacht und angenehme Ruhe, Bruderherz.«

»Wieso Bruderherz?«

»Sind nicht alle Menschen Brüder, Kömpff? He? Ist vielleicht der Heiland für dich gestorben und für mich nicht?«

»Redet nicht so, mit diesen Sachen treibt man keinen Spaß.«

»Hab ich Spaß getrieben?«

Kömpff besann sich. Die Worte des Lumpen trafen mit seinen grüblerischen Gedanken zusammen und regten ihn wunderlich auf.

»Gut denn«, sagte er freundlich, »steht einmal auf. Ich will Euch gern etwas geben.«

»Ei, schau!«

»Ja, aber Ihr müßt mir versprechen, daß Ihr's nicht vertrinkt. Ja?«

Beckeler zuckte die Achseln. Er war heute in seiner freimütigen Laune.

»Versprechen kann ich's schon, aber Halten steht auf einem andern Blatt. Geld, wenn ich's nicht verbrauchen darf, wie ich will, ist so gut wie kein Geld.«

»Es ist zu Eurem Besten, was ich sage, Ihr dürft mir glauben.«

Der Trinker lachte. »Ich bin jetzt vierundsechzig Jahre alt. Glaubt Ihr wirklich, daß Ihr besser wißt, was mir gut ist, als ich selber? Glaubt Ihr?«

Mit dem schon hervorgezogenen Geldbeutel in der Hand stand Kömpff verlegen da. Er war im Reden und Antwortenkönnen nie stark gewesen und fühlte sich diesem vogelfreien Menschen gegenüber, der ihn Bruderherz nannte und sein Wohlwollen verschmähte, hilflos und unterlegen. Schnell und fast ängstlich nahm er einen Taler heraus und streckte ihn dem Beckeler hin.

»Nehmt also . . .«

Erstaunt nahm Alois Beckeler das große Geldstück hin, hielt es vors Auge und schüttelte den struppigen Kopf. Dann begann er, sich demütig, umständlich und beredt zu bedanken. Kömpff war über die Höflichkeit und Selbsterniedrigung, zu der ein Stück Geld den Philosophen vermocht hatte, beschämt und traurig und lief schnell davon.

Dennoch empfand er eine Erleichterung und kam sich vor, als hätte er eine Tat vollbracht. Daß er dem Beckeler einen Taler zum Vertrinken geschenkt hatte, war für ihn eine abenteuerliche Extravaganz, mindestens so kühn und unerhört, als wenn er selber das Geld verlüdert hätte. Er kehrte an diesem Abend so zeitig und zufrieden heim wie seit Wochen nicht mehr.

Für den Göckeler brach jetzt eine gesegnete Zeit an. Alle paar Tage gab ihm Walter Kömpff ein Stück Geld, bald eine Mark, bald einen Fünfziger, so daß das Wohlleben kein Ende nahm. Einmal, als er am Kömpffschen Laden vorüberkam, rief ihn der Herr herein und schenkte ihm ein Dutzend gute Zigarren. Die Holderlies war zufällig dabei und trat dazwischen.

»Aber Sie werden doch dem Lumpen nicht von den teuren Zigarren geben!«

»Sei ruhig«, sagte der Herr, »warum soll er's nicht auch einmal gut haben?«

Und der alte Taugenichts blieb nicht der einzige Beschenkte. Den einsamen Grübler befiel eine zunehmende Lust am Weggeben und Freudemachen. Armen Weibern gab er im Laden das doppelte Gewicht oder nahm kein Geld von ihnen, den Fuhrleuten gab er am Markttag überreiche Trinkgelder, und den Bauernfrauen legte er gern bei ihren Einkäufen ein Extrapäckchen Zichorie oder eine Handvoll Korinthen in den Korb.

Das konnte nicht lange dauern, ohne aufzufallen. Zuerst bemerkte es die Holderlies, und sie machte dem Herrn schwere, unablässige Vorwürfe, die zwar erfolglos blieben, ihn aber nicht wenig beschämten und quälten, so daß er allmählich seine Verschwendungslust vor ihr verstecken lernte. Darüber wurde die treue Seele mißtrauisch und begann sich aufs Spionieren zu legen, und das alles brachte den Hausfrieden ins Wanken.

Nächst der Lies und dem Göckeler waren es die Kinder, denen des Kaufmanns sonderbare Freigebigkeit auffiel. Sie kamen immer öfter mit einem Pfennig daher, verlangten Zucker, Süßholz oder Johannisbrot und bekamen davon soviel sie wollten. Und wenn die Lies aus Scham und der Beckeler aus Klugheit schwieg, die Kinder taten es nicht, sondern verbreiteten die Kunde von Kömpffs großartiger Laune in der ganzen Stadt.

Merkwürdig war es, daß er selber wider diese Freigebigkeit kämpfte und sich vor ihr fürchtete. Nachdem er tagsüber Pfunde verschenkt und verschwendet hatte, befiel ihn abends beim Geldzählen und beim Buchführen Entsetzen über diese liederliche, unkaufmännische Wirtschaft. Angstvoll rechnete er nach und versuchte seinen Schaden zu berechnen, sparte beim Stellen und Einkaufen, forschte nach wohlfeilen Quellen, und alles nur, um andern Tages von neuem zu geuden und seine Freude am Geben zu haben. Die Kinder jagte er bald scheltend fort, bald belud er sie mit guten Sachen. Nur sich selber gönnte er nichts, er sparte am Haushalt und an der Kleidung, gewöhnte sich den Nachmittagskaffee ab und ließ das Weinfäßchen im Keller, als es leer war, nimmer füllen.

Die mißlichen Folgen ließen nicht lange auf sich warten. Kaufleute beschwerten sich mündlich und in groben Briefen bei ihm, daß er ihnen mit seinem sinnlosen Dreingeben und Schenken die Kunden weglocke. Manche solide Bürger und auch schon mehrere seiner Kunden vom Lande, die an seinem veränderten Wesen Anstoß nahmen, mieden seinen Laden und begegneten ihm, wo sie ihm nicht ausweichen konnten, mit unverhohlenem Mißtrauen. Auch stellten ihn die Eltern einiger Kinder, denen er Leckereien und Feuerwerk gegeben hatte, ärgerlich zur Rede. Sein Ansehen unter den Honoratioren, mit dem es schon einige Zeit her nicht glänzend mehr ausgesehen hatte, schwand dahin und ward ihm durch eine zweifelhafte Beliebtheit bei den Geringen und Armen doch nicht ersetzt. Ohne diese Veränderungen im einzelnen allzu schwer zu nehmen, hatte Kömpff doch das Gefühl eines unaufhaltsamen Gleitens ins Ungewisse. Es kam immer häufiger vor, daß er von Bekannten mit spöttischer oder mitleidiger Gebärde begrüßt wurde, daß auf der Straße hinter ihm gesprochen und gelacht ward, daß ernste Leute ihm mit Unbehagen auswichen. Die paar alten Herren, die zur Freundschaft seines Vaters gehört hatten und einigemal mit Vorwürfen, Rat und Zuspruch zu ihm gekommen waren, blieben bald aus und wandten sich ärgerlich von ihm ab. Und immer mehr verbreitete sich in der Stadt die Ansicht, Walter Kömpff sei im Kopf nimmer recht und gehöre bald ins Narrenhaus.

Mit der Kaufmannschaft war es jetzt zu Ende, das sah der gequälte Mann selber am besten ein. Aber ehe er die Bude endgültig zumachte, beging er noch eine Tat unkluger Großmut, die ihm viele Feinde machte.

Eines Montags verkündete er durch eine Anzeige im Wochenblatt, von heute an gebe er jede Ware zu dem Preis, den sie ihn selber koste.

Einen Tag lang war der Laden voll wie noch nie. Die feinen Leute blieben aus, sonst aber kam jedermann, um von dem offenbar übergeschnappten Händler seinen Vorteil zu ziehen. Die Waage kam den ganzen Tag nicht zum Stillstand, und das Ladenglöcklein schellte sich heiser. Körbe und Säcke voll spottbillig erworbener Sachen wurden fortgetragen. Die Holderlies war außer sich. Da ihr Herr nicht auf sie hörte und sie aus dem Laden verwies, stellte sie sich in der Haustür auf und sagte jedem Käufer, der aus dem Laden kam, ihre Meinung. Es gab einen Skandal über den andern, aber die verbitterte Alte hielt aus und suchte jedem, der nicht ganz dickfällig war, seinen wohlfeilen Einkauf ordentlich zu versalzen.

»Willst nicht auch noch zwei Pfennig geschenkt haben?« fragte sie den einen, und zum andern sagte sie: »Das ist nett, daß Ihr wenigstens den Ladentisch habt stehenlassen.«

Aber zwei Stunden vor Feierabend erschien der Bürgermeister in Begleitung des Amtsdieners und befahl, daß der Laden geschlossen werde. Kömpff weigerte sich nicht und machte sogleich die Fensterläden zu. Tags darauf mußte er aufs Rathaus und wurde nur auf seine Erklärung, daß er sein Geschäft aufzugeben entschlossen sei, mit Kopfschütteln wieder laufen gelassen.

Den Laden war er nun los. Er ließ seine Firma aus dem Handelsregister streichen, da er sein Geschäft weder verpachten noch verkaufen wollte. Die noch vorhandenen Vorräte, soweit sie dazu paßten, verschenkte er wahllos an arme Leute. Die Lies wehrte sich um jedes Stück und brachte Kaffeesäcke und Zuckerhüte und alles, wofür sie irgend Raum fand, für den Haushalt beiseite.

Ein entfernter Verwandter stellte den Antrag, Walter Kömpff zu entmündigen, doch sah man nach längeren Verhandlungen davon ab, teils weil nahverwandte, namentlich minderjährige Erbberechtigte nicht vorhanden waren, teils weil Kömpff nach der Aufgabe seines Geschäfts unschädlich und der Bevogtung nicht bedürftig erschien.

Es sah aus, als kümmere sich keine Seele um den entgleisten Mann. Zwar redete man in der ganzen Gegend von ihm, meistens mit Hohn und Mißfallen, manchmal auch mit Bedauern; in sein Haus aber kam niemand, etwa nach ihm zu sehen. Es kamen nur mit großer Schnelligkeit alle Rechnungen, die noch offenstanden, denn man fürchtete, hinter der ganzen Geschichte stecke am Ende ein ungeschickt eingeleiteter Bankrott. Doch brachte Kömpff seine Bücher richtig und notariell zum Abschluß und zahlte alle baren Schulden. Freilich nahm dieses übereilte Abschließen nicht nur seine Börse, sondern noch mehr seine Kräfte unmäßig in Anspruch, und als er fertig war, fühlte er sich elend und dem Zusammenbrechen nahe.

In diesen bösen Tagen, als er nach einer überhitzten Arbeitszeit plötzlich vereinsamt und unbeschäftigt sich selbst überlassen blieb, kam wenigstens einer, um ihm zuzusprechen, das war der Schlotzer, Kömpffs ehemaliger Lehrherr aus Deltingen. Der fromme Handelsmann, den Walter früher noch einigemal besucht, nun aber seit Jahren nicht mehr gesehen hatte, war alt und weiß geworden, und es war eine Heldentat von ihm, daß er noch die Reise nach Gerbersau gemacht hatte.

Er trug einen langschößigen braunen Gehrock und führte ein ungeheueres, blau und gelb gemustertes Schnupftuch bei sich, auf dessen breitem Saum Landschaften, Häuser und Tiere abgebildet waren.

»Darf man einmal reinsehen?« fragte er beim Eintritt in die Wohnstube, wo der Einsame gerade müd und ratlos in der großen Bibel blätterte. Dann nahm er Platz, legte den Hut und das Schnupftuch auf den Tisch, zog die Rockschöße über den Knien zusammen und schaute seinem alten Lehrling prüfend in das blasse, unsichere Gesicht.

»Also Sie sind jetzt Privatier, hört man sagen?«

»Ich habe das Geschäft aufgegeben, ja.«

»So, so. Und darf man fragen, was Sie jetzt vorhaben? Sie sind ja, vergleichsweise gesprochen, noch ein junger Mann.«

»Ich wäre froh, wenn ich's wüßte. Ich weiß nur, daß ich nie ein rechter Kaufmann gewesen bin, drum hab ich aufgehört. Ich will jetzt sehen, was sich noch gutmachen läßt an mir.«

»Wenn ich sagen darf, was ich meine, so scheint mir, das sei zu spät.«

»Kann es zum Guten auch zu spät sein?«

»Wenn man das Gute kennt, nicht. Aber so ins Ungewisse den Beruf aufgeben, den man gelernt hat, ohne daß man weiß, was nun anfangen, das ist unrecht. Ja, wenn Sie das als junger Bursche getan hätten!«

»Es hat eben lang gebraucht, bis ich zum Entschluß gekommen bin.«

»Es scheint so. Aber ich meine, für so lange Entschlüsse ist das Leben zu kurz. Sehen Sie, ich kenne Sie doch ein wenig und weiß, daß Sie es schwer gehabt haben und nicht ganz ins Leben hineinpassen. Es gibt mehr solche Naturen. Sie sind Kaufmann geworden Ihrem Vater zulieb, nicht wahr? Jetzt haben Sie Ihr Leben verpfuscht und haben das, was Ihr Vater wollte, doch nicht getan.«

»Was wollte ich machen?«

»Was? Auf die Zähne beißen und aufrecht bleiben. Ihr Leben schien Ihnen verfehlt und war es vielleicht, aber ist es jetzt im Gleis? Sie haben ein Schicksal, das Sie auf sich genommen hatten, von sich geworfen, und das war feig und unklug. Sie sind unglücklich gewesen, aber Ihr Unglück war anständig und hat Ihnen Ehre gemacht. Auf das haben Sie verzichtet, nicht etwas Besserem zulieb, sondern bloß, weil Sie es müde waren. Ist es nicht so?«

»Vielleicht wohl.«

»Also. Und darum bin ich hergereist und sage Ihnen: Sie sind untreu geworden. Aber bloß zum Schelten hätte ich mit meinen alten Beinen den Weg hierher doch nicht gemacht. Drum sage ich, machen Sie's wieder gut so bald wie möglich.«

»Wie soll ich das?«

»Hier in Gerbersau können Sie nicht wieder anfangen, das sehe ich ein. Aber anderswo, warum nicht? Übernehmen Sie wieder ein Geschäft, es braucht ja kein großes zu sein, und machen Sie Ihres Vaters Namen wieder Ehre. Von heut auf morgen geht's ja nicht, aber wenn Sie wollen, helfe ich suchen. Soll ich?«

»Danke vielmals, Herr Leckle. Ich will mir's bedenken.«

Der Schlotzer nahm weder Trank noch Essen an und fuhr mit dem nächsten Zug wieder heim.

Kömpff war ihm dankbar, aber er konnte seinen Rat nicht annehmen.

In seiner Muße, an die er nicht gewöhnt war und die er nur schwer ertrug, machte der Exkaufmann zuweilen melancholische Gänge durch die Stadt. Dabei war es ihm jedesmal wunderlich und bedrückend, zu sehen, wie Handwerker und Kaufleute, Arbeiter und Dienstboten ihren Geschäften nachgingen, wie jeder seinen Platz und seine Geltung und jeder sein Ziel hatte, während er allein ziellos und unberechtigt umherging.

Der Arzt, den er wegen Schlafmangels um Rat fragte, fand seine Untätigkeit verhängnisvoll. Er riet ihm, sich ein Stückchen Land vor der Stadt draußen zu kaufen und dort Gartenarbeit zu tun. Der Vorschlag gefiel ihm, und er erwarb an der Leimengrube ein kleines Gut, schaffte sich Geräte an und begann eifrig zu graben und zu hacken. Treulich stach er seinen Spaten in die Erde und fühlte, während er sich in Schweiß und Ermüdung arbeitete, seinen verwirrten Kopf leichter werden. Aber bei schlechtem Wetter und an den langen Abenden saß er wieder grübelnd daheim, las in der Bibel und gab sich erfolglosen Gedanken über die unbegreiflich eingerichtete Welt und über sein elendes Leben hin. Daß er mit der Aufgabe seiner Geschäfte Gott nicht nähergekommen sei, spürte er wohl, und in verzweifelten Stunden kam es ihm vor, als sei Gott unerreichbar fern und sehe auf sein törichtes Gebaren mit Strenge und Spott herab.

Bei seiner Gartenarbeit fand er meistens einen zuschauenden Gesellschafter. Das war Alois Beckeler. Der alte Taugenichts hatte seine Freude daran, wie ein so reicher Mann sich plagte und abschaffte, während er, der Bettler, zuschaute und nichts tat. Zwischenein, wenn Kömpff ausruhte, hatten sie Diskurs über alle möglichen Dinge miteinander. Dabei spielte Beckeler je nach Umständen bald den Großartigen, bald war er kriechend höflich.

»Wollt Ihr nicht mithelfen?« fragte Kömpff etwa.

»Nein, Herr, lieber nicht. Sehen Sie, ich vertrage das nicht gut. Es macht einen dummen Kopf.«

»Mir nicht, Beckeler.«

»Freilich, Ihnen nicht. Und warum? Weil Sie zu Ihrem Vergnügen arbeiten. Das ist Herrengeschäft und tut nicht weh. Außerdem sind Sie noch in guten Jahren, und ich bin ein Siebziger. Da hat man seine Ruhe wohl verdient.«

»Aber neulich habt Ihr gesagt, Ihr wäret vierundsechzig, nicht siebzig.«

»Hab ich vierundsechzig gesagt? Ja, das war im Dusel gesprochen. Wenn ich ordentlich getrunken habe, komm ich mir immer viel jünger vor.«

»Also seid Ihr wirklich siebzig?«

»Wenn ich's nicht bin, so kann wenig daran fehlen. Nachgezählt hab ich nicht.«

»Daß Ihr auch das Trinken nicht lassen könnt! Liegt's Euch denn nicht auf dem Gewissen?«

»Nein. Was das Gewissen anlangt, das ist bei mir gesund und mag was aushalten. Wenn mir sonst nichts fehlt, möcht ich leicht nochmal so alt werden.«

Es gab auch Tage, an denen Kömpff finster und ungesprächig war. Der Göckeler hatte dafür eine feine Witterung und merkte schon beim Herankommen, wie es mit dem närrischen Lustgärtner stehe. Dann blieb er, ohne hereinzutreten, am Zaune stehen und wartete etwa eine halbe Stunde, eine Art schweigende Anstandsvisite. Er lehnte stillvergnügt am Gartenzaun, sprach keinen Ton und betrachtete sich seinen sonderbaren Gönner, der seufzend hackte, grub, Wasser schleppte oder junge Bäume pflanzte. Und schweigend ging er wieder, spuckte aus, steckte die Hände in die Hosensäcke und grinste und zwinkerte lustig vor sich hin.

Schwere Zeiten hatte jetzt die Holderlies. Sie war allein in dem unbehaglich gewordenen Hause geblieben, besorgte die Stuben, wusch und kochte. Anfangs hatte sie dem neuen Wesen ihres Herrn böse Gesichter und grobe Worte entgegengesetzt. Dann war sie davon abgekommen und hatte beschlossen, den übel Beratenen eine Weile machen und laufen zu lassen, bis er müde wäre und wieder auf sie hören würde. So war es ein paar Wochen gegangen.

Am meisten ärgerte sie sein kameradschaftlicher Umgang mit dem Göckeler, dem sie die feinen Zigarren von damals nicht vergessen hatte. Aber gegen den Herbst hin, als wochenlang Regenwetter war und Kömpff nicht in den Garten konnte, kam ihre Stunde. Ihr Herr war trübsinniger als je.

Da kam sie eines Abends in die Stube, hatte ihren Flickkorb mit und setzte sich unten an den Tisch, an dem der Hausherr beim Lampenlicht seine Monatsrechnung studierte.

»Was willst, Lies?« fragte er erstaunt.

»Dasitzen will ich und flicken, jetzt wo man wieder die Lampe braucht.«

»Du darfst schon.«

»So, ich darf? Früher, wie die Frau selig noch da war, hab ich immer meinen Platz hier gehabt, ungefragt.«

»Ja, ja.«

»Freilich, es ist ja seither manches anders worden. Mit den Fingern zeigen die Leute auf einen.«

»Wieso, Lies?«

»Soll ich Ihnen was erzählen?«

»Ja, also.«

»Gut. Der Göckeler, wissen Sie, was der tut? Am Abend sitzt er in den Wirtshäusern herum und verschwätzt Sie.«

»Mich? Wie denn?«

»Er macht Sie nach, wie Sie im Garten schaffen, und macht sich lustig darüber und erzählt, was Sie allemal mit ihm für Gespräche führen.«

»Ist das auch wahr, Lies?«

»Ob's wahr ist! Mit Lügen geb ich mich nicht ab, ich nicht. So macht's der Göckeler also, und dann gibt es Leute, die dabeisitzen und lachen und stacheln ihn an und zahlen ihm Bier dafür, daß er so von Ihnen redet.«

Kömpff hatte aufmerksam und traurig zugehört. Dann hatte er die Lampe von sich weggeschoben, so weit sein Arm reichte, und als die Lies nun aufschaute und auf eine Antwort wartete, sah sie mit wunderlichem Schrecken, daß er die Augen voll Tränen hatte.

Sie wußte, daß ihr Herr krank war, aber diese widerstandslose Schwäche hätte sie ihm nicht zugetraut. Sie sah nun auch plötzlich, wie gealtert und elend er aussah. Schweigend machte sie an ihrer Flickarbeit weiter und wagte nicht mehr aufzublicken, und er saß da, und die Tränen liefen ihm über die Wangen und durch den dünnen Bart. Die Magd mußte selber schlucken, um Herr über ihre Bewegung zu bleiben. Bisher hatte sie den Herrn für überarbeitet, für launisch und kurios gehalten. Jetzt sah sie, daß er hilflos, seelenkrank und im Herzen wund war.

Die beiden sprachen an diesem Abend nicht weiter. Kömpff nahm nach einer Weile seine Rechnung wieder vor, die Holderlies strickte und stopfte, schraubte ein paarmal am Lampendocht und ging zeitig mit leisem Gruß hinaus.

Seit sie wußte, daß er so elend und hilflos war, verschwand der eifersüchtige Groll aus ihrem Herzen. Sie war froh, ihn pflegen und sanft anfassen zu dürfen, sie sah ihn auf einmal wieder wie ein Kind an, sorgte für ihn und nahm ihm nichts mehr übel.

Als Walter bei schönem Wetter wieder einmal in seinem Garten herumbosselte, erschien mit freudigem Gruß Alois Beckeler. Er kam durch die Einfahrt herein, grüßte nochmals und stellte sich am Rand der Beete auf.

»Grüß Gott«, sagte Kömpff, »was wollt Ihr?«

»Nichts, nur einen Besuch machen. Man hat Sie lang nimmer draußen gesehen.«

»Wollt Ihr sonst etwas von mir?«

»Nein. Ja, wie meinen Sie das? Ich bin doch sonst auch schon dagewesen.«

»Es ist aber nicht nötig, daß Ihr wiederkommt.«

»Ja, Herr Kömpff, warum denn aber?«

»Es ist besser, wir reden darüber nicht. Geht nur, Beckeler, und laßt mir meine Ruhe.«

Der Göckeler nahm eine beleidigte Miene an.

»So, dann kann ich ja gehen, wenn ich nimmer gut genug bin. Das wird wohl auch in der Bibel stehen, daß man so mit alten Freunden umgehen soll.«

Kömpff war betrübt.

»Nicht so, Beckeler!« sagte er freundlich. »Wir wollen im Guten voneinander, 's ist immer besser. Nehmt das noch mit, gelt.«

Er gab ihm einen Taler, den jener verwundert nahm und einsteckte.

»Also meinen Dank, und nichts für ungut! Ich bedank mich schön. Adieu denn, Herr Kömpff, adieu denn!«

Damit ging er fort, vergnügter als je. Als er jedoch nach wenigen Tagen wiederkam und diesmal entschieden verabschiedet wurde, ohne ein Geschenk zu bekommen, ging er zornig weg und schimpfte draußen über den Zaun herein:
»Sie großer Herr, Sie, wissen Sie, wo Sie hingehören? Nach Tübingen gehören Sie, dort steht das Narrenhaus, damit Sie's wissen.«

Der Göckeler hatte nicht unrecht. Kömpff war in den Monaten seiner Vereinsamung immer weiter in die Sackgasse seiner selbstquälerischen Spekulationen hineingeraten und hatte sich in seiner Verlassenheit in fruchtlosem Nachdenken aufgerieben. Als nun mit dem Einbrechen des Winters seine einzige gesunde Arbeit und Ablenkung, das Gartengeschäft, ein Ende hatte, kam er vollends nicht mehr aus dem engen, trostlosen Kreislauf seiner kränkelnden Gedanken heraus. Von jetzt an ging es schnell mit ihm bergab, wenn auch seine Krankheit noch Sprünge machte und mit ihm spielte.

Zunächst brachte das Müßigsein und Alleinleben ihn darauf, daß er immer wieder sein vergangenes Leben durchstöberte. Er verzehrte sich in Reue über vermeintliche Sünden früherer Jahre. Dann wieder klagte er sich verzweifelnd an, seinem Vater nicht Wort gehalten zu haben. Oft stieß er in der Bibel auf Stellen, von denen er sich wie ein Verbrecher getroffen fühlte.

In dieser qualvollen Zeit war er gegen die Holderlies weich und fügsam wie ein schuldbewußtes Kind. Er gewöhnte sich an, sie wegen Kleinigkeiten flehentlich um Verzeihung zu bitten, und brachte sie damit nicht wenig in Angst. Sie fühlte, daß sein Verstand am Erlöschen sei, und doch wagte sie es nicht, jemand davon zu sagen.

Eine Weile hielt sich Kömpff ganz zu Hause. Gegen Weihnachten hin wurde er unruhig, erzählte viel aus alten Zeiten und von seiner Mutter, und da die Ruhelosigkeit ihn wieder oft aus dem Hause trieb, fingen jetzt manche Unzuträglichkeiten an. Denn inzwischen hatte er seine Unbefangenheit den Menschen gegenüber verloren. Er merkte, daß er auffiel, daß man von ihm sprach und auf ihn zeigte, daß Kinder ihm nachliefen und ernste Leute ihm auswichen.

Nun fing er an, sich unsicher zu fühlen. Manchmal zog er vor Leuten, denen er begegnete, den Hut übertrieben tief. Auf andre trat er zu, bot ihnen die Hand und bat herzlich um Entschuldigung, ohne zu sagen wofür. Und einem Knaben, der ihn durch Nachahmung seines Ganges verhöhnte, schenkte er seinen Spazierstock mit elfenbeinernem Griff.

Einem seiner früheren Bekannten und Kunden, der damals auf seine ersten kaufmännischen Torheiten hin sich von ihm entfernt hatte, machte er einen Besuch und sagte, es tue ihm leid, bitter leid, er möge ihm doch vergeben und ihn wieder freundlich ansehen.

Eines Abends, kurz vor Neujahr, ging er – seit mehr als einem Jahr zum erstenmal – in den Hirschen und setzte sich an den Honoratiorentisch. Er war früh gekommen und der erste Abendgast. Allmählich trafen die andern ein, und jeder sah ihn mit Erstaunen an und nickte verlegen, und einer um den andern kam, und mehrere Tische wurden besetzt. Nur der Tisch, an dem Kömpff saß, blieb leer, obwohl es der Stammtisch war. Da bezahlte er den Wein, den er nicht getrunken hatte, grüßte traurig und ging heim.

Ein tiefes Schuldbewußtsein machte ihn gegen jedermann unterwürfig. Er nahm jetzt sogar vor Alois Beckeler den Hut ab, und wenn Kinder ihn aus Mutwillen anstießen, sagte er Pardon. Viele hatten Mitleid mit ihm, aber er war der Narr und das Kindergespött der Stadt.

Man hatte Kömpff vom Arzt untersuchen lassen. Der hatte seinen Zustand als primäre Verrücktheit bezeichnet, ihn übrigens für harmlos erklärt und befürwortet, daß man den Kranken daheim und bei seinem gewohnten Leben lasse.

Seit dieser Untersuchung war der arme Kerl mißtrauisch geworden. Auch hatte er sich gegen die Entmündigung, die nun doch über ihn verfügt werden mußte, verzweifelt gesträubt. Von da an nahm seine Krankheit eine andere Form an.

»Lies«, sagte er eines Tages zur Haushälterin, »Lies, ich bin doch ein Esel gewesen. Aber jetzt weiß ich, wo ich dran bin.«

»Ja, und wie denn auf einmal?« fragte sie ängstlich, denn sein Ton gefiel ihr nicht.

»Paß auf, Lies, du kannst was lernen. Also nicht wahr, ein Esel hab ich gesagt. Da bin ich mein Leben lang gelaufen und hab mich abgehetzt und mein Glück versäumt um etwas, was es gar nicht gibt!«

»Das versteh ich nun wieder nicht.«

»Stell dir vor, einer hat von einer schönen, prächtigen Stadt in der Ferne gehört. Er hat ein großes Verlangen, dorthin zu kommen, wenn es auch noch so weit ist. Schließlich läßt er alles liegen, gibt weg, was er hat, sagt allen guten Freunden adieu und geht fort, immer fort und fort, tagelang und monatelang, durch dick und dünn, so lange er noch Kräfte hat. Und dann, wie er so weit ist, daß er nimmer zurück kann, fängt er an zu merken, daß das von der prächtigen Stadt in der Ferne ein Lug und Märchen war. Die Stadt ist gar nicht da und ist niemals dagewesen.«

»Das ist traurig. Aber das tut ja niemand, so was.«

»Ich, Lies, ich doch! Ich bin so einer gewesen, das kannst du sagen, wem du willst. Mein Leben lang, Lies.«

»Ist nicht möglich, Herr! Was ist denn das für eine Stadt?«

»Keine Stadt, das war nur so ein Vergleich, weißt du. Ich bin ja immer hier geblieben. Aber ich habe auch ein Verlangen gehabt und darüber alles versäumt und verloren. Ich habe ein Verlangen nach Gott gehabt – nach dem Herrgott, Lies. Den hab ich finden wollen, dem bin ich nachgelaufen, und jetzt bin ich so weit, daß ich nimmer zurück kann – verstehst du? Nimmer zurück. Und alles ist ein Lug gewesen.«

»Was denn? Was ist ein Lug gewesen?«

»Der liebe Gott, du. Er ist nirgends, es gibt keinen.«

»Herr, Herr, sagen Sie keine solchen Sachen! Das darf man nicht, wissen Sie. Das ist Todsünde.«

»Laß mich reden. – Nein, still. Oder bist du dein Leben lang ihm nachgelaufen? Hast du hundert und hundert Nächte in der Bibel gelesen? Hast du Gott tausendmal auf den Knien gebetet, daß er dich höre, daß er dein Opfer annehme und dir ein klein wenig Licht und Frieden dafür gebe? Hast du das? Und hast du deine Freunde verloren – um Gott näher zu kommen, und deinen Beruf und deine Ehre hingeworfen, um Gott zu sehen? – Ich habe das getan, alles das und viel mehr, und wenn Gott lebendig wäre und hätte auch nur so viel Herz und Gerechtigkeit wie der alte Beckeler, so hätte er mich angeblickt.«

»Er hat Sie prüfen wollen.«

»Das hat er getan, das hat er. Und dann hätte er sehen müssen, daß ich nichts wollte als ihn. Aber er hat nichts gesehen. Nicht er hat mich geprüft, sondern ich ihn, und ich habe gefunden, daß er ein Märlein ist.«

Von diesem Thema kam Walter Kömpff nicht mehr los. Er fand beinahe einen Trost darin, daß er nun eine Erklärung für sein verunglücktes Leben hatte. Und doch war er seiner neuen Erkenntnis keineswegs sicher. Sooft er Gott leugnete, empfand er ebensoviel Hoffnung wie Furcht bei dem Gedanken, der Geleugnete könnte gerade jetzt ins Zimmer treten und seine Allgegenwart beweisen. Und manchmal lästerte er sogar, nur um vielleicht Gott antworten zu hören, wie ein Kind vor dem Hoftor Wauwau ruft, um zu erfahren, ob drinnen ein Hund ist oder nicht.

Das war die letzte Entwicklung in seinem Leben. Sein Gott war ihm zum Götzen geworden, den er reizte und dem er fluchte, um ihn zum Reden zu zwingen. Damit war der Sinn seines Daseins verloren, und in seiner kranken Seele trieben zwar noch schillernde Blasen und Traumgebilde, aber keine lebendigen Keime mehr. Sein Licht war ausgebrannt, und es erlosch schnell und traurig.

Eines Nachts hörte ihn die Holderlies noch spät reden und hin und wider gehen, ehe es in seiner Schlafstube ruhig wurde. Am Morgen gab er auf kein Klopfen Antwort. Und ais die Magd endlich leis die Tür aufmachte und auf den Zehen in sein Zimmer schlich, schrie sie plötzlich auf und rannte verstört davon, denn sie hatte ihren Herrn an einem Kofferriemen erhängt aufgefunden.

Eine Zeitlang machte sein Ende die Leute noch viel reden. Aber wenige empfanden etwas von dem, was sein Schicksal gewesen war. Und wenige dachten daran, wie nahe wir alle bei dem Dunkel wohnen, in dessen Schatten Walter Kömpff sich verirrt hatte.

(1908)

Die Verlobung

In der Hirschengasse gibt es einen bescheidenen Weißwarenladen, der gleich seiner Nachbarschaft noch unberührt von
den Veränderungen der neuen Zeit dasteht und hinreichen-
den Zuspruch hat. Man sagt dort noch beim Abschied zu
jedem Kunden, auch wenn er seit zwanzig Jahren regelmäßig
kommt, die Worte: »Schenken Sie mir die Ehre ein andermal
wieder«, und es gehen dort noch zwei oder drei alte Käufe-
rinnen ab und zu, die ihren Bedarf an Band und Litzen in
Ellen verlangen und auch im Ellenmaß bedient werden. Die
Bedienung wird von einer ledig gebliebenen Tochter des
Hauses und einer angestellten Verkäuferin besorgt, der Besitzer selbst ist von früh bis spät im Laden und stets geschäf-
tig, doch redet er niemals ein Wort. Er kann nun gegen
siebzig alt sein, ist von sehr kleiner Statur, hat nette rosige
Wangen und einen kurz geschnittenen grauen Bart, auf dem
vielleicht längst kahlen Kopfe aber trägt er allezeit eine
runde steife Mütze mit stramingestickten Blumen und Mäan-
dern. Er heißt Andreas Ohngelt und gehört zur echten,
ehrwürdigen Altbürgerschaft der Stadt.

Dem schweigsamen Kaufmännlein sieht niemand etwas
Besonderes an, es sieht sich seit Jahrzehnten gleich und
scheint ebensowenig älter zu werden, als jemals jünger gewesen zu sein. Doch war auch Andreas Ohngelt einmal ein
Knabe und ein Jüngling, und wenn man alte Leute fragt,
kann man erfahren, daß er vorzeiten »der kleine Ohngelt«
geheißen wurde und eine gewisse Berühmtheit wider Willen
genoß. Einmal, vor etwa fünfunddreißig Jahren, hat er sogar
eine »Geschichte« erlebt, die früher jedem Gerbersauer
geläufig war, wenn sie auch jetzt niemand mehr erzählen und
hören will. Das war die Geschichte seiner Verlobung.

Der junge Andreas war schon in der Schule aller Rede und
Geselligkeit abgeneigt, er fühlte sich überall überflüssig und
von jedermann beobachtet und war ängstlich und bescheiden
genug, jedem andern im voraus nachzugeben und das Feld zu
räumen. Vor den Lehrern empfand er einen abgründigen
Respekt, vor den Kameraden eine mit Bewunderung ge-
mischte Furcht. Man sah ihn nie auf der Gasse und auf den

Spielplätzen, nur selten beim Bad im Fluß, und im Winter zuckte er zusammen und duckte sich, sobald er einen Knaben eine Handvoll Schnee aufheben sah. Dafür spielte er daheim vergnügt und zärtlich mit hinterbliebenen Puppen seiner älteren Schwester und mit einem Kaufladen, auf dessen Waage er Mehl, Salz und Sand abwog und in kleine Tüten verpackte, um sie später wieder gegeneinander zu vertauschen, auszuleeren, umzupacken und wieder zu wiegen. Auch half er seiner Mutter gern bei leichter Hausarbeit, machte Einkäufe für sie oder suchte im Gärtlein die Schnekken vom Salat.

Seine Schulkameraden plagten und hänselten ihn zwar häufig, aber da er nie zornig wurde und fast nichts übelnahm, hatte er im ganzen doch ein leichtes und ziemlich zufriedenes Leben. Was er an Freundschaft und Gefühl bei seinesgleichen nicht fand und nicht weggeben durfte, das gab er seinen Puppen. Den Vater hatte er früh verloren, er war ein Spätling gewesen, und die Mutter hätte ihn wohl anders gewünscht, ließ ihn aber gewähren und hatte für seine fügsame Anhänglichkeit eine etwas mitleidige Liebe.

Dieser leidliche Zustand hielt jedoch nur so lange an, bis der kleine Andreas aus der Schule und aus der Lehre war, die er am obern Markt im Dierlammschen Geschäft abdiente. Um diese Zeit, etwa von seinem siebzehnten Jahre an, fing sein nach Zärtlichkeiten dürstendes Gemüt andere Wege zu gehen an. Der klein und schüchtern gebliebene Jüngling begann mit immer größeren Augen nach den Mädchen zu schauen und errichtete in seinem Herzen einen Altar der Frauenliebe, dessen Flamme desto höher loderte, je trauriger seine Verliebtheiten verliefen.

Zum Kennenlernen und Beschauen von Mädchen jeden Alters war reichliche Gelegenheit vorhanden, denn der junge Ohngelt war nach Ablauf seiner Lehrzeit in den Weißwarenladen seiner Tante eingetreten, den er später einmal übernehmen sollte. Da kamen Kinder, Schulmädchen, junge Fräulein und alte Jungfern, Mägde und Frauen tagaus, tagein, kramten in Bändern und Linnen, wählten Besätze und Stickmuster aus, lobten und tadelten, feilschten und wollten beraten sein, ohne doch auf Rat zu hören, kauften und tauschten das Gekaufte wieder um. Alledem wohnte der

Jüngling höflich und schüchtern bei, er zog Schubladen heraus, stieg die Bockleiter hinauf und herunter, legte vor und packte wieder ein, notierte Bestellungen und gab über Preise Auskunft, und alle acht Tage war er in eine andere von seinen Kundinnen verliebt. Errötend pries er Litzen und Wolle an, zitternd quittierte er Rechnungen, mit Herzklopfen hielt er die Ladentür und sagte den Spruch vom Wiederbeehren, wenn eine schöne Junge hoffärtig das Geschäft verließ.

Um seinen Schönen recht gefällig und angenehm zu sein, gewöhnte Andreas sich feine und sorgfältige Manieren an. Er frisierte sein hellblondes Haar jeden Morgen sorgfältig, hielt seine Kleider und Leibwäsche sehr sauber und sah dem allmählichen Erscheinen eines Schnurrbärtchens mit Ungeduld entgegen. Er lernte beim Empfange seiner Kunden elegante Verneigungen machen, lernte beim Vorlegen der Zeuge sich mit dem linken Handrücken auf den Ladentisch stützen und auf nur anderthalb Beinen stehen und brachte es zur Meisterschaft im Lächeln, das er bald vom diskreten Schmunzeln bis zum innig glücklichen Strahlen beherrschte. Außerdem war er stets auf der Jagd nach neuen schönen Phrasen, die zumeist aus Umstandsworten bestanden und deren er immer neue und köstlichere erlernte und erfand. Da er von Hause aus im Sprechen unbeholfen und ängstlich war und schon früher nur selten einen vollkommenen Satz mit Subjekt und Prädikat ausgesprochen hatte, fand er nun in diesem sonderbaren Wortschatz eine Hilfe und gewöhnte sich daran, unter Verzicht auf Sinn und Verständlichkeit sich und andern eine Art von Sprechvermögen vorzutäuschen.

Sagte jemand: »Heut ist aber ein Prachtswetter«, so antwortete der kleine Ohngelt: »Gewiß – o ja – denn, mit Verlaub – allerdings –.« Fragte ein Käuferin, ob dieser Leinenstoff auch haltbar sei, so sagte er: »O bitte, ja, ohne Zweifel, sozusagen, ganz gewiß.« Und erkundigte sich jemand nach seinem Befinden, so erwiderte er: »Danke gehorsamst – freilich wohl – sehr angenehm –.« In besonders wichtigen und ehrenvollen Lagen scheute er auch vor Ausdrücken wie »nichtsdestoweniger, aber immerhin, keinesfalls hingegen« nicht zurück. Dabei waren alle seine Glieder vom geneigten Kopf bis zur wippenden Fußspitze ganz Aufmerksamkeit, Höflichkeit und Ausdruck. Am ausdrucksvollsten aber sprach sein verhältnismäßig langer Hals, der mager und sehnig und mit einem erstaunlich großen und beweglichen Adamsapfel ausgestattet war. Wenn der kleine schmachtende Ladengehilfe eine seiner Antworten im Stakkato gab, hatte man den Eindruck, er bestehe zu einem Drittel aus Kehlkopf.

Die Natur verteilt ihre Gaben nicht ohne Sinn, und wenn der bedeutende Hals des Ohngelt in einem Mißverhältnis zu dessen Redefähigkeit stehen mochte, so war er als Eigentum und Wahrzeichen eines leidenschaftlichen Sängers desto berechtigter. Andreas war in hohem Grade ein Freund des Gesanges. Auch beim wohlgelungensten Komplimente, bei der feinsten kaufmännischen Gebärde, beim gerührtesten »Immerhin« und »Wennschon« war ihm vielleicht im Innersten der Seele nicht so schmelzend wohl wie beim Singen. Dieses Talent war in den Schulzeiten verborgen geblieben, kam aber nach vollendetem Stimmbruch zu immer schönerer Entfaltung, wenn auch nur im geheimen. Denn es hätte zu der ängstlich scheuen Befangenheit Ohngelts nicht gepaßt, daß er seiner heimlichen Lust und Kunst anders als in der sichersten Verborgenheit froh geworden wäre.

Am Abend, wenn er zwischen Mahlzeit und Bettgehen ein Stündlein in seiner Kammer verweilte, sang er im Dunkeln seine Lieder und schwelgte in lyrischen Entzückungen. Seine Stimme war ein ziemlich hoher Tenor, und was ihm an Schulung gebrach, suchte er durch Temperament zu ersetzen. Sein Auge schwamm in feuchtem Schimmer, sein schön gescheiteltes Haupt neigte sich rückwärts zum Nacken, und sein Adamsapfel stieg mit den Tönen auf und nieder. Sein Lieblingslied war »Wenn die Schwalben heimwärts ziehn«. Bei der Strophe »Scheiden, ach Scheiden tut weh« hielt er die Töne lang und zitternd aus und hatte manchmal Tränen in den Augen.

In seiner geschäftlichen Laufbahn kam er mit schnellen Schritten vorwärts. Es hatte der Plan bestanden, ihn noch einige Jahre nach einer größeren Stadt zu schicken. Nun aber machte er sich im Geschäft der Tante bald so unentbehrlich, daß diese ihn nicht mehr fortlassen wollte, und da er später den Laden erblich übernehmen sollte, war sein äußeres

Wohlergehen für alle Zeiten gesichert. Anders stand es mit der Sehnsucht seines Herzens. Er war für alle Mädchen seines Alters, namentlich für die hübschen, trotz seiner Blicke und Verbeugungen nichts als eine komische Figur. Der Reihe nach war er in sie alle verliebt, und er hätte jede genommen, die ihm nur einen Schritt entgegen getan hätte. Aber den Schritt tat keine, obwohl er nach und nach seine Sprache um die gebildetsten Phrasen und seine Toilette um die angenehmsten Gegenstände bereicherte.

Eine Ausnahme gab es wohl, allein er bemerkte sie kaum. Das Fräulein Paula Kircher, das Kircherspäule genannt, war immer nett gegen ihn und schien ihn ernst zu nehmen. Sie war freilich weder jung noch hübsch, vielmehr einige Jahre älter als er und ziemlich unscheinbar, sonst aber ein tüchtiges und geachtetes Mädchen aus einer wohlhabenden Handwerkerfamilie. Wenn Andreas sie auf der Straße grüßte, dankte sie nett und ernsthaft, und wenn sie in den Laden kam, war sie freundlich, einfach und bescheiden, machte ihm das Bedienen leicht und nahm seine geschäftsmännischen Aufmerksamkeiten wie bare Münze hin. Daher sah er sie nicht ungern und hatte Vertrauen zu ihr, im übrigen aber war sie ihm recht gleichgültig, und sie gehörte zu der geringen Anzahl lediger Mädchen, für die er außerhalb seines Ladens keinen Gedanken übrig hatte.

Bald setzte er seine Hoffnungen auf feine, neue Schuhe, bald auf ein nettes Halstuch, ganz abgesehen vom Schnurrbart, der allmählich sproßte und den er wie seinen Augapfel pflegte. Endlich kaufte er sich von einem reisenden Handelsmanne auch noch einen Ring aus Gold mit einem großen Opal daran. Damals war er sechsundzwanzig Jahre alt.

Als er aber dreißig wurde und noch immer den Hafen der Ehe nur in sehnsüchtiger Ferne umsegelte, hielten Mutter und Tante es für notwendig, fördernd einzugreifen. Die Tante, die schon recht hoch in den Jahren war, machte den Anfang mit dem Angebot, sie wolle ihm noch zu ihren Lebzeiten das Geschäft abtreten, jedoch nur am Tage seiner Verheiratung mit einer unbescholtenen Gerbersauer Tochter. Dies war denn auch für die Mutter das Signal zum Angriff. Nach manchen Überlegungen kam sie zu dem Befinden, ihr Sohn müsse in einen Verein eintreten, um mehr unter Leute zu kommen und den Umgang mit Frauen zu lernen. Und da sie seine Liebe zur Sangeskunst wohl kannte, dachte sie ihn an dieser Angel zu fangen und legte ihm nahe, sich beim Liederkranz als Mitglied anzumelden.

Trotz seiner Scheu vor Geselligkeit war Andreas in der Hauptsache einverstanden. Doch schlug er statt des Liederkranzes den Kirchengesangverein vor, weil ihm die ernstere Musik besser gefalle. Der wahre Grund war aber der, daß dem Kirchengesangverein Margret Dierlamm angehörte. Diese war die Tochter von Ohngelts früherem Lehrprinzipal, ein sehr hübsches und fröhliches Mädchen von wenig mehr als zwanzig Jahren, und in sie war Andreas seit neuestem verliebt, da es schon seit geraumer Zeit keine ledigen Altersgenossinnen mehr für ihn gab, wenigstens keine hübschen.

Die Mutter hatte gegen den Kirchengesangverein nichts Triftiges einzuwenden. Zwar hatte dieser Verein nicht halb soviel gesellige Abende und Festlichkeiten wie der Liederkranz, dafür war aber die Mitgliedschaft hier viel wohlfeiler, und Mädchen aus guten Häusern, mit denen Andreas bei Proben und Aufführungen zusammenkommen würde, gab es auch hier genug. So ging sie denn ungesäumt mit dem Herrn Sohn zum Vorstande, einem greisen Schullehrer, der sie freundlich empfing.

»So, Herr Ohngelt«, sagte er, »Sie wollen bei uns mitsingen?«

»Ja, gewiß, bitte —«

»Haben Sie denn schon früher gesungen?«

»O ja, das heißt, gewissermaßen —«

»Nun, machen wir eine Probe. Singen Sie irgendein Lied, das Sie auswendig können.«

Ohngelt wurde rot wie ein Knabe und wollte um alles nicht anfangen. Aber der Lehrer bestand darauf und wurde schließlich fast böse, so daß er am Ende doch sein Bangen überwand und mit einem resignierten Blick auf die ruhig dasitzende Mutter sein Leiblied anstimmte. Es riß ihn mit, und er sang den ersten Vers ohne Stocken.

Der Dirigent winkte, es sei genug. Er war wieder ganz höflich und sagte, das sei allerdings sehr nett gesungen und man merke, daß es con amore geschehe, allein vielleicht wäre er doch mehr für weltliche Musik veranlagt, ob er es nicht etwa beim Liederkranz probieren wolle. Schon wollte Herr Ohngelt eine verlegene Antwort stammeln, da legte seine Mutter sich für ihn ins Zeug. Er singe wirklich schön, meinte sie, und sei jetzt nur ein wenig verlegen gewesen, und es wäre ihr gar so lieb, wenn er ihn aufnähme, der Liederkranz sei doch etwas ganz anderes und nicht so fein, und sie gebe auch jedes Jahr für die Kirchenbescherung, und kurz, wenn der Herr Lehrer so gut sein wollte, wenigstens für eine Probezeit, man werde ja alsdann schon sehen. Der alte Mann versuchte noch zweimal begütigend davon zu reden, daß das Kirchensingen kein Spaß sei und daß es ohnehin schon so eng hergehe auf dem Orgelpodium, aber die mütterliche Beredsamkeit siegte zuletzt doch. Es war dem bejahrten Dirigenten noch nie vorgekommen, daß ein Mann von über dreißig Jahren sich zum Mitsingen gemeldet und seine Mutter zum Beistand mitgebracht hatte. So ungewohnt und eigentlich unbequem ihm dieser Zuwachs zu seinem Chore war, machte ihm die Sache im stillen doch ein Vergnügen, wenn auch nicht um der Musik willen. Er bestellte Andreas zur nächsten Probe und ließ die beiden lächelnd ziehen.

Am Mittwoch abend fand sich der kleine Ohngelt pünktlich in der Schulstube ein, wo die Proben abgehalten wurden. Man übte einen Choral für das Osterfest. Die allmählich ankommenden Sänger und Sängerinnen begrüßten das neue Mitglied sehr freundlich und hatten alle ein so aufgeräumtes und heiteres Wesen, daß Ohngelt sich selig fühlte. Auch Margret Dierlamm war da, und auch sie nickte dem Neuen mit freundlichem Lächeln zu. Wohl hörte er manchmal hinter sich leise lachen, doch war er ja gewöhnt, ein wenig komisch genommen zu werden, und ließ es sich nicht anfechten. Was ihn hingegen befremdete, war das zurückhaltend ernste Betragen des Kircherspäule, das ebenfalls anwesend war und, wie er bald bemerkte, sogar zu den geschätzteren Sängerinnen gehörte. Sie hatte sonst immer eine wohltuende Freundlichkeit gegen ihn gezeigt, und jetzt war gerade sie merkwürdig kühl und schien beinahe Anstoß daran zu nehmen, daß er hier eingedrungen war. Aber was ging ihn das Kircherspäule an?

Beim Singen verhielt sich Ohngelt überaus vorsichtig. Wohl hatte er von der Schule her noch eine leise Ahnung vom

Notenwesen, und manche Takte sang er mit gedämpfter Stimme den andern nach, im ganzen aber fühlte er sich seiner Kunst wenig sicher und hegte bange Zweifel daran, ob das jemals anders werden würde. Der Dirigent, den seine Verlegenheit lächerte und rührte, schonte ihn und sagte beim Abschied sogar: »Es wird mit der Zeit schon gehen, wenn Sie sich dranhalten.« Den ganzen Abend aber hatte Andreas das Vergnügen, in Margrets Nähe sein und sie häufig anschauen zu dürfen. Er dachte daran, daß bei dem öffentlichen Singen vor und nach dem Gottesdienst auf der Orgel die Tenöre gerade hinter den Mädchen aufgestellt waren, und malte sich die Wonne aus, am Osterfest und bei allen künftigen Anlässen so nahe bei Fräulein Dierlamm zu stehen und sie ungescheut betrachten zu können. Da fiel ihm zu seinem Schmerze wieder ein, wie klein und niedrig er gewachsen war und daß er zwischen den andern Sängern stehend nichts würde sehen können. Mit großer Mühe und vielem Stottern machte er einem der Mitsinger diese seine künftige Notlage auf der Orgel klar, natürlich ohne den wahren Grund seines Kummers zu nennen. Da beruhigte ihn der Kollege lachend und meinte, er werde ihm schon zu einer ansehnlichen Aufstellung verhelfen können.

Nach dem Schluß der Probe lief alles davon, kaum daß man einander grüßte. Einige Herren begleiteten Damen nach Hause, andere gingen miteinander zu einem Glas Bier. Ohngelt blieb allein und kläglich auf dem Platze vor dem finsteren Schulhause stehen, sah den andern und namentlich der Margret beklommen nach und machte ein enttäuschtes Gesicht, da kam das Kircherspäule an ihm vorbei, und als er den Hut zog, sagte sie: »Gehen Sie heim? Dann haben wir ja einen Weg und können miteinander gehen.« Dankbar schloß er sich an und lief neben ihr her durch die feuchten, märzkühlen Gassen heimwärts, ohne mehr Worte als den Gutenachtgruß mit ihr zu tauschen.

Am nächsten Tag kam Margret Dierlamm in den Laden, und er durfte sie bedienen. Er faßte jeden Stoff an, als wäre er Seide, und bewegte den Maßstab wie einen Fiedelbogen, er legte Gefühl und Anmut in jede kleine Dienstleistung, und leise wagte er zu hoffen, sie würde ein Wort von gestern und vom Verein und von der Probe sagen. Richtig tat sie das

314

auch. Gerade noch unter der Türe fragte sie: »Es war mir ganz neu, daß Sie auch singen, Herr Ohngelt. Singen Sie denn schon lang?« Und während er unter Herzklopfen hervorstieß: »Ja – vielmehr nur so – mit Verlaub«, entschwand sie leicht nickend in die Gasse.

»Schau, schau!« dachte er bei sich und spann Zukunftsträume, ja er verwechselte beim Einräumen zum ersten Male in seinem Leben die halbwollenen Litzen mit den reinwollenen.

Indessen kam die Osterzeit immer näher, und da sowohl am Karfreitag wie am Ostersonntag der Kirchenchor singen sollte, gab es mehrmals in der Woche Proben. Ohngelt erschien stets pünktlich und gab sich alle Mühe, nichts zu verderben, wurde auch von jedermann mit Wohlwollen behandelt. Nur das Kircherspäule schien nicht recht mit ihm zufrieden zu sein, und das war ihm nicht lieb, denn sie war schließlich doch die einzige Dame, zu der er ein volles Vertrauen hatte. Auch fügte es sich regelmäßig, daß er an ihrer Seite nach Hause ging, denn der Margret seine Begleitung anzutragen, war wohl stets sein stiller Wunsch und Entschluß, doch fand er nie den Mut dazu. So ging er denn mit dem Päule. Die ersten Male wurde auf diesem Heimgang kein Wort geredet. Das nächste Mal nahm die Kircher ihn ins Gebet und fragte, warum er nur so wortkarg sei, ob er sie denn fürchte.

»Nein«, stammelte er erschrocken, »das nicht – vielmehr – gewiß nicht – im Gegenteil.«

Sie lachte leise und fragte: »Und wie geht's denn mit dem Singen? Haben Sie Freude dran?«

»Freilich ja – sehr – jawohl.«

Sie schüttelte den Kopf und sagte leise: »Kann man denn mit Ihnen wirklich nicht reden, Herr Ohngelt? Sie drücken sich auch um jede Antwort herum.«

Er sah sie hilflos an und stotterte.

»Ich meine es doch gut«, fuhr sie fort. »Glauben Sie das nicht?«

Er nickte heftig.

»Also denn! Können Sie denn gar nichts reden als wieso und immerhin und mit Verlaub und dergleichen Zeug?«

»Ja, schon, ich kann schon, obwohl – allerdings.«

»Ja obwohl und allerdings. Sagen Sie, am Abend mit Ihrer

Frau Mutter und mit der Tante reden Sie doch auch deutsch, oder nicht? Dann tun Sie's doch auch mit mir und mit andern Leuten. Man könnte dann doch ein vernünftiges Gespräch führen. Wollen Sie nicht?«

»Doch ja, ich will schon – gewiß –«

»Also gut, das ist gescheit von Ihnen. Jetzt kann ich doch mit Ihnen reden. Ich hätte nämlich einiges zu sagen.«

Und nun sprach sie mit ihm, wie er es nicht gewöhnt war. Sie fragte, was er denn im Kirchengesangverein suche, wenn er doch nicht singen könne und wo fast nur Jüngere als er seien. Und ob er nicht merke, daß man sich dort manchmal über ihn lustig mache und mehr von der Art. Aber je mehr der Inhalt ihrer Rede ihn demütigte, desto eindringlicher empfand er die gütige und wohlmeinende Art ihres Zuredens. Etwas weinerlich schwankte er zwischen kühler Ablehnung und gerührter Dankbarkeit. Da waren sie schon vor dem Kircherschen Hause. Paula gab ihm die Hand und sagte ernsthaft:

»Gute Nacht, Herr Ohngelt, und nichts für ungut. Nächstes Mal reden wir weiter, gelt?«

Verwirrt ging er heim, und so weh ihm war, wenn er an ihre Enthüllungen dachte, so neu und tröstlich war es ihm, daß jemand so freundschaftlich und ernst und wohlgesinnt mit ihm gesprochen hatte.

Auf dem Heimweg von der nächsten Probe gelang es ihm schon, in ziemlich deutscher Sprache zu reden, etwa wie daheim mit der Mutter, und mit dem Gelingen stieg sein Mut und sein Vertrauen. Am folgenden Abend war er schon so weit, daß er ein Bekenntnis abzulegen versuchte, er war sogar halb entschlossen, die Dierlamm mit Namen zu nennen, denn er versprach sich Unmögliches von Päules Mitwisserschaft und Hilfe. Aber sie ließ ihn nicht dazu kommen. Sie schnitt seine Geständnisse plötzlich ab und sagte: »Sie wollen heiraten, nicht wahr? Das ist auch das Gescheiteste, was Sie tun können. Das Alter haben Sie ja.«

»Das Alter, ja das schon«, sagte er traurig. Aber sie lachte nur, und er ging ungetröstet heim. Das nächste Mal kam er wieder auf diese Angelegenheit zu sprechen. Das Päule entgegnete bloß, er müsse ja wissen, wen er haben wolle; gewiß sei nur, daß die Rolle, die er im Gesangverein spiele, ihm nicht förderlich sein könnte, denn junge Mädchen nähmen schließlich bei einem Liebhaber alles lieber in Kauf als Lächerlichkeit.

Die Seelenqualen, in welche ihn diese Worte versetzt hatten, wichen endlich der Aufregung und den Vorbereitungen zum Karfreitag, an welchem Ohngelt zum erstenmal im Chor auf der Orgeltribüne sich zeigen sollte. Er kleidete sich an diesem Morgen mit besonderer Sorgfalt an und kam mit gewichstem Zylinder frühzeitig in die Kirche. Nachdem ihm sein Platz angewiesen worden war, wandte er sich nochmals an jenen Kollegen, der ihm bei der Aufstellung behilflich zu sein versprochen hatte. Wirklich schien dieser die Sache nicht vergessen zu haben, er winkte dem Orgeltreter, und dieser brachte schmunzelnd ein kleines Kistlein, das wurde an Ohngelts Stehplatz hingesetzt und der kleine Mann daraufgestellt, so daß er nun im Sehen und Gesehenwerden dieselben Vorteile genoß wie die längsten Tenöre. Nur war das Stehen auf diese Art mühevoll und gefährlich, er mußte sich genau im Gleichgewicht halten und vergoß manchen Tropfen Schweiß bei dem Gedanken, er könnte umfallen und mit gebrochenen Beinen unter die an der Brüstung postierten Mädchen hinabstürzen, denn der Orgelvorbau neigte sich in schmalen, stark abfallenden Terrassen niederwärts gegen das Kirchenschiff. Dafür hatte er aber das Vergnügen, der schönen Margret Dierlamm aus beklemmender Nähe in den Nacken schauen zu können. Da der Gesang und der ganze Gottesdienst vorüber war, fühlte er sich erschöpft und atmete tief auf, als die Türen geöffnet und die Glocken gezogen wurden.

Tags darauf warf ihm das Kircherspäule vor, sein künstlich erhobener Standpunkt sehe recht hochmütig aus und mache ihn lächerlich. Er versprach, sich späterhin seines kurzen Leibes nicht mehr zu schämen, doch wollte er morgen am Osterfeste ein letztesmal das Kistlein benutzen, schon um den Herrn, der es ihm angeboten, nicht zu beleidigen. Sie wagte nicht zu sagen, ob er denn nicht sehe, daß jener die Kiste nur hergebracht habe, um sich einen Spaß mit ihm zu machen. Kopfschüttelnd ließ sie ihn gewähren und war über seine Dummheit so ärgerlich wie über seine Arglosigkeit gerührt.

Am Ostersonntage ging es im Kirchenchor noch um einen Grad feierlicher zu als neulich. Es wurde eine schwierige Musik aufgeführt, und Ohngelt balancierte tapfer auf seinem Gerüste. Gegen den Schluß des Chorals hin nahm er jedoch mit Entsetzen wahr, daß sein Standörtlein unter seinen Sohlen zu wanken und unfest zu werden begann. Er konnte nichts tun, als stillhalten und womöglich den Sturz über die Terrasse vermeiden. Dieses gelang ihm auch, und statt eines Skandals und Unglücks ereignete sich nichts, als daß der Tenor Ohngelt unter leisem Krachen sich langsam verkürzte und mit angsterfülltem Gesicht abwärtssinkend aus der Sichtbarkeit verschwand. Der Dirigent, das Kirchenschiff, die Emporen und der schöne Nacken der blonden Margret gingen nacheinander seinem Blick verloren, doch kam er heil zu Boden, und in der Kirche hatte außer den grinsenden Sangesbrüdern nur ein Teil der nahe sitzenden männlichen Schuljugend den Vorgang wahrgenommen. Über die Stätte seiner Erniedrigung hinweg jubilierte und frohlockte der kunstreiche Osterchoral.

Als unterm Kehraus des Organisten das Volk die Kirche verließ, blieb der Verein auf seiner Tribüne noch auf ein paar Worte beieinander, denn morgen, am Ostermontag, sollte wie jedes Jahr ein festlicher Vereinsausflug unternommen werden. Auf diesen Ausflug hatte Andreas Ohngelt von Anfang an große Erwartungen gestellt. Er fand jetzt sogar den Mut, Fräulein Dierlamm zu fragen, ob sie auch mitzukommen gedenke, und die Frage kam ohne viel Anstoß über seine Lippen.

»Ja, gewiß gehe ich mit«, sagte das schöne Mädchen mit Ruhe, und dann fügte sie hinzu: »Übrigens, haben Sie sich vorher nicht weh getan?« Dabei stieß sie das verhaltene Lachen so, daß sie auf keine Antwort mehr wartete und davonlief. In demselben Augenblick schaute das Päule herüber, mit einem mitleidigen und ernsthaften Blick, der Ohngelts Verwirrung noch steigerte. Sein flüchtig aufgeloderter Mut war nicht minder eilig wieder umgeschlagen, und wenn er von dem Ausflug nicht schon mit seiner Mama geredet und diese nicht schon zum Mitgehen aufgefordert gehabt hätte, so wäre er jetzt am liebsten vom Ausflug, vom Verein und von allen seinen Hoffnungen zurückgetreten.

Der Ostermontag war blau und sonnig, und um zwei Uhr kamen fast alle Mitglieder des Gesangvereins mit mancherlei Gästen und Verwandten oberhalb der Stadt in der Lärchenallee zusammen. Ohngelt brachte seine Mutter mit. Er hatte ihr am vergangenen Abend gestanden, daß er in Margret verliebt sei, und zwar wenig Hoffnungen hege, dem mütterlichen Beistande aber und dem Ausflugsnachmittage doch noch einiges zutraue. So sehr sie ihrem Kleinen das Beste gönnte, so schien ihr doch Margret zu jung und zu hübsch für ihn zu sein. Man konnte es ja versuchen; die Hauptsache war, daß Andreas bald eine Frau bekam, schon des Ladens wegen.

Man rückte ohne Gesang aus, denn der Waldweg ging ziemlich steil und beschwerlich bergauf. Frau Ohngelt fand trotzdem Sammlung und Atem genug, um ernstlich ihrem Sohn die letzten Verhaltungsmaßregeln für die kommenden Stunden einzuschärfen und hernach ein aufgeräumtes Gespräch mit Frau Dierlamm anzufangen. Margrets Mutter bekam, während sie Mühe hatte, im Bergansteigen Luft für die notwendigsten Antworten zu erübrigen, eine Reihe angenehmer und interessanter Dinge zu hören. Frau Ohngelt begann mit dem prächtigen Wetter, ging von da zu einer Würdigung der Kirchenmusik, einem Lob für Frau Dierlamms rüstiges Aussehen und einem Entzücken über das Frühlingskleid der Margret über, sie verweilte bei Angelegenheiten der Toilette und gab schließlich eine Darstellung von dem erstaunlichen Aufschwung, den der Weißwarenladen ihrer Schwägerin in den letzten Jahren genommen habe. Frau Dierlamm konnte auf dieses hin nicht anders, als auch des jungen Ohngelt lobend zu erwähnen, der so viel Geschmack und kaufmännische Fähigkeiten zeige, was ihr Mann schon vor manchen Jahren während Andreas' Lehrzeit bemerkt und anerkannt habe. Auf diese Schmeichelei antwortete die entzückte Mutter mit einem halben Seufzer. Freilich, der Andreas sei tüchtig und werde es noch weit bringen, auch sei der prächtige Laden schon so gut wie sein Eigentum, ein Jammer aber sei es mit seiner Schüchternheit gegen die Frauenzimmer. Seinerseits fehle es weder an Lust noch an den wünschenswerten Tugenden für das Heiraten, wohl aber an Zutrauen und Unternehmungsmut.

Frau Dierlamm begann nun die besorgte Mutter zu trösten, und wenn sie dabei auch weit davon entfernt war, an ihre Tochter zu denken, versicherte sie doch, daß eine Verbindung mit Andreas für jede ledige Tochter der Stadt nur willkommen sein könnte. Diese Worte sog die Ohngelt wie Honig ein.

Unterdessen war Margret mit anderen jungen Leuten der Gesellschaft weit vorangeeilt, und diesem kleinen Kreise der Jüngsten und Lustigsten schloß sich auch Ohngelt an, obwohl er alle Not hatte, mit seinen kurzen Beinen nachzukommen.

Wieder waren alle ausnehmend freundlich gegen ihn, denn für diese Spaßvögel war der ängstliche Kleine mit seinen verliebten Augen ein gefundenes Fressen. Auch die hübsche Margret tat mit und zog den Anbeter je und je mit scheinbarem Ernste ins Gespräch, so daß er vor glücklicher Erregung und verschluckten Satzteilen ganz heiß wurde.

Allein das Vergnügen dauerte nicht lange. Allmählich merkte der arme Teufel doch, daß er hinterrücks ausgelacht wurde, und wenn er sich auch darein zu schicken wußte, so ward er doch niedergeschlagen und ließ die Hoffnung wieder sinken. Äußerlich ließ er sich jedoch möglichst wenig anmerken. Die Ausgelassenheit der jungen Leute stieg mit jeder Viertelstunde, und er lachte angestrengt desto lauter mit, je deutlicher er alle Witze und Andeutungen als auf ihn selber gemünzt erkannte. Schließlich endete der Keckste von den Jungen, ein baumlanger Apothekergehilfe, die Neckereien durch einen recht groben Scherz.

Man kam gerade an einer schönen alten Eiche vorüber, und der Apotheker bot sich an, zu versuchen, ob er den untersten Ast des hohen Baumes mit den Händen erreichen könne. Er stellte sich auf und sprang mehrmals in die Höhe, aber es reichte nicht ganz, und die im Halbkreise umherstehenden Zuschauer begannen ihn auszulachen. Da kam er auf den Einfall, sich durch einen Witz wieder in Ehren und einen andern an die Stelle des Ausgelachten zu bringen. Plötzlich griff er den kleinen Ohngelt um den Leib, hob ihn in die Höhe und forderte ihn auf, den Ast zu fassen und sich daran zu halten. Der Überraschte war empört und wäre gewiß nicht darauf eingegangen, hätte er nicht in seiner schwebenden Lage Furcht vor einem Sturze gehabt. So packte er denn zu und klammerte sich an; sobald sein Träger dies aber bemerkte, ließ er ihn los, und Ohngelt hing nun unter dem Gelächter der Jugend hilflos hoch am Aste, mit den Beinen zappelnd und zornige Schreie ausstoßend.

»Herunter!« schrie er heftig. »Nehmen Sie mich sofort wieder herunter, Sie!«

Seine Stimme überschlug sich, er fühlte sich vollkommen vernichtet und ewiger Schande preisgegeben. Der Apotheker aber meinte, nun müsse er sich loskaufen, und alle jubelten Beifall.

»Sie müssen sich loskaufen«, rief auch Margret Dierlamm.

Da konnte er doch nicht widerstehen.

»Ja, ja«, rief er, »aber schnell!«

Sein Peiniger hielt nun eine kleine Rede des Inhalts, daß Herr Ohngelt schon seit drei Wochen Mitglied des Kirchengesangvereins wäre, ohne daß jemand ihn habe singen hören. Nun könne er nicht eher aus seiner hohen und gefährlichen Lage befreit werden, als bis er der Versammlung ein Lied vorgesungen habe.

Kaum hatte er gesprochen, so begann Andreas auch schon zu singen, denn er fühlte sich von seinen Kräften verlassen. Halb schluchzend fing er an: »Gedenkst du noch der Stunde« – und war noch nicht mit der ersten Strophe fertig, so mußte er loslassen und stürzte mit einem Schrei herab. Alle waren nun doch erschrocken, und wenn er ein Bein gebrochen hätte, wäre er gewiß eines reumütigen Mitleids sicher gewesen. Aber er stand zwar blaß, doch unversehrt wieder auf, griff nach seinem Hute, der neben ihm im Moose lag, setzte ihn sorgfältig wieder auf und ging schweigend davon – denselben Weg zurück, den sie gekommen waren. Hinter der nächsten Wegbiegung setzte er sich am Straßenrande nieder und suchte sich zu erholen.

Hier fand ihn der Apotheker, der ihm mit schlechtem Gewissen nachgeschlichen war. Er bat um Verzeihung, ohne eine Antwort zu erhalten.

»Es tut mir wirklich sehr leid«, sagte er nochmals bittend, »ich hatte gewiß nichts Böses im Sinn. Bitte verzeihen Sie mir, und kommen Sie wieder mit!«

»Es ist schon gut«, sagte Ohngelt und winkte ab, und der andere ging unbefriedigt davon.

Wenig später kam der zweite Teil der Gesellschaft mit den älteren Leuten und den beiden Müttern dabei langsam angerückt. Ohngelt ging zu seiner Mutter hin und sagte:

»Ich will heim.«

»Heim? Ja warum denn? Ist was passiert?«

»Nein. Aber es hat doch keinen Wert, ich weiß es jetzt gewiß.«

»So? Hast du einen Korb gekriegt?«

»Nein. Aber ich weiß doch –«

Sie unterbrach ihn und zog ihn mit.

»Jetzt keine Faxen! Du kommst mit, und es wird schon recht werden. Beim Kaffee setz ich dich neben die Margret, paß auf.«

Er schüttelte bekümmert den Kopf, gehorchte aber und ging mit. Das Kircherspäule versuchte eine Unterhaltung mit ihm anzufangen und mußte es wieder aufgeben, denn er blickte schweigend geradeaus und hatte ein gereiztes und verbittertes Gesicht, wie es niemand an ihm je gesehen hatte.

Nach einer halben Stunde erreichte die Gesellschaft das Ziel des Ausflugs, ein kleines Walddorf, dessen Wirtshaus durch seinen guten Kaffee bekannt war und in dessen Nähe die Ruinen einer Raubritterburg lagen. Im Wirtsgarten war die schon länger angekommene Jugend lebhaften Spielen hingegeben. Jetzt wurden Tische aus dem Hause gebracht und zusammengerückt, die jungen Leute trugen Stühle und Bänke herbei; frisches Tischzeug wurde aufgelegt und die Tafeln mit Tassen, Kannen, Tellern und Backwerk bestellt. Frau Ohngelt gelang es richtig, ihren Sohn an Margrets Seite zu bringen. Er aber nahm seines Vorteils nicht wahr, sondern dämmerte im Gefühl seines Unglücks trostlos vor sich hin, rührte gedankenlos mit dem Löffel im erkaltenden Kaffee und schwieg hartnäckig trotz allen Blicken, die seine Mutter ihm sandte.

Nach der zweiten Tasse beschlossen die Anführer der Jungen, einen Gang nach der Burgruine zu tun und dort Spiele zu machen. Lärmend erhob sich die Jungmannschaft samt den Mädchen. Auch Margret Dierlamm stand auf, und im Aufstehen übergab sie dem mutlos verharrenden Ohngelt ihr hübsches perlenbesticktes Handtäschlein mit den Worten:

»Bitte bewahren Sie mir das gut, Herr Ohngelt, wir gehen

zum Spielen.« Er nickte und nahm das Ding zu sich. Die grausame Selbstverständlichkeit, mit der sie annahm, er werde bei den Alten bleiben und sich nicht an den Spielen beteiligen, wunderte ihn nicht mehr. Ihn wunderte nur noch, daß er das alles nicht von Anfang an bemerkt hatte, die merkwürdige Freundlichkeit bei den Proben, die Geschichte mit dem Kistlein und alles andere.

Als die jungen Leute gegangen waren und die Zurückgebliebenen weiter Kaffee tranken und Gespräche spannen, verschwand Ohngelt unvermerkt von seinem Platz und ging hinterm Garten übers Feld dem Walde zu. Die hübsche Tasche, die er in der Hand trug, glitzerte freudig im Sonnenlicht. Vor einem frischen Baumstrunk machte er halt. Er zog sein Taschentuch heraus, breitete es über das noch lichte, feuchte Holz und setzte sich darauf. Dann stützte er den Kopf in die Hände und brütete über traurigen Gedanken, und als sein Blick wieder auf die bunte Tasche fiel und als zugleich mit einem Windzug die Schreie und Freudenrufe der Gesellschaft herüberklangen, neigte er den schweren Kopf tiefer und begann lautlos und kindlich zu weinen.

Wohl eine Stunde lang blieb er sitzen. Seine Augen waren wieder trocken und seine Erregung verflogen, aber das Traurige seines Zustandes und die Hoffnungslosigkeit seiner Bestrebungen waren ihm jetzt noch klarer als zuvor. Da hörte er einen leichten Schritt sich nähern, ein Kleid rauschen, und ehe er von seinem Sitze aufspringen konnte, stand die Paula Kircher neben ihm.

»Ganz allein?« fragte sie scherzend. Und da er nicht antwortete und sie ihn genauer anschaute, wurde sie plötzlich ernst und fragte mit frauenhafter Güte: »Wo fehlt es denn? Ist Ihnen ein Unglück geschehen?«

»Nein«, sagte Ohngelt leise und ohne nach Phrasen zu suchen. »Nein. Ich habe nur eingesehen, daß ich nicht unter die Leute passe. Und daß ich ihr Hanswurst gewesen bin.«

»Nun, so schlimm wird es nicht sein –«

»Doch, gerade so. Ihr Hanswurst bin ich gewesen, und besonders noch den Mädchen ihrer. Weil ich gutmütig gewesen bin und es redlich gemeint habe. Sie haben recht gehabt, ich hätte nicht in den Verein gehen sollen.«

»Sie können ja wieder austreten, und dann ist alles gut.«

»Austreten kann ich schon, und ich tu es lieber heut als morgen. Aber damit ist noch lange nicht alles gut.«

»Warum denn nicht?«

»Weil ich zum Spott für sie geworden bin. Und weil jetzt vollends keine mehr –«

Das Schluchzen übernahm ihn beinahe. Sie fragte freundlich: »– und weil jetzt keine mehr –?«

Mit zitternder Stimme fuhr er fort: »Weil jetzt vollends kein Mädchen mehr mich achtet und mich ernst nehmen will.«

»Herr Ohngelt«, sagte das Päule langsam, »sind Sie jetzt nicht ungerecht? Oder meinen Sie, ich achte Sie nicht und nehme Sie nicht ernst?«

»Ja, das wohl. Ich glaube schon, daß Sie mich noch achten. Aber das ist es nicht.«

»Ja, was ist es denn?«

»Ach Gott, ich sollte gar nicht davon reden. Aber ich werde ganz irr, wenn ich denke, daß jeder andere es besser hat als ich, und ich bin doch auch ein Mensch, nicht? Aber mich – mich will – mich will keine heiraten!«

Es entstand eine längere Pause. Dann fing das Päule wieder an:

»Ja, haben Sie denn schon die eine oder andre gefragt, ob sie will oder nicht?«

»Gefragt! Nein, das nicht. Zu was auch? Ich weiß ja vorher, daß keine will.«

»Dann verlangen Sie also, daß die Mädchen zu Ihnen kommen und sagen: ach Herr Ohngelt, verzeihen Sie, aber ich möchte so schrecklich gern haben, daß Sie mich heiraten! Ja, auf das werden Sie freilich noch lang warten können.«

»Das weiß ich wohl«, seufzte Andreas. »Sie wissen schon, wie ich's meine, Fräulein Päule. Wenn ich wüßte, daß eine es so gut mit mir meint und mich ein wenig gut leiden könnte, dann –«

»Dann würden Sie vielleicht so gnädig sein und ihr zublinzeln oder mit dem Zeigefinger winken! Lieber Gott, Sie sind – Sie sind –«

Damit lief sie davon, aber nicht etwa mit einem Gelächter, sondern mit Tränen in den Augen. Ohngelt konnte das nicht sehen, doch hatte er etwas Sonderbares in ihrer Stimme und in ihrem Davonlaufen bemerkt, darum rannte er ihr nach, und als er bei ihr war und beide keine Worte fanden, hielten sie sich plötzlich umarmt und gaben sich einen Kuß. Da war der kleine Ohngelt verlobt.

Als er mit seiner Braut verschämt und doch tapfer Arm in Arm in den Wirtsgarten zurückkehrte, war alles schon zum Aufbruch bereit und hatte nur noch auf die zwei gewartet. In dem allgemeinen Tumult, Erstaunen, Kopfschütteln und Glückwünschen trat die schöne Margret vor Ohngelt und fragte: »Ja, wo haben Sie denn meine Handtasche gelassen?«

Bestürzt gab der Bräutigam Auskunft und eilte in den Wald zurück, und das Päule lief mit. An der Stelle, wo er so lang gesessen und geweint hatte, lag im braunen Laube der schimmernde Beutel und die Braut sagte: »Es ist gut, daß wir noch einmal herüber sind. Da liegt ja auch noch dein Sacktuch.«

(1908)

Ladidel

Erstes Kapitel

Der junge Herr Alfred Ladidel wußte von Kind auf das Leben leicht zu nehmen. Es war sein Wunsch gewesen, sich den höheren Studien zu widmen, doch als er mit einiger Verspätung die zu den oberen Gymnasialklassen führende Prüfung nur notdürftig bestanden hatte, entschloß er sich nicht allzuschwer, dem Rat seiner Lehrer und Eltern zu folgen und auf diese Laufbahn zu verzichten. Und kaum war dies geschehen und er als Lehrling in der Schreibstube eines Notars untergebracht, so lernte er einsehen, wie sehr Studentum und Wissenschaft doch meist überschätzt werden und wie wenig der wahre Wert eines Mannes von bestandenen Prüfungen und akademischen Semestern abhänge. Gar bald schlug diese Ansicht Wurzel in ihm, überwältigte sein Gedächtnis und veranlaßte ihn manchmal, unter Kollegen zu erzählen, wie er nach reiflichem Überlegen gegen den Wunsch der Lehrer diese scheinbar einfachere Laufbahn erwählt habe und daß dies der klügste Entschluß seines Lebens gewesen sei, wenn er ihn auch ein Opfer gekostet habe. Seinen Altersgenossen, die in der Schule geblieben waren und die er jeden Tag mit ihren Büchermappen auf der Gasse antraf, nickte er mit Herablassung zu und freute sich, wenn er sie vor ihren Lehrern die Hüte ziehen sah. Tagsüber stand er geduldig unter dem Regiment seines Notars, der es den Anfängern nicht leicht machte. Am Abend übte er mit Kameraden die Kunst des Zigarrenrauchens und des sorglosen Flanierens durch die Gassen, auch trank er im Notfall unter seinesgleichen ein Glas Bier, obwohl er seine von der Mama erbettelten Taschengelder lieber zum Konditor trug, wie er denn auch im Kontor, wenn die andern zum Vesper ein Butterbrot mit Most genossen, stets etwas Süßes verzehrte, sei es nun an schmalen Tagen nur ein Brötchen mit Eingemachtem oder in reichlichern Zeiten ein Mohrenkopf, Butterteiggipfel oder Makrönchen.

Indessen hatte er seine erste Lehrzeit abgebüßt und war mit Stolz nach der Hauptstadt verzogen, wo es ihm überaus wohl gefiel. Erst hier kam der höhere Schwung seiner Natur zur vollen Entfaltung. Schon früher hatte sich der Jüngling zu den schönen Künsten hingezogen gefühlt und nach Schönheit und Ruhm Begierde getragen. Jetzt galt er unter seinen jüngeren Kollegen und Freunden unbestritten für einen famosen Bruder und begabten Kerl, der in Angelegenheiten der Geselligkeit und des Geschmacks als Führer galt und um Rat gefragt wurde. Denn hatte er schon als Knabe mit Kunst und Liebe gesungen, gepfiffen, deklamiert und getanzt, so war er in allen diesen schönen Übungen seither zum Meister geworden, ja er hatte neue dazu gelernt. Vor allem besaß er eine Gitarre, mit der er Lieder und spaßhafte Verslein begleitete und bei jeder Geselligkeit Beifall erntete, ferner machte er zuweilen Gedichte, die er aus dem Stegreif nach bekannten Melodien zur Gitarre vortrug, und ohne die Würde seines Standes zu verletzen, wußte er sich auf eine Art zu kleiden, die ihn als etwas Besonderes, Geniales kennzeichnete. Namentlich schlang er seine Halsbinden mit einer kühnen, freien Schleife, die keinem andern so gelang, und wußte sein hübsches braunes Haar edel und kavaliermäßig zu kämmen. Wer den Alfred Ladidel sah, wenn er an einem geselligen Abend des Vereins Quodlibet tanzte und die Damen unterhielt oder wenn er im Verein Fidelitas im Sessel zurückgelehnt seine kleinen lustigen Liedlein sang und dazu auf der am grünen Bande hängenden Gitarre mit zärtlichen Fingern harfte, und wie er dann abbrach und den lauten Beifall bescheidentlich abwehrte und sinnend leise auf den Saiten weiterfingerte, bis alles stürmisch um einen neuen Gesang bat, der mußte ihn hochschätzen, ja beneiden. Da er außer seinem kleinen Monatsgehalt von Hause ein anständiges Sackgeld bezog, konnte er sich diesen gesellschaftlichen Freuden ohne Sorgen hingeben und tat es mit Zufriedenheit und ohne Schaden, da er trotz seiner Weltfertigkeit in manchen Dingen fast noch ein Kind geblieben war. So trank er noch immer lieber Himbeerwasser als Bier und nahm, wenn es sein konnte, statt mancher Mahlzeit lieber eine Tasse Schokolade und ein paar Stücklein Kuchen beim Zuckerbäcker. Die Streber und Mißgünstigen unter seinen Kameraden, an denen es natürlich nicht fehlte, nannten ihn darum das Baby und nahmen ihn trotz aller schönen Künste nicht ernst.

Dies war das einzige, was ihm je und je betrübte Stunden machte.

Mit der Zeit kam dazu allerdings noch ein anderer Schatten. Seinem Alter gemäß begann der junge Herr Ladidel den hübschen Mädchen sinnend nachzuschauen und war beständig in die eine oder andere verliebt. Das bereitete ihm aber bald mehr Pein als Lust, denn während sein Liebesverlangen wuchs, sanken sein Mut und Unternehmungsgeist auf diesem Gebiete immer mehr. Wohl sang er daheim in seinem Stüblein zum Saitenspiel viele verliebte und gefühlvolle Lieder, in Gegenwart schöner Mädchen aber entfiel ihm der Mut. Wohl war er immer ein vorzüglicher Tänzer, aber seine Unterhaltungskunst ließ ihn im Stiche, wenn er versuchen wollte, einiges von seinen Gefühlen kundzutun. Desto gewaltiger redete und sang und glänzte er dann freilich im Kreis seiner Freunde, allein er hätte ihren Beifall und alle seine Lorbeeren gerne für einen Kuß vom Munde eines schönen Mädchens hingegeben.

Diese Schüchternheit, die zu seinem übrigen Wesen nicht recht zu passen schien, hatte ihren Grund in einer Unverdorbenheit des Herzens, welche ihm seine Freunde gar nicht zutrauten. Diese fanden, wenn ihre Begierde es wollte, ihr Liebesvergnügen da und dort in kleinen Verhältnissen mit Dienstmädchen und Köchinnen, wobei es zwar verliebt zuging, von Leidenschaft und idealer Liebe oder gar von ewiger Treue und künftigem Ehebund aber keine Rede war. Und ohne dies alles mochte der junge Herr Ladidel sich die Liebe nicht vorstellen.

Dabei sahen ihn, ohne daß er es zu bemerken wagte, die Mädchen gern. Ihnen gefiel sein hübsches Gesicht, seine Tanzkunst und sein Gesang, und sie hatten auch das schüchterne Begehren an ihm gern und fühlten, daß unter seiner Schönheit und zierlichen Bildung ein unverbrauchtes und halb kindliches Herz sich verbarg.

Allein von diesen geheimen Sympathien hatte er einstweilen nichts, und wenn er auch in der Fidelitas noch immer Bewunderung genoß, ward doch der Schatten tiefer und bänglicher und drohte sein Leben allmählich fast zu verdunkeln. In solchen übeln Zeiten legte er sich mit gewaltsamem Eifer auf seine Arbeit, war zeitweilig ein musterhafter Notariatsgehilfe und bereitete sich abends mit Fleiß auf das Amtsexamen vor, teils um seine Gedanken auf andere Wege zu zwingen, teils um desto eher und sicherer in die ersehnte Lage zu kommen, als ein Werber, ja mit gutem Glück als ein Bräutigam auftreten zu können. Allerdings währten diese Zeiten niemals lange, da Sitzleder und harte Kopfarbeit seiner Natur nicht angemessen waren. Hatte der Eifer ausgetobt, so griff der Jüngling wieder zur Gitarre, spazierte zierlich und sehnsüchtig in den hauptstädtischen Straßen oder schrieb Gedichte in sein Heftlein. Neuerdings waren diese meist verliebter und gefühlvoller Art, und sie bestanden aus Worten und Versen, Reimen und hübschen Wendungen, die er in Liederbüchlein da und dort gelesen und behalten hatte. Diese setzte er zusammen, ohne weiteres dazu zu tun, und so entstand ein sauberes Mosaik von gangbaren Ausdrücken beliebter Liebesdichter. Es bereitete ihm Vergnügen, diese Verslein mit sauberer Kanzleihandschrift ins Reine zu schreiben, und er vergaß darüber oft für eine Stunde seinen Kummer ganz. Auch sonst lag es in seiner glücklichen Natur, daß er in guten wie bösen Zeiten gern ins Spielen geriet und darüber Wichtiges und Wirkliches vergaß. Schon das tägliche Herstellen seiner äußeren Erscheinung gab einen hübschen Zeitvertreib, das Führen des Kammes und der Bürste durch das halblange braune Haar, das Wichsen und sonstige Liebkosen des kleinen, lichten Schnurrbärtchens, das Schlingen des Krawattenknotens, das genaue Abbürsten des Rockes und das Reinigen und Glätten der Fingernägel. Weiterhin beschäftigte ihn häufig das Ordnen und Betrachten seiner Kleinodien, die er in einem Kästchen aus Mahagoniholz verwahrte. Darunter befanden sich ein Paar vergoldeter Manschettenknöpfe, ein in grünen Sammet gebundenes Büchlein mit der Aufschrift »Vergißmeinnicht«, worein er seine nächsten Freunde ihre Namen und Geburtstage eintragen ließ, ein aus weißem Bein geschnitzter Federhalter mit filigranfeinen gotischen Ornamenten und einem winzigen Glassplitter, der, wenn man ihn gegen das Licht hielt und hineinsah, eine Ansicht des Niederwalddenkmals enthielt, des weiteren ein Herz aus Silber, das man mit einem unendlich kleinen Schlüsselchen erschließen konnte, ein Sonntagstaschenmesser mit elfenbeinerner Schale und eingeschnitzten Edelweißblüten, endlich eine zerbrochene Mädchenbrosche mit mehreren zum Teil ausgesprungenen Granatsteinen, welche der Besitzer später bei einer festlichen Gelegenheit zu einem Schmuckstück für sich selber verarbeiten zu lassen gedachte. Daß es ihm außerdem an einem dünnen, eleganten Spazierstöcklein nicht fehlte, dessen Griff den Kopf eines Windhundes darstellte, sowie an einer Busennadel in Form einer goldenen Leier, versteht sich von selbst.

Wie der junge Mann seine Kostbarkeiten und Glanzstücke verwahrte und wert hielt, so trug er auch sein kleines, ständig brennendes Liebesfeuerlein getreu mit sich herum, besah es je nachdem mit Lust oder Wehmut und hoffte auf eine Zeit, da er es würdig verwenden und von sich geben könne.

Mittlerweile kam unter den Kollegen ein neuer Zug auf, der Ladideln nicht gefiel und seine bisherige Beliebtheit und Autorität stark erschütterte. Irgendein junger Privatdozent der Technischen Hochschule begann abendliche Vorlesungen über Volkswirtschaft zu halten, die namentlich von den Angestellten der Schreibstuben und niedern Ämter fleißig besucht wurden. Ladidels Bekannte gingen alle hin, und in ihren Zusammenkünften erhoben sich nun feurige Debatten über soziale Angelegenheiten und innere Politik, an welchen Ladidel weder teilnehmen wollte noch konnte. Er langweilte und ärgerte sich dabei, und da über dem neuen Geiste seine früheren Künste von den Kameraden fast vergessen und kaum mehr begehrt wurden, sank er mehr und mehr von seiner einstigen Höhe herab in ein ruhmloses Dunkel. Anfangs kämpfte er noch und nahm mehrmals Bücher mit nach Hause, allein er fand sie hoffnungslos langweilig, legte sie mit Seufzen wieder weg und tat auf die Gelehrsamkeit wie auf den Ruhm Verzicht.

In dieser Zeit, da er den hübschen Kopf weniger hoch trug, vergaß er eines Freitags, sich rasieren zu lassen, was er immer an diesem Tage sowie am Dienstag zu besorgen pflegte. Darum trat er auf dem abendlichen Heimweg, da er längst über die Straße hinausgegangen war, wo sein Barbier wohnte, in der Nähe seines Speisehauses in einen bescheidenen Friseurladen, um das Versäumte nachzuholen; denn ob ihn auch Sorgen bedrückten, mochte er dennoch keiner

Gewohnheit untreu werden. Auch war ihm die Viertelstunde beim Barbier immer ein kleines Fest; er hatte nichts dawider, wenn er etwa warten mußte, sondern saß alsdann vergnügt auf seinem Sessel, blätterte in einer Zeitung und betrachtete die mit Bildern geschmückten Anpreisungen von Seifen, Haarölen und Bartwichsen an der Wand, bis er an die Reihe kam und mit Genuß den Kopf zurücklegte, um die vorsichtigen Finger des Gehilfen, das kühle Messer und zuletzt die zärtliche Puderquaste auf seinen Wangen zu fühlen.

Auch jetzt flog ihn die gute Laune an, da er den Laden betrat, den Stock an die Wand stellte und den Hut aufhängte, sich in den weiten Frisierstuhl lehnte und das Rauschen des duftenden Seifenschaumes vernahm. Es bediente ihn ein junger Gehilfe mit aller Aufmerksamkeit, rasierte ihn, wusch ihn ab, hielt ihm den ovalen Handspiegel vor, trocknete ihm die Wangen, fuhr spielend mit der Puderquaste darüber und fragte höflich: »Sonst nichts gefällig?« Dann folgte er dem aufstehenden Gaste mit leisem Tritt, bürstete ihm den Rockkragen ab, empfing das wohlverdiente Rasiergeld und reichte ihm Stock und Hut. Das alles hatte den jungen Herrn in eine gütige und zufriedene Stimmung gebracht, er spitzte schon die Lippen, um mit einem wohligen Pfeifen auf die Straße zu treten, da hörte er den Friseurgehilfen, den er kaum angesehen hatte, fragen: »Verzeihen Sie, heißen Sie nicht Alfred Ladidel?«

Er faßte den Mann ins Auge und erkannte sofort seinen ehemaligen Schulkameraden Fritz Kleuber in ihm. Nun hätte er unter andern Umständen diese Bekanntschaft mit wenig Vergnügen anerkannt und sich gehütet, einen Verkehr mit einem Barbiergehilfen anzufangen, dessen er sich vor Kollegen zu schämen gehabt hätte. Allein er war in diesem Augenblick gut gestimmt, und außerdem hatte sein Stolz und Standesgefühl in dieser Zeit bedeutend nachgelassen. Darum geschah es ebenso aus guter Laune wie aus einem Bedürfnis nach Freundschaftlichkeit und Anerkennung, daß er dem Friseur die Hand hinstreckte und rief: »Schau, der Fritz Kleuber! Wir werden doch noch du zueinander sagen? Wie geht dir's?« Der Schulkamerad nahm die dargebotene Hand und das Du fröhlich an, und da er im Dienst war und keine

Zeit hatte, verabredeten sie eine Zusammenkunft für den Sonntagnachmittag.

Auf diese Stunde freute der Barbier sich sehr, und er war dem alten Kameraden dankbar, daß er trotz seinem vornehmern Stande sich ihrer Schulfreundschaft hatte erinnern mögen. Fritz Kleuber hatte für seinen Nachbarssohn und Klassengenossen immer eine gewisse Verehrung gehabt, da jener ihm in allen Lebenskünsten überlegen gewesen war, und Ladidels zierliche Erscheinung hatte ihm auch jetzt wieder tiefen Eindruck gemacht. Darum bereitete er sich am Sonntag, sobald sein Dienst getan war, mit Sorgfalt auf den Besuch vor und legte seine besten Kleider an. Ehe er in das Haus trat, in dem Ladidel wohnte, wischte er die Stiefel mit einer Zeitung ab, dann stieg er freudig die Treppen empor und klopfte an die Türe, an der er Alfreds Visitenkarte leuchten sah.

Auch dieser hatte sich ein wenig vorbereitet, da er seinem Landsmann und Jugendfreund gern einen glänzenden Eindruck machen wollte. Er empfing ihn mit großer Herzlichkeit und hatte einen vortrefflichen Kaffee mit Gebäck auf dem Tische stehen, zu dem er Kleuber burschikos einlud.

»Keine Umstände, alter Freund, nicht wahr? Wir trinken unsern Kaffee zusammen und machen nachher einen Spaziergang, wenn dir's recht ist.«

Gewiß, es war ihm recht, er nahm dankbar Platz, trank Kaffee und aß Kuchen, bekam alsdann eine Zigarette und zeigte über diese schöne Gastlichkeit eine unverstellte Freude. Sie plauderten bald im alten heimatlichen Ton von den vergangenen Zeiten, von den Lehrern und Mitschülern und was aus diesen allen geworden sei. Der Friseur mußte ein wenig erzählen, wie es ihm seither gegangen und wo er überall herumgekommen sei, dann hub der andre an und berichtete ausführlich über sein Leben und seine Aussichten. Und am Ende nahm er die Gitarre von der Wand, stimmte und zupfte, fing zu singen an und sang Lied um Lied, lauter lustige Sachen, daß dem Friseur vor Lachen die Tränen in den Augen standen. Sie verzichteten auf den Spaziergang und beschauten statt dessen einige von Ladidels Kostbarkeiten, und darüber kamen sie in ein Gespräch über das, was jeder von ihnen sich unter einer feinen Lebensführung vorstellte. Da waren freilich des Barbiers Ansprüche an das Glück um vieles bescheidener als die seines Freundes, aber am Ende spielte er ganz ohne Absicht einen Trumpf aus, mit dem er dessen Achtung und Neid gewann. Er erzählte nämlich, daß er eine Braut in der Stadt habe, und lud den Freund ein, bald einmal mit ihm in ihr Haus zu gehen, wo er willkommen sein werde.

»Ei sieh«, rief Ladidel, »du hast eine Braut! So weit bin ich leider noch nicht. Wißt ihr denn schon, wann ihr heiraten könnt?«

»Noch nicht ganz genau, aber länger als zwei Jahre warten wir nimmer, wir sind schon über ein Jahr versprochen. Ich habe ein Muttererbe von dreitausend Mark, und wenn ich dazu noch ein oder zwei Jahre fleißig bin und was erspare, können wir wohl ein eigenes Geschäft aufmachen. Ich weiß auch schon wo, nämlich in Schaffhausen in der Schweiz, da habe ich zwei Jahre gearbeitet, der Meister hat mich gern und ist alt und hat mir noch nicht lang geschrieben, wenn ich soweit sei, mir überlasse er seine Sache am liebsten und nicht zu teuer. Ich kenne ja das Geschäft gut von damals her, es geht recht flott und ist gerade neben einem Hotel, da kommen viele Fremde, und außer dem Geschäft ist ein Handel mit Ansichtskarten dabei.«

Er griff in die Brusttasche seines braunen Sonntagsrockes und zog eine Brieftasche heraus, darin hatte er sowohl den Brief des Schaffhausener Meisters wie auch eine in Seidenpapier eingeschlagene Ansichtskarte mitgebracht, die er seinem Freunde zeigte.

»Ah, der Rheinfall!« rief Alfred, und sie schauten das Bild zusammen an. Es war der Rheinfall in einer purpurnen bengalischen Beleuchtung, der Friseur beschrieb alles, kannte jeden Fleck darauf und erzählte davon und von den vielen Fremden, die das Naturwunder besuchen, kam dann wieder auf seinen Meister und dessen Geschäft, las seinen Brief vor und war voller Eifer und Freude, so daß sein Kamerad schließlich auch wieder zu Wort kommen und etwas gelten wollte. Darum fing er an vom Niederwalddenkmal zu sprechen, das er selber zwar nicht gesehen hatte, wohl aber ein Onkel von ihm, und er öffnete seine Schatztruhe, holte den beinernen Federhalter heraus und ließ den Freund durch das kleine Gläslein schauen, das die Pracht verbarg. Fritz Kleuber gab gerne zu, daß das eine nicht mindere Schönheit sei als sein roter Wasserfall, und überließ bescheiden dem andern wieder das Wort, der sich nun nach dem Gewerbe seines Gastes erkundigte. Das Gespräch ward lebhaft, Ladidel wußte immer neues zu fragen, und Kleuber gab gewissenhaft und treulich Auskunft. Es war vom Schliff der Rasiermesser, von den Handgriffen beim Haarschneiden, von Pomaden und Ölen die Rede, und bei dieser Gelegenheit zog Fritz eine kleine Porzellandose mit feiner Pomade aus der Tasche, die er seinem Freunde und Wirt als ein bescheidenes Gastgeschenk anbot. Nach einigem Zögern nahm dieser die Gabe an, die Dose ward geöffnet und berochen, ein wenig probiert und endlich auf den Waschtisch gestellt.

Mittlerweile war es Abend geworden, Fritz wollte bei seiner Braut speisen und nahm Abschied, nicht ohne sich für das Genossene freundlich zu bedanken. Auch Alfred fand, es sei ein schöner und wohlverbrachter Nachmittag gewesen, und sie wurden einig, sich am Dienstag- oder Mittwochabend wieder zu treffen.

Zweites Kapitel

Inzwischen fiel es Fritz Kleuber ein, daß er sich für die Sonntagseinladung und den Kaffee bei Ladidel revanchieren und auch ihm wieder eine Ehre antun müsse. Darum schrieb er ihm montags einen Brief mit goldenem Rande und einer ins Papier gepreßten Taube und lud ihn ein, am Mittwochabend mit ihm bei seiner Braut, dem Fräulein Meta Weber in der Hirschengasse, zu speisen.

Auf diesen Abend bereitete Alfred Ladidel sich mit Sorgfalt vor. Er hatte sich über das Fräulein Meta Weber erkundigt und in Erfahrung gebracht, daß sie neben einer ebenfalls noch ledigen Schwester von einem lang verstorbenen Kanzleischreiber Weber abstammte, also eine Beamtentochter war, so daß er mit Ehren ihr Gast sein konnte. Diese Erwägung und auch der Gedanke an die noch ledige Schwester veranlaßten ihn, sich besonders schön zu machen und auch im voraus ein wenig an die Konversation zu denken.

Wohlausgerüstet erschien er gegen acht Uhr in der Hirschengasse und hatte das Haus bald gefunden, ging aber nicht hinein, sondern auf der Gasse auf und ab, bis nach einer Viertelstunde sein Freund Kleuber daherkam. Dem schloß er sich an, und sie stiegen hintereinander in die hochgelegene Wohnung der Jungfern hinauf. An der Glastüre empfing sie die Witwe Weber, eine schüchterne kleine Dame mit einem versorgten alten Leidensgesicht, das dem Notariatskandidaten wenig Frohes zu versprechen schien. Er grüßte, ward vorgestellt und in den Gang geführt, wo es dunkel war und nach der Küche duftete. Von da ging es in eine Stube, die war so groß und hell und fröhlich, wie man es nicht erwartet hätte; und vom Fenster her, wo Geranien im Abendscheine tief wie Kirchenfenster leuchteten, traten munter die zwei Töchter der Witwe. Diese waren ebenfalls freudige Überraschungen und überboten das Beste, was sich von der kleinen alten Frau erwarten ließ, um ein Bedeutendes.

»Grüß Gott«, sagte die eine und gab dem Friseur die Hand.

»Meine Braut«, sagte er zu Ladidel, und dieser näherte sich dem hübschen Mädchen mit einer Verbeugung ohne Tadel, zog die hinterm Rücken versteckte Hand hervor und bot der Jungfer einen Maiblumenstrauß dar, den er unterwegs gekauft hatte. Sie lachte und sagte Dank und schob ihre Schwester heran, die ebenfalls lachte und hübsch und blond war und Martha hieß. Dann setzte man sich unverweilt an den gedeckten Tisch zum Tee und einer mit Kressensalat bekränzten Eierspeise. Während der Mahlzeit wurde fast kein Wort gesprochen, Fritz saß neben seiner Braut, die ihm Butterbrote strich, und die alte Mutter schaute mühsam kauend um sich, mit dem unveränderlichen kummervollen Blick, hinter dem es ihr recht wohl war, der aber auf Ladidel einen beängstigenden Eindruck machte, so daß er wenig aß und sich bedrückt und still verhielt.

Nach Tisch blieb die Mutter zwar im Zimmer, verschwand jedoch in einem Lehnstuhl am Fenster, dessen Gardinen sie zuvor geschlossen hatte, und schien zu schlummern. Die Jugend blühte dafür munter auf, und die Mädchen verwikkelten den Gast in ein neckendes und kampflustiges Gespräch, wobei Fritz seinen Freund unterstützte. Von der Wand schaute der selige Herr Weber aus einem kirschholzenen Rahmen hernieder, außer seinem Bildnis aber war alles in dem behaglichen Zimmer hübsch und frohgemut, von den in der Dämmerung verglühenden Geranien bis zu den Kleidern und Schühlein der Mädchen und bis zu einer an der Schmalwand hängenden Mandoline. Auf diese fiel, als das Gespräch ihm anfing heiß zu machen, der Blick des Gastes, er äugte heftig hinüber und drückte sich um eine fällige Antwort, die ihm Not machte, indem er sich erkundigte, welche von den Schwestern denn musikalisch sei und die Mandoline spiele. Das blieb nun an Martha hängen, und sie wurde sogleich von Schwester und Schwager ausgelacht, da die Mandoline seit den Zeiten einer längst verwehten Backfischschwärmerei her kaum mehr Töne von sich gegeben hatte. Dennoch bestand Herr Ladidel darauf, Martha müsse etwas vorspielen, und bekannte sich als einen unerbittlichen Musikfreund. Da das Fräulein durchaus nicht zu bewegen war, griff schließlich Meta nach dem Instrument und legte es vor sie hin, und da sie abwehrend lachte und rot wurde, nahm Ladidel die Mandoline an sich und klimperte leise mit suchenden Fingern darauf herum.

»Ei, Sie können es ja«, rief Martha. »Sie sind ein Schöner, bringen andre Leute in Verlegenheit und können es nachher selber besser.«

Er erklärte bescheiden, das sei nicht der Fall, er habe kaum jemals so ein Ding in Händen gehabt, hingegen spiele er allerdings seit mehreren Jahren die Gitarre.

»Ja«, rief Fritz, »ihr solltet ihn nur hören! Warum hast du auch das Instrument nicht mitgebracht? Das mußt du nächstes Mal tun, gelt!«

Der Abend ging hin wie auf Flügeln. Als die beiden Jünglinge Abschied nahmen, erhob sich am Fenster klein und sorgenvoll die vergessene Mutter und wünschte eine gute Nacht. Fritz ging noch ein paar Gassen weiter mit Ladidel, der des Vergnügens und Lobes voll war.

In der stillgewordenen Weberschen Wohnung wurde gleich nach dem Weggange der Gäste der Tisch geräumt und das Licht gelöscht. In der Schlafstube hielten wie gewöhnlich die beiden Mädchen sich still, bis die Mutter eingeschlafen war. Alsdann begann Martha, anfänglich flüsternd, das Geplauder.

»Wo hast du denn deine Maiblumen hingetan?«

»Du hast's ja gesehen, ins Glas auf dem Ofen.«

»Ach ja. Gut Nacht!«

»Ja, bist müd?«

»Ein bißchen.«

»Du, wie hat dir denn der Notar gefallen? Ein bissel geschleckt, nicht?«

»Warum?«

»Na, ich habe immer denken müssen, mein Fritz hätte Notar werden sollen und dafür der andere Friseur. Findest du nicht auch? Er hat so was Süßes.«

»Ja, ein wenig schon. Aber er ist doch nett und hat Geschmack. Hast du seine Krawatte gesehen?«

»Freilich.«

»Und dann, weißt du, er hat etwas Unverdorbenes. Anfangs war er ja ganz schüchtern.«

»Er ist auch erst zwanzig Jahr. – Na, gut Nacht also!«

Martha dachte noch eine Weile, bis sie einschlief, an den Alfred Ladidel. Er hatte ihr gefallen, und sie ließ eine kleine Kammer in ihrem Herzen für den hübschen Jungen offen, falls er eines Tages Lust hätte, einzutreten und Ernst zu machen. Denn an einer bloßen Liebelei war ihr nicht gelegen, teils weil sie diese Vorschule schon vor Zeiten hinter sich gebracht hatte (woher noch die Mandoline rührte), teils weil sie nicht Lust hatte, noch lange neben der um ein Jahr jüngeren Meta unverlobt einherzugehen.

Auch dem Notariatskandidaten war das Herz nicht unbewegt geblieben. Zwar lebte er noch in dem dumpfen Liebesdurst eines kaum flügge Gewordenen und verliebte sich in jedes hübsche Töchterlein, das er zu sehen bekam; und es hatte ihm eigentlich Meta besser gefallen. Doch war diese nun einmal schon Fritzens Braut und nimmer zu haben, und Martha konnte sich neben jener wohl auch zeigen; so war Alfreds Herz im Laufe des Abends mehr und mehr nach ihrer Seite geglitten und trug ihr Bildnis mit dem hellen, schweren Kranz von blonden Zöpfen in unbestimmter Verehrung davon.

Bei solchen Umständen dauerte es nur wenige Tage, bis die kleine Gesellschaft wieder in der abendlichen Wohnstube beisammensaß; nur daß diesmal die jungen Herren später gekommen waren, da der Tisch der Witwe eine so häufige Bewirtung von Gästen nicht vermocht hätte. Dafür brachte Ladidel seine Gitarre mit, die ihm Fritz mit Stolz vorantrug. Der Musikant wußte es so einzurichten, daß zwar seine Kunst zur Geltung kam und reichen Beifall erweckte, er aber doch nicht allein blieb und alle Kosten trug. Denn nachdem er einige Lieder vorgetragen und in Kürze die Kunst seines Gesanges und Saitenspiels entfaltet hatte, zog er die andern mit ins Spiel und stimmte lauter Weisen an, die gleich beim ersten Takt von selber zum Mitsingen verlockten.

Das Brautpaar, von der Musik und der festlichen Stimmung erwärmt und benommen, rückte nahe zusammen und sang nur leise und strophenweise mit, dazwischen plaudernd und sich mit verstohlenen Fingern streichelnd, wogegen Martha dem Spieler gegenüber saß, ihn im Auge behielt und alle Verse freudig mitsang. Als beim Abschiednehmen in dem schlecht erleuchteten Gang das Brautpaar seine Küsse tauschte, standen die beiden andern eine Minute lang verlegen wartend da. Im Bett brachte sodann Meta die Rede wieder auf den Notar, wie sie ihn immer nannte, dieses Mal voller Anerkennung und Lob. Aber die Schwester sagte nur ja, ja, legte den blonden Kopf auf beide Hände und lag lange still und wach, ins Dunkle schauend und tief atmend. Später, als die Schwester schon schlief, stieß Martha einen langen, leisen Seufzer aus, der jedoch keinem gegenwärtigen Leide galt, sondern nur einem dumpfen Gefühl für die Unsicherheit aller Liebeshoffnungen entsprang und den sie nicht wiederholte. Vielmehr entschlief sie bald darauf mit einem Lächeln auf dem frischen Munde.

Der Verkehr gedieh behaglich weiter, Fritz Kleuber nannte den eleganten Alfred mit Stolz seinen Freund. Meta sah es gerne, daß ihr Verlobter nicht allein kam, sondern den Musikanten mitbrachte, und Martha gewann den Gast desto lieber, je mehr sie seine fast noch kindliche Harmlosigkeit erkannte. Ihr schien, dieser hübsche und lenksame Jüngling wäre recht zu einem Manne für sie geschaffen, mit dem sie sich zeigen und auf den sie stolz sein könnte, ohne ihm doch jegliche Herrschaft überlassen zu müssen.

Auch Alfred, der mit seinem Empfang bei den Weberschen sehr zufrieden war, spürte in Marthas Freundlichkeit eine

Wärme, die er bei aller Schüchternheit wohl zu schätzen wußte. Eine Liebschaft und Verlobung mit dem schönen, stattlichen Mädchen wollte ihm in kühnen Stunden nicht ganz unmöglich, zu allen Zeiten aber begehrenswert und lockend erscheinen.

Dennoch geschah von beiden Seiten nichts Entscheidendes, und das hatte manche Gründe. Vor allem hatte Martha an dem jungen Manne im längeren Umgang manches Unreife und Knabenhafte entdeckt und es rätlich gefunden, einem noch so unerfahrenen Jünglinge den Weg zum Glücke nicht allzusehr zu erleichtern. Sie sah wohl, daß es ihr ein leichtes wäre, ihn an sich zu nehmen und festzuhalten, aber es erschien ihr billig, daß der junge Herr es nicht allzuleicht habe und nicht am Ende gar den Eindruck gewänne, sie habe sich ihm nachgeworfen. Immerhin war es ihr Wille, ihn zu bekommen, und sie beschloß, ihn einstweilen wohl im Auge zu behalten und gerüstet den Zeitpunkt zu erwarten, da er seines Glückes würdig sein würde.

Bei Ladidel waren es andere Bedenken, die ihm die Zunge banden. Da war zuerst seine Schüchternheit, die ihn immer wieder dazu brachte, seinen Beobachtungen zu mißtrauen und an der Einbildung, er werde geliebt und begehrt, zu verzweifeln. Sodann fühlte er sich dem Mädchen gegenüber sehr jung und unfertig – nicht mit Unrecht, obwohl sie kaum drei oder vier Jahre älter sein konnte als er. Und schließlich erwog er in ernsthaften Stunden mit Bangen, auf welch unfesten Grund seine äußere Existenz gebaut war. Je näher nämlich das Jahr heranrückte, in dem er die bisherige untergeordnete Tätigkeit beenden und im Staatsexamen seine Fähigkeit und Wissenschaft kundtun mußte, desto dringender wurden seine Zweifel. Wohl hatte er alle hübschen, kleinen Übungen und Äußerlichkeiten des Amtes rasch und sicher erlernt, er machte im Büro eine gute Figur und spielte den beschäftigten Schreiber vortrefflich; aber das Studium der Gesetze fiel ihm schwer, und wenn er an alles das dachte, was im Examen verlangt wurde, brach ihm der Schweiß aus.

Zuweilen sperrte er sich verzweifelt in seiner Stube ein und beschloß, den steilen Berg der Wissenschaft im Sturm zu nehmen. Kompendien, Gesetzbücher und Kommentare lagen auf seinem Tisch, er stand morgens früh auf und setzte sich fröstelnd hin, er spitzte Bleistifte und machte sich genaue Arbeitspläne für Wochen voraus. Aber sein Wille war schwach, er hielt niemals lange aus, er fand immer andres zu tun, was im Augenblick nötiger und wichtiger schien; und je länger die Bücher dalagen und ihn anschauten, desto bitterer ward ihr Inhalt.

Inzwischen wurde seine Freundschaft mit Fritz Kleuber immer fester. Es geschah zuweilen, daß Fritz ihn abends aufsuchte und, wenn es eben nötig schien, sich erbot, ihn zu rasieren. Dabei fiel es Alfred ein, diese Hantierung selber zu probieren, und Fritz ging mit Vergnügen darauf ein. Auf seine ernsthafte und beinah ehrerbietige Art zeigte er dem hochgeschätzten Freund die Handgriffe, lehrte ihn ein Messer tadellos abziehen und einen guten, haltbaren Seifenschaum schlagen. Alfred zeigte sich, wie der andre vorausgesagt hatte, überaus gelehrig und fingerfertig. Bald vermochte er nicht nur sich selber schnell und fehlerlos zu barbieren, sondern auch seinem Freund und Lehrmeister diesen Dienst zu tun, und er fand darin ein Vergnügen, das ihm manchen von den Studien verbitterten Tag auf den Abend noch rosig machte. Eine ungeahnte Lust bereitete es ihm, als Fritz ihn auch noch in das Haarflechten einweihte. Er brachte ihm nämlich, von seinen schnellen Fortschritten entzückt, eines Tages einen künstlichen Zopf aus Frauenhaar mit und zeigte ihm, wie ein solches Kunstwerk entstehe. Ladidel war sofort begeistert für dieses zarte Handwerk und machte sich mit geduldigen Fingern daran, die Strähne zu lösen und wieder ineinander zu flechten. Es gelang ihm bald, und nun kam Fritz mit schwereren und feineren Arbeiten, und Alfred lernte spielend, zog das lange seidne Haar mit Feinschmeckerei durch die Finger, vertiefte sich in die Flechtarten und Frisurstile, ließ sich bald auch das Lockenbrennen zeigen und hatte nun bei jedem Zusammensein mit dem Freunde lange Unterhaltungen über fachmännische Dinge. Er schaute nun auch die Frisuren aller Frauen und Mädchen, denen er begegnete, mit prüfendem und lernendem Auge an und überraschte Kleuber durch manches treffende Urteil.

Nur bat er ihn wiederholt und dringend, den beiden Fräulein Weber nichts von diesem Zeitvertreib zu sagen. Er fühlte, daß er mit dieser neuen Kunst dort wenig Ehre ernten würde. Und dennoch war es sein Lieblingstraum und verstohlener Herzenswunsch, einmal die langen blonden Haare der Jungfer Martha in seinen Händen zu haben und ihr neue, kunstvolle Zöpfe zu flechten.

Darüber vergingen die Tage und Wochen des Sommers. Es war in den letzten Augusttagen, da nahm Ladidel an einem Spaziergang der Familie Weber teil. Man wanderte das Flußtal hinauf zu einer Burgruine und ruhte in deren Schatten auf einer schrägen Bergwiese vom Gehen aus. Martha war an diesem Tage besonders freundlich und vertraulich mit Alfred umgegangen, nun lag sie in seiner Nähe auf dem grünen Hang, ordnete einen Strauß von späten Feldblumen, tat ein paar silbrige zitternde Grasblüten hinzu und sah gar lieb und reizend aus, so daß Alfred den Blick nicht von ihr lassen konnte. Da bemerkte er, daß etwas an ihrer Frisur aufgegangen war, rückte ihr nahe und sagte es, und zugleich wagte er es, streckte seine Hände nach den blonden Zöpfen aus und erbot sich, sie in Ordnung zu bringen. Martha aber, einer solchen Annäherung von ihm ganz ungewohnt, wurde rot und ärgerlich, wies ihn kurz ab und bat ihre Schwester, das Haar aufzustecken. Alfred schwieg betrübt und ein wenig verletzt, schämte sich und nahm später die Einladung, bei Frau Weber zu speisen, nicht an, sondern ging nach der Rückkehr in die Stadt sogleich seiner Wege.

Es war die erste kleine Verstimmung zwischen den Halbverliebten, und sie hätte wohl dazu dienen können, ihre Sache zu fördern und in Gang zu bringen. Doch ging es umgekehrt, und es kamen andere Dinge dazwischen.

Drittes Kapitel

Martha hatte es mit ihrem Verweise nicht schlimm gemeint und war nun erstaunt, als sie wahrnahm, daß Alfred eine Woche und länger ihr Haus mied. Er tat ihr ein wenig leid, und sie hätte ihn gerne wiedergesehen. Als er aber acht und zehn Tage ausblieb und wirklich zu grollen schien, besann sie sich darauf, daß sie ihm das Recht zu einem so liebhabermäßigen Betragen niemals eingeräumt habe. Nun begann sie selber zu zürnen. Wenn er wiederkäme und den gnädig

Versöhnten spielen würde, wollte sie ihm zeigen, wie sehr er sich getäuscht habe.

Indessen war sie selbst im Irrtum, denn Ladidels Ausbleiben hatte nicht Trotz, sondern Schüchternheit und Furcht vor Marthas Strenge zur Ursache. Er wollte einige Zeit vergehen lassen, bis sie ihm seine damalige Zudringlichkeit vergeben und er selber die Dummheit vergessen und die Scham überwunden habe. In dieser Bußzeit spürte er deutlich, wie sehr er sich schon an den Umgang mit Martha gewöhnt hatte und wie sauer es ihn ankommen würde, auf die warme Nähe eines lieben Mädchens wieder zu verzichten. Er hielt es denn auch nicht länger als bis in die Mitte der zweiten Woche aus, rasierte sich eines Tages sorgfältig, schlang eine neue Binde um und sprach bei den Weberschen vor, diesmal ohne Fritz, den er nicht zum Zeugen seiner Beschämtheit machen wollte.

Um nicht mit leeren Händen und lediglich als Bettler zu erscheinen, hatte er sich einen Plan ausgedacht. Es stand für die letzte Woche des September ein großes Fest- und Preisschießen bevor, worauf die ganze Stadt schon eifrig rüstete. Zu dieser Lustbarkeit gedachte Alfred Ladidel die beiden Fräulein Weber einzuladen und hoffte damit eine hübsche Begründung seines Besuches wie auch gleich einen Stein im Brett bei Martha zu gewinnen.

Ein freundlicher Empfang hätte den Verliebten, der seit Tagen seiner Einsamkeit übersatt war, getröstet und zum treuen Diener gemacht. Nun hatte aber Martha, durch sein Ausbleiben verletzt, sich hart und strenge gemacht. Sie grüßte kaum, als er die Stube betrat, überließ Empfang und Unterhaltung ihrer Schwester und ging, mit Abstauben beschäftigt, im Zimmer ab und zu, als wäre sie allein. Ladidel war sehr eingeschüchtert und wagte erst nach einer Weile, da sein verlegenes Gespräch mit Meta versiegte, sich an die Beleidigte zu wenden und seine Einladung vorzubringen.

Die aber war jetzt nimmer zu fangen. Alfreds demütige Ergebenheit bestärkte nur ihren Beschluß, das Bürschlein diesmal in die Kur zu nehmen und ihm die Krallen zu stutzen. Sie hörte kühl zu und lehnte die Einladung ab mit der Begründung, es stehe ihr nicht zu, mit jungen Herren Feste zu besuchen, und was ihre Schwester angehe, so sei diese verlobt und es sei Sache ihres Bräutigams, sie einzuladen, falls er dazu Lust habe.

Da griff Ladidel nach seinem Hut, verbeugte sich kurz und ging davon wie ein Mann, der bedauert, an einer falschen Türe angeklopft zu haben, und nicht im Sinn hat, wiederzukommen. Meta versuchte zwar, ihn zurückzuhalten und ihm zuzureden, Martha aber hatte seine Verbeugung mit einem Nicken kühl erwidert, und Alfred war es nicht anders zumute, als hätte sie ihm für immer abgewinkt.

Einen geringen Trost gewährte ihm der Gedanke, daß er sich in dieser Sache männlich und stolz gezeigt habe. Zorn und Trauer überwogen jedoch, grimmig lief er nach Hause, und als am Abend Fritz Kleuber ihn besuchen wollte, ließ er ihn an der Tür klopfen und wieder gehen, ohne sich zu zeigen. Die Bücher sahen ihn ermahnend an, die Gitarre hing an der Wand, aber er ließ alles liegen und hängen, ging aus und trieb sich den Abend in den Gassen herum, bis er müde war. Dabei fiel ihm alles ein, was er je Böses über die Falschheit und Wandelbarkeit der Weiber hatte sagen hören und was ihm früher als ein leeres und scheelsüchtiges Geschwätz erschienen war. Jetzt begriff er alles und fand auch die bittersten Worte zutreffend.

Es vergingen einige Tage, und Alfred hoffte beständig, gegen seinen Stolz und Willen, es möchte etwas geschehen, ein Brieflein oder eine Botschaft durch Fritz kommen, denn nachdem der erste Groll vertan war, schien ihm eine Versöhnung doch nicht ganz außer der Möglichkeit, und sein Herz wandte sich über alle Gründe hinweg zu dem bösen Mädchen zurück. Allein es geschah nichts, und es kam niemand. Das große Schützenfest jedoch rückte näher, und ob es dem betrübten Ladidel gefiel oder nicht, er mußte tagaus tagein sehen und hören, wie jedermann sich bereitmachte, die glänzenden Tage zu feiern. Es wurden Bäume errichtet und Girlanden geflochten, Häuser mit Tannenzweigen geschmückt und Torbögen mit Inschriften, die große Festhalle am Wasen war fertig und ließ schon Fahnen flattern, und dazu tat der Herbst seine schönste Bläue auf.

Obwohl Ladidel sich wochenlang auf das Fest gefreut hatte und obwohl ihm und seinen Kollegen ein freier Tag oder gar zwei bevorstanden, verschloß er sich doch der Freude gewaltsam und hatte fest im Sinn, die Festlichkeiten mit keinem Auge zu betrachten. Mit Bitterkeit sah er Fahnen und Laubgewinde, hörte da und dort hinter offenen Fenstern die Musikkapellen Proben halten und die Mädchen bei der Arbeit singen, und je mehr die Stadt von Erwartung und Vorfreude scholl und tönte, desto feindseliger ging er in dem Getümmel seinen finstern Weg, das Herz voll grimmiger Entsagung. In der Schreibstube hatten die Kollegen schon seit einiger Zeit von nichts als dem Fest gesprochen und Pläne ausgeheckt, wie sie der Herrlichkeit recht schlau und gründlich froh werden wollten. Zuweilen gelang es Ladidel, den Unbefangenen zu spielen und so zu tun, als freue auch er sich und habe seine Absichten und Pläne; meistens aber saß er schweigend an seinem Pult und trug einen wilden Fleiß zur Schau. Dabei brannte ihm die Seele nicht nur um Martha und den Verdruß mit ihr, sondern mehr und mehr auch um die große Festlichkeit, auf die er so lang und freudig gewartet hatte und von der er nun nichts haben sollte.

Seine letzte Hoffnung fiel dahin, als Kleuber ihn aufsuchte, wenige Tage vor dem Beginn des Festes. Dieser machte ein betrübtes Gesicht und erzählte, er wisse gar nicht, was den Mädchen zu Kopf gestiegen sei, sie hätten seine Einladung zum Fest abgelehnt und erklärt, in ihren Verhältnissen könne man keine Lustbarkeiten mitmachen. Nun machte er Alfred den Vorschlag, mit ihm zusammen sich frohe Festtage zu schaffen, es geschehe den spröden Jungfern ganz recht, wenn er nun eben ohne sie den einen oder andern Taler draufgehen lasse. Allein Ladidel widerstand auch dieser Versuchung. Er dankte freundlich, erklärte aber, er sei nicht recht wohl und wolle auch die freie Zeit dazu benutzen, um in seinen Studien weiterzukommen. Von diesen Studien hatte er seinem Freunde früher so viel erzählt und so viel Kunstausdrücke und Fremdwörter dabei angewendet, daß Fritz in tiefem Respekt keine Einwände wagte und traurig wieder ging.

Indessen kam der Tag, da das Schützenfest eröffnet werden sollte. Es war Sonntag, und das Fest sollte die ganze Woche dauern. Die Stadt hallte von Gesang, Blechmusik, Böllerschießen und Freudenrufen wider, aus allen Straßen her kamen und sammelten sich Züge, Vereine aus dem ganzen

Lande waren angekommen. Allenthalben schallte Musik, und die Ströme der Menschen und die Weisen der Musikkapellen trafen am Ende alle vor der Stadt am Schützenhause zusammen, wo das Volk seit dem Morgen zu Tausenden wartend stand. Schwarz drängte der Zug in dickem Fluß heran, schwer wankten die Fahnen darüber und stellten sich auf, und eine Musikbande um die andere schwenkte rauschend auf den gewaltigen Platz. Auf alle diese Pracht schien eine heitere Sonntagssonne hernieder. Die Bannerträger hatten dicke Tropfen auf den geröteten Stirnen, die Festordner schrien heiser und rannten wie Besessene umher, von der Menge gehänselt und durch Zurufe angefeuert; wer in der Nähe war und Zutritt fand, nahm die Gelegenheit wahr, schon um diese frühe Stunde an den wohlversehenen Trinkhallen einen frischen Trunk zu erkämpfen.

Ladidel saß in seiner Stube auf dem Bett und hatte noch nicht einmal Stiefel an, so wenig schien ihm an der Freude gelegen. Er trug sich jetzt, nach langen ermüdenden Nachtgedanken, mit dem Vorsatz, einen Brief an Martha zu schreiben. Nun zog er aus der Tischlade sein Schreibzeug und einen Briefbogen mit seinem Monogramm hervor, steckte eine neue Feder ins Rohr, machte sie mit der Zunge naß, prüfte die Tinte und schrieb alsdann in einer runden, elegant ausholenden Kanzleischrift zunächst die Adresse, an das wohlgeborene Fräulein Martha Weber in der Hirschgasse, zu eigenen Händen. Mittlerweile stimmte ihn das aus der Ferne herübertönende Geblase und Festgelärme elegisch, und er fand es gut, seinen Brief mit der Schilderung dieser Stimmung anzufangen. So begann er mit Sorgfalt:

»Sehr geehrtes Fräulein!

Erlauben Sie mir, mich an Sie zu wenden. Es ist Sonntagmorgen, und die Musik spielt von ferne, weil das Schützenfest beginnt. Nur ich kann an demselben nicht teilnehmen und bleibe daheim.«

Er überlas die Zeilen, war zufrieden und besann sich weiter. Da fiel ihm noch manche schöne und treffende Wendung ein, mit welcher er seinen betrübten Zustand schildern konnte. Aber was dann? Es wurde ihm klar, daß dies alles nur insofern einen Wert und Sinn haben konnte, als es die Einleitung zu einer Liebeserklärung und Werbung wäre. Und wie konnte er dies wagen? Was er auch dachte und ausfand, es hatte alles keinen Wert, solange er nicht sein Examen und damit die Berechtigung zur Werbung hatte.

Also saß er wieder unschlüssig und verzweifelt. Eine Stunde verging, und er kam nicht weiter. Das ganze Haus lag in tiefer Ruhe, da alles draußen war, und über die Dächer hinweg jubelte die ferne Musik. Ladidel hing seiner Trauer nach und bedachte, wieviel Freude und Lust ihm heute verlorenging und daß er kaum in langer Zeit, ja vielleicht niemals wieder Gelegenheit haben würde, eine so große und glänzende Festlichkeit zu sehen. Darüber überfiel ihn ein Mitleiden mit sich selber und ein unüberwindliches Trostbedürfnis, dem die Gitarre nicht zu genügen vermochte.

Darum tat er gegen Mittag das, was er durchaus nicht hatte tun wollen. Er zog seine Stiefel an und verließ das Haus, und während er nur hin und wider zu wandeln meinte und bald wieder daheim sein und an den Brief und an sein Elend denken wollte, zogen ihn Musik und Lärm und Festzauber von Gasse zu Gasse, wie der Magnetberg ein Schiff, und unversehens stand er bei dem Schützenhaus. Da wachte er auf und schämte sich seiner Schwäche und meinte seine Trauer verraten zu haben, doch währte alles dies nur Augenblicke, denn die Menge trieb und toste betäubend, und Ladidel war nicht der Mann, in diesem Jubel fest zu bleiben oder wieder zu gehen.

Ladidel trieb ohne Ziel und ohne Willen umher, von der Menge mitgenommen, und sah und hörte und roch und atmete so viel Erregendes ein, daß ihm wohlig schwindelte. Es rauschte aus Trompeten und Hörnern da und dort und überall feurige Blechmusik, und in Pausen drang von der Ferne her, wo das Tafeln begonnen hatte, eindringlich und süß die weichere Musik von Geigen und Flöten. Außerdem geschah auf Schritt und Tritt in der Menge des Volkes viel Sonderbares, Erheiterndes und Erschreckendes, es wurden Pferde scheu, Kinder fielen um und schrien, ein vorzeitig Betrunkener sang unbekümmert, als wäre er allein, sein Lied. Händler zogen rufend umher mit Orangen und Zukkerwaren, mit Luftballonen für die Kinder, mit Backwerk

und mit künstlichen Blumensträußen für die Hüte der Burschen, abseits drehte sich unter heftiger Orgelmusik ein
Karussell. Hier hatte ein Hausierer laute Händel mit einem
Käufer, der nicht zahlen wollte, dort führte ein Polizeidiener
ein verlaufenes Büblein an der Hand.

Dieses heftige Leben sog der betäubte Ladidel in sich und
fühlte sich beglückt, an einem solchen Treiben teilzunehmen
und Dinge mit Augen zu sehen, von denen man noch lange
im ganzen Lande reden würde. Es war ihm wichtig, zu hören,
um welche Stunde man den König erwarte, und als es ihm
gelungen war, in die Nähe der Ehrenhalle zu dringen, wo die
Tafel auf einer fahnengeschmückten Höhe stattfand, schaute
er mit Bewunderung und Verehrung den Oberbürgermei-
ster, die Stadtvorstände und andre Würdenträger mit Orden
und Abzeichen zumitten des Ehrentisches sitzen und speisen
und weißen Wein aus geschliffenen Gläsern trinken. Flüsternd nannte man die Namen der Männer, und wer etwas
Weiteres über sie wußte oder gar schon mit ihnen zu tun
gehabt hatte, fand dankbare Zuhörer. Daß das alles vor
seinen Augen vor sich ging und soviel Glanz zu schauen ihm
vergönnt war, machte einen jeden glücklich. Auch der kleine
Ladidel staunte und bewunderte und fühlte sich groß und
bedeutend als Zuschauer solcher Dinge; er sah ferne Tage
voraus, da er Leuten, die weniger glücklich waren und nicht
hatten dabei sein können, die ganze Herrlichkeit genau
beschreiben würde.

Das Mittagessen vergaß er ganz, und als er nach einigen
Stunden Hunger verspürte, setzte er sich in das Zelt eines
Zuckerbäckers und verzehrte ein paar Stücke Kuchen. Dann
eilte er, um ja nichts zu versäumen, wieder ins Gewühl und
war so glücklich, den König zu sehen, wenn auch nur von
hinten. Nun erkaufte er sich den Eintritt zu den Schießstän-
den, und wenn er auch vom Schießwesen nichts verstand, sah
er doch mit Vergnügen und Spannung den Schützen zu, ließ
sich einige berühmte Helden zeigen und betrachtete mit
Ehrfurcht das Mienenspiel und Augenzwinkern der Schie-
ßenden. Alsdann suchte er das Karussell auf und sah ihm
eine Weile zu, wandelte unter den Bäumen in der frohen
Menschenflut, kaufte eine Ansichtskarte mit dem Bildnis des
Königs, hörte alsdann lange Zeit einem Marktschreier zu,

der seine Waren ausrief und einen Witz um den andern machte, und weidete seine Augen am Anblick der geputzten Volksscharen. Errötend entwich er von der Bude eines Photographen, dessen Frau ihn zum Eintritt eingeladen und unter dem Gelächter der Umstehenden einen entzückenden jungen Don Juan genannt hatte. Und immer wieder blieb er stehen, um einer Musik zuzuhören, bekannte Melodien mitzusummen und sein Stöcklein im Takt dazu zu schwingen.

Über dem allem wurde es Abend, das Schießen hatte ein Ende, und es begann da und dort ein Zechen in Hallen oder unter Bäumen. Während der Himmel noch in zartem Lichte schwamm und Türme und ferne Berge in der Herbstabendklarheit standen, glommen hier und dort schon Lichter und Laternen auf. Ladidel ging in seinem Rausche dahin und bedauerte das Sinken des Tages. Die Bürgerschaft eilte nun heimwärts zum Abendessen, müdgewordene Kinder ritten taumelnd auf den Schultern der Väter, die eleganten Wagen verschwanden. Dafür regten sich Lust und Übermut der Jugend, die sich auf Tanz und Wein freute, und wie es auf dem Platze und den Gassen leerer ward, tauchte da und dort und an jeder Ecke ein Liebespaar auf, Arm in Arm voll Ungeduld und Ahnung nächtlicher Lust.

Um diese Stunde begann die Fröhlichkeit Ladidels sich zu verlieren wie das hinschwindende Tageslicht. Ergriffen und traurig werdend strich der einsame Jüngling durch den Abend. Es kicherte kein Liebespaar an ihm vorbei, dem er nicht nachsah, und als nun in einem Garten unter hohen schwarzen Kastanien mit lockender Pracht Reihen von roten Papierampeln aufglühten und aus ebendiesem Garten her eine weiche, sehnliche Musik ertönte, da folgte er dem Ruf der heißen, flüsternden Geigen und trat ein. An langen Tischen aß und trank viel junges Volk, dahinter wartete ein großer Tanzplan erst halb erleuchtet. Der junge Mann nahm am leeren Ende eines Tisches Platz und verlangte Wein und Essen. Dann ruhte er aus, atmete die Gartenluft und horchte auf die Musik, aß ein weniges und trank langsam in kleinen Schlücken den ungewohnten Wein. Je länger er in die roten Lampen schaute, die Geigen spielen hörte und den Duft der Festnacht atmete, desto einsamer und elender kam er sich vor. Wohin er blickte, sah er rote Wangen und begierige

348

Augen leuchten, junge Burschen in Sonntagskleidern mit kühnen und herrischen Blicken, Mädchen im Putz mit verlangenden Augen und tanzbereiten, unruhigen Füßen. Und er war noch nicht lange mit seinem Abendessen fertig, als die Musik mit erneuter Wucht und Süße anstimmte, der Tanzplatz von hundert Lichtern strahlte und Paar auf Paar in Eile sich zum Tanze drängte.

Ladidel sog langsam an seinem Wein, um noch eine Weile dableiben zu können, und als der Wein doch schließlich zu Ende war, konnte er sich nicht entschließen, heimzugehen. Er ließ nochmals ein kleines Fläschchen kommen und saß und starrte und fiel in eine stachelnde Unruhe, als müsse allem zum Trotz an diesem Abend ihm ein Glück blühen und etwas vom Überfluß der Wonne auch für ihn abfallen. Und wenn es nicht geschah, so schrieb er sich in Leid und Trotz das Recht zu, wenigstens dem Fest und seinem Unglück zu Ehren den ersten Rausch seines Lebens zu trinken. Und so stiegen, je heftiger rings um ihn die Freude tobte, sein Unglück sowohl wie sein Trostbedürfnis höher und rissen den Unbeschützten zur Übertreibung und zum Rausche hin.

Viertes Kapitel

Während Ladidel vor seinem Weinglas am Tische saß und mit heißen Augen in das Tanzgewühl blickte, vom roten Licht der Ampeln und vom raschen Takt der Musik bezaubert und seines Kummers bis zur Verzweiflung überdrüssig, hörte er plötzlich neben sich eine leise Stimme, die fragte: »Ganz allein?«

Schnell wandte er sich um und sah über die Lehne der Bank gebeugt ein hübsches Mädchen mit schwarzen Haaren, mit einem weißen linnenen Hütlein und einer roten leichten Bluse angetan. Sie lachte mit einem hellroten Munde, während ihr um die erhitzte Stirn und die dunkeln Augen ein paar lose Locken hingen. »Ganz allein?« fragte sie mitleidig und schelmisch, und er gab Antwort: »Ach ja, leider.« Da nahm sie sein Weinglas, fragte mit einem Blick um Erlaubnis, sagte Prosit und trank es in einem durstigen Zuge aus. Er sah dabei ihren schlanken Hals, der bräunlich aus dem roten leichten Stoff emporstieg, und indessen sie trank, fühlte er mit heftig klopfendem Herzen, daß sich hier ein Abenteuer anspinne.

Um doch etwas zur Sache zu tun, schenkte Ladidel das leere Glas wieder voll und bot es dem Mädchen an. Aber sie schüttelte den Kopf und blickte rückwärts nach dem Tanzplatz, wo soeben eine neue Musik erscholl.

»Tanzen möcht ich«, sagte sie und sah dem Jüngling in die Augen, der augenblicklich aufstand, sich vor ihr verbeugte und seinen Namen nannte.

»Ladidel heißen Sie? Und mit dem Vornamen? Ich heiße Fanny.«

Sie nahm ihn an sich, und beide tauchten in den Strom und Schwall des Walzers, den Ladidel noch nie so ausgezeichnet getanzt hatte. Früher war er beim Tanzen lediglich seiner Geschicklichkeit, seiner flinken Beine und feinen Haltung froh geworden und hatte dabei stets daran gedacht, wie er aussehe, und ob er auch einen guten Eindruck mache. Jetzt war daran nicht zu denken. Er flog in einem feurigen Wirbel mit, hingeweht und wehrlos, aber glücklich und im Innersten erregt. Bald zog und schwang ihn seine Tänzerin, daß ihm Boden und Atem verlorenging, bald lag sie still und eng an ihn gelehnt, daß ihre Pulse an seinen schlugen und ihre Wärme die seine entfachte.

Als der Tanz zu Ende war, legte Fanny ihren Arm in den ihres Begleiters und zog ihn mit sich weg. Tief atmend wandelten sie langsam einen Laubengang entlang, zwischen vielen anderen Paaren, in einer Dämmerung voll warmer Farben. Durch die Bäume schien tief der Nachthimmel mit blanken Sternen herein, von der Seite her spielte, von beweglichen Schatten unterbrochen, der rote Schein der Festampeln, und in diesem ungewissen Licht bewegten sich plaudernd die ausruhenden Tänzer, die Mädchen in weißen und hellfarbigen Kleidern und Hüten, mit bloßen Hälsen und Armen, manche mit Fächern versehen, die gleich Pfauenrädern spielten. Ladidel nahm das alles nur als einen farbigen Nebel wahr, der mit Musik und Nachtluft zusammenfloß und daraus nur hin und wieder im nahen Vorbeistreifen ein helles Gesicht mit funkelnden Augen, ein offener lachender Mund mit glänzenden Zähnen, ein zärtlich gebogener weißer Arm für Augenblicke deutlich hervorschimmerte.

»Alfred!« sagte Fanny leise.

»Ja, was?«

»Gelt, du hast auch keinen Schatz? Meiner ist nach Amerika.«

»Nein, ich hab keinen.«

»Willst du nicht mein Schatz sein?«

»Ich will schon.«

Sie lag ganz in seinem Arm und bot ihm den feuchten Mund. Liebestaumel wehte in den Bäumen und Wegen; Ladidel küßte den roten Mund und küßte den weißen Hals und den bräunlichen Nacken, die Hand und den Arm seines Mädchens. Er führte sie, oder sie ihn, an einen Tisch abseits im tiefen Schatten, ließ Wein kommen und trank mit ihr aus einem Glase, hatte den Arm um ihre Hüfte gelegt und fühlte Feuer in allen Adern. Seit einer Stunde war die Welt und alles Vergangene hinter ihm versunken und ins Bodenlose gefallen, um ihn wehte allmächtig die glühende Nacht, ohne Gestern und ohne Morgen.

Auch die hübsche Fanny freute sich ihres neuen Schatzes und ihrer blühenden Jugend, jedoch weniger rückhaltlos und gedankenlos als ihr Liebster, dessen Feuer sie mit der einen Hand zu mehren, mit der andern abzuwehren bemüht war. Der schöne Tanzabend gefiel auch ihr wohl, und sie tanzte ihre Touren mit heißen Wangen und blitzenden Augen; doch war sie nicht gesonnen, darüber ihre Absichten und Zwecke zu vergessen.

Darum erfuhr Ladidel im Laufe des Abends, zwischen Wein und Tanz, von seiner Geliebten eine lange traurige Geschichte, die mit einer kranken Mutter begann und mit Schulden und drohender Obdachlosigkeit endete. Sie bot dem bestürzten Liebhaber diese bedenklichen Mitteilungen nicht auf einmal dar, sondern mit vielen Pausen, während deren er sich stets wieder erholen und neue Glut fassen konnte, sie bat ihn sogar, nicht allzuviel daran zu denken und sich den schönen Abend nicht verderben zu lassen, bald aber seufzte sie wieder tief auf und wischte sich die Augen. Bei dem guten Ladidel wirkte denn auch, wie bei allen Anfängern, das Mitleid eher entflammend als niederschlagend, so daß er das Mädchen gar nimmer aus den Armen ließ und ihr zwischen Küssen goldene Berge für die Zukunft versprach.

Sie nahm es hin, ohne sich getröstet zu zeigen, und fand dann plötzlich, es sei spät, und sie dürfe ihre arme kranke Mutter nicht länger warten lassen. Ladidel bat und flehte, wollte sie dabehalten oder zumindest begleiten, schalt und klagte und ließ auf alle Weise merken, daß er die Angel geschluckt habe und nimmer entrinnen könne.

Mehr hatte Fanny nicht gewollt. Sie zuckte hoffnungslos die Achseln, streichelte Ladidels Hand und bat ihn, nun für immer von ihr Abschied zu nehmen. Denn wenn sie bis morgen abend nicht im Besitze von hundert Mark sei, so werde sie samt ihrer armen Mama auf die Straße gesetzt werden und könne für das, wozu die Verzweiflung sie dann treiben würde, nicht einstehen. Ach, sie wollte ja gern lieb sein und ihrem Alfred jede Gunst gewähren, da sie ihn nun einmal so schrecklich liebe, aber unter diesen Umständen sei es doch besser, auseinanderzugehen und sich mit der ewigen Erinnerung an diesen schönen Abend zu begnügen.

Dieser Meinung war Ladidel nicht. Ohne sich viel zu besinnen, versprach er, das Geld morgen abend herzubringen, und schien fast zu bedauern, daß sie seine Liebe auf keine größere Probe stelle.

»Ach, wenn du das könntest!« seufzte Fanny. Dabei schmiegte sie sich an ihn, daß er beinahe den Atem verlor.

»Verlaß dich drauf«, sagte er. Und nun wollte er sie nach Hause begleiten, aber sie war so scheu und hatte plötzlich eine so furchtbare Angst, man möchte sie sehen und ihr guter Ruf möchte notleiden, daß er mitleidig nachgab und sie allein ziehen ließ.

Darauf schweifte er noch wohl eine Stunde lang umher. Da und dort tönte aus Gärten und Zelten noch nächtliche Festlichkeit. Erhitzt und müde kam er endlich nach Hause, ging zu Bett und fiel sogleich in einen unruhigen Schlaf, aus dem er schon nach einer Stunde wieder erwachte. Da brauchte er lange, um sich aus einem zähen Wirrwarr verliebter Träume zurechtzufinden. Die Nacht stand bleich und grau im Fenster, die Stube war dunkel und alles still, so daß Ladidel, der nicht an schlaflose Nächte gewöhnt war, verwirrt und ängstlich in die Finsternis blickte und den noch nicht verwundenen

Rausch des Abends im Kopf rumoren fühlte. Irgend etwas, was er vergessen hatte und woran zu denken ihm doch notwendig schien, quälte ihn eine gute Weile. Am Ende klärte sich jedoch die peinigende Trübe, und der ernüchterte Träumer wußte wieder, um was es sich handle. Und nun drehten seine Gedanken sich die ganze lange Nacht hindurch um die Frage, woher das Geld kommen solle, das er seinem Schätzchen versprochen hatte. Er begriff nimmer, wie er das Versprechen hatte geben können, es mußte in einer Bezauberung geschehen sein. Auch trat ihm der Gedanke, sein Wort zu brechen, nahe und sah gar friedlich aus. Doch gewann er den Sieg nicht, zum Teil, weil eine ehrliche Gutmütigkeit den Jüngling abhielt, eine Notleidende umsonst auf die zugesagte Hilfe warten zu lassen. Noch mächtiger freilich war die Erinnerung an Fannys Schönheit, an ihre Küsse und die Wärme ihres Leibes, und die sichere Hoffnung, das alles schon morgen ganz zu eigen zu haben. Darum entschlug und schämte er sich des Gedankens, ihr untreu zu werden, und wandte allen Scharfsinn daran, einen Weg zu dem versprochenen Gelde zu ersinnen. Allein je mehr er sann und spann, desto größer ward in seiner Vorstellung die Summe und desto unmöglicher ihre Erlangung.

Als Ladidel am Morgen grau und müde, mit verwachten Augen und schwindelndem Kopfe, ins Kontor trat und sich an seinen Platz setzte, wußte er noch immer keinen Ausweg. Er war in der Frühe schon bei einem Pfandleiher gewesen und hatte seine Uhr und Uhrkette samt allen seinen kleinen Kostbarkeiten versetzen wollen, doch war der saure und beschämende Gang vergeblich gewesen, denn man hatte ihm für das Ganze nicht mehr als zehn Mark geben wollen. Nun bückte er sich traurig über seine Arbeit und brachte eine öde Stunde über Tabellen hin, da kam mit der Post, die ein Lehrling brachte, ein kleiner Brief für ihn. Erstaunt öffnete er das zierliche Kuvert, steckte es in die Tasche und las heimlich das kleine rosenrote Billett, das er darin gefunden hatte. »Liebster, gelt du kommst heut abend? Mit Kuß deine Fanny.«

Das gab den Ausschlag. Ladidel beschloß, um jeden Preis sein Versprechen zu halten. Das Brieflein verbarg er in der Brusttasche und zog es je und je heimlich hervor, um daran zu riechen, denn es hatte einen feinen warmen Duft, der ihm wie Wein zu Kopfe stieg.

Schon in den Überlegungen der vergangenen Nacht war der Gedanke in ihm aufgestiegen, im Notfalle das Geld auf eine verbotene Weise an sich zu bringen, doch hatte er diesen Plänen keinen Raum in sich gegönnt. Nun kamen sie wieder und waren stärker und schmeichelnder geworden. Ob ihm auch vor Diebstahl und Betrug im Herzen graute, so wollte ihm doch der Gedanke, es handle sich dabei nur um eine erzwungene Anleihe, deren Erstattung ihm heilig sein würde, mehr und mehr einleuchten. Über die Art der Ausführung aber zerbrach er sich vergeblich den Kopf. Er brachte den Tag verstört und bitter hin, sann und plante, und er wäre am Ende betrübt, doch unbefleckt, aus dieser Prüfung hervorgegangen, wenn ihn nicht am Abend, in der letzten Stunde, eine allzu verlockende Gelegenheit doch noch zum Schelm gemacht hätte.

Der Prinzipal gab ihm Auftrag, da und dahin einen Wertbrief zu senden, und zählte ihm die Banknoten hin. Es waren sieben Scheine, die er zweimal durchzählte. Da widerstand er nicht, brachte mit zitternder Hand eines von den Papieren an sich und siegelte die sechse ein, die denn auch zur Post kamen und abreisten.

Die Tat wollte ihn reuen, schon als der Lehrling den Siegelbrief wegtrug, dessen Aufschrift nicht mit seinem Inhalte stimmte. Von allen Arten der Unterschlagungen schien ihm diese nun die törichtste und gefährlichste, da im besten Fall nur Tage vergehen konnten, bis das Fehlen des Geldes entdeckt und Bericht darüber einlaufen würde. Als der Brief fort und nichts zu bessern war, hatte der im Bösen unbewanderte Ladidel das Gefühl eines Selbstmörders, der den Strick um den Hals und den Schemel schon weggestoßen hat, nun aber gerne doch noch leben möchte. Drei Tage kann es dauern, dachte er, vielleicht aber auch nur einen, dann bin ich meines guten Rufes, meiner Freiheit und Zukunft ledig, und alles um die hundert Mark, die nicht einmal für mich sind. Er sah sich verhört, verurteilt, mit Schanden fortgejagt und ins Gefängnis gesteckt und mußte zugeben, daß das alles durchaus verdient und in Ordnung sei.

Erst auf dem Wege zum Abendessen fiel ihm ein, es könnte

am Ende auch besser ablaufen. Daß die Sache gar nicht entdeckt werden würde, wagte er zwar nicht zu hoffen; aber wenn nun das Geld auch fehlte, wie wollte man beweisen, daß er der Dieb war? Mit dem Sonntagsrock und seiner besten Wäsche angetan, erschien er eine Stunde später auf dem Tanzplatze. Unterwegs war seine Zuversicht zurückgekehrt, oder es hatten doch die wieder erwachten heißen Wünsche seiner Jugend die Angstgefühle übertäubt.

Es ging auch an diesem Abend lebhaft zu, doch fiel es Ladidel heute auf, daß der Ort nicht von der guten Bürgerschaft, sondern zumeist von geringeren Leuten und auch von manchen verdächtig Aussehenden besucht war. Als er sein Viertel Landwein getrunken hatte und Fanny noch nicht gekommen war, befiel ihn ein Mißbehagen an dieser Gesellschaft, und er verließ den Garten, um draußen hinterm Zaun zu warten. Da lehnte er in der Abendkühle an einer finstern Stelle des Geheges, sah in das Gewühl und wunderte sich, daß er gestern inmitten derselben Leute und bei derselben Musik so glücklich gewesen war und so ausgelassen getanzt hatte. Heute wollte ihm alles weniger gefallen; von den Mädchen sahen viele frech und liederlich aus, die Burschen hatten üble Manieren und unterhielten selbst während des Tanzes ein lärmendes Einverständnis durch Schreie und Pfiffe. Auch die roten Papierlaternen sahen weniger festlich und leuchtend aus, als sie ihm gestern erschienen waren. Er wußte nicht, ob nur Müdigkeit und Ernüchterung, oder ob sein schlechtes Gewissen daran schuld sei; aber je länger er zuschaute und wartete, desto weniger wollte der Festrausch wieder kommen, und er nahm sich vor, mit Fanny, sobald sie käme, von diesem Ort wegzugehen.

Als er wohl eine Stunde gewartet hatte, sah er am jenseitigen Eingang des Gartens sein Mädchen ankommen, in der roten Bluse und mit dem weißen Segeltuchhütchen, und betrachtete sie neugierig. Da er so lang hatte warten müssen, wollte er nun auch sie ein wenig necken und warten lassen, auch reizte es ihn, sie so aus dem Verborgenen zu belauschen.

Die hübsche Fanny spazierte langsam durch den Garten und suchte; und da sie Ladidel nicht fand, setzte sie sich beiseite an einen Tisch. Ein Kellner kam, doch winkte sie ihm ab. Dann sah Ladidel, wie sich ihr ein Bursche näherte, der ihm schon gestern als ein vorlauter Patron aufgefallen war. Er schien sie gut zu kennen, und soweit Ladidel sehen konnte, fragte sie ihn eifrig nach etwas, wohl nach ihm, und der Bursche zeigte nach dem Ausgang und schien zu erzählen, der Gesuchte sei dagewesen, aber wieder fortgegangen.

Nun begann Ladidel Mitleid zu haben und wollte zu ihr eilen, doch sah er in demselben Augenblick mit Schrecken, wie der unangenehme Bursche die Fanny ergriff und mit ihr zum Tanz antrat. Aufmerksam beobachtete er sie beide, und wenn ihm auch ein paar grobe Liebkosungen des Mannes das Blut ins Gesicht trieben, so schien doch das Mädchen gleichgültig zu sein, ja ihn abzuwehren.

Kaum war der Tanz zu Ende, so ward Fanny von ihrem Begleiter einem andern zugeschoben, der den Hut vor ihr zog und sie höflich zur neuen Tour aufforderte. Ladidel wollte ihr zurufen, wollte über den Zaun zu ihr hinein, doch kam er nicht dazu, und er mußte in trauriger Betäubung zusehen, wie sie dem Fremden zulächelte und mit ihm den Schottischen begann. Und während des Schottischen sah er sie schön mit dem andern tun und seine Hände streicheln und sich an ihn lehnen, gerade wie sie es gestern ihm selbst getan hatte, und er sah den Fremden warm werden und sie fester umfassen und am Schluß des Tanzes mit ihr durch die dunkleren Laubengänge wandeln, wobei das Paar dem Lauscher peinlich nahe kam und er ihre Worte und Küsse gar deutlich hören konnte.

Da ging Alfred Ladidel heimwärts, mit tränenden Augen, das Herz voll Scham und Wut und dennoch froh, der Hure entgangen zu sein. Junge Leute kehrten von den Festplätzen heim und sangen, Musik und Gelächter drang aus den Gärten; ihm aber klang alles wie ein Hohn auf ihn und alle Lust, und wie vergiftet. Als er heimkam, war er todmüde und hatte kein Verlangen mehr als schlafen. Und da er seinen Sonntagsrock auszog und gewohnterweise seine Falten glatt strich, knisterte es in der Tasche, und er zog unversehrt den blauen Geldschein hervor. Unschuldig lag das Papier im Kerzenschein auf dem Tische; er sah es eine Weile an, schloß es dann in die Schublade und schüttelte den Kopf dazu. Um das zu erleben, hatte er nun gestohlen und sein Leben verdorben.

Gegen eine Stunde lag er noch wach, doch dachte er in dieser Zeit nicht mehr an Fanny und nicht mehr an die hundert Mark, sondern er dachte an Martha Weber und daran, daß er sich nun alle Wege zu ihr verschüttet habe.

Fünftes Kapitel

Was er jetzt zu tun habe, wußte Ladidel genau. Er hatte erfahren, wie bitter es ist, sich vor sich selber schämen zu müssen, und stand sein Mut auch tief, so war er dennoch fest entschlossen, mit dem Gelde und einem ehrlichen Geständnis zu seinem Prinzipal zu gehen und von seiner Ehre und Zukunft zu retten, was noch zu retten wäre.

Darum war es ihm nicht wenig peinlich, als am folgenden Tage der Notar nicht ins Kontor kam. Er wartete bis Mittag und vermochte seinen Kollegen kaum in die Augen zu blicken, da er nicht wußte, ob er morgen noch an diesem Platze stehen und als ihresgleichen gelten werde.

Nach Tisch erschien der Notar wieder nicht, und es verlautete, er sei unwohl und werde heut nimmer ins Geschäft kommen. Da hielt Ladidel es nicht länger aus. Er ging unter einem Vorwand weg und geradenwegs in die Wohnung seines Prinzipals. Man wollte ihn nicht vorlassen, er bestand aber mit Verzweiflung darauf, nannte seinen Namen und begehrte in einer wichtigen Sache den Herrn zu sprechen. So wurde er in ein Vorzimmer geführt und aufgefordert zu warten.

Die Dienstmagd ließ ihn allein, er stand in Verwirrung und Angst zwischen plüschbezogenen Stühlen, lauschte auf jeden Ton im Hause und hatte das Sacktuch in der Hand, da ihm ohne Unterlaß der Schweiß über die Stirne lief. Auf einem ovalen Tische lagen goldverzierte Bücher, Schillers Glocke und der Siebziger Krieg, ferner stand dort ein Löwe aus grauem Stein und in Stehrahmen eine Menge von Photographien. Es sah hier feiner, doch ähnlich aus wie in der schönen Stube von Ladidels Eltern, und alles mahnte an Ehrbarkeit, Wohlstand und Würde. Die Photographien stellten lauter wohlgekleidete Leute vor, Brautpaare im Hochzeitsstaat, Frauen und Männer von guter Familie und zweifellos bestem Rufe, und von der Wand schaute ein wohl lebensgroßer Mannskopf herab, dessen Züge und Augen Ladidel an das Bildnis des verstorbenen Vaters bei den Weberschen Damen erinnerten. Zwischen so viel bürgerlicher Würde sank der Sünder in seinen eigenen Augen von Augenblick zu Augenblick tiefer, er fühlte sich durch seine Übeltat von diesem Kreise ausgeschlossen und unter die Ehrlosen geworfen, von denen keine Photographien gemacht und unter Glas gespannt und in den guten Stuben aufgestellt werden.

Eine große Wanduhr von der Art, die man Regulatoren nennt, schwang ihren messingenen Perpendikel hin und wider, und einmal, nachdem Ladidel schon recht lang gewartet hatte, räusperte sie sich leise und tat sodann einen tiefen, schönen, vollen Schlag. Der arme Jüngling schrak auf, und in demselben Augenblick trat ihm gegenüber der Notar durch die Türe. Er beachtete Ladidels Verbeugung nicht, sondern wies sogleich befehlend auf einen Sessel, nahm selber Platz und sagte: »Was führt Sie her?«

»Ich wollte«, begann Ladidel, »ich hatte, ich wäre –« Dann aber schluckte er energisch und stieß heraus: »Ich habe Sie bestehlen wollen.«

Der Notar nickte und sagte ruhig: »Sie haben mich sogar wirklich bestohlen, ich weiß es schon. Es ist vor einer Stunde telegraphiert worden. Sie haben also wirklich einen von den Hundertmarkscheinen genommen?«

Statt der Antwort zog Ladidel den Schein aus der Tasche und streckte ihn dar. Erstaunt nahm der Herr ihn in die Finger, spielte damit und sah Ladidel scharf an.

»Wie geht das zu? Haben Sie schon Ersatz geschafft?«

»Nein, es ist derselbe Schein, den ich weggenommen hatte. Ich habe ihn nicht gebraucht.«

»Sie sind ein Sonderling, Ladidel. Daß Sie das Geld genommen hätten, wußte ich sofort. Es konnte ja sonst niemand sein. Und außerdem wurde mir gestern erzählt, man habe Sie am Sonntagabend auf dem Festplatz in einer etwas verrufenen Tanzbude gesehen. Oder hängt es nicht damit zusammen?«

Nun mußte Ladidel erzählen, und so sehr er sich Mühe gab,

das Beschämendste zu unterdrücken, es kam wider seinen Willen doch fast alles heraus. Der alte Herr unterbrach ihn nur zwei-, dreimal durch kurze Fragen, im übrigen hörte er gedankenvoll zu und sah zuweilen dem Beichtenden ins Gesicht, sonst aber zu Boden, um ihn nicht zu stören.

Am Ende stand er auf und ging in der Stube hin und wider. Nachdenklich nahm er eine von den Photographien in die Hand. Plötzlich bot er das Bild dem Übeltäter hin, der in seinem Sessel ganz zusammengebrochen kauerte.

»Sehen Sie«, sagte er, »das ist der Direktor einer großen Fabrik in Amerika. Er ist ein Vetter von mir, Sie brauchen es ja nicht jedermann zu erzählen, und er hat als junger Mensch in einer ähnlichen Lage wie Sie tausend Mark entwendet. Er wurde von seinem Vater preisgegeben, mußte hinter Schloß und Riegel und ging nachher nach Amerika.«

Er schwieg und wanderte wieder umher, während Ladidel das Bild des stattlichen Mannes ansah und einigen Trost daraus sog, daß also auch in dieser ehrenwerten Familie ein Fehltritt vorgekommen sei und daß der Sünder es doch noch zu etwas gebracht habe und nun gleich den Gerechten gelte und sein Bild zwischen den Bildern unbescholtener Leute stehen dürfe.

Inzwischen hatte der Notar seine Gedanken zu Ende gesponnen und trat zu Ladidel, der ihn schüchtern anschaute.

Er sagte fast freundlich: »Sie tun mir leid, Ladidel. Ich glaube nicht, daß Sie schlecht sind, und hoffe, Sie kommen wieder auf rechte Wege. Am Ende würde ich es sogar wagen und Sie behalten. Aber das wäre für uns beide unerquicklich und ginge gegen meine Grundsätze. Und einem Kollegen kann ich Sie auch nicht empfehlen, wenn ich auch an Ihre guten Vorsätze gern glauben will. Wir wollen also die Sache zwischen uns für getan ansehen, ich werde niemand davon sagen. Aber bei mir bleiben können Sie nicht.«

Ladidel war zwar überfroh, die böse Sache so menschlich behandelt zu sehen. Da er sich aber nun ans Freie gesetzt und so ins Ungewisse geschickt fand, verzagte er doch und klagte: »Ach, was soll ich aber jetzt anfangen?«

»Etwas Neues«, rief der Notar, und unversehens lächelte er. »Seien Sie ehrlich, Ladidel, und sagen Sie: wie wäre es Ihnen wohl nächstes Frühjahr im Staatsexamen gegangen?

Schauen Sie, Sie werden rot. Nun, wenn Sie auch schließlich den Winter über noch manches hätten nachholen können, so hätte es doch schwerlich gereicht, und ich hatte ohnehin schon seit einiger Zeit die Absicht, darüber mit Ihnen zu reden. Jetzt ist ja die beste Gelegenheit dazu. Meine Überzeugung, und vielleicht im stillen auch Ihre, ist die, daß Sie Ihren Beruf verfehlt haben. Sie passen nicht zum Notar und überhaupt nicht ins Amtsleben. Nehmen Sie an, Sie seien im Examen durchgefallen, und suchen Sie recht bald einen anderen Beruf, in dem Sie es weiterbringen können.

Am besten fahren Sie gleich morgen nach Hause. Und jetzt adieu. Wenn Sie mir später einmal Bericht geben, wird es mich freuen. Nur jetzt den Kopf nicht hängen lassen und keine neuen Dummheiten machen! – Adieu denn, und grüßen Sie den Herrn Vater von mir!«

Er gab dem Bestürzten die Hand, drückte ihm die seine kräftig und schob ihn, der noch reden wollte, zur Tür.

Damit stand unser Freund auf der Gasse. Er hatte im Kontor nur ein paar schwarze Ärmelschoner zurückgelassen, an denen war ihm nichts gelegen, und er zog es vor, sich dort nimmer zu zeigen. Allein so betrübt er war und so sehr ihm vor der Heimfahrt und dem Vater graute, auf dem Grund seiner Seele war er doch dankbar und beinahe vergnügt, der furchtbaren Angst vor Polizei und Schande ledig zu sein; und während er langsam durch die Straßen ging, schlich auch der Gedanke, daß er nun kein Examen mehr vor sich habe, als ein tröstlicher Lichtstrahl in sein Gemüt, das von den vielen Erlebnissen dieser Tage auszuruhen und aufzuatmen begehrte.

So begann ihm beim Dahinwandeln allmählich auch das ungewohnte Vergnügen, werktags um diese Tageszeit frei durch die Stadt zu spazieren, recht wohl zu gefallen. Er blieb vor den Auslagen der Kaufleute stehen, betrachtete die Kutschpferde, die an den Ecken warteten, schaute auch zum zartblauen Herbsthimmel hinan und genoß für eine Stunde ein unverhofftes Feriengefühl. Dann kehrten seine Gedanken in den alten Kreis zurück, und als er in der Nähe seiner Wohnung um eine Gassenecke bog, mußte ihm gerade eine hübsche junge Dame begegnen, die der Martha Weber ähnlich sah. Da fiel ihm alles wieder recht aufs Herz, und er mußte sich vorstellen, was wohl die Martha denken und sagen würde, wenn sie seine Geschichte erführe. Erst jetzt fiel ihm ein, daß sein Fortgehen von hier ihn nicht nur von Amt und Zukunft, sondern auch aus der Nähe des geliebten Mädchens entführe. Und alles um diese Fanny.

Je mehr ihm das klar wurde, desto stärker wurde sein Verlangen, nicht ohne einen Gruß an Martha fortzugehen. Schreiben mochte er ihr nicht, es blieb ihm nur der Weg durch Fritz Kleuber. Darum kehrte er, kurz vor dem Hause, um und suchte Kleuber in seiner Rasierstube auf.

Der gute Fritz hatte eine ehrliche Freude, ihn wiederzusehen. Doch deutete Ladidel ihm nur in Kürze an, er müsse aus besonderen Gründen seine Stelle verlassen und wegreisen.

»Nein, aber!« rief Fritz betrübt. »Da müssen wir aber wenigstens noch einmal zusammensein, wer weiß, wann man sich wieder sieht! Wann mußt du denn reisen?«

Alfred überlegte. »Morgen muß ich doch noch packen. Also übermorgen.«

»Dann mache ich mich morgen abend frei und komme zu dir, wenn dir's recht ist.«

»Ja, gut. Und gelt, wenn du wieder zu deiner Braut kommst, sagst du viele Grüße von mir – an alle!«

»Ja, gern. Aber willst du nicht selber noch hingehen?«

»Ach, das geht jetzt nimmer. – Also morgen!«

Trotzdem überlegte er diesen und den ganzen folgenden Tag, ob er es nicht doch tun solle. Allein er fand nicht den Mut dazu. Was hätte er sagen und wie seine Abreise erklären sollen? Ohnehin überfiel ihn heute eine heillose Angst vor der Heimreise und vor seinem Vater, vor den Leuten daheim und der Schande, der er entgegenging. Und er packte nicht, er fand nicht einmal den Mut, seiner Wirtin die Stube zu kündigen. Statt all dies Notwendige zu tun, saß er und füllte Bogen mit Entwürfen zu einem Brief an seinen Vater.

»Lieber Vater! Der Notar kann mich nicht mehr brauchen –«

»Lieber Vater! Da ich doch zum Notar nicht recht passe –.«

Es war nicht leicht, das Schreckliche sanft und doch deutlich zu sagen. Aber es war immerhin leichter, diesen Brief zusammenzudichten als heimzufahren und zu sagen: da bin ich wieder, man hat mich fortgejagt. Und so ward denn bis zum Abend der Brief wirklich fertig.

Am Abend war er mürbe und mitgenommen, und Kleuber fand ihn so milde und weich wie noch nie. Er hatte ihm, als ein Abschiedsgeschenk, eine kleine geschliffene Glasflasche mit edlem Odeur mitgebracht. Die bot er ihm hin und sagte: »Darf ich dir das zum Andenken mitgeben? Es wird schon noch in den Koffer gehen.« Indessen sah er sich um und rief verwundert: »Du hast noch gar nicht gepackt! Soll ich dir helfen?«

Ladidel sah ihn unsicher an und meinte: »Ja, ich bin noch nicht so weit. Ich muß noch auf einen Brief warten.«

»Das freut mich«, sagte Fritz, »so hat man doch Zeit zum Adieusagen. Weißt du, wir könnten eigentlich heut abend miteinander zu den Webers gehen. Es wäre doch schade, wenn du so wegreisen würdest.«

Dem armen Ladidel war es, als ginge eine Türe zum Himmel auf und würde im selben Augenblick wieder zugeschlagen. Er wollte etwas sagen, schüttelte aber nur den Kopf, und als er sich zwingen·wollte, würgten die Worte ihn in der Kehle, und unversehens brach er vor dem erstaunten Fritz in ein Schluchzen aus.

»Ja lieber Gott, was hast du?« rief er erschrocken. Ladidel winkte schweigend ab, aber Kleuber war darüber, daß er seinen bewunderten und stolzen Freund in Tränen sah, so ergriffen und gerührt, daß er ihn in die Arme nahm wie einen Kranken, ihm die Hände streichelte und ihm in unbestimmten Ausdrücken seine Hilfe anbot.

»Ach, du kannst mir nicht helfen«, sagte Alfred, als er wieder reden konnte. Doch ließ Kleuber ihm keine Ruhe, und schließlich kam es Ladidel wie eine Erlösung vor, einer so wohlmeinenden Seele zu beichten, so daß er nachgab. Sie setzten sich einander gegenüber, Ladidel wandte sein Gesicht ins Dunkle und fing an: »Weißt du, damals als wir zum erstenmal miteinander zu deiner Braut gegangen sind –« und erzählte weiter, von seiner Liebe zu Martha, von ihrem Streit und Auseinanderkommen, und wie leid ihm das tue. Sodann kam er auf das Schützenfest zu sprechen, auf seine Verstimmung und Verlassenheit, von der Tanzwirtschaft und der Fanny, von dem Hundertmarkschein, und wie dieser unverwendet geblieben sei, endlich von dem gestrigen Gespräch mit dem Notar und seiner jetzigen Lage. Er gestand auch, daß er das Herz nicht habe, so vor seinen Vater zu kommen, daß er ihm geschrieben habe und nun mit Schrecken des Kommenden warte.

Dem allem hörte Fritz Kleuber still und aufmerksam zu, betrübt und in der Seele aufgewühlt durch solche Ereignisse. Als der andre schwieg und das Wort an ihm war, sagte er leise und schüchtern: »Da tust du mir leid.« Und obschon er selber gewiß niemals im Leben einen Pfennig veruntreut hatte, fuhr er fort: »Es kann ja jedem so etwas passieren, und du hast ja das Geld auch wieder zurückgebracht. Was soll ich da sagen? Die Hauptsache ist jetzt, was du anfangen sollst.«

»Ja, wenn ich das wüßte! Ich wollt, ich wär tot.«

»So darfst du nicht reden«, rief Fritz. »Weißt du denn wirklich nichts?«

»Gar nichts. Ich kann jetzt Steinklopfer werden.«

»Das wird nicht nötig sein. – Wenn ich nur wüßte, ob es dir keine Beleidigung ist – –«

»Was denn?«

»Ja, ich hätte einen Vorschlag. Ich fürchte nur, es ist eine Dummheit von mir, und du nimmst es übel.«

»Aber sicher nicht! Ich kann mir's gar nicht denken.«

»Sieh, ich denke mir so – du hast ja hie und da dich für meine Arbeiten interessiert und hast selber zum Vergnügen es damit probiert. Du hast auch viel Genie dafür und könntest es bald besser als ich, weil du geschickte Finger hast und so einen feinen Geschmack. Ich meine, wenn sich vielleicht nicht gleich etwas Besseres findet, ob du es nicht mit unserem Handwerk probieren möchtest?«

Ladidel war erstaunt; daran hatte er nie gedacht. Das Gewerbe eines Barbiers war ihm bisher zwar nicht schimpflich, doch aber wenig edel vorgekommen. Nun aber war er von jener hohen Stufe herabgesunken und hatte wenig Grund mehr, irgendein ehrliches Gewerbe gering zu achten. Das fühlte er auch; und daß Fritz sein Talent so rühmte, tat ihm wohl. Er meinte nach einigem Besinnen: »Das wäre vielleicht gar nicht das Dümmste. Aber weißt du, ich bin doch schon erwachsen, und auch an einen andern Stand gewöhnt; das würde ich schwer tun, noch einmal als Lehrbub bei irgendeinem Meister anzufangen.«

Fritz nickte. »Wohl, wohl. So ist es auch nicht gemeint!«

»Ja wie denn sonst?«

»Ich meine, du könntest bei mir lernen, was noch zu lernen ist. Entweder warten wir, bis ich mein eigenes Geschäft habe, das dauert nimmer lang. Du könntest aber auch schon jetzt zu mir kommen. Mein Meister nähme ganz gern einen Volontär, der geschickt ist und keinen Lohn will. Dann würde ich dich anleiten, und sobald ich mein eigenes Geschäft anfange, kannst du bei mir eintreten. Es ist ja vielleicht nicht leicht für dich, dich dran zu gewöhnen; aber wenn man eine gute Kundschaft hat, ist es doch kein übles Geschäft.«

Ladidel hörte mit angenehmer Verwunderung zu und spürte, daß hier sein Schicksal sich entschied. War es auch vom Notar zum Friseur ein gewisser Rückschritt, so empfand er doch die innige Befriedigung eines Mannes, der seinen wahren Beruf entdeckt und den ihm bestimmten Weg gefunden hat.

»Du, das ist ja großartig«, rief er glücklich und streckte Kleubern die Hand hin. »Jetzt ist mir erst wieder wohl in meiner Haut. Mein Alter wird ja vielleicht nicht gleich einverstanden sein, aber er muß es ja einsehen. Gelt, du redest dann auch ein Wort mit ihm?«

»Wenn du meinst –«, sagte Fritz schüchtern.

Nun war Ladidel so entzückt von seinem zukünftigen Beruf und so voll Eifers, daß er begehrte, augenblicklich eine Probe abzulegen. Kleuber mochte wollen oder nicht, er mußte sich hinsetzen und sich von seinem Freunde rasieren, den Kopf waschen und frisieren lassen. Und siehe, es glückte alles vorzüglich, kaum daß Fritz ein paar kleine Ratschläge zu geben hatte. Ladidel bot ihm Zigaretten an, holte den Weingeistkocher und setzte Tee an, plauderte und setzte seinen Freund durch diese rasche Heilung von seinem Trübsinn nicht wenig in Erstaunen. Fritz brauchte länger, um sich in die veränderte Stimmung zu finden, doch riß Alfreds Laune ihn endlich mit, und wenig fehlte, so hätte dieser wie in früheren vergnügten Zeiten die Gitarre ergriffen und Schelmenlieder angestimmt. Es hielt ihn davon nur der Anblick des Briefes an seinen Vater ab, der noch auf dem

Tische lag und ihn am spätern Abend nach Kleubers Weggehen noch lang beschäftigte. Er las ihn wieder durch, war
nimmer mit ihm zufrieden und faßte am Ende den Entschluß, nun doch heimzufahren und seine Beichte selber
abzulegen. Nun wagte er es, da er einen Ausweg aus der
Trübsal wußte.

Sechstes Kapitel

Als Ladidel von dem Besuch bei seinem Vater wiederkehrte,
war er zwar etwas stiller geworden, hatte aber seine Absicht
erreicht und trat für ein halbes Jahr als Volontär bei Kleubers Meister ein. Fürs erste sah er damit seine Lage bedeutend verschlechtert, da er nichts mehr verdiente und das
Monatsgeld von Hause sehr sparsam bemessen war. Er
mußte seine hübsche Stube aufgeben und eine geringe Kammer nehmen, auch sonst trennte er sich von manchen Gewohnheiten, die seiner neuen Stellung nicht mehr angemessen schienen. Nur die Gitarre blieb bei ihm und half ihm über
vieles weg, auch konnte er seiner Neigung zu sorgfältiger
Pflege seines Haupthaares und Schnurrbartes, seiner Hände
und Fingernägel jetzt ohne Beschränkung frönen. Er schuf
sich nach kurzem Studium eine Frisur, die jedermann bewunderte, und ließ seiner Haut mit Bürsten, Pinseln, Salben,
Seifen, Wassern und Pudern das Beste zukommen. Was ihn
jedoch mehr als dies alles beglückte, war die Befriedigung,
die er im neuen Berufe fand, und die innerliche Gewißheit,
nunmehr ein Metier zu betreiben, das seinen Talenten entsprach und in dem er Aussicht hatte, Bedeutendes zu leisten.

Anfänglich ließ man ihn freilich nur untergeordnete Arbeiten tun. Er mußte Knaben die Haare schneiden, Arbeiter
rasieren und Kämme und Bürsten reinigen, doch erwarb er
durch seine Fertigkeit im Flechten künstlicher Zöpfe bald
seines Meisters Vertrauen und erlebte nach kurzem Warten
den Ehrentag, da er einen wohlgekleideten, vornehm aussehenden Herrn bedienen durfte. Dieser war zufrieden und
gab ein Trinkgeld, und nun ging es Stufe für Stufe vorwärts.
Ein einziges Mal schnitt er einem Kunden in die Wange und
mußte Tadel über sich ergehen lassen, im übrigen erlebte er

beinahe nur Anerkennung und Erfolge. Besonders war es Fritz Kleuber, der ihn bewunderte und nun erst recht für einen Auserwählten ansah. Denn wenn er selber auch ein tüchtiger Arbeiter war, so fehlte ihm doch sowohl die Erfindungskraft, die für jeden Kopf die entsprechende Frisur zu schaffen weiß, wie auch das leichte, unterhaltende, angenehme Wesen im Umgang mit der Kundschaft. Hierin war Ladidel bedeutend, und nach einem Vierteljahr begehrten schon die verwöhnteren Stammgäste immer von ihm bedient zu werden. Er verstand es auch, nebenher seine Herren zum häufigeren Ankauf neuer Pomaden, Bartwichsen und Seifen, teurer Bürstchen und Kämme zu überreden; und in der Tat mußte in diesen Dingen jedermann seinen Rat willig und dankbar hinnehmen, denn er selbst sah beneidenswert tadellos und wohlbestellt aus.

Da die Arbeit ihn so in Anspruch nahm und befriedigte, trug er jede Entbehrung leichter, und so hielt er auch die lange Trennung von Martha Weber geduldig aus. Ein Schamgefühl hatte ihn gehindert, sich ihr in seiner neuen Gestalt zu zeigen, ja er hatte Fritz inständig gebeten, seinen neuen Stand vor den Damen zu verheimlichen. Dies war allerdings nur eine kurze Zeit möglich gewesen. Meta, der die Neigung ihrer Schwester zu dem hübschen Notar nicht unbekannt geblieben war, hatte sich hinter Fritz gesteckt und bald alles herausbekommen. So konnte sie der Schwester nach und nach ihre Neuigkeiten enthüllen, und Martha erfuhr nicht nur den Berufswechsel ihres Geliebten, den er jedoch aus Gesundheitsrücksichten vorgenommen habe, sondern auch seine unverändert treue Verliebtheit. Sie erfuhr ferner, daß er sich seines neuen Standes vor ihr schämen zu müssen meine und jedenfalls nicht eher sich wieder zeigen möge, als bis er es zu etwas gebracht und begründete Aussichten für die Zukunft habe.

Eines Abends war in dem Mädchenstübchen wieder vom »Notar« die Rede. Meta hatte ihn über den Schellenkönig gelobt, Martha aber sich wie immer spröde verhalten und es vermieden, Farbe zu bekennen.

»Paß auf«, sagte Meta, »der macht so schnell voran, daß er am Ende noch vor meinem Fritz ans Heiraten kommt.«

»Meinetwegen, ich gönn's ihm ja.«

»Und dir aber auch, nicht? Oder tust du's unter einem Notar durchaus nicht?«

»Laß mich aus dem Spiel! Der Ladidel wird schon wissen, wo er sich eine zu suchen hat.«

»Das wird er, hoff ich. Bloß hat man ihn zu spröd empfangen, und jetzt ist er scheu und findet den Weg nimmer recht. Dem wenn man einen Wink gäbe, er käm auf allen vieren gelaufen.«

»Kann schon sein.«

»Wohl. Soll ich winken?«

»Willst denn du ihn haben? Du hast doch deinen Bartscherer, mein ich.«

Meta schwieg nun und lachte in sich hinein. Sie sah wohl, wie ihrer Schwester ihre vorige Schärfe leid tat. Sie sann auf Wege, den Scheugewordenen wieder herzulocken, und hörte Marthas verheimlichten Seufzern mit einer kleinen Schadenfreude zu.

Mittlerweile meldete sich von Schaffhausen her Fritzens alter Meister wieder und ließ wissen, er wünsche nun bald sich einen Feierabend zu gönnen. Da frage er an, wie es mit Kleubers Absichten stehe. Zugleich nannte er die Summe, um welche sein Geschäft ihm feil sei, und wieviel davon er angezahlt haben müsse. Diese Bedingungen waren billig und wohlmeinend, jedoch reichten Kleubers Mittel dazu nicht hin, so daß er in Sorgen umherging und diese gute Gelegenheit zum Selbständigwerden und Heiratenkönnen zu versäumen fürchtete. Und endlich überwand er sich und schrieb ab, und erst dann erzählte er die ganze Sache Ladideln.

Der schalt ihn, daß er ihn das nicht habe früher wissen lassen, und machte sogleich den Vorschlag, er wolle die Angelegenheit vor seinen Vater bringen. Wenn der zu gewinnen sei, könnten sie ja das Geschäft gemeinsam übernehmen.

Der alte Ladidel war überrascht, als die beiden jungen Leute mit ihrem Anliegen zu ihm kamen, und wollte nicht sogleich daran. Doch hatte er zu Fritz Kleuber, der sich seines Sohnes in einer entscheidenden Stunde so wohl angenommen hatte, ein gutes Vertrauen, auch hatte Alfred von seinem jetzigen Meister ein überaus lobendes Zeugnis mitgebracht. Ihm schien, sein Sohn sei jetzt auf gutem Wege, und er zögerte, ihm nun einen Stein darein zu werfen. Nach einigen Tagen des Hin- und Widerredens entschloß er sich und fuhr selber nach Schaffhausen, um sich alles anzusehen.

Der Kauf kam zustande, und die beiden Kompagnons wurden von allen Kollegen beglückwünscht. Kleuber beschloß im Frühjahr Hochzeit zu halten und bat sich Ladidel als ersten Brautführer aus. Da war ein Besuch im Hause Weber nicht mehr zu umgehen. Ladidel kam in Fritzens Gesellschaft daher und konnte vor Herzklopfen kaum die vielen Treppen hinaufkommen. Oben empfing ihn der gewohnte Duft und das gewohnte Halbdunkel. Meta begrüßte ihn lachend, und die alte Mutter schaute ihn ängstlich und bekümmert an. Hinten in der hellen Stube aber stand Martha ernsthaft und etwas blaß in einem dunklen Kleide, gab ihm die Hand und war diesmal kaum minder verwirrt als er selber. Man tauschte Höflichkeiten, fragte nach der Gesundheit, trank aus kleinen altmodischen Kelchgläsern einen hellroten süßen Stachelbeerwein und besprach dabei die Hochzeit und alles dazu Gehörige. Herr Ladidel bat sich die Ehre aus, Fräulein Marthas Kavalier sein zu dürfen, und wurde eingeladen, sich nun auch wieder fleißiger im Hause zu zeigen. Beide sprachen miteinander nur höfliche und unbedeutende Worte, sahen einander aber heimlich an, und jedes fand das andre auf eine nicht auszudrückende, doch reizende Art verändert. Ohne es einander zu sagen, wußten und spürten sie jedes, daß auch das andre in dieser Zeit gelitten habe, und beschlossen heimlich, einander nicht wieder ohne Grund weh zu tun. Zugleich merkten sie auch beide mit Verwunderung, daß die lange Trennung und das Trotzen sie einander nicht entfremdet, sondern näher gebracht habe, und es wollte ihnen scheinen, nun sei die Hauptsache zwischen ihnen in Ordnung.

So war es denn auch, und dazu trug nicht wenig bei, daß Meta und Fritz die beiden nach schweigendem Übereinkommen wie ein versprochenes Paar ansahen. Wenn Ladidel ins Haus kam, so schien es allen selbstverständlich, daß er Marthas wegen komme und vor allem mit ihr zusammensein wolle. Ladidel half treulich bei den Vorbereitungen zur Hochzeit mit und tat es so eifrig und mit dem Herzen, als gälte es seine eigene Heirat. Verschwiegen aber und mit unendlicher Kunst erdachte er sich für Martha eine herrliche neue Frisur.

Einige Tage vor der Hochzeit nun, da es im Hause drüber und drunter ging, erschien er eines Tages feierlich, wartete einen Augenblick ab, da er mit Martha allein war, und eröffnete ihr, es liege ihm eine gewagte Bitte an sie auf dem Herzen. Sie ward rot und glaubte alles zu ahnen, und wenn sie den Tag auch nicht gut gewählt fand, wollte sie doch nichts versäumen und gab bescheiden Antwort, er möge nur reden. Ermutigt brachte er dann seine Bitte vor, die auf nichts andres zielte als auf die Erlaubnis, dem Fräulein für den Festtag mit einer neuen von ihm ausgedachten Frisur aufwarten zu dürfen.

Verwundert willigte Martha ein, daß eine Probe gemacht werde. Meta mußte helfen, und nun erlebte Ladidel den Augenblick, daß sein alter Wunsch in Erfüllung ging und er Marthas lange blonde Haare in den Händen hielt. Zu Anfang wollte diese zwar haben, daß Meta allein sie frisiere und er nur mit Rat beistehe. Doch ließ dieses sich nicht durchführen, sondern bald mußte er mit eigener Hand zugreifen und verließ nun den Posten nicht mehr. Als das Haargebäude seiner Vollendung nahe war, ließ Meta die beiden allein, angeblich nur für einen Augenblick, doch blieb sie lange aus. Inzwischen war Ladidel mit seiner Kunst fertig geworden. Martha sah sich im Spiegel königlich verschönt, und er stand hinter ihr, da und dort noch bessernd. Da übermochte ihn die Ergriffenheit, daß er dem schönen Mädchen mit leiser Hand liebkosend über die Schläfe strich. Und da sie sich beklommen umwandte und ihn still mit nassen Augen ansah, geschah es von selbst, daß er sich über sie beugte und sie küßte und, von ihr in Tränen festgehalten, vor ihr kniete und als ihr Liebhaber und Bräutigam wieder aufstand.

»Wir müssen es der Mama sagen«, war alsdann ihr erstes schmeichelndes Wort, und er stimmte zu, obwohl ihm vor der betrübten alten Witwe ein wenig bange war. Als er jedoch vor ihr stand und Martha an der Hand führte und um ihre Hand anhielt, schüttelte die alte Frau nur ein wenig den Kopf, sah sie beide ratlos und bekümmert an und hatte nichts dafür und nichts dawider zu sagen. Doch rief sie Meta herbei, und nun umarmten sich die Schwestern, lachten und weinten, bis Meta plötzlich stehenblieb, die Schwester mit beiden Armen von sich schob, sie dann festhielt und begierig ihre Frisur bewunderte.

»Wahrhaftig«, sagte sie zu Ladidel und gab ihm die Hand, »das ist Ihr Meisterstück. Aber gelt, wir sagen jetzt du zueinander?«

Am vorbestimmten Tage fand mit Glanz die Hochzeit und zugleich die Verlobungsfeier statt. Darauf reiste Ladidel in Eile nach Schaffhausen, während die Kleubers in derselben Richtung ihre Hochzeitsreise antraten. Der alte Meister übergab Ladidel das Geschäft, und der fing sofort an, als hätte er nie etwas anderes getrieben. In den Tagen bis zu Kleubers Ankunft half der Alte mit, und es war nötig, die Ladentür ging fleißig. Ladidel sah bald, daß hier sein Weizen blühe, und als Kleuber mit seiner Frau auf dem Dampfschiff von Konstanz her ankam und er ihn abholte, packte er schon auf dem Heimwege seine Vorschläge zur künftigen Vergrößerung des Geschäfts aus.

Am nächsten Sonntag spazierten die Freunde samt der jungen Frau zum Rheinfall hinaus, der um diese Jahreszeit reichlich Wasser führte. Hier saßen sie zufrieden unter jungbelaubten Bäumen, sahen das weiße Wasser strömen und zerstäuben und redeten von der vergangenen Zeit.

»Ja«, sagte Ladidel nachdenklich und schaute auf den tobenden Strom hinab, »nächste Woche wäre mein Examen gewesen.«

»Tut dir's nicht leid?« fragte Meta. Ladidel gab keine Antwort. Er schüttelte nur den Kopf und lachte. Dann zog er aus der Brusttasche ein kleines Paket, machte es auf und brachte ein halbes Dutzend feine kleine Kuchen hervor, von denen er den andern anbot und sich selber nahm.

»Du fängst gut an«, lachte Fritz Kleuber. »Meinst du, das Geschäft trage schon so viel?«

»Es trägt's«, nickte Ladidel im Kauen. »Es trägt's und muß noch mehr tragen.«

(1908)

Cesco und der Berg

Der Monte Giallo stand inmitten eines Kreises von berühmten Bergen, wenig bekannt und unwirtlich. Er galt für unbesteigbar, doch reizte das niemanden, da ringsum Dutzende von leichten, schwereren und ganz schweren Gipfeln standen. Man hatte ihn von jeher vernachlässigt, sein Name war nur in der nächsten Umgebung bekannt, die Zugänge waren weit und mühsam, der Aufstieg und vermutlich auch die Aussicht wenig lohnend, dafür war er durch böse Steinschläge, schlimme Windstellen, schlechte Schneeverhältnisse und brüchiges Gestein in einen üblen Ruf gekommen.

Aber es ist nichts in der Welt, auf das nicht am Ende Menschen ihre Begierde richten. Der Sohn eines Uhrmachers im Dorf, Cesco Biondi, war ein etwas ungeselliger junger Mensch, dem es nicht gelang, auf die übliche und richtige Weise seines Lebens froh zu werden. Namentlich fehlte ihm den Mädchen gegenüber das rechte, flotte Benehmen.

Dieser Cesco Biondi gewöhnte sich unter anderen Sonderlingsgebräuchen auch das einsame Umherstreifen in den Bergen an, wo er sich gut auskannte und sein stilles Vergnügen an den Höhen und Aussichten, an Tieren und Pflanzen, Steinen und Kristallen fand. Mit der Zeit kam er, der ohnehin gern eigene Wege ging und besuchtere Orte mied, immer häufiger in das unwirtliche Gebiet des Monte Giallo, wo kaum jemals ein Mensch anzutreffen und ein entlegenes, unberührtes Stück Land zu entdecken war. Der schlecht beleumundete Berg wurde ihm allmählich lieb, und da keine Liebe vergeblich ist, tat sich auch der Berg nach und nach vor dem Wanderer auf, zeigte ihm verhüllte Schätze und hatte nichts dawider, daß dieser einsame Mann ihn besuchte und ihm hinter seine Geheimnisse zu kommen trachtete.

Das dauerte länger als ein Jahr. Bisher hatte sich Biondi damit begnügt, den unbekannten Berg ein wenig zu erforschen, je und je ein paar Stunden in seinem Gebiet zu streifen, die Wasserläufe und Lawinenbahnen kennenzulernen, Gestein und Pflanzenwuchs zu betrachten. Gelegentlich hatte er auch einen vorsichtigen Versuch gemacht, der Höhe näher zu kommen und etwa doch einen Weg zum Gipfel zu

erkunden. Dann hatte der Monte Giallo, ohne gerade un-
wirsch zu werden, sich still zugeknöpft und die Vertraulich-
keit ruhig abgewehrt. Er hatte dem Wanderer ein paar
Steinschläge nahe kommen lassen, hatte ihn ein paarmal
irregeführt und müde gemacht, ihm den Nordwind ein wenig
in den Nacken geschickt und unter seinen begehrlichen
Sohlen leise ein paar morsche Steine weggezogen. Und Cesco war alsdann etwas betroffen, doch verständig und gutwil-
lig umgekehrt.

Jetzt aber wurde das alles anders, da Cesco gegen das Ende
des zweiten Sommers, von der Erbsünde verführt, seinen
Berg mit immer begehrlicheren Augen anschaute und sich
daran gewöhnte, in ihm nicht mehr einen Freund und gele-
gentlichen Zufluchtsort, sondern einen Feind zu sehen, der
ihm trotzte und den er nun beharrlich belagerte und aus-
kundschaftete, um ihn eines Tages zu unterjochen. Seine
Liebe war eifersüchtig und mißtrauisch geworden, sie wollte
herrschen und rechthaben, und da der Berg anderer Meinung war und sich still, doch entschieden widersetzte, sah das
Liebhaben und die bisherige Kameradschaft bald mehr wie
Erbitterung und Haß aus.

Drei-, viermal drang der hartnäckige Wanderer empor,
jedesmal mit einem kleinen neuen Fortschritt und mit wachsendem Verlangen, in diesem Kampfe Sieger zu werden. Die
Abwehr des Berges war jetzt nimmer gutmütig und brüderlich, es gab Angriffe und ernstliche Drohungen, und der
Sommer endete damit, daß Cesco Biondi nach einem Ab-
sturz, halb erfroren und verhungert, mit einem gebrochenen
Arm ins Dorf heimkehrte, wo man ihn schon vermißt und
totgesagt hatte.

Im nächsten Frühsommer sah der Monte Giallo mit Unbehagen seinen ehemaligen Freund wieder anrücken und die
Veränderungen studieren, die der Winter und die Schnee-
schmelze angerichtet hatten. Er kam und untersuchte, zuweilen von einem Kameraden begleitet, fast jeden Tag. Und
schließlich erschien er wieder in Gesellschaft des andern
eines Nachmittags mit reichlichem Gepäck, stieg ohne Eile
ein gutes Drittel der Höhe hinan und richtete sich an einem
wohlausgesuchten Orte mit Wolldecke und Kognak zum
Übernachten ein. Und am frühen Morgen machten sich die

beiden vorsichtig auf den Weg durch die unbetretene Höhe.

Eine schlimme Halde, die um die Mittagszeit von fallendem Steingeriesel unwegsam gemacht wurde, passierten sie ohne Gefahr noch in der Morgenkühle. Erst nach zwei Stunden begannen die Schwierigkeiten. – Zäh und schweigend stiegen die beiden am Seil hinan, umgingen senkrechte Schroffen, kletterten, gingen fehl und kehrten wieder um. Dann kam eine gute, gangbare Strecke. Cesco löste das Seil, und sie schritten eifrig voran. Es kam ein Schneefeld, das leicht zu überwinden war, und danach eine glatte Wand, die von weitem bedenklich ausgesehen hatte. Nun aber zeigte sich der ganzen Wand entlang ein hinreichend breites Band, und Cesco dachte, nun wenig Hindernisse mehr zu finden. Frohlockend betrat er den schmalen Steig und ging seinem Begleiter rüstig voraus. Aber er war noch nicht oben. Die Wand machte eine Biegung, und im Augenblick, da Cesco um die Krümmung schritt und alles gewonnen glaubte, fuhr ihm von jenseits unerwartet ein heftiger Sturmwind entgegen. Er wandte das Gesicht ab, griff nach seinem Hut, tat einen Fehltritt und verschwand vor den Augen des Kameraden in der Tiefe.

Der Begleiter beugte sich vor und konnte ihn unten liegen sehen, sehr tief, in einer Geröllwüste, vielleicht tot. Er irrte zwei Stunden mit Gefahr umher, fand aber keinen Zugang zu dem Gestürzten und mußte endlich ermüdet den Heimweg suchen, um nicht selber noch vom Berg verschlungen zu werden. Erschöpft und traurig kam er spät am Abend ins Dorf zurück, wo sich nun eine Gesellschaft von fünf Männern zur Auffindung und Rettung von Cesco aufmachte.

Indessen lag Cesco Biondi lebend, aber mit zerschmetterten Beinen und Rippen zu Füßen jener Wand auf einem Steinhaufen. Er hörte seinen Begleiter rufen und gab, so gut er konnte, Antwort, die jener nicht vernahm.

Seine beiden Beine waren gebrochen, wahrscheinlich mehrmals, und irgendein Unglückssplitter war ihm in den Unterleib gedrungen, wo er verzweifelt wühlte und schmerzte. Cesco spürte, daß er übel verletzt war, und machte sich wenig Hoffnung. Leise stöhnend lag er eine Stunde um die andere und dachte an lauter Dinge, die ihm jetzt nichts helfen konnten. Er dachte an ein Mädchen, das mit ihm das Tanzen erlernt hatte und jetzt längst verheiratet war. Die Zeit, da er sie nicht sehen konnte, ohne Herzklopfen zu bekommen, schien ihm jetzt wunderbar schön und selig gewesen zu sein.

Er dachte weiter, an seine Wanderungen, und erinnerte sich des Tages, an dem er zum erstenmal an den Monte Giallo geraten war. Und es fiel ihm wieder ein, wie er damals hier dankbar und vertraulich umherging und den Berg liebgewann. Unter Schmerzen wandte er den Kopf und schaute umher in die Höhe, und der Berg sah ihm ruhig in die Augen. Er sah den alten Gesellen an, der in der Abenddämmerung geheimnisvoll und traurig dastand, mit zerwitterten und zerwühlten Flanken, uralt und müde, in seiner kurzen Sommerrast nach den brausenden Todeskämpfen des Frühjahrs.

Cesco Biondi sah seinen Berg, Monte Giallo, den er so wohl zu kennen geglaubt hatte, zum erstenmal in seiner tausendjährigen Einsamkeit und traurigen Würde stehen, und sah und wußte zum erstenmal, daß alle Wesen, Berg und Mensch, Gemse und Vogel, alle Sterne und alles Erschaffene – daß alles in einem großen Drang unentrinnbarer Notwendigkeit sein Leben dahinführt und sein Ende sucht, und daß Leben und Tod eines Menschen nichts anderes ist und nichts anderes bedeutet als der Fall eines Steines, den das Wasser im Gebirge löst, und der von Hang zu Hang niederstürzt, bis er irgendwo in Splitter geht oder langsam in Sonne und Regen verwittert. Und während er stöhnte und dem Tod mit frierendem Herzen entgegensah, fühlte er dasselbe Stöhnen und dieselbe namenlose Kälte durch den Berg und durch die Erde und durch die Lüfte und Sternenräume gehen. Und so sehr er litt, er fühlte sich nicht völlig einsam, und so grauenvoll und sinnlos sein schreckliches Sterben ihm in der Einöde erschien, es erschien ihm doch nicht grauenvoller und nicht sinnloser als alles, was jeden Tag und überall geschieht.

Der Monte Giallo behielt Cesco bei sich, er konnte nicht gefunden werden. Im Dorfe wurde er darum sehr beklagt, da ihm jeder das Begräbnis und die Ruhe im Kirchhof gegönnt hätte. Aber er ruhte im Gestein des Berges nicht schlechter und vollzog die Gebote der Notwendigkeit nicht anders, als wenn er nach einem langen und fröhlichen Leben unter Gesang im Schatten der heimatlichen Kirche begraben worden wäre.

(1908)

Ein Mensch mit Namen Ziegler

Einst wohnte in der Brauergasse ein junger Herr mit Namen Ziegler. Er gehörte zu denen, die uns jeden Tag und immer wieder auf der Straße begegnen und deren Gesicht wir uns nie recht merken können, weil sie alle miteinander dasselbe Gesicht haben: ein Kollektivgesicht.

Ziegler war alles und tat alles, was solche Leute immer sind und tun. Er war nicht unbegabt, aber auch nicht begabt, er liebte Geld und Vergnügen, zog sich gern hübsch an und war ebenso feige wie die meisten Menschen: sein Leben und Tun wurde weniger durch Triebe und Bestrebungen regiert als durch Verbote, durch die Furcht vor Strafen. Dabei hatte er manche honette Züge und war überhaupt alles in allem ein erfreulich normaler Mensch, dem seine eigene Person sehr lieb und wichtig war. Er hielt sich, wie jeder Mensch, für eine Persönlichkeit, während er nur ein Exemplar war, und sah in sich, in seinem Schicksal den Mittelpunkt der Welt, wie jeder Mensches tut. Zweifel lagen ihm fern, und wenn Tatsachen seiner Weltanschauung widersprachen, schloß er mißbilligend die Augen.

Als moderner Mensch hatte er außer vor dem Geld noch vor einer zweiten Macht unbegrenzte Hochachtung: vor der Wissenschaft. Er hätte nicht zu sagen gewußt, was eigentlich Wissenschaft sei, er dachte dabei an etwas wie Statistik und auch ein wenig an Bakteriologie, und es war ihm wohl bekannt, wieviel Geld und Ehre der Staat für die Wissenschaft übrig habe. Besonders respektierte er die Krebsforschung, denn sein Vater war an Krebs gestorben, und Ziegler nahm an, die inzwischen so hoch entwickelte Wissenschaft werde nicht zulassen, daß ihm einst dasselbe geschähe.

Äußerlich zeichnete sich Ziegler durch das Bestreben aus, sich etwas über seine Mittel zu kleiden, stets im Einklang mit der Mode des Jahres. Denn die Moden des Quartals und des Monats, welche seine Mittel allzusehr überstiegen hätten, verachtete er natürlich als dumme Afferei. Er hielt viel auf Charakter und trug keine Scheu, unter seinesgleichen und an sichern Orten über Vorgesetzte und Regierungen zu schimpfen. Ich verweile wohl zu lange bei dieser Schilderung. Aber Ziegler war wirklich ein reizender junger Mensch, und wir haben viel an ihm verloren. Denn er fand ein frühes und seltsames Ende, allen seinen Plänen und berechtigten Hoffnungen zuwider.

Bald nachdem er in unsre Stadt gekommen war, beschloß er einst, sich einen vergnügten Sonntag zu machen. Er hatte noch keinen rechten Anschluß gefunden und war aus Unentschiedenheit noch keinem Verein beigetreten. Vielleicht war dies sein Unglück. Es ist nicht gut, daß der Mensch allein sei.

So war er darauf angewiesen, sich um die Sehenswürdigkeiten der Stadt zu kümmern, die er denn gewissenhaft erfragte. Und nach reiflicher Prüfung entschied er sich für das Historische Museum und den Zoologischen Garten. Das Museum war an Sonntagvormittagen unentgeltlich, der Zoologische nachmittags zu ermäßigten Preisen zu besichtigen.

In seinem neuen Straßenanzug mit Tuchknöpfen, den er sehr liebte, ging Ziegler am Sonntag ins Historische Museum. Er nahm seinen dünnen, eleganten Spazierstock mit, einen vierkantigen, rotlackierten Stock, der ihm Haltung und Glanz verlieh, der ihm aber zu seinem tiefsten Mißvergnügen vor dem Eintritt in die Säle vom Türsteher abgenommen wurde.

In den hohen Räumen war vielerlei zu sehen, und der fromme Besucher pries im Herzen die allmächtige Wissenschaft, die auch hier ihre verdienstvolle Zuverlässigkeit erwies, wie Ziegler aus den sorgfältigen Aufschriften an den Schaukästen schloß. Alter Kram, wie rostige Torschlüssel, zerbrochene grünspanige Halsketten und dergleichen, gewann durch diese Aufschriften ein erstaunliches Interesse. Es war wunderbar, um was alles diese Wissenschaft sich kümmerte, wie sie alles beherrschte, alles zu bezeichnen wußte – o nein, gewiß würde sie schon bald den Krebs abschaffen und vielleicht das Sterben überhaupt.

Im zweiten Saale fand er einen Glasschrank, dessen Scheibe so vorzüglich spiegelte, daß er in einer stillen Minute seinen Anzug, Frisur und Kragen, Hosenfalte und Krawattensitz mit Sorgfalt und Befriedigung kontrollieren konnte. Froh aufatmend schritt er weiter und würdigte einige Erzeugnisse alter Holzschnitzer seiner Aufmerksamkeit. Tüchtige Kerle, wenn auch reichlich naiv, dachte er wohlwollend. Und auch eine alte Standuhr mit elfenbeinernen, beim Stundenschlag Menuett tanzenden Figürchen betrachtete und billigte er geduldig. Dann begann die Sache ihn etwas zu langweilen, er gähnte und zog häufig seine Taschenuhr, die er wohl zeigen durfte, sie war schwer golden und ein Erbstück von seinem Vater.

Es blieb ihm, wie er bedauernd sah, noch viel Zeit bis zum Mittagessen übrig, und so trat er in einen andern Raum, der seine Neugierde wieder zu fesseln vermochte. Er enthielt Gegenstände des mittelalterlichen Aberglaubens, Zauberbücher, Amulette, Hexenstaat und in einer Ecke eine ganze alchimistische Werkstatt mit Esse, Mörsern, bauchigen Gläsern, dürren Schweinsblasen, Blasbälgen und so weiter. Diese Ecke war durch ein wollenes Seil abgetrennt, eine Tafel verbot das Berühren der Gegenstände. Man liest ja aber solche Tafeln nie sehr genau, und Ziegler war ganz allein in dem Raum.

So streckte er unbedenklich den Arm über das Seil hinweg und betastete einige der komischen Sachen. Von diesem Mittelalter und seinem drolligen Aberglauben hatte er schon gehört und gelesen; es war ihm unbegreiflich, wie die Leute sich damals mit so kindischem Zeug befassen konnten, und daß man den ganzen Hexenschwindel und all das Zeug nicht einfach verbot. Hingegen die Alchimie mochte immerhin entschuldigt werden können, da aus ihr die so nützliche Chemie hervorgegangen war. Mein Gott, wenn man so daran dachte, daß diese Goldmachertiegel und all der dumme Zauberkram vielleicht doch notwendig gewesen waren, weil es sonst heute kein Aspirin und keine Gasbomben gäbe!

Achtlos nahm er ein kleines dunkles Kügelchen, etwas wie eine Arzneipille, in die Hand, ein vertrocknetes Ding ohne Gewicht, drehte es zwischen den Fingern und wollte es eben wieder hinlegen, als er Schritte hinter sich hörte. Er wandte sich um, ein Besucher war eingetreten. Es genierte Ziegler, daß er das Kügelchen in der Hand hatte, denn er hatte die Verbotstafel natürlich doch gelesen. Darum schloß er die Hand, steckte sie in die Tasche und ging hinaus.

Erst auf der Straße fiel ihm die Pille wieder ein. Er zog sie heraus und dachte sie wegzuwerfen, vorher aber führte er sie an die Nase und roch daran. Das Ding hatte einen schwachen, harzartigen Geruch, der ihm Spaß machte, so daß er das Kügelchen wieder einsteckte.

Er ging nun ins Restaurant, bestellte sich Essen, schnüffelte in einigen Zeitungen, fingerte an seiner Krawatte und warf den Gästen teils achtungsvolle, teils hochmütige Blicke zu, je nachdem sie gekleidet waren. Als aber das Essen eine Weile auf sich warten ließ, zog Herr Ziegler seine aus Versehen gestohlene Alchimistenpille hervor und roch an ihr. Dann kratzte er sie mit dem Zeigefingernagel, und endlich folgte er naiv einem kindlichen Gelüste und führte das Ding zum Mund; es löste sich im Mund rasch auf, ohne unangenehm zu schmecken, so daß er es mit einem Schluck Bier hinabspülte. Gleich darauf kam auch sein Essen.

Um zwei Uhr sprang der junge Mann vom Straßenbahnwagen, betrat den Vorhof des Zoologischen Gartens und nahm eine Sonntagskarte.

Freundlich lächelnd ging er ins Affenhaus und faßte vor dem großen Käfig der Schimpansen Stand. Der große Affe blinzelte ihn an, nickte ihm gutmütig zu und sprach mit tiefer Stimme die Worte: »Wie geht's, Bruderherz?«

Angewidert und wunderlich erschrocken wandte sich der Besucher schnell hinweg und hörte im Fortgehen den Affen hinter sich her schimpfen: »Auch noch stolz ist der Kerl! Plattfuß, dummer!«

Rasch trat Ziegler zu den Meerkatzen hinüber. Die tanzten ausgelassen und schrien: »Gib Zucker her, Kamerad!«, und als er keinen Zucker hatte, wurden sie bös, ahmten ihn nach, nannten ihn Hungerleider und bleckten die Zähne gegen ihn. Das ertrug er nicht; bestürzt und verwirrt floh er hinaus und lenkte seine Schritte zu den Hirschen und Rehen, von denen er ein hübscheres Betragen erwartete.

Ein großer herrlicher Elch stand nahe beim Gitter und blickte den Besucher an. Da erschrak Ziegler bis ins Herz. Denn seit er die alte Zauberpille geschluckt hatte, verstand er die Sprache der Tiere. Und der Elch sprach mit seinen Augen, zwei großen braunen Augen. Sein stiller Blick redete Hoheit, Ergebung und Trauer, und gegen den Besucher drückte er eine überlegen ernste Verachtung aus, eine furchtbare Verachtung. Für diesen stillen, majestätischen Blick, so las Ziegler, war er samt Hut und Stock, Uhr und Sonntagsanzug nichts als ein Geschmeiß, ein lächerliches und widerliches Vieh.

Vom Elch entfloh Ziegler zum Steinbock, von da zu den

378

Gemsen, zum Lama, zum Gnu, zu den Wildsäuen und Bären. Insultiert wurde er von diesen allen nicht, aber er wurde von allen verachtet. Er hörte ihnen zu und erfuhr aus ihren Gesprächen, wie sie über die Menschen dachten. Es war schrecklich, wie sie über sie dachten. Namentlich wunderten sie sich darüber, daß ausgerechnet diese häßlichen, stinkenden, würdelosen Zweibeiner in ihren geckenhaften Verkleidungen frei umherlaufen durften.

Er hörte einen Puma mit seinem Jungen reden, ein Gespräch voll Würde und sachlicher Weisheit, wie man es unter Menschen selten hört. Er hörte einen schönen Panther sich kurz und gemessen in aristokratischen Ausdrücken über das Pack der Sonntagsbesucher äußern. Er sah dem blonden Löwen ins Auge und erfuhr, wie weit und wunderbar die wilde Welt ist, wo es keine Käfige und keine Menschen gibt. Er sah einen Turmfalken trüb und stolz in erstarrter Schwermut auf dem toten Ast sitzen und sah die Häher ihre Gefangenschaft mit Anstand, Achselzucken und Humor ertragen.

Benommen und aus allen seinen Denkgewohnheiten gerissen, wandte sich Ziegler in seiner Verzweiflung den Menschen wieder zu. Er suchte ein Auge, das seine Not und Angst verstünde, er lauschte auf Gespräche, um irgend etwas Tröstliches, Verständliches, Wohltuendes zu hören, er beachtete die Gebärden der vielen Gäste, um auch bei ihnen irgendwo Würde, Natur, Adel, stille Überlegenheit zu finden.

Aber er wurde enttäuscht. Er hörte die Stimmen und Worte, sah die Bewegungen, Gebärden und Blicke, und da er jetzt alles wie durch ein Tierauge sah, fand er nichts als eine entartete, sich verstellende, lügende, unschöne Gesellschaft tierähnlicher Wesen, die von allen Tierarten ein geckenhaftes Gemisch zu sein schienen.

Verzweifelt irrte Ziegler umher, sich seiner selbst unbändig schämend. Das vierkantige Stöcklein hatte er längst ins Gebüsch geworfen, die Handschuhe hinterdrein. Aber als er jetzt seinen Hut von sich warf, die Stiefel auszog, die Krawatte abriß und schluchzend sich an das Gitter des Elchstalls drückte, ward er unter großem Aufsehen festgenommen und in ein Irrenhaus gebracht.

(1908)

Quellennachweis

Das erste Abenteuer Geschrieben 1906, Erstdruck in »Simplicissimus«, München, 10, 1905/06, S. 596. 1973 aufgenommen in »Kunst des Müßiggangs«, Frankfurt a. M.

Liebesopfer Erstdruck in »Simplicissimus-Kalender« für 1907, München. 1973 aufgenommen in »Kunst des Müßiggangs«, Frankfurt a. M.

Casanovas Bekehrung Erstdruck in »Süddeutsche Monatshefte«, München, 3, 1906, I, S. 353. 1975 aufgenommen in »Legenden«, Frankfurt a. M.

Eine Sonate Geschrieben 1906, Erstdruck in »Simplicissimus«, München, 1906/07, S. 792 f. 1973 aufgenommen in »Kunst des Müßiggangs«, Frankfurt a. M.

Der Weltverbesserer Erstdruck in »März« 5, München, ab April 1911. 1912 aufgenommen in »Umwege«, Berlin.

Fragment aus der Jugendzeit Geschrieben 1907. Erstdruck in »Velhagen und Klasings Monatshefte«, Braunschweig, Mai 1913. 1973 aufgenommen in »Kunst des Müßiggangs«, Frankfurt a. M.

Schön ist die Jugend. Eine Sommeridylle. Geschrieben 1907, Erstdruck in »März«, München, ab Juli 1907. 1916 aufgenommen in »Schön ist die Jugend«, Berlin.

Berthold. Ein Romanfragment. Geschrieben 1907/08. Erstdruck in »Neue Schweizer Rundschau«, Zürich 1944/45, S. 58–65. 1945 als Einzelausgabe, Zürich.

Freunde. Erzählung. Geschrieben 1907/08. Erstdruck in »Velhagen und Klasings Monatshefte«, Braunschweig, 1908/09. 1965 aufgenommen in »Prosa aus dem Nachlaß«, Frankfurt a. M.

Taedium vitae. Novelle. Erstdruck in »Die neue Rundschau«, Berlin, Juli 1908. 1973 erstmals aufgenommen in »Die Erzählungen«, Bd. I, Frankfurt a. M.

Walter Kömpff Geschrieben 1908. Erstdruck in »Über Land und Meer«, Stuttgart, 1908, Bd. 99, S. 344 ff. 1908 aufgenommen in »Nachbarn«, Berlin.

Die Verlobung Erstdruck in »März«, München, ab Sept. 1908 u. d. T. »Eine Liebesgeschichte«. 1908 aufgenommen in »Nachbarn«, Berlin.

Ladidel Erstdruck in »März«, München, ab Juli 1909. 1912 aufgenommen in »Umwege«, Berlin.

Cesco und der Berg. Geschrieben um 1908. Erstdruck in »Simplizissimus«, München v. 23. 5. 1910. Hier erstmals in Buchform.

Ein Mensch mit Namen Ziegler. Erstdruck in »Simplizissimus«, München v. 21. 12. 1908. 1935 aufgenommen in »Fabulierbuch«, Berlin.

1877	geboren am 2. Juli in Calw/Württemberg als Sohn des baltischen Missionars und späteren Leiters des »Calwer Verlagsvereins« Johannes Hesse (1847–1916) und dessen Frau Marie verw. Isenberg, geb. Gundert (1842–1902), der ältesten Tochter des namhaften Indologen und Missionars Hermann Gundert.
1881–1886	wohnt Hesse mit seinen Eltern in Basel, wo der Vater bei der »Basler Mission« unterrichtet und 1883 die Schweizer Staatsangehörigkeit erwirbt (zuvor: russische Staatsangehörigkeit).
1886–1889	Rückkehr der Familie nach Calw (Juli), wo Hesse das Reallyzeum besucht.
1890–1891	Lateinschule in Göppingen zur Vorbereitung auf das Württembergische Landesexamen (Juli 1891), der Voraussetzung für eine kostenlose Ausbildung zum ev. Theologen im »Tübinger Stift«. Als staatlicher Schüler muß Hesse auf sein Schweizer Bürgerrecht verzichten. Deshalb erwirbt ihm der Vater im November 1890 die württembergische Staatsangehörigkeit (als einzigem Mitglied der Familie).
1891–1892	Seminarist im ev. Klosterseminar Maulbronn (ab Sept. 1891), aus dem er nach 7 Monaten flieht, weil er »entweder Dichter oder gar nichts werden wollte«.
1892	bei Christoph Blumhardt in Bad Boll (April bis Mai); Selbstmordversuch (Juni), Aufenthalt in der Nervenheilanstalt Stetten (Juni–August). Aufnahme in das Gymnasium von Cannstatt (Nov. 1892), wo er
1893	im Juli das Einjährig-Freiwilligen-Examen (Obersekundareife) absolviert. »Werde Sozialdemokrat und laufe ins Wirtshaus. Lese fast nur Heine, den ich sehr nachahmte.« Im Oktober Beginn einer Buchhändlerlehre in Esslingen, die er aber schon nach drei Tagen aufgibt.
1894–1895	15 Monate als Praktikant in der Calwer Turmuhrenfabrik Perrot. Plan, nach Brasilien auszuwandern.

1895–1898	Buchhändlerlehre in Tübingen (Buchhandlung Heckenhauer). 1896 erste Gedichtpublikation in »Das deutsche Dichterheim«, Wien. Die erste Buchpublikation *Romantische Lieder* erscheint im Oktober 1898.
1899	Beginn der Niederschrift eines Romans *Schweinigel* (Manuskript noch nicht aufgefunden). Der Prosaband *Eine Stunde hinter Mitternacht* erscheint im Juni bei Diederichs, Jena.
	Im September Übersiedlung nach Basel, wo Hesse bis Januar 1901 als Sortimentsgehilfe in der Reich'schen Buchhandlung beschäftigt ist.
1900	beginnt er für die »Allgemeine Schweizer Zeitung« Artikel und Rezensionen zu schreiben, die ihm mehr noch als seine Bücher »einen gewissen lokalen Ruf machten, der mich im gesellschaftlichen Leben sehr unterstützte«.
1901	Von März bis Mai erste Italienreise.
	Ab August 1901 (bis Frühjahr 1903) Buchhändler im Basler Antiquariat Wattenwyl.
	Die *Hinterlassenen Schriften und Gedichte von Hermann Lauscher* erscheinen im Herbst bei R. Reich.
1902	*Gedichte* erscheinen bei Grote, Berlin, seiner Mutter gewidmet, die kurz vor Erscheinen des Bändchens stirbt.
1903	Nach Aufgabe der Buchhändler- und Antiquariatsstellung zweite Italienreise, gemeinsam mit Maria Bernoulli, mit der er sich im Mai verlobt. Kurz davor Abschluß der Niederschrift des *Camenzind*-Manuskripts, das Hesse auf Einladung des S. Fischer Verlags nach Berlin sendet. Ab Oktober (bis Juni 1904) u. a. Niederschrift von *Unterm Rad* in Calw.
1904	*Peter Camenzind* erscheint bei S. Fischer, Berlin. Eheschließung mit Maria Bernoulli und Umzug nach Gaienhofen am Bodensee (Juli) in ein leerstehendes Bauernhaus. Freier Schriftsteller und Mitarbeiter an zahlreichen Zeitungen und Zeitschriften (u. a. »Die Propyläen«, d. i. »Münchner Zeitung«; »Die Rheinlande«; »Simplicissimus«; »Der Schwabenspiegel«, d. i. »Württemberger Zeitung«). Die biographischen Studien *Boccaccio* und *Franz von Assisi* er-

	scheinen bei Schuster & Loeffler, Berlin und Leipzig.
1905	im Dezember Geburt des Sohnes Bruno.
1906	*Unterm Rad* (1903–1904 entstanden) erscheint bei S. Fischer, Berlin. Gründung der liberalen, gegen das persönliche Regiment Wilhelms II. gerichteten Zeitschrift »März« (Verlag Albert Langen, München), als deren Mitherausgeber Hesse bis 1912 zeichnet.
1907	*Diesseits* (Erzählungen) erscheint bei S. Fischer, Berlin. In Gaienhofen baut und bezieht Hesse ein eigenes Haus »Am Erlenloh«.
1908	*Nachbarn* (Erzählungen) erscheint bei S. Fischer, Berlin.
1909	im März Geburt des zweiten Sohnes Heiner.
1910	*Gertrud* (Roman) erscheint bei Albert Langen, München.
1911	im Juli Geburt des dritten Sohnes Martin. *Unterwegs* (Gedichte) erscheint bei Georg Müller, München; Sept. bis Dez. Indienreise mit dem befreundeten Maler Hans Sturzenegger.
1912	*Umwege* (Erzählungen) erscheint bei S. Fischer, Berlin. Hesse verläßt Deutschland für immer und übersiedelt mit seiner Familie nach Bern in das Haus des verstorbenen befreundeten Malers Albert Welti.
1913	*Aus Indien.* Aufzeichnungen einer indischen Reise, erscheint bei S. Fischer, Berlin.
1914	*Roßhalde* (Roman), erscheint im März bei S. Fischer, Berlin. Bei Kriegsbeginn meldet sich Hesse freiwillig, wird aber als dienstuntauglich zurückgestellt und 1915 der Deutschen Gesandtschaft in Bern zugeteilt, wo er nun an im Dienst der »Deutschen Gefangenenfürsorge« bis 1919 Hunderttausende von Kriegsgefangenen und Internierten in Frankreich, England, Rußland und Italien mit Lektüre versorgt, Gefangenenzeitschriften (z. B. die »Deutsche Interniertenzeitung«) herausgibt, redigiert und 1917 einen eigenen Verlag für Kriegsgefangene (»Verlag der Bücherzentrale für deutsche Kriegsgefangene«) aufbaut, in welchem bis 1919 22 von H. H. edierte Bände erscheinen

Zahlreiche politische Aufsätze, Mahnrufe, offene Briefe etc. in deutschen, schweizerischen und österreichischen Zeitungen und Zeitschriften.

1915   *Knulp*. Drei Geschichten aus dem Leben Knulps (Teilvorabdruck bereits 1908), erscheint bei S. Fischer, Berlin.
Am Weg (Erzählungen) erscheint bei Reuß & Itta, Konstanz.
Musik des Einsamen. Neue Gedichte, erscheint bei Eugen Salzer, Heilbronn.
Schön ist die Jugend (Erzählungen) erscheint bei S. Fischer, Berlin.

1916   Tod des Vaters, beginnende Schizophrenie seiner Frau und Erkrankung des jüngsten Sohnes führen zu einem Nervenzusammenbruch Hesses. Erste psychotherapeutische Behandlung durch den C. G. Jung-Schüler J. B. Lang bei einer Kur in Sonnmatt bei Luzern. Gründung der »Deutschen Interniertenzeitung« und des »Sonntagsboten für die deutschen Kriegsgefangenen«.

1917   wird Hesse nahegelegt, seine zeitkritische Publizistik zu unterlassen. Erste pseudonyme Zeitungs- und Zeitschriftenpublikationen unter dem Decknamen Emil Sinclair. Niederschrift des *Demian* (Sept. bis Okt.).

1919   Die politische Flugschrift *Zarathustras Wiederkehr*. Ein Wort an die deutsche Jugend von einem Deutschen, erscheint anonym im Verlag Stämpfli, Bern.
Auflösung des Berner Haushalts (April). Trennung von seiner in einer Heilanstalt internierten Frau. Unterbringung der Kinder bei Freunden. Im Mai Übersiedlung nach Montagnola/Tessin in die Casa Camuzzi, die er bis 1931 bewohnt.
Kleiner Garten. Erlebnisse und Dichtungen, erscheint bei E. P. Tal & Co., Wien und Leipzig.
Demian. Die Geschichte einer Jugend, erscheint bei S. Fischer, Berlin, unter dem Pseudonym Emil Sinclair. Die Sammlung *Märchen* erscheint bei S. Fischer, Berlin. Grün-

	dung und Herausgabe der Zeitschrift »Vivos voco«, Für neues Deutschtum (Leipzig und Bern).
1920	*Gedichte des Malers,* Zehn Gedichte mit farbigen Zeichnungen, und die Dostojewski-Essays u. d. T. *Blick ins Chaos* erscheinen im Verlag Seldwyla, Bern. *Klingsors letzter Sommer* (Erzählungen) erscheint bei S. Fischer, Berlin; danach, ebenfalls bei S. Fischer, *Wanderung.* Aufzeichnungen mit farbigen Bildern vom Verfasser. *Zarathustras Wiederkehr,* Neuauflage bei S. Fischer, diesmal unter Angabe des Autors.
1921	*Ausgewählte Gedichte* erscheinen bei S. Fischer, Berlin. Krise mit fast anderthalbjähriger Unproduktivität zwischen der Niederschrift des ersten und des zweiten Teils von *Siddhartha.* Psychoanalyse bei C. G. Jung in Küsnacht bei Zürich. *Elf Aquarelle aus dem Tessin* erscheint bei O. C. Recht, München.
1922	*Siddhartha.* Eine indische Dichtung, erscheint bei S. Fischer, Berlin.
1923	*Sinclairs Notizbuch* erscheint bei Rascher, Zürich. Erster Kuraufenthalt in Baden bei Zürich, das er fortan (bis 1952) alljährlich im Spätherbst aufsucht. Die Ehe mit Maria Bernoulli wird geschieden (Juni).
1924	Hesse wird wieder Schweizer Staatsbürger. Bibliotheks- und Vorbereitungsarbeiten an seinen Herausgeberprojekten in Basel. Heirat mit Ruth Wenger, Tochter der Schriftstellerin Lisa Wenger. Ende März Rückkehr nach Montagnola. *Psychologia Balnearia* oder Glossen eines Badener Kurgastes, erscheint als Privatdruck; ein Jahr später als erster Band in der Ausstattung der »Gesammelten Werke in Einzelausgaben« u. d. T.:
1925	*Kurgast* bei S. Fischer, Berlin. Lesereise u. a. nach Ulm, München, Augsburg, Nürnberg (im November).
1926	*Bilderbuch* (Schilderungen) erscheint bei S. Fischer, Berlin. Hesse wird als auswärtiges Mit-

glied in die Sektion für Dichtkunst der Preußischen Akademie der Künste gewählt, aus der er 1931 austritt: »Ich habe das Gefühl, beim nächsten Krieg wird diese Akademie viel zur Schar jener 90 oder 100 Prominenten beitragen, welche das Volk wieder wie 1914 im Staatsauftrag über alle lebenswichtigen Fragen belügen werden.«

1927   *Die Nürnberger Reise* und *Der Steppenwolf* erscheinen bei S. Fischer, Berlin, gleichzeitig – zum 50. Geburtstag Hesses – die erste Hesse-Biographie (von Hugo Ball). Auf Wunsch seiner zweiten Frau, Ruth, Scheidung der 1924 geschlossenen Ehe.

1928   *Betrachtungen* und *Krisis. Ein Stück Tagebuch,* erscheinen bei S. Fischer, Berlin, letzteres in einmaliger, limitierter Auflage.

1929   *Trost der Nacht.* Neue Gedichte, erscheint bei S. Fischer, Berlin; *Eine Bibliothek der Weltliteratur* als Nr. 7003 in Reclams Universalbibliothek bei Reclam, Leipzig.

1930   *Narziß und Goldmund* (Erzählung) erscheint bei S. Fischer, Berlin.

1931   Umzug innerhalb Montagnolas in ein neues, ihm auf Lebzeiten zur Verfügung gestelltes Haus, das H. C. Bodmer für ihn gebaut hat. Eheschließung mit der Kunsthistorikerin Ninon Dolbin, geb. Ausländer, aus Czernowitz.
        Weg nach innen. Vier Erzählungen (»Siddhartha«, »Kinderseele«, »Klein und Wagner«, »Klingsors letzter Sommer«), erscheint als preiswerte und auflagenstarke Sonderausgabe bei S. Fischer, Berlin.

1932   *Die Morgenlandfahrt* erscheint bei S. Fischer, Berlin.

1932–1943 Entstehung des *Glasperlenspiels.*

1933   *Kleine Welt* (Erzählungen aus »Nachbarn«, »Umwege« und »Aus Indien«, leicht bearbeitet) erscheint bei S. Fischer, Berlin.

1934   Hesse wird Mitglied des Schweizerischen Schriftstellervereins (zwecks besserer Abschirmung von der NS-Kulturpolitik und effektiverer Interventionsmöglichkeiten für die emigrierten Kollegen).

	Vom Baum des Lebens (Ausgewählte Gedichte) erscheint im Insel Verlag, Leipzig.
1935	*Fabulierbuch* (Erzählungen) erscheint bei S. Fischer, Berlin.
	Politisch erzwungene Teilung des S. Fischer Verlags in einen reichsdeutschen (von Peter Suhrkamp geleiteten) Teil und den Emigrationsverlag von Gottfried Bermann Fischer, dem die NS-Behörden nicht erlauben, die Verlagsrechte am Werk Hermann Hesses mit ins Ausland zu nehmen.
1936	läßt Hesse dennoch seine Hexameterdichtung *Stunden im Garten* in Bermann Fischers Exil-Verlag in Wien erscheinen.
	Im September erste persönliche Begegnung mit Peter Suhrkamp.
1937	*Gedenkblätter* und *Neue Gedichte* erscheinen bei S. Fischer, Berlin.
	Der lahme Knabe, ausgestattet von Alfred Kubin, erscheint als Privatdruck in Zürich.
1939–1945	gelten Hesses Werke in Deutschland für unerwünscht. »Unterm Rad«, »Der Steppenwolf«, »Betrachtungen«, »Narziß und Goldmund« und »Eine Bibliothek der Weltliteratur« dürfen nicht mehr nachgedruckt werden.
	Die von S. Fischer begonnenen »Gesammelten Werke in Einzelausgaben« müssen deshalb in der Schweiz, im Verlag Fretz & Wasmuth, fortgesetzt werden.
1942	Dem S. Fischer Verlag, Berlin, wird die Druckerlaubnis für *Das Glasperlenspiel* verweigert.
	Die Gedichte, erste Gesamtausgabe von Hesses Lyrik, erscheinen bei Fretz & Wasmuth, Zürich.
1943	*Das Glasperlenspiel.* Versuch einer Lebensbeschreibung des Magister Ludi Josef Knecht samt Knechts hinterlassenen Schriften. Herausgegeben von Hermann Hesse, erscheint bei Fretz & Wasmuth, Zürich.
1944	Die Gestapo verhaftet Peter Suhrkamp, Hesses Verleger.
1945	*Berthold,* ein Romanfragment, und *Traumfährte* (Neue Erzählungen und Märchen) erscheinen bei Fretz & Wasmuth, Zürich.
1946	*Krieg und Frieden* (Betrachtungen zu Krieg

und Politik seit dem Jahr 1914) erscheint bei Fretz & Wasmuth, Zürich. Danach können Hesses Werke auch in Deutschland wieder gedruckt werden, zunächst im »Suhrkamp Verlag vorm. S. Fischer« (ab 1951 dann im Suhrkamp Verlag, Frankfurt am Main). Goethe-Preis der Stadt Frankfurt am Main. Nobel-Preis.

1950   Hesse ermutigt und ermöglicht Peter Suhrkamp, einen eigenen Verlag zu gründen, der im Juli eröffnet wird.

1951   *Späte Prosa* und *Briefe* erscheinen bei Suhrkamp, Frankfurt am Main.

1952   *Gesammelte Dichtungen* in sechs Bänden als Festgabe zu Hesses 75. Geburtstag erscheinen bei Suhrkamp, Frankfurt am Main.

1954   *Piktors Verwandlungen*. Ein Märchen, faksimiliert, erscheint bei Suhrkamp, Frankfurt am Main.
Der *Briefwechsel: Hermann Hesse – Romain Rolland* erscheint bei Fretz & Wasmuth, Zürich.

1955   *Beschwörungen,* Späte Prosa/Neue Folge, erscheint bei Suhrkamp, Frankfurt am Main. Friedenspreis des Deutschen Buchhandels.

1956   Stiftung eines Hermann-Hesse-Preises durch die Förderungsgemeinschaft der deutschen Kunst Baden-Württemberg e. V.

1957   *Gesammelte Schriften* in sieben Bänden, erscheinen bei Suhrkamp.

1961   *Stufen,* alte und neue Gedichte in Auswahl, erscheint bei Suhrkamp.

1962   *Gedenkblätter* (um fünfzehn Texte erweitert gegenüber der 1937 erschienenen Ausgabe) erscheint bei Suhrkamp.
9. August: Tod Hermann Hesses in Montagnola.

1962   »Hermann Hesse. Eine Bibliographie« von Helmut Waibler, erscheint im Francke Verlag, Bern und München.

1963   *Die späten Gedichte* erscheinen als Band 803 der Insel-Bücherei im Insel Verlag, Wiesbaden.

1964   Das Hermann-Hesse-Archiv in Marbach wird gegründet.

1965   *Prosa aus dem Nachlaß* (herausgegeben von

Ninon Hesse) erscheint bei Suhrkamp.
Neue Deutsche Bücher, Literaturberichte für
»Bonniers Litterära Magasin« 1935 bis 1936
(herausgegeben von Berhard Zeller), in der
Turmhahn-Bücherei des Schiller-Nationalmu-
seums, Marbach.

1966   *Kindheit und Jugend vor Neuzehnhundert*,
Hermann Hesse in Briefen und Lebenszeug-
nissen 1877 bis 1895 (herausgegeben von Ninon
Hesse), erscheint im Suhrkamp Verlag.
Tod von Ninon Hesse.

1968   *Hermann Hesse – Thomas Mann*, Briefwechsel (herausgegeben von Anni Carlsson), erscheint bei Suhrkamp und S. Fischer.

1969   *Hermann Hesse – Peter Suhrkamp*, Briefwechsel (herausgegeben von Siegfried Unseld), erscheint bei Suhrkamp.

1970   *Hermann Hesse Werkausgabe* in zwölf Bänden, mit einer Auswahl von Hesses Bücher-
berichten u. d. T. *Eine Literaturgeschichte in
Rezensionen und Aufsätzen* (herausgegeben
von Volker Michels), erscheint bei Suhrkamp.

1971   *Hermann Hesse – Helene Voigt-Diederichs.*
Zwei Autorenportraits in Briefen (herausgegeben von Bernhard Zeller), erscheint bei Diede-
richs, Köln.

1972   Materialien zu Hermann Hesses *Der Steppenwolf* bei Suhrkamp.

1973   *Gesammelte Briefe*, Band 1, 1895–1921 (herausgegeben von Volker/Ursula Michels und
Heiner Hesse), bei Suhrkamp.
Die Kunst des Müßiggangs, kurze Prosa aus
dem Nachlaß und Materialien zu Hermann
Hesses *Das Glasperlenspiel* (beide herausgegeben von Volker Michels) bei Suhrkamp.
Hermann Hesse. Eine Werkgeschichte. (Herausgegeben von Siegfried Unseld) bei Suhrkamp.

1974   Materialien zu Hermann Hesses *Siddhartha*
(herausgegeben von Volker Michels) bei Suhrkamp.

1977   *Kleine Freuden.* Kurze Prosa aus dem Nachlaß. (Herausgegeben von Volker Michels),
Politik des Gewissens. Die Politischen Schrif-

ten 1914–1962, 2 Bände (herausgegeben von Volker Michels), *Hermann Hesse – R. J. Humm,* Briefwechsel (herausgegeben von Volker und Ursula Michels), erscheinen bei Suhrkamp, ebenso *Die Welt der Bücher.* Betrachtungen und Aufsätze zur Literatur.

Hermann Hesse. Bodensee. Betrachtungen, Erzählungen, Gedichte (herausgegeben von Volker Michels), bei Thorbecke, Sigmaringen.

Hermann Hesse als Maler, ausgewählt von Bruno Hesse und Sandor Kuthy, bei Suhrkamp.

1978   *Kindheit und Jugend vor Neunzehnhundert,* Band 2 (herausgegeben von Gerhard Kirchhoff), bei Suhrkamp.

Hermann Hesse – Heinrich Wiegand, Briefwechsel (herausgegeben von Klaus Pezold), erscheint im Aufbau Verlag, Berlin, DDR.

1979   *Gesammelte Briefe,* Band 2, 1922–1935, erscheint bei Suhrkamp.

Hermann Hesse. Sein Leben in Bildern und Texten. Von Volker Michels, erscheint bei Suhrkamp.

Theodore Ziolkowski, *Der Schriftsteller Hermann Hesse.*

1982   *Gesammelte Briefe,* Band 3, 1936–1948.

Ralph Freedman, *Hermann Hesse, Autor der Krisis.* Eine Biographie.